2025-26年合格目標

大卒程度 公務員試験

# ⑫ 行政法

# はしがき

## 1 「最新の過去問」を掲載

2024年に実施された公務員の本試験問題をいち早く掲載しています。公務員試験は年々変化しています。今年の過去問で最新の試験傾向を把握しましょう。

## 2 段階的な学習ができる

公務員試験を攻略するには、さまざまな科目を勉強することが必要です。したがって、勉強の効率性は非常に重要です。『公務員試験 本気で合格！過去問解きまくり！』では、それぞれの科目で勉強すべき項目をセクションとして示し、必ずマスターすべき必修問題を掲載しています。このため、何を勉強するのかをしっかり意識し、必修問題から実践問題（基本レベル→応用レベル）とステップアップすることができます。問題ごとに試験種ごとの頻出度がついているので、自分にあった効率的な勉強が可能です。

## 3 満足のボリューム（充実の問題数）

本試験問題が解けるようになるには良質の過去問を繰り返し解くことが必要です。『公務員試験 本気で合格！過去問解きまくり！』は、なかなか入手できない地方上級の再現問題を収録しています。類似の過去問を繰り返し解くことで知識の定着と解法パターンの習得を図れます。

## 4 メリハリをつけた効果的な学習

公務員試験の攻略は過去問に始まり過去問に終わるといわれていますが、実際に過去問の学習を進めてみると戸惑うことも多いはずです。『公務員試験 本気で合格！過去問解きまくり！』では、最重要の知識を絞り込んで学習ができるインプット（講義ページ）、効率的な学習の指針となる出題傾向分析、受験のツボをマスターする10の秘訣など、メリハリをつけて必要事項をマスターするための工夫が満載です。

※本書は、2025年４月時点で施行されている、または施行予定の法律に基づいて作成しています。

みなさんが本書を徹底的に活用し、合格を勝ち取っていただけたら、わたくしたちにとってもそれに勝る喜びはありません。

2024年10月吉日

株式会社　東京リーガルマインド
LEC総合研究所　公務員試験部

# 本書の効果的活用法

## STEP1 出題傾向をみてみよう

各章の冒頭には、取り扱うセクションテーマについて、過去９年間の出題傾向を示す一覧表と、各採用試験でどのように出題されたかを分析したコメントを掲載しました。志望先ではどのテーマを優先して勉強すべきかがわかります。

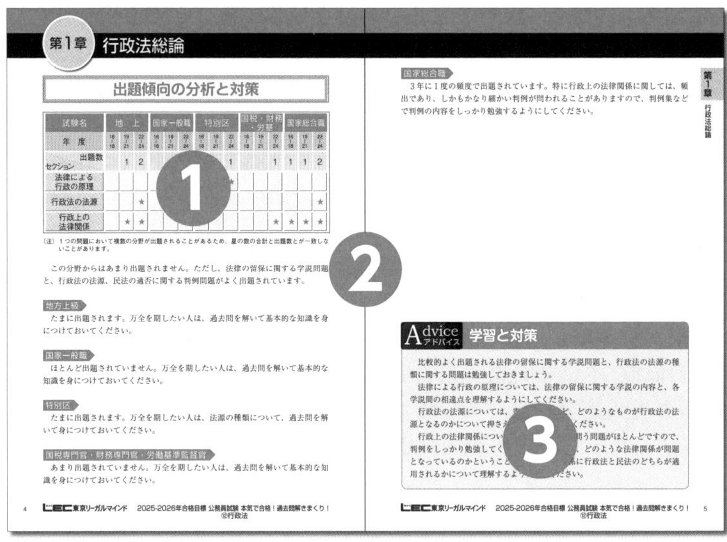

### ❶出題傾向一覧

章で取り扱うセクションテーマについて、過去９年間の出題実績を数字や★で一覧表にしています。出題実績も９年間を３年ごとに区切り、出題頻度の流れが見えるようにしています。志望先に★が多い場合は重点的に学習しましょう。

### ❷各採用試験での出題傾向分析

出題傾向一覧表をもとにした各採用試験での出題傾向分析と、分析に応じた学習方法をアドバイスします。

### ❸学習と対策

セクションテーマの出題傾向などから、どのような対策をする必要があるのかを紹介しています。

### ●公務員試験の名称表記について

本書では公務員試験の職種について、下記のとおり表記しています。

| 表記 | 名称 |
|---|---|
| 地上 | 地方公務員上級（※1） |
| 東京都 | 東京都職員 |
| 特別区 | 東京都特別区職員 |
| 国税 | 国税専門官 |
| 財務 | 財務専門官 |
| 労基 | 労働基準監督官 |
| 裁判所職員 | 裁判所職員（事務官）／家庭裁判所調査官補（※2） |
| 裁事 | 裁判所事務官（※2） |
| 家裁 | 家庭裁判所調査官補（※2） |
| 国家総合職 | 国家公務員総合職 |
| 国家総合職教養区分 | 国家公務員総合職（教養区分） |
| 国Ⅰ | 国家公務員Ⅰ種（※3） |
| 国家一般職 | 国家公務員一般職 |
| 国Ⅱ | 国家公務員Ⅱ種（※3） |
| 国立大学法人 | 国立大学法人等職員 |

（※1）道府県、政令指定都市、政令指定都市以外の市役所などの職員

（※2）2012年度以降、裁判所事務官（2012～2015年度は裁判所職員）・家庭裁判所調査官補は、教養科目に共通の問題を使用

（※3）2011年度まで実施されていた試験区分

## STEP2 「必修」問題に挑戦してみよう

「必修」問題はセクションテーマを代表する問題です。まずはこの問題に取り組み、そのセクションで学ぶ内容のイメージをつかみましょう。問題文の周辺には、そのテーマで学ぶべき内容や覚えるべき要点を簡潔にまとめていますので参考にしてください。

本書の問題文と解答・解説は見開きになっています。効率よく学習できます。

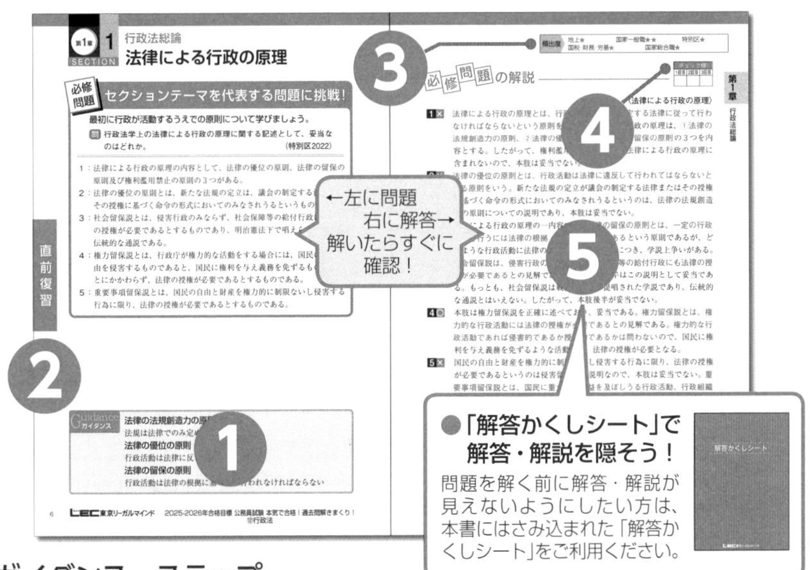


### ❶ ガイダンス、ステップ

「ガイダンス」は必修問題を解くヒント、ひいてはテーマ全体のヒントです。

「ステップ」は必修問題において、そのテーマを理解するために必要な知識を整理したものです。

### ❷ 直前復習

必修問題と、後述の実践問題のうち、ＬＥＣ専任講師が特に重要な問題を厳選しました。試験の直前に改めて復習しておきたい問題を表しています。

### ❸ 頻出度

各採用試験において、この問題がどのくらい出題頻度が高いか＝重要度が高いかを★の数で表しています。志望先に応じて学習の優先度を付ける目安となります。

### ❹ チェック欄

繰り返し学習するのに役立つ、書き込み式のチェックボックスです。学習日時を書き込んで復習の期間を計る、正解したかを○×で書き込んで自身の弱点分野をわかりやすくするなどの使い方ができます。

### ❺ 解答・解説

問題の解答と解説が掲載されています。選択肢を判断する問題では、肢１つずつに正誤と詳しく丁寧な解説を載せてあります。また、重要な語句や記述は太字や色文字などで強調していますので注目してください。

## STEP3 テーマの知識を整理しよう

必修問題の直後に、セクションテーマの重要な知識や要点をまとめた「インプット」を設けています。この「インプット」で、自身の知識を確認し、解法のテクニックを習得してください。

第1章 SECTION 1 行政立法
**行政立法**

**1 行政立法の意義**

行政立法とは、行政機関が法条の　　　　を制定する作用の総称、またはそのような作用によって制定された　　　　す。行政立法は、法規命令と行政規則に分類されます。

**2 法規命令とは**

行政機関が制定する私人の権利　　　　規範を、法規命令といいます。

憲法73条6号は、法律の委任に基づいて行政機関が立法作用を行うことを認めています。

**3 法律の授権（委任）**

行政機関が法律の規定を離れて独自に法規を定めることができるとすれば、憲法が国会を「唯一の立法機関」とした趣旨は失われてしまいます。そこで、法規命令を制定するには、法律の授権が必要であるとされています（憲法73条6号）。

ミニ知識　明治憲法は、法律に基づくことなく行政権が独自の判断で発する独立命令を認めていました。しかし、国会を唯一の立法機関（憲法41条）としている日本国憲法下では、独立命令の制定は一切認められていません。

**4 委任命令**

**(1) 委任命令とは**

委任命令とは、法律の授権を受けて法律の規定を補充し、具体化するために、私人の権利義務の内容を定める法規命令をいいます。

**(2) 法律の授権の程度**

委任命令は、私人の権利義務の内容自体を定めるものであるため、その制定には法律の個別具体的な授権が必要であると解されています。

**(3) 委任命令の限界**

**① 法律による委任の限界**

法律による委任は、包括的な委任（白紙委任）であってはならず、個別具体的な委任でなければならない、と解されています（白紙委任の禁止）。

判例チェック　国家公務員の政治的行為の制限について人事院規則に委任した国家公務員法の規定が白紙委任の禁止に反しないかが争われた事件で、判例は、理由を明示せずに、憲法に反しないとしました（猿払事件、最大判昭49.11.6）。

104 LEC東京リーガルマインド　2025-2026年合格目標 公務員試験 本気で合格！過去問解きまくり！ ⑫行政法

INPUT

第1章 行政立法

なお、委任された事項の再委任が許されるかについては、委任した法律が再委任を禁止する趣旨でない限り許される、と解されています（最大判昭33.7.9）。

**② 委任命令制定の限界**

委任命令は、法律の委任の範囲内で定められなければなりません。委任の範囲を超えた委任命令は、法律に違反するものとして無効とされます。

ミニ知識　委任命令は法律の委任に基づいて制定されるので、根拠となる法律が廃止されたときや、当該法規命令と抵触する法律が制定されたときには、効力を失います。

判例　〈サーベル事件〉（最判平2.2.1）
【事案】銃砲刀剣類登録規則が定めた美術品として価値のある刀剣類の登録のための鑑定基準が対象を日本刀に限定したことが、旧銃刀法の委任の範囲を逸脱しないかが争われた事件
【判旨】銃刀法はどのような鑑定の基準を定めるかについて、所管行政庁に専門技術的観点からの一定の裁量権を認めているため、対象を日本刀に限定しても、法律の委任の趣旨を逸脱しない。

判例　〈幼児接見禁止事件〉（最判平3.7.9）
【事案】被勾留者と幼年者との接見を原則禁止としていた旧監獄法施行規則　　法の委任の範囲を逸脱しないかが争われた事件
　　法は接見許可を原則とする立場にあるから、旧監獄法施行規　　接見を原則として不許可とし、許可を例外としていることは、　　無効である。

**5 執**

**(1) 執行**

執行命令とは、私人の権利義務の内容を実現するための手続・実施の細目を定める法規命令をいいます。

**(2) 法律の授権の程度**

執行命令の制定には法律の一般的授権があれば足り、個別具体的授権は必要ではない、とされています。

補足　憲法73条6号本文、国家行政組織法12条1項が、執行命令の制定を行政機関に対して一般的に授権した条文だとされています。

**6 行政規則とは**

行政機関が定立する規範のうち、行政組織の内部に対する効力のみを有し、私

LEC東京リーガルマインド　2025-2026年合格目標 公務員試験 本気で合格！過去問解きまくり！ ⑫行政法 105

### ❶「インプット」本文

セクションテーマの重要な知識や要点を、文章や図解などで整理しています。重要な語句や記述は太字や色文字などで強調していますので、逃さず押さえておきましょう。

### ❷ サポートアイコン

「インプット」本文の内容を補強し、要点を学習しやすくする手助けになります。以下のようなアイコンがありますので学習に役立ててください。

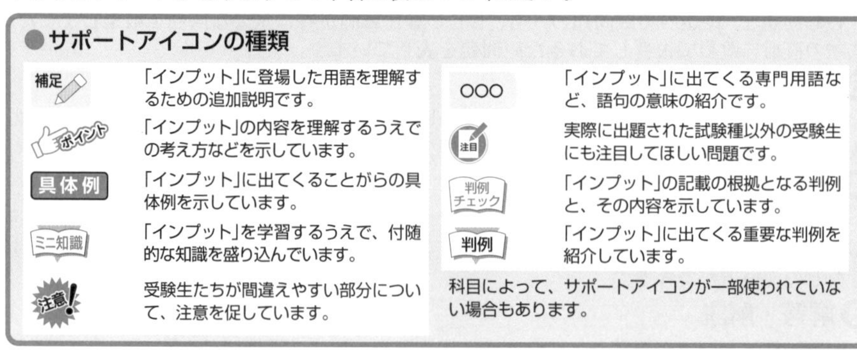

●サポートアイコンの種類

| | |
|---|---|
| 補足 | 「インプット」に登場した用語を理解するための追加説明です。 |
| ポイント | 「インプット」の内容を理解するうえでの考え方などを示しています。 |
| 具体例 | 「インプット」に出てくることがらの具体例を示しています。 |
| ミニ知識 | 「インプット」を学習するうえで、付随的な知識を盛り込んでいます。 |
| 注意！ | 受験生たちが間違えやすい部分について、注意を促しています。 |
| OOO | 「インプット」に出てくる専門用語など、語句の意味の紹介です。 |
| 注目 | 実際に出題された試験種以外の受験生にも注目してほしい問題です。 |
| 判例チェック | 「インプット」の記載の根拠となる判例と、その内容を示しています。 |
| 判例 | 「インプット」に出てくる重要な判例を紹介しています。 |

科目によって、サポートアイコンが一部使われていない場合もあります。

## STEP4 「実践」問題を解いて実力アップ!

「インプット」で知識の整理を済ませたら、本格的に過去問に取り組みましょう。「実践」問題ではセクションで過去に出題されたさまざまな問題を、基本レベルから応用レベルまで収録しています。

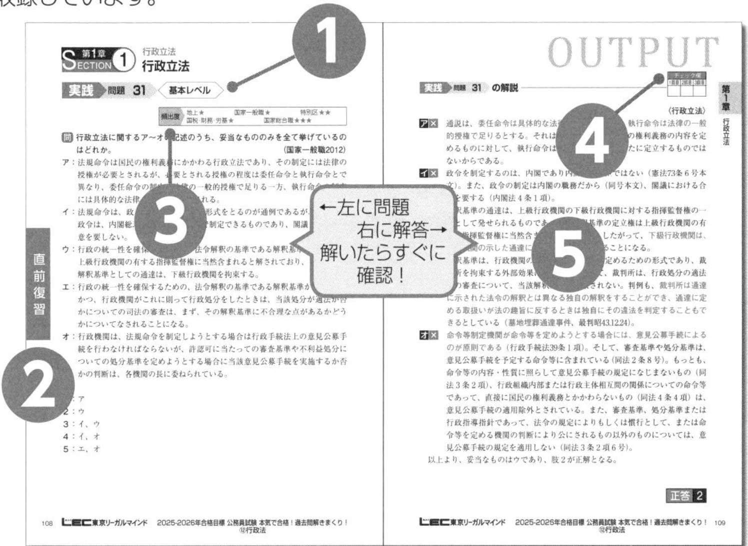


### ❶難易度

収録された問題について、その難易度を「基本レベル」「応用レベル」で表しています。

1周目は「基本レベル」を中心に取り組んでください。2周目からは、志望先の採用試験について頻出度が高い「応用レベル」の問題にもチャレンジしてみましょう。

### ❷直前復習、❸頻出度、❹チェック欄、❺解答・解説

※各項目の内容は、STEP 2をご参照ください。

## STEP5 「章末CHECK」で確認しよう

章末には、この章で学んだ内容を一問一答形式の問題で用意しました。
知識を一気に確認・復習しましょう。

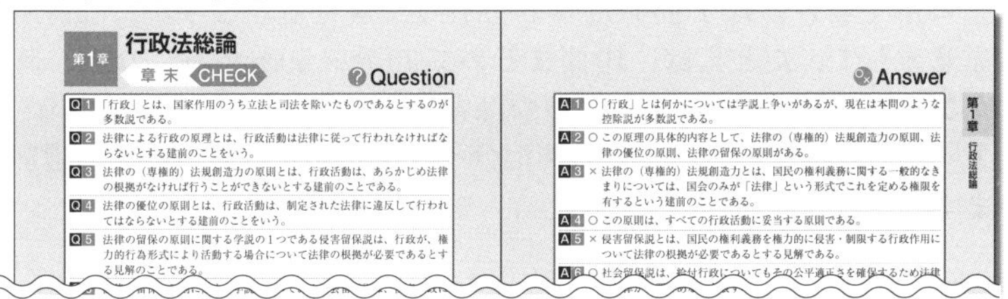

**LEC専任講師が、『過去問解きまくり！』を使った「オススメ学習法」をアドバイス！⇒**

# 講師のオススメ学習法

## どこから手をつければいいのか?

まず各章の最初にある「出題傾向の分析と対策」を見て、その章の中で出題数が多いセクションがどこなのかを確認してください。

そのセクションを捨ててしまうと致命傷になりかねません。必ず取り組むようにしてください。逆に出題数の少ないセクションは1度解くにとどめる程度でよいでしょう。

各セクションにおいては、①最初に、必修問題に挑戦し、そのセクションで学ぶ内容のイメージをつけてください。②次に、必修問題の次ページのインプットの項目で、そのセクションで学習する考え方や知識を学びます。③そして、いよいよ実践問題に挑戦です。実践問題の基本レベルの問題を解いてみましょう。

## 演習のすすめかた

本試験で行政法の解答に割くことができる時間は1問あたり3分程度です。

### ❶1周目（数分～20分程度：解法を学ぶため時間は気にしない）

最初は解答に至るまで考え抜くという姿勢が重要なので、いろいろと試行錯誤することになります。したがって、この段階では時間を気にしないで解けそうなら20分でも時間をかけ、解けなければ解説を見て考え方を学んでください。

### ❷2周目（3分～10分程度：解けるかどうかを確認するため時間内に解けなくてもよい）

問題集をひととおり終えて2周目に入ったときは、時間を意識して解いていきましょう。ただし、時間内に解けなくても気にしなくてもよいです。2周目は解答に至るプロセスと知識を覚えているかどうかの復習に重点を置くので、実際に解くことができるという実感が大切です。問題を自分の力で解くということを意識してください。

### ❸3周目以降や直前期（3分程度：時間内に解くことを意識する）

3周目以降や直前期は逆に時間を意識するようにしてください。このとき、1問ごとに解く場合には1問あたり3分程度で解けるかどうか、直前期などは本試験を意識して、たとえば、10問まとめて30分～40分で解くなど、時間内に何問解くことができるのかというような練習をしてください。

まとまった問題数を解くことで時間配分や時間がかかる問題を取捨選別する力を養います。

## 一般的な学習のすすめかた（目標正答率80%以上）

行政組織法、行政作用法、行政救済法をひととおり学習する場合です。

全体的に学習することで、さまざまな職種や問題に対応することができることから、安定して合格に必要な得点をとることを目指します。

セクション１から順にすべての範囲を解いてください。得意な分野については実践問題の応用レベルにも挑戦していきましょう。

## ほどほどに学習する場合のすすめかた（目標正答率60～70%）

試験まで時間はあるが、この科目にあまり時間をかけられない場合です。

頻出分野に絞って練習をすることにより、効率よく合格に必要な得点をとることを目指します。

学習のすすめかたは、最初に確認した「出題傾向の分析と対策」の中で出題数が多い分野を優先的に学習します。目指す職種が決まっている方はその職種の出題数に応じて分野の調整をしてください。

具体的には、行政組織法では、権限の代行、権限の監督、国家行政組織法の条文知識、行政作用法では、行政行為、行政立法、行政指導、行政救済法では、行政事件訴訟法、国家賠償法の優先順位が高くなっています。また、職種によっては地方自治法からの出題が目立つものもあります。

## 短期間で学習する場合のすすめかた（目標正答率50～60%）

試験までの日数が少なく、短期間で最低限必要な学習をする場合です。

学習効果が高い問題に絞って演習をすることにより、最短で合格に必要な得点をとることを目指します。

学習のすすめかたは、以下の「講師が選ぶ『直前復習』50問」に掲載されている問題を解くことが肝要です。

### 直前復習

**講師が選ぶ「直前復習」50問**

必修問題42問 ＋

| | | | | |
|---|---|---|---|---|
| 実践１ | 実践41 | 実践70 | 実践109 | 実践139 |
| 実践６ | 実践46 | 実践74 | 実践117 | 実践142 |
| 実践11 | 実践50 | 実践76 | 実践119 | 実践146 |
| 実践14 | 実践53 | 実践78 | 実践121 | 実践147 |
| 実践18 | 実践56 | 実践80 | 実践127 | 実践153 |
| 実践26 | 実践58 | 実践82 | 実践129 | 実践168 |
| 実践30 | 実践60 | 実践86 | 実践133 | 実践169 |
| 実践31 | 実践62 | 実践90 | 実践134 | 実践174 |
| 実践34 | 実践64 | 実践101 | 実践136 | 実践179 |
| 実践38 | 実践67 | 実践105 | 実践138 | 実践183 |

# 目次 CONTENTS

NOTE

# 行政法をマスターする10の秘訣

❶ 過去問は合格への航海日誌。

❷ いつも心に体系を。いつも頭に条文を。

❸ 行政法の学習が憲法に活きる。

❹ 具体的なイメージを持て。

❺ 2度出る問題は、3度出る。

❻ 出題者のメッセージを読み取れ。

❼ 過去問を使って出題ポイントをつかめ。

❽ 手を広げるな。ど真ん中を繰り返せ。

❾ 判例は事実関係をまず把握する。

❿ 基本に忠実に。最後まで着実に。

行政

# 第1編

# 行政法の基本原理

# 第1章

# 行政法総論

SECTION

# 第1章 行政法総論

## 出題傾向の分析と対策

| 試験名 | 地 上 | | | 国家一般職 | | | 特別区 | | | 国税・財務・労基 | | | 国家総合職 | | |
|---|---|---|---|---|---|---|---|---|---|---|---|---|---|---|---|
| 年 度 | 16-18 | 19-21 | 22-24 | 16-18 | 19-21 | 22-24 | 16-18 | 19-21 | 22-24 | 16-18 | 19-21 | 22-24 | 16-18 | 19-21 | 22-24 |
| 出題数 / セクション | | 1 | 2 | | | | | 1 | 1 | | | 1 | 1 | 1 | 2 |
| 法律による行政の原理 | | | | | | | | | ★ | | | | | | |
| 行政法の法源 | | | ★ | | | | | ★ | | | | | | | ★ |
| 行政上の法律関係 | | ★ | ★ | | | | | | | | | ★ | ★ | ★ | ★ |

（注）１つの問題において複数の分野が出題されることがあるため、星の数の合計と出題数とが一致しないことがあります。

この分野からはあまり出題されません。ただし、法律の留保に関する学説問題と、行政法の法源、民法の適否に関する判例問題がよく出題されています。

### 地方上級

たまに出題されます。万全を期したい人は、過去問を解いて基本的な知識を身につけておいてください。

### 国家一般職

ほとんど出題されていません。万全を期したい人は、過去問を解いて基本的な知識を身につけておいてください。

### 特別区

たまに出題されます。万全を期したい人は、法源の種類について、過去問を解いて身につけておいてください。

### 国税専門官・財務専門官・労働基準監督官

あまり出題されていません。万全を期したい人は、過去問を解いて基本的な知識を身につけておいてください。

国家総合職

3年に1度の頻度で出題されています。特に行政上の法律関係に関しては、頻出であり、しかもかなり細かい判例が問われることがありますので、判例集などで判例の内容をしっかり勉強するようにしてください。

## Advice アドバイス 学習と対策

比較的よく出題される法律の留保に関する学説問題と、行政法の法源の種類に関する問題は勉強しておきましょう。

法律による行政の原理については、法律の留保に関する学説の内容と、各学説間の相違点を理解するようにしてください。

行政法の法源については、憲法や法律など、どのようなものが行政法の法源となるのかについて押さえておくようにしてください。

行政上の法律関係については、判例の内容を問う問題がほとんどですので、判例をしっかり勉強してください。判例ごとに、どのような法律関係が問題となっているのかということと、その法律関係に行政法と民法のどちらが適用されるかについて理解するようにしてください。

## 行政法総論
# 法律による行政の原理

**必修問題** セクションテーマを代表する問題に挑戦！

**最初に行政が活動するうえでの原則について学びましょう。**

**問** 行政法学上の法律による行政の原理に関する記述として、妥当なのはどれか。 （特別区2022）

1：法律による行政の原理の内容として、法律の優位の原則、法律の留保の原則及び権利濫用禁止の原則の３つがある。

2：法律の優位の原則とは、新たな法規の定立は、議会の制定する法律又はその授権に基づく命令の形式においてのみなされうるというものである。

3：社会留保説とは、侵害行政のみならず、社会保障等の給付行政にも法律の授権が必要であるとするものであり、明治憲法下で唱えられて以来の伝統的な通説である。

4：権力留保説とは、行政庁が権力的な活動をする場合には、国民の権利自由を侵害するものであると、国民に権利を与え義務を免ずるものであるとにかかわらず、法律の授権が必要であるとするものである。

5：重要事項留保説とは、国民の自由と財産を権力的に制限ないし侵害する行為に限り、法律の授権が必要であるとするものである。

直前復習

**Guidance ガイダンス**

**法律の法規創造力の原則**
法規は法律でのみ定めることができる
**法律の優位の原則**
行政活動は法律に反してはならない
**法律の留保の原則**
行政活動は法律の根拠に基づいて行われなければならない

| 頻出度 | 地上★　国家一般職★★　特別区★ |
|---|---|
| | 国税・財務・労基★　国家総合職★ |

| チェック欄 | | |
|---|---|---|
| 1回目 | 2回目 | 3回目 |
| | | |

## 必修問題の解説

〈法律による行政の原理〉

**1 ×** 法律による行政の原理とは、行政活動は国会の制定する法律に従って行わなければならないという原則をいう。法律による行政の原理は、①法律の法規創造力の原則、②法律の優位の原則、③法律の留保の原則の３つを内容とする。したがって、権利濫用禁止の原則は、法律による行政の原理に含まれないので、本肢は妥当でない。

**2 ×** 法律の優位の原則とは、行政活動は法律に違反して行われてはならないとする原則をいう。新たな法規の定立が議会の制定する法律またはその授権に基づく命令の形式においてのみなされうるというのは、法律の法規創造力の原則についての説明であり、本肢は妥当でない。

**3 ×** 法律による行政の原理の一内容である法律の留保の原則とは、一定の行政活動を行うには法律の根拠（授権）が必要であるという原則であるが、どのような行政活動に法律の授権が必要となるかにつき、学説上争いがある。社会留保説は、侵害行政のみならず、社会保障等の給付行政にも法律の授権が必要であるとの見解であるので、本肢前半はこの説明として妥当である。もっとも、社会留保説は戦後になって提唱された学説であり、伝統的な通説とはいえない。したがって、本肢後半が妥当でない。

**4 ○** 本肢は権力留保説を正確に述べており、妥当である。権力留保説とは、権力的な行政活動には法律の授権が必要であるとの見解である。権力的な行政活動であれば侵害的であるか授益的であるかは問わないので、国民に権利を与え義務を免ずるような活動でも、法律の授権が必要となる。

**5 ×** 国民の自由と財産を権力的に制限ないし侵害する行為に限り、法律の授権が必要であるというのは侵害留保説の説明なので、本肢は妥当でない。重要事項留保説とは、国民に重大な不利益を及ぼしうる行政活動、行政組織の基本的枠組み、基本的な政策・計画という重要な事項については法律の授権が必要であるとの見解であり、本質留保説ともいう。重要事項留保説は、侵害留保説を基本としつつ、国民にとって授益的ないし非権力的な行政活動であっても、上記のような重要事項については法律で定めるべきであるという点に特徴がある。

**正答 4**

第1章 SECTION 1 行政法総論

# 法律による行政の原理

## 1 法律による行政の原理の内容

法律による行政の原理とは、行政活動は法律に従って行わなければならないとする建前をいいます。この原理の具体的内容として、以下の3つの原則が挙げられます。

### (1) 法律の法規創造力の原則

国民の権利義務に関する一般的なきまり（法規）については、国会のみが「法律」という形式で定める権限があるとする建前をいいます。

法律の法規創造力の原則から、国会以外の機関が法規を作るためには、法律による授権が必要となります。
法律による授権を得て行政機関が定めた法規のことを、委任立法といいます。

### (2) 法律の優位の原則

行政活動は、法律に違反して行われてはならないとする建前をいいます。

「法律の優位の原則」は、すべての行政活動に妥当します。

### (3) 法律の留保の原則

行政活動をするには、あらかじめ法律の根拠がなければならないとする建前をいいます。

## 2 法律の留保の原則に関する学説

| 侵害(規制)行政 | 国民の権利・自由を侵害・制限する行政活動 |
|---|---|
| 授益(給付)行政 | 財やサービスを提供する行政活動 |

### (1) 侵害留保説

国民の権利・自由を権力的に侵害・制限する行政作用について法律の根拠が必要であるとする見解です。立法実務はこの見解に立っています。

### (2) 社会留保説

侵害行政に加え、社会権確保を目的としてなされる、国民に財やサービスを提供する給付行政についても法律の根拠が必要であるとする見解です。

### (3) 全部留保説

あらゆる行政活動に法律の根拠が必要であるとする見解です。

### (4) 権力留保説

行政が権力的行為形式により活動する場合について法律の根拠が必要であるとする見解です。

#### ■法律の留保の原則に関する各説のまとめ①

| | 根拠 | 批判 |
|---|---|---|
| 侵害留保説 | 侵害行政における行政庁の勝手な判断を抑制し、国民の権利・自由の保護を図る必要がある。 | 法律から自由な活動領域を認めるのは国民のコントロールの及ばない活動を認めることになり許されない。 |
| 社会留保説 | 平等原則（憲法14条１項）、福祉国家理念（憲法25条）の観点から、給付行政が公平かつ適正に行われる必要がある。 | あらゆる給付行政に法律の根拠を必要とするのか、限界をつけるとしてそれをどう決めるのかという問題がある。 |
| 全部留保説 | 民主主義の観点からすれば、国会の定める法律によるコントロールは、すべての行政活動に及ぶものと解すべき。 | 現代福祉国家における多様かつ流動的な行政需要に適切に対応できない。 |
| 権力留保説 | 国民主権原理を採用する憲法のもとでは、行政権が私人に対し行使する「権力」は、法律以前には存在しない。 | 非権力的行政活動がすべて法律の留保の枠外に置かれることになってしまう。 |

#### ■法律の留保の原則に関する各説のまとめ②

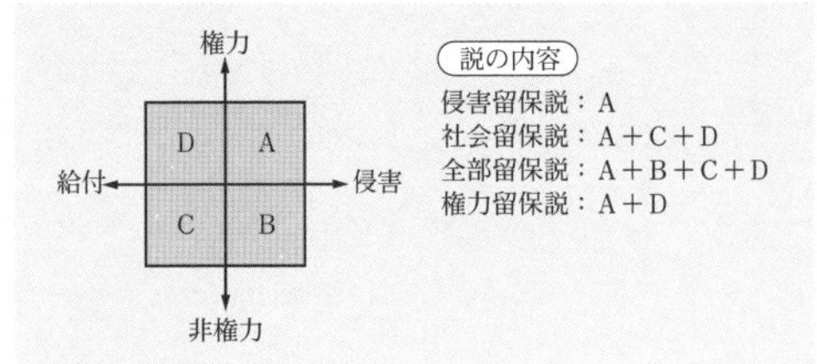


**具体例**

A…営業停止処分など
B…公害防止協定など
C…水道水供給契約など
D…生活保護支給決定など

行政法総論
# 法律による行政の原理

## 実践 問題 1 基本レベル

頻出度 地上★ 国家一般職★★ 特別区★ 国税·財務·労基★ 国家総合職★

問 次の文章は、法律の留保の原則について述べたものである。空欄A～Cに入るものをア～カから選んだ組合せとして妥当なのはどれか。

法律の留保の原則は、行政機関が特定の行政活動を行う場合に、事前に法律でその根拠が規定されていなければならないとするものであるが、いかなる行政活動を行う場合に法律の根拠が必要かについては様々な考え方がある。

侵害留保説は、［ A ］には法律の根拠を必要とするという考え方であり、現在の立法実務はこの説によっていると解されている。侵害留保説によれば、［ B ］は、法律の根拠を必要とすることになるが、［ C ］は、法律の根拠を必要としないことになる。 (国家一般職2012)

ア：国民の権利義務を一方的決定により変動させる行政活動
イ：国民の自由と財産を侵害する行政活動
ウ：宅地開発業者に対して当該業者の任意性を損なうことがない範囲で寄付金の納付を求める行為
エ：違法建築物の除却、移転、改築等を命ずる行為
オ：住宅に太陽光発電装置を設置した者に対する補助金の交付決定
カ：感染症の患者を強制的に入院させる行為

1：A—ア　B—ウ　C—エ、オ、カ
2：A—ア　B—ウ、オ　C—エ、カ
3：A—ア　B—エ、カ　C—ウ、オ
4：A—イ　B—エ、カ　C—ウ、オ
5：A—イ　B—オ、カ　C—ウ、エ

直前復習

チェック欄

| 1回目 | 2回目 | 3回目 |
| --- | --- | --- |
| | | |



## 実践 問題 1 の解説

〈法律による行政の原理〉

侵害留保説は、国民の自由と財産を侵害する行政活動には法律の根拠を必要とする考え方である。これは、侵害行政については、自由主義的見地から法律の根拠が必要であるが、給付行政は個人に便益を与えるものであり、また、この種の活動については法律で縛ることなく行政の自由度を高めておくほうが、むしろ国民の利益になるという判断から、給付行政には法律の根拠は不要と解されている。実務では、単純に補助金の交付のみを目的とする規定は法律で設けないこととし、現在なおこの種の規定がある場合については、廃止の措置を漸次進めるものとすることとする閣議決定（「内閣提出法律案の整理について」昭和38年９月13日）が出されており、実務は侵害留保説に立っているものと解されている。したがって、Ａにはイが入る。

侵害留保説によれば、侵害行政について法律の根拠を要することになるので、Ｂには侵害行政であるエおよびカが入る。これに対し、非権力行政については法律の根拠は不要とされるので、非権力行政であるウおよびオが入る。

なお、アの国民の権利義務を一方的決定により変動させる行政活動には法律の根拠が必要とするという考え方は、権力留保説である。権力留保説の特徴は、授益的決定のように相手方の利益となる行政行為であっても、行政庁の一方的決定による権利義務の変動については法律の根拠が必要となる点にある。権力留保説では、オが行政庁の一方的な補助金の交付決定により国民に権利を与えるものであるから、エ・カのみならず、オについても法律の根拠が必要となるとされている。

以上より、Ａ－イ、Ｂ－エ、カ、Ｃ－ウ、オであり、肢４が正解となる。

**正答 4**

第1章 SECTION 1 行政法総論

# 法律による行政の原理

## 実践 問題 2 基本レベル

頻出度 地上★ 国家一般職★★ 特別区★ 国税･財務･労基★ 国家総合職★

**問 法律による行政の原理に関するア～オの記述のうち、妥当なもののみをすべて挙げているのはどれか。 (国Ⅰ2010)**

ア：法規命令も条例も法律に違反すると認められるときは違法となるところ、これらが法律に違反するか否かを判断するための基準として、判例は同一のものを用いている。

イ：憲法第84条について、判例は、租税法律主義と侵害留保原理それぞれの歴史的由来が異なることから、同条は、侵害留保原理の考え方とは関連を持たないとの理解に立っている。

ウ：判例は、授益的行政行為（行政処分）の撤回につき、与えられた利益の剥奪であるとして、侵害留保原則に基づき、撤回を認める個別的な法律上の根拠を要求している。

エ：我が国の現行法制度の下では、行政行為（行政処分）により課された義務を私人が履行しないため行政が行政上の強制執行を行うには、行政行為（行政処分）により私人に義務を課すことを認める法律上の根拠に加えて、当該義務の行政上の強制執行を認める別の法律上の根拠が必要であると一般に解されている。

オ：行政機関による行政指導について、判例は、一般に、行政機関は、その任務ないし所掌事務の範囲内において、一定の行政目的を実現するため、特定の者に一定の作為又は不作為を求める指導、勧告、助言等をすることができるとしている。

1：ア、イ
2：ア、オ
3：イ、ウ
4：ウ、エ
5：エ、オ

（参考）日本国憲法

第84条　あらたに租税を課し、又は現行の租税を変更するには、法律又は法律の定める条件によることを必要とする。

チェック欄

| 1回目 | 2回目 | 3回目 |
|---|---|---|
| | | |



## 実践 問題 2 の解説

〈法律による行政の原理〉

**ア ×** 判例は、法規命令については授権した法律の委任の範囲、趣旨を逸脱しているかどうかを基準とし（サーベル事件、最判平2.2.1。幼児接見禁止事件、最判平3.7.9）、条例については法律の趣旨、目的、内容、効果を比較して法律と矛盾抵触しないかを基準としている（徳島市公安条例事件、最大判昭50.9.10）。

**イ ×** 判例は、租税法律主義について定める憲法84条は国民に対して義務を課しまたは権利を制限するには法律の根拠を要するという侵害留保原則を租税について厳格化した形で明文化したものというべきであるとする（最大判平18.3.1）。

**ウ ×** 判例は、授益的行政行為の撤回について、個別の法律上の根拠を要しないとする（実子あっせん事件、最判昭63.6.17）。

**エ ○** 侵害留保の原則から、私人に義務を課すのみならず、当該義務の行政上の強制執行についても法律上の根拠が必要であると解されている。

**オ ○** 判例は、行政指導について、本記述と同様の趣旨の定義をする（最大判平7.2.22）。

以上より、妥当なものはエ、オであり、肢5が正解となる。

【参考】

**行政の意味**
国家作用から立法および司法を除いた残りの作用（控除説）

**行政法の分類**
行政組織法……行政組織について定めた法
行政作用法……行政と私人の間の行政活動について定めた法
行政救済法……行政活動による私人の権利侵害の救済を図るための法

**正答 5**

行政法総論
# 法律による行政の原理

## 実践 問題 3 基本レベル

| 頻出度 | 地上★ | 国家一般職★★ | 特別区★ |
|---|---|---|---|
| | 国税·財務·労基★ | 国家総合職★ | |

問 （Ⅰ説） 行政庁が国民の自由や財産を侵害する場合には、法律の根拠が必要である。
（Ⅱ説） すべての行政活動に、法律の根拠が必要である。
（Ⅲ説） 行政庁の権力的行政活動には、法律の根拠が必要である。
の3説がある。
これらの学説に関する次の記述のうち、妥当なのはどれか。 （国Ⅰ1998）

1：Ⅰ説に対しては、日本国憲法上の自由主義の理念を根拠とする批判がある。
2：内閣法や国家行政組織法上の政令、命令への委任の仕方は、Ⅱ説の根拠となる。
3：変化する行政需要に対応できないとする批判は、Ⅱ説に最も妥当する。
4：行政権の地位を強調し、行政活動の範囲を広く解しようとする立場には、Ⅲ説が最も妥当する。
5：Ⅲ説によれば、相手方の不利益となる行政計画や行政契約にも法律の根拠を必要とする。

チェック欄

| 1回目 | 2回目 | 3回目 |
| --- | --- | --- |
| | | |



## 実践 問題 3 の解説

〈法律による行政の原理〉

法律の留保の原則においては、いかなる行政活動に法律の根拠が必要とされるかについて、学説上争いがある。

設問のⅠ説は、侵害留保説であり、従来の通説的見解とされてきたものである。この見解は、行政活動の自由性を前提としつつ、国民の権利を侵害する行政作用に法律の根拠を要求することによって行政庁の恣意的判断を抑制し、国民の権利自由を擁護しようとするものであり、自由主義的側面を重視するものである（したがって、Ⅰ説に対して、自由主義の理念を根拠とする批判があるとする肢1は妥当でない。また、行政活動の範囲を広く解そうとする立場にも最も適しているので、行政活動の範囲を広く解する立場にはⅢ説が最も妥当するとする肢4は妥当でない）。

この見解によると、補助金を交付する場合など行政が国民に対して利益を与える場合には法律の根拠を必要としないが、建築物の除却命令や土地収用など行政が国民の権利・自由を権力的に侵害する場合には、法律の根拠を必要とする。

設問のⅡ説は、全部留保説である。この見解は、行政の民主主義的側面を重視し、行政作用はすべて国民の意思に基づいて行われるべきであるとする。しかし、この見解では、法律の根拠なしには一切の行政活動が行えないため、変化する行政需要に対応することができないとの批判もある（したがって、肢3は妥当である）。

設問のⅢ説は、権力留保説である。この見解は、行政権はその独自の判断で公共の役務を管理し推進する権限と責任を負うが、憲法の国民主権原理のもとでは行政権は国民に優越した地位を有するわけではなく、行政権が優越的な立場で権力的な行為形式により国民に働きかけるときには、主権者たる国民を代表する国会の制定する法律の授権が必要と考えるものである（この見解は、相手方の不利益となるかどうかではなく、行政作用が権力的な行為形式かどうかで法律の根拠の必要性を判断するものである。したがって、たとえ相手方の不利益となる行政計画や行政契約であっても、それらは非権力的な行政作用であるから、法律の根拠は必要ないことになるので、肢5は妥当でない）。

なお、内閣法や国家行政組織法は、政令、省令、規則には、法律の委任がなければ、義務を課し、権利を制限する規定を設けることはできないと定める（内閣法11条、国家行政組織法12条3項・13条2項）が、この「義務を課し、権利を制限する」という文言を見てわかるように、これはⅡ説ではなくⅠ説の根拠となるものである（したがって、肢2は妥当でない）。

**正答 3**

行政法総論
# 法律による行政の原理

## 実践 問題 4 基本レベル

| 頻出度 | 地上★ | 国家一般職★★ | 特別区★ |
|---|---|---|---|
| | 国税･財務･労基★ | 国家総合職★ | |

**問 法律の留保に関する次のA～Cの見解のいずれによった場合でも、法律の根拠が必要でないこととなる行為はどれか。** （地上1993）

A：自由主義の要請するところによれば、行政が人の自由と財産を侵害する行為についてのみ、法律の根拠が必要である。

B：現代における私人の生活の国家依存性から、その配分を確保するため給付行政の分野でも法律の根拠が必要である。

C：行政権はそれ自体として国民に優越する権威を持つものではないので、権力的行為・形式を用いる場合には法律の根拠が必要である。

1：私立学校への補助金の交付決定
2：国土開発に関する基本計画
3：公有水面の埋立免許
4：伝染病の強制検診
5：重要文化財の指定・保存措置

| チェック欄 | | |
|---|---|---|
| 1回目 | 2回目 | 3回目 |
| | | |



## 実践 問題 4 の解説

〈法律による行政の原理〉

**1 ×** 私立学校への補助金の交付は、給付行政の分野における行政の活動と捉えることができるため、Bの見解による場合には、法律の根拠が必要となる。しかし、人の自由と財産を侵害する行為にあたらないので、Aの見解からは、法律の根拠は不要となる。ただ、補助金の交付は、内容的には非権力的であるが、形式的には行政行為という権力的な手法を用いる場合と、形式的にも契約という非権力的な手法を用いる場合がある。したがって、Cの見解からは、内容を重視するか、形式を重視するかによって、また行政行為という手法を用いるか契約という手法を用いるかによって、結論を異にする。

**2 ○** 国土開発に関する基本計画は、人の自由と財産を侵害する行為、給付行政の分野における行政の活動、権力的行為形式を用いる行為のいずれにもあたらない。したがって、いずれの見解による場合にも、法律の根拠は不要となる。

**3 ×** 公有水面の埋立免許は、行政行為の内容の観点からみると、形成的行為にあたり、その中でも特許にあたる。したがって、人の自由と財産を侵害する行為についてのみ法律の根拠を要求するAの見解による場合には、法律の根拠は不要となる。これに対し、公有水面の埋立免許が、特許という権力的行為形式を用いていることを考えれば、Cの見解による場合には、法律の根拠が必要ということになる。

**4 ×** 伝染病の強制検診は、伝染病にかかっているおそれのある者に対して、その意思いかんにかかわらず行われる、人の自由を侵害する、権力的行為形式を用いた行政活動と捉えられるので、いずれの見解によっても、法律の根拠が必要ということになる。

**5 ×** 重要文化財の指定・保存措置は、その対象が私人の所有であるときはその自由な処分を制限するものとなる。また、手法としても権力的な手法を用いてなされることから、いずれの見解からも法律の根拠が必要となる。

以上より、A～Cの見解のいずれによった場合でも、法律の根拠が必要でないこととなる行為は、肢2の行為である。

**正答 2**

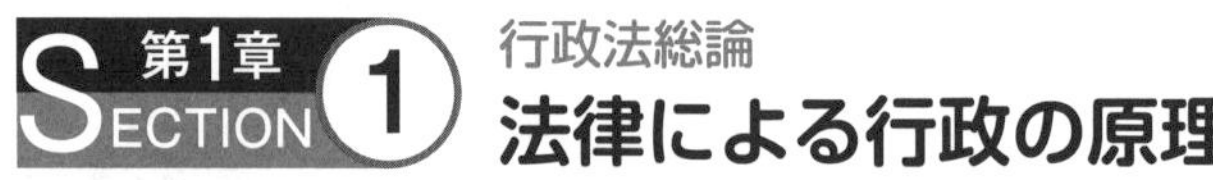


## 実践 問題 5 基本レベル

| 頻出度 | 地上★ | 国家一般職★★ | 特別区★ |
|---|---|---|---|
| | 国税·財務·労基★ | 国家総合職★ | |

**問 行政法学上の法律による行政の原理に関する記述として、妥当なのはどれか。**

**(特別区2009)**

1：「法律の優位」とは、いかなる行政活動も、行政活動を制約する法律の定めに違反してはならないという原則である。

2：「法律の法規創造力」とは、行政活動には必ず法律の授権が必要であるとする原則である。

3：「法律の留保」とは、新たな法規の定立は、議会の制定する法律又はその授権に基づく命令の形式においてのみなされうるという原則である。

4：「権力留保説」とは、すべての公行政には具体的な作用法上の根拠が必要であるとするものである。

5：「重要事項留保説」とは、侵害行政のみならず、社会権の確保を目的として行われる生活配慮行政にも、法律の根拠が必要であるとするものである。

チェック欄

| 1回目 | 2回目 | 3回目 |
| --- | --- | --- |
| | | |



## 実践 問題 5 の解説

〈法律による行政の原理〉

**1 ○** 法律による行政の原理の中の「法律の優位」とは、行政活動は法律に違反して行われてはならないとする建前をいう。行政活動が「法律に従って」行われるのは当然のことであり、したがって、同原則は、非権力的活動を含め、行政活動全般にわたって妥当する。さらに、ここにいう「法律」は、主として議会制定法を指すが、憲法、および信義則、比例原則などの法の一般原則も含まれる。たとえば、相手方の信頼を不当に裏切ったり（信義則違反）、目的に対し手段の均衡が保たれていない場合（比例原則違反）、その行政活動は違法と評価されることとなる。

**2 ×** 法律による行政の原理の中の「法律の法規創造力」とは、新たな法規の定立は、議会の制定する法律またはその授権に基づく命令（法律の個別・具体的委任に基づく委任命令、法律の一般・抽象的委任に基づく執行命令）の形式においてのみなされうるという原則である。本肢は、「法律の留保」の原則の説明としても、授権を要する行政活動に限定を設けていない点が誤っている。そして、「法律の法規創造力」の原則の定義としては、肢3の内容が正しい。

**3 ×** 「法律の留保」とは、ある一定の行政活動には法律の授権が必要であるとする原則である。本肢の内容は「法律の法規創造力」の原則の定義となっている。

**4 ×** 「権力留保説」とは、権力的行政活動について法律の根拠を要するとする学説である。本肢の内容は、すべての公行政作用に法律の根拠を要するという「全部留保説」の見解である。民主主義的見地から、行政活動への民主的統制の徹底を目指すものである。

**5 ×** 「重要事項留保説」とは、行政活動については議会が重要事項の決定を担う（法律で定める）べきで、侵害行政、給付行政または権力行政、非権力行政の区別にとらわれるべきではないとする見解である。本肢の内容は、侵害行政および社会権確保を目的とする生活配慮行政に法律の根拠を要するという「社会留保説」の見解である。

**正答 1**

# 法律による行政の原理

## 実践 問題 6 応用レベル

| 頻出度 | 地上★ | 国家一般職★ | 特別区★ |
|---|---|---|---|
| | 国税・財務・労基★ | 国家総合職★ | |

**問 行政活動に対する法的拘束の在り方として、法律による統制と並んで、法の一般原則による統制があると説明されるが、次の記述のうち、妥当なのはどれか。** (国Ⅰ2003)

1：地方公共団体が工場誘致施策を変更した場合について、社会情勢の変動に伴って施策が変更されることがあるのはもとより当然であるが、誘致の相手方に対して損害を補償するなどの代替的措置を講ずることなく施策を変更することは、当該相手方に対して個別的、具体的な勧告又は勧誘を伴うものではなくても、地方公共団体の不法行為責任を生じさせるとするのが判例である。

2：パチンコ球遊器について旧物品税法上の課税対象物品たる「遊戯具」に含めるという通達は、当該通達の内容が法の正しい解釈に合致するとしても、約10年間にわたって非課税としての取扱いをしてきた以上、納税者たる国民の法的信頼を保護するという法の一般原則に反することから、当該通達に基づく課税処分は違法であるとするのが判例である。

3：平等原則は、憲法あるいは条理から導かれる行政上の法の一般原則として、比例原則と並んで行政裁量を制約する基準となると考えられており、判例も、旧食糧管理法による米の供出個人割当通知に当たり、原告個人に対する供出割当の手続を履践しなかったことの適法性を争点として、当該通知の取消しが求められた事例について、行政庁による裁量権の行使が平等原則によって限界づけられることを肯定して、当該通知を取り消した。

4：地方公務員による退職願は、それ自体で独立に法的意義を有する行為ではないから、これを撤回することは原則として自由であり、退職願の提出を前提として進められた爾後の手続がすべて徒労に帰し、個人の恣意により行政秩序が犠牲になるような結果を導くとしても、退職願を撤回することが信義則に反するとして制限されることはないとするのが判例である。

5：法律による行政の原理が貫かれるべき租税法律関係においては、租税法規に適合する課税処分について信義則の法理の適用により違法なものとして取り消すことができる場合があるとしても、納税者間の平等、公平という要請を犠牲にしてもなお納税者の信頼を保護しなければ正義に反するといえるような特別の事情が存する場合に初めて同法理の適用の是非を考えるべきであるとするのが判例である。

チェック欄

| 1回目 | 2回目 | 3回目 |
| --- | --- | --- |
| | | |



## 実践 問題 6 の解説

〈法律による行政の原理〉

**1 ×** 判例は、工場誘致のような継続的施策でも社会情勢の変動に伴って変更されるのは当然であるが、その施策が特定の者に対して当該施策に適合する活動を促す個別的、具体的な勧告ないし勧誘を伴うものである場合には、その特定の者は当該施策が維持されると信頼するのが当然であるから、その信頼に対して法的保護が与えられなければならないとした（最判昭56.1.27）。つまり、施策に対する信頼に法的保護が与えられるためには、具体的な勧告・勧誘を必要とするというのが判例である。

**2 ×** 判例は、課税が通達を機縁として行われたものであっても、通達の内容が法の正しい解釈に合致するものである以上、その課税処分は法の根拠に基づく処分と解されるとしている（パチンコ球遊器事件、最判昭33.3.28）。本肢のように解する学説もあるが、長期の非課税扱いに対する国民の信頼の保護という点につき、本判決は述べていない。

**3 ×** 本肢事例につき判例は、裁量権の行使が平等原則によって限界づけられることを肯定した。しかし、同判決は、本件米の供出個人割当通知については、供出個人割当につき、原告と他の住民との間にいわれのない差別的取扱いは認められないとして、当該通知を取り消さなかった（最判昭30.6.24）。

**4 ×** 判例は、退職願は、退職願を撤回することが信義に反すると認められるような特段の事情がある場合には、その撤回は許されないとしている（最判昭34.6.26）。本肢の事情は、退職願を撤回することが信義に反すると認められるような特段の事情であり、この場合は撤回が許されないこととなる。

**5 ○** 租税関係と信義則について、判例は、法の一般原理である信義則の法理の適用により、課税処分を違法なものとして取り消すことができる場合があるとしても、法律による行政の原理なかんずく租税法律主義の原則が貫かれるべき租税法律関係においては、租税法規の適用における納税者間の平等、公平という要請を犠牲にしてもなお当該課税処分にかかる課税を免れしめて納税者の信頼を保護しなければ正義に反するといえるような特別の事情が存する場合に、初めて上記法理の適用の是非を考えるべきものであるとしている（最判昭62.10.30）。

**正答 5**

行政法総論
# 法律による行政の原理

## 実践 問題 7 応用レベル

| 頻出度 | | | |
|---|---|---|---|
| | 地上★ | 国家一般職★ | 特別区★ |
| | 国税･財務･労基★ | 国家総合職★ | |

**問 法律の留保論に関する次の記述のうち、妥当なのはどれか。 （国Ⅰ1992）**

1：法律の留保論は権限分配にかかわる議論であって、近代憲法が成立した欧米諸国において共通に見られるが、そのうちイギリス・アメリカにおけるそれはもっぱら行政委員会が行使するいわゆる準立法的権限を議会によってどのように統制するかという議論であるのに対し、行政の活動のうちどの範囲に法律の根拠が必要かというわが国の議論に強い影響を与えたのはフランス・ドイツにおけるそれである。

2：侵害留保説は行政が私人の自由と財産を侵害する行為については法律の根拠を必要とするというものであるが、この思想的背景は自由主義的立場であって、わが国では明治憲法下において当初からの通説であり、日本国憲法の下においても、その妥当範囲が比較的明確であることから、この考え方を基本とする学説が依然として通説である。

3：わが国における社会留保説は、いわゆる自由国家から社会国家へという変化に着目し、現代社会における私人の生活の国家依存性を重視して、社会保障給付などの給付行政に法律の根拠が必要であるとする反面、企業活動の規制に関しては例外的に法律の根拠を要しない場合があるとしている。

4：全部留保説は、いわゆる民主主義的憲法構造論を根拠にして侵害留保説は立憲君主制の遺物であると批判しているが、これに対しては日本国憲法の下では地方公共団体の長は住民の公選によるものであり、国の行政府も間接的にせよ民主的正当性を有するとの反論がある。

5：わが国の実務は侵害留保説によっており、補助金の交付には法律の根拠は不要であるとしているが、国民の税金を財源としている補助金が法律の根拠なく支出されるのは疑問であるとの批判を考慮して、「補助金等に係る予算の執行の適正化に関する法律」が制定されたため、同法の適用される国の補助金に関しては法律の留保論の実益はない。

チェック欄

| 1回目 | 2回目 | 3回目 |
|---|---|---|
| | | |

## 実践 問題 7 の解説



〈法律による行政の原理〉

**1 ×** 法律の留保論は、君主主権を前提として、法律から自由な行政活動が行われていたドイツにおいて、行政活動を統制するために論じられるようになった原則である。これに対して、近代憲法が成立した欧米諸国のうちイギリスやアメリカでは、行政活動はそもそも法律に基づいて行われるという前提があり、法律の留保という形では議論されていない。

**2 ×** 侵害留保説は、自由主義を背景としており、また明治憲法下においての通説であったが、当初から通説であったわけではない。この説が通説としての地位を占めたのは明治憲法の後半期である。当初の通説的見解は憲法の条項で法律で定めると規定されている事項についてのみ法律の根拠が必要で、それ以外については、たとえ臣民の権利を制限し、または臣民に義務を課すものであったとしても、行政は法律の根拠なく行動できるという立場であった。

**3 ×** 社会留保説は、侵害留保説を前提としたうえ、それに加え給付行政にも法律の根拠を要求するものであって、企業活動を規制する場合についても原則として法律の根拠が要求されるとする。

**4 ○** 全部留保説は、行政の民主的コントロールを重視する立場から主張されるものであり、侵害留保説に対し、立憲君主制の遺物であるとの批判を加える。すなわち、民主的正当性のない国の行政府や地方公共団体の長などに法律から自由な活動領域を認めるのは主権者たる国民のコントロールの及ばない活動を認めることになり許されないと批判するのである。しかし、これに対して侵害留保説は、地方公共団体の長は住民の公選によるものであり、内閣も議院内閣制のもとで民主的コントロールが及んでいるから、行政府も間接的にせよ民主的正当性を有すると反論している。

**5 ×** 設問の補助金適正化法については、補助金交付の根拠規範となるとする見解と、補助金交付手続について規制する法律（規制規範）にすぎず、根拠規範とはならないとする見解が対立している。そして、前説を採れば、根拠規範がすでに存在している以上、補助金交付に法律の根拠は必要でないということになる。一方、後説を採れば、侵害留保説に立たない限り、補助金交付にさらに法律の根拠が要求されることとなる。このように補助金適正化法があっても、補助金交付に対する法律の根拠の要否が問題となるので、補助金交付に関して法律の留保論の実益がある。

**正答 4**

# 行政法総論
# 行政法の法源

## 必修問題 セクションテーマを代表する問題に挑戦！

「行政法」という名前がついた法律は存在しません。では、行政法はどういう形で存在するのでしょうか。

問 行政法の法源に関する記述として、妥当なのはどれか。

（特別区2009）

1：行政法の法源は、成文法源と不文法源の２つに分けることができ、成文法源には法律及び判例法が含まれ、不文法源には条理法が含まれる。

2：憲法は、行政の組織、作用については、基本的、抽象的なことを定めるのにとどまり、直接に行政作用の法源として機能することはない。

3：行政権は、法令上の根拠がなければ行使しえないため、行政上の法律関係については、行政法の法源として慣習法が成立する余地はない。

4：条例には、法律の範囲内という限定があり、また、その効力において地域的な限界があるため、行政法の法源にはなりえない。

5：命令は、行政権によって定立される法であって、行政法の法源となり、日本国憲法の下では、委任命令か執行命令に限られる。

直前復習

**Guidance ガイダンス**

**行政法の法源**

○成文法源

憲法、法律、命令、条例

○不文法源

慣習法、判例法、法の一般原則

チェック欄 1回目 2回目 3回目



〈行政法の法源〉

**1 ×** 行政法の法源とは、行政法が「法」として成立しうる存在形式のことをいう。行政法の法源は、成文法源と不文法源に分けられる。成文法源とは、憲法や法律などの成文化された行政法のことをいう。不文法源とは、判例法や条理（法の一般原則）などの成文化されていない行政法のことをいう。

**2 ×** 憲法は、行政法の法源に含まれる。しかも、行政の組織、作用について基本的、抽象的なことを定めるにとどまらず、直接に行政作用の法源として機能することがある。たとえば、私人が財産上の特別の犠牲を被った場合に、個別法に損失補償に関する規定が存在しない場合には、憲法29条３項を直接の根拠として損失補償を請求することができる（河川附近地制限令事件、最大判昭43.11.27）。この場合、憲法の規定が直接法源として機能しているといえる。

**3 ×** 慣習法とは、ある慣習が長期にわたって行われた結果、法規範として認識されるに至ったものをいう。この慣習法が行政法の法源となることもある。たとえば、法令の公布方法について定めた成文法は存在しないが、官報によるという慣習があり、これは判例においても慣習法として認められている（最大判昭32.12.28）。

**4 ×** 条例は、地方公共団体の議会の制定する自治立法であり、法律の範囲内で（憲法94条）、法令に違反しない限りにおいて（地方自治法14条１項）制定しうる。その効力については地域的な限界があるが、少なくともその範囲内では、法律の授権を要することなく、独立して、地方公共団体の執行機関に対し、広く私人の権利自由を制約する権限を与えており、重要な行政法の法源となっている。

**5 ○** 法源としての命令は、本肢のように、行政権によって定立される法を意味する。これは、行政法の成文法源にあたる。明治憲法下においては、法律の授権に基づかない独立命令が認められていたが、国会を国権の最高機関とし、国の唯一の立法機関とする日本国憲法（憲法41条）のもとでは、独立命令の存在は許されず、法律の個別的・具体的委任に基づく委任命令と、法律の一般的・抽象的委任に基づき法律を執行するために制定される執行命令のみが法源となりうる命令とされている。

**正答 5**

行政法総論
# 行政法の法源

## 1 行政法の法源

行政法の法源とは、行政法が「法」として成立しうる存在形式をいいます。法源は、成文法源と不文法源に分けられます。

### (1) 成文法源

成文法源とは、文書の形式を備えた法源をいいます。国会が制定した法律や、地方公共団体の議会が制定した条例に限らず、国の最高法規である憲法、行政機関が制定した命令、そして国内法的な効力を有する条約もこれに含まれます。

### (2) 不文法源

不文法源とは、成文化されていない法源をいいます。例として、判例法や慣習法、さらに法の一般原則が挙げられます。

わが国の法体系は基本的に大陸法系に属しているので、英米法系のように、当然に判例を法源とみることはできません。しかし、実際に最高裁判例は先例として実務に大きな影響を与えています。

### (3) 法の一般原則

法の一般原則とは、法令上に明文の規定があるわけではないが、普遍の原理として認められている建前をいいます。

例として、信義誠実の原則、権利濫用の法理、比例原則、平等原則、条理などがありますが、ここでは重要なものを取り上げます。

#### ① 信義誠実の原則（信義則）（民法１条２項）

判例は、信義則を行政法の法原とする余地を認めていますが、法律による行政の原理との調整が問題となる場面があります。

租税関係に関する信義則の適用につき、判例は、納税者の平等、公平という要請を犠牲にしてもなお当該課税処分に係る課税を免れしめて納税者の信頼を保護しなければ正義に反するといえるような特別な事情が存する場合に初めて、信義則の適用が問題となるとしています（最判昭62.10.30）。

#### ② 権利濫用禁止の原則（民法１条３項）

判例は、行政権が著しく濫用された場合、当該行政権の行使は国家賠償法上違法となりうるとしています（余目町個室付浴場民事事件、最判昭53.5.26）。

memo

第1章 SECTION 2 行政法総論

# 行政法の法源

## 実践 問題 8 基本レベル

| 頻出度 | 地上★　国家一般職★　特別区★★<br>国税·財務·労基★　国家総合職★ |
|---|---|

**問 行政法の法源に関する記述として、妥当なのはどれか。** （特別区2011）

1：条例は、憲法で地方公共団体に条例制定権を承認しているため、行政法の法源となるが、地方公共団体の長が定める規則は、行政法の法源にはならない。

2：法源には、成文の形式をもって制定する成文法源と慣習法のように文章では表されない不文法源があり、最高裁判所の判決は、先例として大きな影響力を持つことが多いので、行政法の成文法源となる。

3：命令は、法律の委任に基づく委任命令と法律を執行するための細目について規定する執行命令に限られ、行政機関によって制定される内閣府令や省令も行政法の法源となる。

4：条約は、国家間又は国家と国際機関との間の文書による合意であり、国際法上の法形式であるが、国内法としての効力を持つものではないので、行政法の法源にはならない。

5：法律は、国権の最高機関である国会の議決により制定される法形式であるから、最上位の成文法源である。

| チェック欄 | | |
|---|---|---|
| 1回目 | 2回目 | 3回目 |
| | | |



## 実践 問題 8 の解説

〈行政法の法源〉

**1 ×** 条例は地方公共団体の議会が、規則は地方自治体の長が制定する自治法であり、法律の範囲内（憲法94条）で、法令に違反しない限りにおいて（地方自治法14条１項・15条１項）制定しうる。いずれも、法律の授権を要することなく、広く私人の権利自由を制約する重要な行政法の法源である。

**2 ×** 行政法の法源は、成文法源と不文法源とに分けられる。この中で成文法源とは、憲法や法律などの成文化された行政法のことをいう。他方、不文法源とは、判例法や条理法（法の一般原則）などの成文化されていない行政法のことをいう。最高裁判所の判決は、それが出された事件を除いて下級裁判所を拘束しないので（裁判所法４条参照）、当然に法源とみることはできない。しかし、実際には下級裁判所は最高裁判所の判決を尊重しており、行政実務もこれに従って行われているので、最高裁判所の判決は不文法源として実務に大きな影響力を与えている。

**3 ○** 行政機関が定立する規範を命令といい、政令、内閣府令、省令などがある。こうした命令も国民の権利義務を規律するので、行政法の法源である。明治憲法下においては、法律の授権に基づかない独立命令が認められていたが、国会を国権の最高機関とし、国の唯一の立法機関とする（憲法41条）日本国憲法のもとでは、独立命令の存在は許されず、法律の個別的・具体的委任に基づく委任命令と、法律の一般的・抽象的委任に基づき法律を執行するために制定される執行命令のみが許される。

**4 ×** 条約はその誠実な遵守を求められていること（憲法98条２項）、条約の締結には国会の承認が必要であること（憲法61条・60条２項）から、国内法としても効力を有し、行政法の法源としての性質を持つと解されている。

**5 ×** 憲法は行政法の法源に含まれ、しかも行政の組織、作用について基本的、抽象的なことを定めるにとどまらず、直接に行政作用の法源として機能することがある。たとえば私人が財産上の特別の犠牲を被った場合に、個別法に損失補償に関する規定が存在しない場合には、憲法29条３項を直接の根拠として損失補償を請求することができる（河川附近地制限令事件、最大判昭43.11.27）。このような場合、憲法の規定が直接法源として機能しているといえる。

**正答 3**

行政法総論

# 行政法の法源

## 実践 問題 9 基本レベル

| 頻出度 | 地上★ | 国家一般職★ | 特別区★★ |
|---|---|---|---|
| | 国税·財務·労基★ | 国家総合職★ | |

**問 行政法の法源に関する記述として、通説に照らして、妥当なのはどれか。**

(特別区2014)

1：命令には、法律の個別具体の委任に基づく委任命令と、法律に基づくことなく独自の立場で発する独立命令があるが、いずれも行政機関が制定するものであるので、行政法の法源となることはない。

2：条約は、その内容が国内行政に関し、自力執行性のある具体的定めを含んでいる場合には、それが公布・施行されることによって国内法としての効力をもち、行政法の法源となる。

3：憲法は、国家の基本的な統治構造を定める基本法であり、行政の組織や作用の基本原則を定めるにとどまるので、行政法の法源となることはない。

4：下級裁判所の判決は法源となりえないが、最高裁判所の判決は先例を変更するのに慎重な手続を経ることを求められるので、行政法の法源となる。

5：条例は、必ず議会の議決を必要とするので行政法の法源となるが、地方公共団体の長が定める規則は、議会の議決を必要としないので行政法の法源となることはない。

| チェック欄 | | |
|---|---|---|
| 1回目 | 2回目 | 3回目 |
| | | |

## 実践 問題 9 の解説

〈行政法の法源〉

**1 ×** 「法律による行政の原理」のもとで法規命令が許容されるには、法律の委任（授権）がなければならない。それゆえ、法律から独立して定められる法形式である独立命令（明治憲法9条参照）は、国会を唯一の立法機関とする憲法41条の規定の趣旨から一切認めることはできない。また、行政法の法源とは、行政の組織および作用に関する法の存在形式であるから、行政機関が定立する法形式も法源となりうるので妥当でない。

**2 ○** 条約は、文書による国家間の合意であり国際法に属するが、国内における立法措置なしに国内法としての効力を持つものもあり（自動執行条約）、それが公布・施行されることによって国内法としての効力を有することとなる。それゆえ、行政法の成文法源となるのである。なお、本肢の「自力執行性のある具体的定めを含んでいる」条約が、自動執行条約のことである。

**3 ×** 本肢は、「行政の組織や作用の基本原則を定めるにとどまるので、行政法の法源となることはない。」としており、「行政法の法源」の意義を取り違えている点において妥当でない。肢1の解説のとおり、行政法の法源とは、行政の組織および作用に関する法の存在形式であるから、「行政の組織や作用の基本原則を定めるにとどまる」かどうかは、行政法の法源性を左右するものではない。そして、現実の行政法規は、憲法理念を指針として制定されていることから、憲法は行政法の法源といえる。

**4 ×** 判例は、「法律による行政の原理」からして法源とならないように思えるが、通説は、これを法源としている。最高裁の判決は事実上の先例として、以後の下級審により尊重され、長期にわたって最高裁判決が変更されない場合、司法実務のみならず、立法実務や行政実務も当該判決に従って行われている。すなわち、判例は各機関に対して大きな影響力を及ぼしている。この点は、下級裁判所の判決にも最高裁判決に準ずる影響力を認めることができるのである。よって、下級裁判所の判決も行政法の法源となりうる。

**5 ×** 規則は、条例とともに地方公共団体独自の法源として重要なものである。すなわち、地方公共団体の長は、法令に違反しない限りにおいて、その権限に属する事務に関し、規則を制定できるのであり（地方自治法15条1項）、議会の議決を必要としないことは、行政法の法源性を否定するものではない。なお、選挙管理委員会や教育委員会などの執行機関が制定する規則も行政法の法源となる。

**正答 2**

第1章 SECTION 2 行政法総論

# 行政法の法源

## 実践 問題 10 基本レベル

| 頻出度 | 地上★ | 国家一般職★ | 特別区★ |
|---|---|---|---|
| | 国税・財務・労基★ | 国家総合職★ | |

**問 行政法の法源に関する記述として、通説に照らして、妥当なのはどれか。**

（特別区2021）

1：行政法の法源には、成文法源と不文法源とがあり、成文法源には法律や条理法が、不文法源には行政先例がある。

2：条約は、国内行政に関係するもので、かつ、国内の立法措置によって国内法としての効力を持ったものに限り、行政法の法源となる。

3：命令は、内閣が制定する政令等、行政機関が制定する法のことであり、日本国憲法の下では、委任命令と独立命令がある。

4：判例法とは、裁判所で長期にわたって繰り返された判例が、一般的な法と認識され、成文法源とみなされるようになったものをいう。

5：慣習法とは、長年行われている慣習が法的ルールとして国民の法的確信を得ているものをいい、公式令廃止後の官報による法令の公布はその例である。

チェック欄

| 1回目 | 2回目 | 3回目 |
| --- | --- | --- |
| | | |



## 実践 問題 10 の解説

〈行政法の法源〉

**1 ×** 条理法は不文法源に分類されるので、本肢は妥当でない。行政法の法源は、法文の形式をとる成文法源と、法文の形式をとらない不文法源に区別される。法律は法文の形式をとる成文法源であり、行政先例（慣習法）は慣習によって成り立つ不文法源であるが、条理法（信義則や権利濫用などの法の一般原則）もまた法文化されていないため、不文法源に分類される。

**2 ×** 国内の立法措置を待たずに国内法としての効力を持つ条約もあり、当該条約は行政法の法源となりうるので、本肢は妥当でない。条約のうち、国内行政に関するものは、行政法の法源として機能する。条約には、国内法の制定によって初めて私人を拘束する規範となるものもあるが、自動執行的効力のある条約については、国内の立法措置なくして国内法としての効力を持つ（ウィーン売買条約など）。

**3 ×** 日本国憲法のもとで、独立命令を定めることはできないので、本肢は妥当でない。命令は、行政機関によって定立される法規範である。もっとも、法律による行政の原理、さらには国会を「国の唯一の立法機関」とする憲法41条を考慮すると、明治憲法下の独立命令・緊急命令のような法律の授権に基づかない命令を定めることは一切許されないと解されている（明治憲法８条・９条参照）。すなわち、日本国憲法のもとで許容される命令は、委任命令と執行命令だけである（憲法73条６号参照）。

**4 ×** 判例法は成文法源とみなされないので、本肢は妥当でない。判例法は、裁判所で長期にわたって繰り返された判例が一般的な法と認識されたものである。もっとも、判例法は法文の形式をとっていない（肢１の解説参照）ので、成文法源ではなく、不文法源に分類される。

**5 ○** 慣習法とは、慣習のうち、国民の法的確信を得たものをいう。明治憲法下、法令の公布方法を定めていた公式令（独立命令）が戦後になり廃止されて以降、法令の公布方法を定めた成文法は存在しない。しかし、判例は官報による公布方法を慣習法として認めている（最大判昭32.12.28）。

**正答 5**

# 行政法総論
# 行政上の法律関係

**必修問題** セクションテーマを代表する問題に挑戦！

**行政上の法律関係に、行政法と民法のどちらが適用されるのかを学びましょう。**

問 行政上の法律関係に関するア～エの記述のうち、判例に照らし、妥当なもののみを全て挙げているのはどれか。（財務・労基2024）

ア：建築基準法は、民法その他の私法規定の特則を定める規定がない限り、公法上の規制を定めているものと解すべきであり、防火地域等において外壁が耐火構造の建物を隣地境界線に接して建築することを許容する建築基準法第65条によって、相隣関係を定める民法第234条第１項の規定の適用を排除すべきものとすることはできない。

イ：公営住宅の使用関係については、公営住宅法及びこれに基づく条例が特別法として民法及び旧借家法に優先して適用され、また、公営住宅の事業主体には入居者の決定に際して入居者を選択する自由はないので、私人間の賃貸借関係における信頼関係の法理は適用されない。

ウ：租税法規に適合する課税処分に対する信義則の法理の適用の是非は、納税者間の平等・公平という要請を犠牲にしてもなお当該課税処分に係る課税を免れしめて納税者の信頼を保護しなければ正義に反するといえるような特別の事情が存する場合に初めて考えるべきものである。

エ：食品衛生法は、単なる取締法規ではなく、食肉販売業の許可を受けない者による取引の効力を認めない強行法規であるから、同法による食肉販売業の許可を受けない者のした食肉の買入契約は無効である。

1：ア
2：イ
3：ウ
4：ア、ウ
5：イ、エ

直前復習

**Guidance ガイダンス** 行政上の法律関係に民法が適用される場合

・租税滞納処分
・安全配慮義務違反による損害賠償請求
・公物の時効取得
・公営住宅の使用関係
・公務員の不払給与の不当利得返還請求

〈行政上の法律関係〉

**ア×** 本記述と同様の事案につき、判例は、防火地域または準防火地域内にある建築物で、外壁が耐火構造のものについては、その外壁を隣地境界線に接して設けることができると規定する建築基準法65条（現63条）は、同条所定の建築物に限り、その建築については民法234条１項の適用が排除される旨を定めたものであるとしている（最判平元9.19）。

**イ×** 公営住宅の使用関係と民事法の関係について、判例は、「公営住宅法及びこれに基づく条例が特別法として民法及び旧借家法に優先して適用される」としつつも、法および条例に特別の定めがない限り、原則として一般法である民法および旧借家法の適用があり、その契約関係を規律するについては、信頼関係の法理の適用があるとしている（最判昭59.12.13）。

**ウ○** 税務署長が誤って受理した青色申告に基づく所得税額を収納した後で、青色申告の効力を否認して更正処分を行ったことの違法性が問われた事案につき、判例は、租税法規に適合する課税処分について、法律による行政の原理、租税法律主義の原則が貫かれる租税法律関係では、信義則の法理の適用については慎重でなければならないと述べ、さらに本記述のとおり判示している（最判昭62.10.30）。

**エ×** 食品衛生法を強行法規と解し、同法の許可を受けずに締結された食肉の買入契約は無効であると述べる本記述は、判例の見解と異なるので妥当でない。食肉販売業の許可を受けない者の行った食肉の買入契約の効力につき、判例は、食品衛生法は単なる取締法規にすぎず、食肉販売業の許可を受けていなくても、同法により本件取引の効力は否定されないとしている（最判昭35.3.18）。

以上より、妥当なものはウであり、肢３が正解となる。

**正答 3**

行政法総論

# 行政上の法律関係

ある行政上の法律関係に法律を適用する場合、私法である民法、公法である行政法のどちらを適用すべきかという問題があります。

**判例1**
≪農地買収処分と民法177条≫最大判昭28.2.18
【事案】自作農創設特別措置法に基づく農地買収処分について、民法177条が適用されるかが争われた事案
【判旨】農地買収処分は、国家が権力的手段をもって農地の強制買収を行うものであって、私人相互の民法上の売買とは異なるものであるから、民法177条の適用は認められない。

**判例2**
≪租税滞納処分と民法177条≫最判昭31.4.24
【事案】租税滞納処分に基づいて税務署長が不動産を差し押さえた場合に、民法177条の適用が認められるかが争われた事案
【判旨】租税滞納処分に際しての国の地位は一般の債権者と同じであることから、民法177条の適用が認められる。

**判例3**
≪会計法30条と国に対する損害賠償請求≫最判昭50.2.25
【事案】国の安全配慮義務違反に基づく損害賠償請求権に、国を当事者の一方とする金銭債権につき５年の消滅時効を定めた会計法30条が適用されるかが争われた事案
【判旨】国の安全配慮義務違反に基づく損害賠償請求権に、行政上の便宜を図るための会計法30条を適用する必要はないため、会計法30条は適用されず、その消滅時効期間は民法167条１項（現166条１項２号）により10年である。

**判例4**
≪議員報酬請求権の譲渡性≫最判昭53.2.23
【事案】公法上の権利には、法律に特別の定めがない限り他人に譲渡できないという不融通性があるが、地方議会議員の議員報酬請求権の譲渡は認められるかが争われた事案
【判旨】議員の報酬請求権は、公法上の権利であるが、それが法律上特定の者に専属する性質のものではなく、法律上単なる経済的価値として移転性が予定されているため、当該地方公共団体の条例に譲渡禁止の規定がない限り譲渡は認められる。

memo

第1章 SECTION 3 行政法総論

# 行政上の法律関係

## 実践 問題 11 基本レベル

| 頻出度 | 地上★ 国家一般職★ 特別区★ 国税·財務·労基★ 国家総合職★★ |
|---|---|

**問** 行政法規と民法の規定との関係に関するア～オの記述のうち、妥当なもののみをすべて挙げているのはどれか。（国Ⅰ2007）

ア：防火地域又は準防火地域内にある耐火構造の外壁を有する建築物について、その外壁を隣地境界線に接して設けることができる旨の建築基準法第65条の規定は、異なる慣習がない限り建物を築造する際は境界線から50センチメートル以上離さなければならないとする民法第234条第１項の特則を定めたものであるとするのが判例である。

イ：旧自作農創設特別措置法に基づく農地買収処分は、登記簿上の農地の所有者を相手方として行うべきものではなく、真実の農地の所有者を相手方とすべきであり、その際、民法第177条の規定は適用されないとするのが判例である。

ウ：滞納者の財産を差し押さえた国の地位は、あたかも民事訴訟法上の強制執行（注）における差押債権者の地位に類するものであり、租税債権がたまたま公法上のものであることは、国が一般私法上の債権者より不利益の取扱いを受ける理由となるものではないので、国税滞納処分として税務署長が行った差押えについては民法第177条の規定の適用があるとするのが判例である。

エ：食品衛生法の規定により必要とされる営業の許可を得ることなく食品の販売を行った場合、その売買契約は必ずしも無効とはいえない。しかし、有毒物質の混入している食品を売買した場合は、それによってその食品が一般大衆の購買のルートに乗り、その結果、公衆衛生を害するであろうことが明らかであれば、その売買契約は民法第90条の規定に反し無効と解すべきであるとするのが判例である。

オ：営業の許可を得て営業をしていた者が死亡した場合、法律に相続を認めない旨の規定がない限り、相続人全員が当然に営業の許可を相続するのであるから、相続人は営業を引き継ぐための許可申請に係る手続を行う必要はない。

1：ア、イ、ウ、エ
2：ア、イ、ウ、エ、オ
3：ア、イ、エ
4：ア、ウ、オ
5：イ、ウ、エ

（注）現在は、民事執行法に規定されている。

直前復習

チェック欄

| 1回目 | 2回目 | 3回目 |
| --- | --- | --- |
| | | |



## 実践 問題 11 の解説

〈行政上の法律関係〉

**ア○** 判例は、建築基準法65条（現63条）は、建物を建築するには境界線から50センチメートル以上の距離を置くべきものとしている民法234条１項の特則を定めたものだとしている（最判平元.9.19）。

**イ○** 判例は、旧自作農創設特別措置法（自創法）に基づく農地買収処分は、国家が権力的手段をもって農地の強制買上げを行うものであって、対等の関係にある私人相互の経済取引を本旨とする民法上の売買とはその本質を異にするから、私経済上の取引の安全を保障するために設けられた民法177条は適用されない、としたうえで、政府が自創法に従って農地の買収を行うには、単に登記簿の記載に依拠して登記簿上の所有者を相手方として買収処分を行うべきものではなく、真実の所有者から行うべきものであるとしている（最大判昭28.2.18）。

**ウ○** 判例は、租税滞納処分として行われた土地差押処分において、本記述のとおり判示し、滞納処分による差押えの関係においても民法177条の適用があるとしている（最判昭31.4.24）。

**エ○** 食品衛生法に違反した無許可の食肉売買契約について、判例は、同法は単なる取締法規にすぎず、食肉販売業の許可を受けていないとしても、同法律により本件取引の効力が否定される理由はないとする（最判昭35.3.18）。ただし、同法に違反した有毒物質混入のアラレ菓子の取引について、同法違反というだけで民法90条に反し無効となるわけではないが、有毒物質の混入している食品を売買した場合には、それによってその食品が一般大衆の購買のルートに乗り、その結果、公衆衛生を害するであろうことが明らかであるから、当該取引は民法90条に抵触して無効だとしている（最判昭39.1.23）。

**オ×** 許可により与えられた地位が譲渡、相続、差押え等の対象となるかについては、実定法に定めがある場合を除き、当該許可の性質に応じて判断すべきものと解されており、相続人全員が当然に営業許可により与えられた地位を相続するとはいえない。

以上より、妥当なものはア、イ、ウ、エであり、肢１が正解となる。

**正答 1**

# 第1章 SECTION 3 行政法総論 行政上の法律関係

## 実践 問題 12 基本レベル

| 頻出度 | | | |
|---|---|---|---|
| 地上★ | 国家一般職★ | 特別区★ | |
| 国税·財務·労基★ | 国家総合職★★ | | |

**問** 行政上の法律関係に関する次の記述のうち、判例に照らし、妥当なのはどれか。

(国Ⅱ2000改題)

1：現業国家公務員の勤務関係は、国家公務員法が全面的に適用されるいわゆる非現業の国家公務員の勤務関係とは異なり、当事者の自治にゆだねられているから、公法上の関係とはいえない。

2：公営住宅の使用関係は公法上の関係であるから、これについては、公営住宅法及びこれに基づく条例が適用され、民法及び借地借家法は適用されない。

3：本人の意思によって国公立大学に入学してきた学生は、法律の定めがなくとも国民として保障されている諸権利が制限されることを受忍しなければならず、学生の懲戒処分における裁量権の行使には司法審査は及ばない。

4：地方議会の議員に対する出席停止のような懲罰については、それが科されると当該議員は議員としての中核的な活動をすることができず、住民の負託を受けた議員としての責務を十分に果たすことができなくなるので、その適否は司法審査の対象となる。

5：国と国に勤務する公務員との関係は特別権力関係であるから、国は、公務員の生命及び健康等を危険から保護するよう配慮する義務を負うことはない。

チェック欄

| 1回目 | 2回目 | 3回目 |
| --- | --- | --- |
| | | |

## 実践 問題 12 の解説

〈行政上の法律関係〉

**1 ×** 判例は、現業公務員の勤務関係も基本的には公法上の関係であるとしている（最判昭49.7.19）。現業公務員の勤務関係のほとんどに国家公務員法およびそれに基づく人事院規則の詳細な規定が適用されるからである。

**2 ×** 判例は、公営住宅の使用関係についても、法および条例に特別の定めがない限り原則として一般法である民法および借地借家法の適用があるとしている（最判昭59.12.13）。

**3 ×** 判例は、学生の懲戒処分について懲戒権者たる学長に裁量権があることを認めつつ、裁量権の範囲内か否かについては司法審査が及ぶとしている（京都府立医科大学事件、最判昭29.7.30）。また、判例は、いわゆる特別権力関係理論を採用していないといえるので、国公立大学の学生の諸権利を制限する際には法律上の根拠を必要とする立場に立っているといえる。

**4 ○** 従来の判例は、地方議会の議員に対する出席停止の懲罰については、地方議会の内部規律の問題であるから司法審査の対象とならないとしていた（最大判昭35.10.19）が、最高裁はこれを変更し、本肢のように議員に対する出席停止の弊害を指摘することで、懲罰につき議会に一定の裁量権があることを認めながらも、出席停止の懲罰の適否は司法審査の対象となるとした（最大判令2.11.25）。

**5 ×** 肢３でも述べたように、現在の判例は特別権力関係理論を採用していない。また判例は、国は、国に勤務する公務員に対して公務員の生命および健康等を危険から保護するよう配慮する義務（安全配慮義務）を負うとしている（最判昭50.2.25）。

**正答 4**

第1章 SECTION 3 行政法総論

# 行政上の法律関係

## 実践 問題 13 基本レベル

| 頻出度 | | | |
|---|---|---|---|
| | 地上★ | 国家一般職★ | 特別区★ |
| | 国税·財務·労基★ | 国家総合職★★ | |

**問 行政法学上の個人的公権に関する記述として、最高裁判所の判例に照らして、妥当なのはどれか。** （特別区2003）

1：公衆浴場法が許可制を採用したのは、主として国民保健及び環境衛生という公共の福祉の見地から出たものであるから、法定の距離制限によって受ける業者の営業上の利益は、反射的利益にすぎないとした。

2：公水使用権は、それが慣習によるものであると行政庁の許可によるものであるとを問わず、河川の全水量を独占排他的に利用しうる絶対不可侵の権利であるとした。

3：村道の通行の自由権は、日常生活上諸般の権利を行使するのに欠くことのできないものであるが、公法関係に由来する権利であるので、この権利が妨害され、その妨害が継続されても、妨害の排除を求めることはできないとした。

4：生活保護法の規定に基づく保護受給権は、単なる国の恩恵ないし社会政策の実施に伴う反射的利益ではなく、法的権利であり、被保護者の死亡による相続の対象になるとした。

5：普通地方公共団体の議会の議員の報酬請求権は、公法上の権利であるが、当該普通地方公共団体の条例に譲渡禁止の規定がない限り、譲渡することができるとした。

チェック欄

| 1回目 | 2回目 | 3回目 |
| --- | --- | --- |
| | | |

## 実践 問題 13 の解説

〈行政上の法律関係〉

**1 ×** 特定の業者に対して公衆浴場業の許可（距離制限を伴う許可制が採用されていた）がなされたことに対し、既存業者が当該許可の無効確認を求めた事案において、判例は、公衆浴場の許可制は、被許可者を濫立による経営の不合理化から守ろうとするものであり、適正な許可制度の運用によって保護されるべき業者の営業上の利益は、単なる事実上の反射的利益にとどまらないとしている（公衆浴場法事件、最判昭37.1.19）。

**2 ×** 河川の流水を灌漑、飲料用に継続的に使用し、慣習法上の公水使用権を有していた者が、訴外企業に対してなされた当該河川の使用許可処分の取消しを求めた事案において、判例は、公水使用権は、それが慣習によるものであるのか行政庁の許可によるものであるのかを問わず、公共用物たる公水の上に存する権利である以上、河川の全水量を独占排他的に利用しうる絶対不可侵の権利ではなく、使用目的を充たすに必要な限度の流水を使用しうるにすぎないものとしている（最判昭37.4.10）。

**3 ×** 特定の村道を日常的に使用してきた者が、その通行を妨害したものに対して妨害の排除を求めた事案において、判例は、道路の通行の自由権は公法関係から由来するものではあるものの、各自が日常生活上諸般の権利を行使するについて欠くことのできないものである以上、これに対して民法上の保護を与えるべきであるとしている。そして、この権利が妨害されたときは不法行為の問題となり、妨害が継続するときは、排除を求めることができるとしている（最判昭39.1.16）。

**4 ×** 生活保護受給権が相続の対象となるか否かが争われた事案において、判例は、生活保護法の規定に基づく保護受給権は、単なる国の恩恵ないし社会政策の実施に伴う反射的利益ではなく、法的権利であって保護受給権と解されるとしている。しかし、この権利は当該個人に与えられた一身専属の権利であるから、ほかにこれを譲渡することもできないし、また被保護者の死亡に伴う相続の対象にもならないとしている（朝日訴訟、最大判昭42.5.24）。

**5 ○** 地方議会議員の報酬請求権の差押えが可能か否かが争われた事案において、判例は、普通地方公共団体の議会の議員の報酬請求権は、公法上の権利ではあるが、当該普通地方公共団体の条例に譲渡禁止の規定がない限り、譲渡することができるとしている（最判昭53.2.23）。

**正答 5**

# 行政法総論 行政上の法律関係

## 実践 問題 14 応用レベル

| 頻出度 | | | |
|---|---|---|---|
| | 地上★ | 国家一般職★ | 特別区★ |
| | 国税·財務·労基★ | 国家総合職★★ | |

問 行政上の法律関係に関する次の記述のうち、判例に照らし、妥当なのはどれか。

(国Ⅰ1987)

1：会計法第30条の規定する５年の消滅時効期間は、国の権利義務を早期に決済する必要などから民法の時効期間よりも短縮して定められたものであるから、その規定は公法上の債権にすべからく適用されるべきであるところ、国の安全配慮義務違反に基づいて生じた、国家公務員の国に対する損害賠償請求権は、公法上の債権であるから、同条により５年の消滅時効にかかることになる。

2：公共用財産は、国民全体のために存在するものであるから、それが長期にわたって公の目的に供用されることなく放置されていた場合でも、明示の公用廃止がなされない限り、これについて取得時効の成立する余地はない。

3：私企業の労働者の不法行為によって国に損害が生じた場合には、国は不法行為に基づく損害賠償債権を取得するが、この債権は、国の会計事務の画一的処理の必要と、公平の理念に基づく、会計法第31条の時効の放棄を許さないとの規定の適用を受けない。

4：公務員の給与につき過払いが生じた場合であっても、その過払金額は民事上の不当利得返還請求によって返還を求めるべきものであり、労働基準法第24条第１項の賃金の全額払いの原則の趣旨に照らしても、翌月の給与と相殺することは許されるべきではない。

5：公認会計士が廃業による登録の抹消を協会に申請して、それが受理されたときには、その時点で公認会計士在職中になされた不正行為を理由としてその直後に行われる大蔵大臣の懲戒処分は、対象を欠くものとして無効である。

※大臣名は出題当時のままである。

直前復習

| チェック欄 | | |
|---|---|---|
| 1回目 | 2回目 | 3回目 |
| | | |

## 実践 問題 14 の解説



〈行政上の法律関係〉

**1 ×** 判例は、安全配慮義務は、ある法律関係に基づいて特別な社会的関係に入った当事者間において、信義則上負う当該法律関係の付随義務として一般的に認められるべきで、それは国と公務員の間でも同じであるので、本件損害賠償請求権の消滅時効は、会計法30条により５年と解すべきではなく、民法167条１項により10年と解すべきとした（最判昭50.2.25）。

**2 ×** 判例は、公共用財産が、長年の間事実上公の目的に供用されることなく放置され、公共用財産としての形態、機能をまったく喪失し、この物の上に他人の平穏かつ公然の占有が継続したが、そのため実際上公の目的が害されるようなこともなく、もはやその物を公共用財産として維持すべき理由がなくなった場合には、当該公共用財産について黙示的に公用が廃止されたものとして、これについて取得時効の成立を妨げないとした（最判昭51.12.24）。

**3 ○** 判例は、国が持つ不法行為に基づく損害賠償請求権は、私法上の金銭債権であって、公法上の金銭債権ではないから、その時効による消滅については、会計法31条１項にいう「別段の規定」である民法の規定が適用されるべきであり、会計法31条１項の規定する時効の利益を放棄することができない旨の制限に服するものではないとした（最判昭44.11.6）。

**4 ×** 判例は、本件相殺は過払給与金額相当の不当利得返還請求権を自働債権とする相殺、適正な賃金額を支払うための調整的相殺であって、賃金とまったく関係のない債権による相殺と同一視すべきではないとしたうえ、このような相殺は過払いのあった時期からみて、これと賃金の清算調整の実を失わない程度に合理的に接着した時期においてなされる場合であり、しかも、その金額、方法等においても、労働者の経済生活の安定をおびやかすおそれのない場合に限って許されるとした（群馬県教組事件、最判昭45.10.30）。

**5 ×** 判例は、業務を営む資格という関係では、公認会計士たる地位の喪失は、当該公認会計士が業務遂行の意思がなくなったことを表明した時点でその効果が生じると解してよいが、大蔵大臣（現財務大臣）などの監督に服する関係においては、監督機関において監督関係の保持の必要がないと認めたときに初めて生ずるもの、すなわち、公認会計士がその業務を廃止した時ではなく、公認会計士協会がこれに基づいて登録を抹消した時に生ずるとした（最判昭50.9.26）。

**正答 3**

第1章 SECTION 3 行政法総論

# 行政上の法律関係

## 実践 問題 15 応用レベル

頻出度 地上★ 国家一般職★ 特別区★ 国税·財務·労基★ 国家総合職★★

問 行政上の法律関係に関する次の記述のうち、判例に照らし、妥当なのはどれか。 (国Ⅰ1986)

1：法令の規定により現金出納の権限がないとされている公共団体の長が、当該地方公共団体の名で第三者から金員を借り入れたとしても、権限踰越による表見代理に関する民法第110条が類推適用される余地はない。

2：租税債権は国家の財政的基礎を形成するものであるから、その債権の満足が得られることは社会全体の重要な利益であり、租税債権には、特別の規定がなくても原則として一般私法上の債権に優先する効力が与えられている。

3：取締法規がある場合に、それに違反してなされた私法上の法律行為は、いわゆる公序良俗違反の法律行為にあたるから、その行為は民法第90条により無効となる。

4：統制法規がある場合に、それに違反してなされた私法上の法律行為は、統制法規がその行為の効力をも否定する性質を有するものである以上、違反の限度において無効となる。

5：地方議会の議員の報酬請求権は、労働者の賃金と同じく議員の生存を保障するものであるばかりでなく議員の活動のために不可欠のものであるから直接払いの原則が妥当し、これを譲渡する契約は無効である。

チェック欄

| 1回目 | 2回目 | 3回目 |
|---|---|---|
| | | |



## 実践 問題 15 の解説

〈行政上の法律関係〉

**1 ×** 判例は、現金出納の権限のない普通地方公共団体の長自身が他よりの借入金を現実に受領した場合は、民法110条所定の代理人がその権限外の行為をなした場合に該当するものとして、同条の類推適用を認めるのが相当であるとした（最判昭34.7.14）。

**2 ×** 租税債権といえども、当然に一般私法上の債権に優先するものではなく、国税はすべての公課その他の債権に先立って徴収するとする（国税徴収法８条）などの規定がある場合に限って、優先的効力が認められるにすぎない。また、判例は、租税滞納処分について、民法177条の適用を認めている（最判昭35.3.31）。

**3 ×** 判例は、行政法規を、これに反する私法上の行為の効力を否定する強行法規（統制法規）と、そうではない単なる取締法規（取締法規）に区別し、私法上の行為の有効（取締法規違反の場合）・無効（統制法規違反の場合）を判断している（最判昭35.3.18など）。

**4 ○** 統制法規が、それに違反する私法上の行為の効力を否定する趣旨である以上、それに反する私法上の行為の効力が違反の限度で否定されるのは法律の効力として当然である。判例も、煮干しいわしに関する配給統制法令を、統制法規として、それに反する私法上の契約の効力を否定している（最判昭30.9.30）。

**5 ×** 判例は、地方議会の議員の報酬請求権は、公法上の権利であるが、それが法律上特定の者に専属する性質のものとされているのではなく、単なる経済的価値として移転性が予定されている場合には、その譲渡性を否定する理由はないとし、地方議会の議員の報酬請求権について、法律・条例などに譲渡禁止規定がないことも考慮して、譲渡性を認めている（最判昭53.2.23）。

**正答 4**

第1章 SECTION ③ 行政法総論

# 行政上の法律関係

## 実践 問題 16 応用レベル

頻出度 地上★ 国家一般職★ 特別区★ 国税·財務·労基★ 国家総合職★★

**問 行政活動への民法の適用に関する次の記述のうち、判例に照らし、妥当なのはどれか。** (国Ⅰ2001)

1：道路法に定める道路を開設するには、原則として、まず路線の指定又は認定があり、道路管理者において道路の区画を決定し、その敷地等の上に所有権等の権原を取得し、必要な工事を行って道路としての形態を整え、さらに、その供用を開始する手続に及ぶことを必要とするものであるが、道路敷地用土地の所有権の移転については民法第177条が適用されるから、国は、当該土地の所有権の取得を、後に登記を備えた第三者に対抗することができない。

2：権利が確定的に発生したとして課税の対象とされた債権が後に貸倒れとなった場合には、貸倒れによって課税の前提が失われるにもかかわらず、なお課税庁が既に徴収した税額をそのまま保有することができるとすることは、所得税の本質に反するから、課税処分は後発的な貸倒れにより無効となり、納税者は、それを前提に、国に対し、民法第703条に基づいて不当利得の返還を請求することができる。

3：国は、公務員に対し、国が公務遂行のために設置すべき場所、施設若しくは器具等の設置管理又は公務員が国若しくは上司の指示の下に遂行する公務の管理に当たり、公務員の生命及び健康等を危険から保護するよう配慮すべき公法上の義務を負っており、国の当該義務の懈怠を理由とする損害賠償請求権の消滅時効期間については、民法第167条第１項が類推適用され、10年となる。

4：庁舎管理規程に基づく庁舎等における広告物等の掲示の許可は、国有財産法第18条第３項にいう行政財産の目的外使用の許可とは異なり、当該掲示を行う場所を継続的・独占的に使用する権利を与えるものではないから、返還の時期があらかじめ定められていない場合には、庁舎管理者は、民法上の使用貸借に関する規定の類推適用により、いつでも、当該掲示の許可を撤回することができる。

5：建築基準法に基づく建築確認については、建築基準法その他の法令において定められている建築物の構造、接道要件、建築物の外壁と隣地境界線との間の距離等の要件を審査する必要があり、民法第234条の規定もその要件に含まれるから、建築基準法第65条の特則が適用されない限り、境界線から50センチメートル以上の距離を置かない建築物に対して建築確認を与えることはできない。

| チェック欄 | | |
|---|---|---|
| 1回目 | 2回目 | 3回目 |
| | | |

## 実践 問題 16 の解説

〈行政上の法律関係〉

**1 ○** 道路管理者において道路敷地の所有権の取得について対抗要件を欠いた場合は、後に道路敷地の所有権を取得した第三者には対抗できない。道路敷地の所有権移転にも民法177条が適用されるからである（最判昭44.12.4）。

**2 ×** 判例は、課税対象とされた債権が後に貸倒れとなった場合であっても課税処分は遡って当然に無効とならないとする（最判昭49.3.8）。ただし、判例は、課税庁自身による貸倒れ部分相当額の取消し・返還という是正措置が講ぜられない限り租税の収納を甘受しなければならないというのは著しく不当で正義公平の観念にもとるから、課税庁または国は貸倒れにかかる金額の限度において課税処分の効力を主張できず、したがって租税を徴収することはできず、すでに徴収したものは不当利得となるとしている。

**3 ×** 判例は、安全配慮義務の懈怠を理由とする損害賠償請求権の消滅時効の期間については会計法30条ではなく、民法167条１項が適用され、10年と解すべきであるとしている（最判昭50.2.25）。すなわち、民法167条１項（現166条１項２号）を直接適用したのであり、類推適用したわけでない。

**4 ×** 判例は、庁舎管理規程に基づく庁舎などでの広告物の掲示許可は意見表明などの許可であって、掲示板の使用権を何ら認めるものではなく、国有財産法18条３項にいう行政財産の目的外使用の許可にもあたらないという趣旨に徴すると、庁舎などの維持管理または秩序維持上の必要または理由があるときは当該許可を撤回できるとする（最判昭57.10.7）。

**5 ×** 民法234条と建築基準法65条（現63条）の関係につき、判例は、建築基準法65条所定の建築物に限り、その建築については民法234条１項の規定が排除されるとした（最判平元.9.19）。すなわち、建築基準法65条所定の建物以外は、民法234条１項の適用を受ける。しかし、このことは、民法234条１項の要件を充たさなければ建築基準法上の建築確認を与えることができないということを意味するものではなく、建築確認の問題と民法の問題はあくまで別個のものとされる。

**正答 1**

# 第1章 行政法総論

章末CHECK

Question

**Q1** 「行政」とは、国家作用のうち立法と司法を除いたものであるとするのが多数説である。

**Q2** 法律による行政の原理とは、行政活動は法律に従って行われなければならないとする建前のことをいう。

**Q3** 法律の（専権的）法規創造力の原則とは、行政活動は、あらかじめ法律の根拠がなければ行うことができないとする建前のことである。

**Q4** 法律の優位の原則とは、行政活動は、制定された法律に違反して行われてはならないとする建前のことをいう。

**Q5** 法律の留保の原則に関する学説の１つである侵害留保説は、行政が、権力的行為形式により活動する場合について法律の根拠が必要であるとする見解のことである。

**Q6** 法律の留保の原則に関する学説の１つである社会留保説は、侵害行政に加え、社会権確保を目的としてなされる、国民に財やサービスを提供する行政作用についても法律の根拠が必要であるとする見解のことである。

**Q7** あらゆる行政活動に法律の根拠が必要であるとする見解を全部留保説という。

**Q8** 全部留保説は、あらゆる給付行政に法律の根拠を必要とするのか、もし限界をつけるとしてもそれはどのようにして決められるのかという問題があると批判されている。

**Q9** 侵害留保説は自由主義の理念を根拠としている。

**Q10** 農地買収処分には民法177条の適用は認められない。

**Q11** 租税滞納処分には民法177条の適用が認められない。

**Q12** 国の安全配慮義務違反に基づく損害賠償債権に会計法30条は適用されない。

**Q13** 議員の報酬請求権は公法上の権利なので譲渡は認められない。

A1 ○「行政」とは何かについては学説上争いがあるが、現在は本問のような控除説が多数説である。

A2 ○ この原理の具体的内容として、法律の（専権的）法規創造力の原則、法律の優位の原則、法律の留保の原則がある。

A3 × 法律の（専権的）法規創造力とは、国民の権利義務に関する一般的なきまりについては、国会のみが「法律」という形式でこれを定める権限を有するという建前のことである。

A4 ○ この原則は、すべての行政活動に妥当する原則である。

A5 × 侵害留保説とは、国民の権利義務を権力的に侵害・制限する行政作用について法律の根拠が必要であるとする見解である。

A6 ○ 社会留保説は、給付行政についてもその公平適正さを確保するため法律の規律が必要であると主張する。

A7 ○ 民主国家においては、あらゆる行政活動に国会の制定する法律の根拠が必要であると主張する見解である。

A8 × 全部留保説への批判は、現代福祉国家における多様かつ流動的な行政需要に適切に対応できないというものである。

A9 ○ 侵害留保説は、侵害行政における行政庁の勝手な判断を抑制し、国民の権利・自由の保護を目指すもので、自由主義の理念を根拠とする。

A10 ○ 農地買収処分は、国家が権力的手段をもって農地の強制買収を行うものであって、私人相互の民法上の売買とは異なるものであるから、民法177条の適用は認められない（最大判昭28.2.18）。

A11 × 租税滞納処分に際しての国の地位は一般債権者と同じであることから民法177条の適用が認められる（最判昭31.4.24）。

A12 ○ 国の安全配慮義務違反に基づく損害賠償請求権に、行政上の便宜を図るための会計法30条を適用する必要はないため、会計法30条は適用されない（最判昭50.2.25）。

A13 × 議員の報酬請求権は、公法上の権利であるが、それが法律上特定の者に専属する性質のものではなく、法律上単なる経済的価値として移転性が予定されているため、譲渡することができる（最判昭53.2.23）。

# memo

行政法

# 第2編
# 行政組織法

# 第1章

# 行政組織法

SECTION

# 第1章 行政組織法

## 出題傾向の分析と対策

| 試験名 | 地上 | | | 国家一般職 | | | 特別区 | | | 国税・財務・労基 | | | 国家総合職 | | |
|---|---|---|---|---|---|---|---|---|---|---|---|---|---|---|---|
| 年度 | 16-18 | 19-21 | 22-24 | 16-18 | 19-21 | 22-24 | 16-18 | 19-21 | 22-24 | 16-18 | 19-21 | 22-24 | 16-18 | 19-21 | 22-24 |
| 出題数 セクション | | | 1 | | | | | | | | | 1 | 2 | 4 | 3 |
| 行政主体と行政機関 | | | | | | | | | | | | | ★★ | ★★★ | ★★ |
| 行政機関相互の関係 | | | ★ | | | | | | | | | ★ | | ★ | ★ |

（注）１つの問題において複数の分野が出題されることがあるため、星の数の合計と出題数とが一致しないことがあります。

この分野は国家総合職ではよく出題されていますが、それ以外の試験ではあまり出題されていません。

### 地方上級

あまり出題されません。たまに、権限の代行について出題されます。過去問を解いて基本的な知識を身につけておいてください。

### 国家一般職

かつては毎年出題されていましたが、最近はあまり出題されていません。しかし、今後出題される可能性は高いですので、特に行政機関について過去問を繰り返し解いて知識を身につけておいてください。

### 特別区

ほとんど出題されていません。万全を期したい人は、行政機関相互の関係、とりわけ、権限の代行を中心に過去問を解いて知識を身につけておいてください。

### 国税専門官・財務専門官・労働基準監督官

あまり出題されていませんでしたが、最近、行政機関相互の関係について出題されました。万全を期したい人は、過去問を解いて基本的な知識を身につけておいてください。

### 国家総合職

ほぼ毎年出題されています。特に行政機関相互の関係については、よく出題されています。また、独立行政法人、行政委員会など行政機関についてはかなり細かい知識まで問われることがありますので、過去問を解いてしっかり知識を身につけるようにしてください。

## Advice アドバイス 学習と対策

試験種により問われる知識にかなり偏りがあります。

国税専門官・財務専門官・労働基準監督官ではあまり出題されません。

特別区では権限の代行についてたまに問われます。権限の委任・代理・専決それぞれの内容と相違点をしっかり理解しておきましょう。

国家総合職・国家一般職では国の行政機関についてよく問われます。特に国家行政組織法の内容については、過去問を繰り返し解いて、しっかり理解しておきましょう。

行政組織法

# 行政主体と行政機関

## 必修問題 セクションテーマを代表する問題に挑戦！

**行政活動にはさまざまな人がさまざまな形でかかわります。そのかかわり方を学びましょう。**

**問 行政機関についての講学上の概念に関するア～エの記述のうち、妥当なもののみをすべて挙げているのはどれか。（国Ⅱ2007）**

---

ア：行政庁とは、行政主体の意思又は判断を決定し外部に表示する権限を有する機関をいい、各省大臣及び都道府県知事は行政庁に該当するが、公正取引委員会や公害等調整委員会等の行政委員会は行政庁に該当しない。

イ：諮問機関とは、行政庁から諮問を受けて意見を具申する機関をいい、諮問機関に対する諮問手続が法律上要求されているのに、行政庁が諮問手続を経ることなく行政処分をした場合であっても、行政庁の決定が違法となることはないとするのが判例である。

ウ：執行機関とは、行政上の義務を国民が履行しない場合に強制執行をしたり、違法な状況を排除する緊急の必要がある場合に即時強制をするなど、行政目的を実現するために必要とされる実力行使を行う機関をいう。

エ：監査機関とは、監査の対象となっている機関の事務や会計処理を検査し、その適否を監査する機関をいい、国の会計検査を行う会計検査院や地方公共団体の財務に関する事務の執行等を監査する監査委員が監査機関に該当する。

1：ア　2：ア、イ　3：イ、ウ　4：ウ、エ　5：エ

直前復習

### Guidance ガイダンス

**行政庁**
行政主体の意思を決定し外部に表示する行政機関

**諮問機関**
行政庁からの諮問を受けて意見を述べる行政機関（専門家）

**執行機関**
行政目的を実現するために実力を行使する行政機関

**監査機関**
事務や会計を検査する行政機関

チェック欄 1回目 2回目 3回目



# 必修問題の解説

〈行政機関〉

行政機関とは、行政主体のために現実に意思決定、意思表示、執行などを行う機関（自然人）のことをいう。国・自治体等の行政主体は、単に行政上の法律関係から生じる権利義務の帰属主体にすぎず、目に見えない観念的な存在である（法人）。そこで、行政主体に代わって行政主体の頭脳や手足として現実に活動する存在が必要である。それが、行政機関である。

行政機関はその権限により、6つに分類される。すなわち、①行政庁とは、行政主体の意思・判断を決定し、外部に表示する権限を持つ行政機関である。②諮問機関とは、行政庁からの諮問を受け、答申などの形で意見を述べる権限を有する行政機関である。③参与機関とは、行政庁の意思決定に参与する権限を有する行政機関である。諮問機関とは異なり、参与機関の決定は行政庁の意思を法的に拘束する。④執行機関とは、行政目的を実現するために必要とされる実力行使を行う権限を有する行政機関である。⑤監査機関とは、行政機関の事務や会計処理を検査し、その適否を監査する権限を有する行政機関をいう。⑥補助機関とは、行政庁およびその他の行政機関の職務を補助する権限を有する行政機関をいう。

**ア×** 行政庁の定義は正しい。責任の所在を明確にする趣旨から、行政庁は独任制であることが多い。もっとも、政治的中立性を維持する必要がある場合や、意思決定を慎重にさせる趣旨から、行政委員会のように合議制の行政庁が設置されることもある。

**イ×** 諮問機関の定義は正しい。しかし、原子炉設置許可処分の違法性が問題となった事案において、判例は、行政庁が行政処分をする際に、諮問機関への諮問が法律上要求されているにもかかわらず、かかる手続を怠ったときは、当該処分は違法となるとする（伊方原発訴訟、最判平4.10.29）。なぜなら、そのように解さないと、違法な処分を未然に防ぐため、処分の事前手続を定めた法の趣旨が害されるからである。

**ウ○** 執行機関の「執行」とは、行政上の強制執行のみならず、即時強制や行政調査も含まれることに注意が必要である。

**エ○** 監査機関の具体例として挙げられている会計検査院と監査委員は過去の本試験でも問われているので、覚えておくべきである。

以上より、妥当なものはウ、エであり、肢4が正解となる。

**正答 4**

行政組織法

# 行政主体と行政機関

## 1 行政主体と行政機関

### ① 行政主体

行政主体とは、行政上の法律関係から生ずる権利義務の帰属主体となるものをいいます。

### ② 行政機関

行政機関とは、行政主体のためにその手足となって現実にその職務を行う機関をいいます。

**具体例**

行政主体…国、地方公共団体（都道府県・市町村）、独立行政法人
行政機関…各省大臣、地方公共団体の都道府県知事

## 2 行政機関の分類

| | 定義 | 例 | |
|---|---|---|---|
| 行政庁 | 行政主体の意思を決定して外部に表示する権限を有する行政機関 | 各省大臣、都道府県知事、市町村長、税務署長、公正取引委員会 | 1人が担当する独任制と、複数人が担当する合議制がある |
| 補助機関 | 行政庁その他の行政機関の職務を補助するため、日常的な職務を遂行する行政機関 | 各省次官、副知事、副市町村長、一般職員 | 「公務員」といわれる者のほとんどが、これにあたる |
| 諮問機関 | 特定分野の専門家を構成員とし、行政庁から諮問を受けて意見を述べる行政機関 | 法制審議会、中央教育審議会 | 諮問機関の答申は、行政庁の意思を法的に拘束しない |
| 参与機関 | 行政庁の意思決定に参与する権限を持つ行政機関 | 電波監理審議会 | 参与機関の議決は、行政庁の意思を法的に拘束する |
| 執行機関 | 行政目的を実現するために必要な実力行使を行う行政機関 | 警察官、消防職員 | |
| 監査機関 | 行政機関の事務や会計の処理を検査し、その適否を監査する行政機関 | 会計検査院、地方公共団体の監査委員 | |

## 3 国の行政組織

### (1) 内閣

内閣とは、内閣総理大臣および国務大臣によって組織される合議制の機関をいいます（内閣法2条1項）。国の行政組織はこの内閣を頂点として構成されており、すべての行政機関は原則として内閣の統轄下に置かれています。

国務大臣の数は原則14人以内とされていますが、特別に必要がある場合は、最大17人とすることができます（同条2項）。

**補足** 内閣を構成する国務大臣は、主任の大臣として行政事務を分担管理します（内閣法３条１項）が、行政事務を分担しない無任所大臣も認められています（同条２項）。

### (2) 府・省

府・省とは、内閣の統括のもとで具体的な行政事務を行う機関をいい、内閣府および11の省があります。

内閣府は、省同様に行政事務を担当することに加えて、①内閣の重要政策に関する内閣の任務を助け、②国政の具体的重要事項に関し企画立案・総合調整を行う点で、省より高い次元に位置し、省とは区別して扱われます。内閣府の長は内閣総理大臣となっています（内閣府設置法6条1項）。

省は、国家行政組織法の最大の単位であり、省の長には国務大臣が充てられます（国家行政組織法5条1項）。

### (3) 外局

外局とは、特殊な事務を処理するために、府・省に置かれる行政機関をいい、庁と委員会の2種類があります（国家行政組織法3条3項）。

庁とは、定型的な大量の事務や現業的事務など、府・省で扱うのが不適当な事務に対処するために設けられる行政機関をいいます。

委員会とは、専門的な知識を必要とする行政や、ある程度内閣からの独立性を必要とする事務を処理するために設けられる行政機関をいいます。

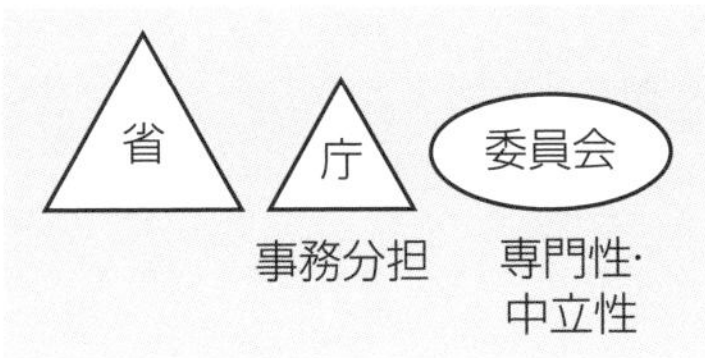

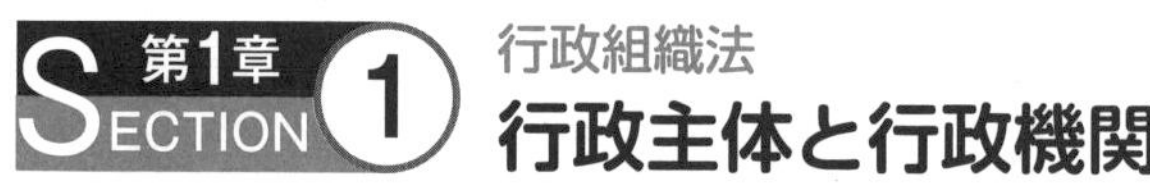

第1章 SECTION 1 行政組織法

# 行政主体と行政機関

## 実践 問題 17 基本レベル

| 頻出度 | 地上★　国家一般職★★　特別区★　国税･財務･労基★　国家総合職★★★ |
|---|---|

**問** **次は行政機関の概念に関する記述である。これが適切な説明となるように①～④に入る用語について妥当なもののみを挙げているのは、以下の１～５のうちどれか。** （国Ⅱ1999）

伝統的な行政法理論では、国は行政主体という性格において、私人と相対立する１個の法人格と考えられているのであるが、現実には、この行政主体の権利義務の行使は、数多くの「①」の手によって行われる。この「①」とは、伝統的な行政組織法理論においては、行政主体の内部組織の構成員のそれぞれに法令によって与えられている各種の権限と責務の帰属点、すなわち行政組織内部の各種のポストのことを意味する。そしてこれらの「①」の中で、特に法令上、行政主体のために自己の名において行政主体の具体的意思を決定し表示する権限を与えられているもののことを地方公共団体などをも含めて広く行政主体一般についていう場合には「②」とよび、特に国が行政主体である場合には「③」とよんできたのである。

したがって「②」とは、たとえば、法律上課税処分を行う権限を与えられた税務署長や、営業許可を与える権限を有する都道府県知事がこれにあたる。

ところで「②」は、大蔵省、税務署、県庁といった、いわゆる「④」とは意味を異にする。これらの「④」は、通常その長を行政庁とし、それを補助する多くの補助機関をも含めて構成される、１つの事務配分の単位としての性質を持っている。

国家行政組織法では、このような「④」のうち一定のものが、法律上「①」の名でよばれているが、この法律でいう「①」概念は、伝統的な理論でいう「①」概念とは意味合いを異にするから、通常時に「国家行政組織法にいう①」と称して理論的に区別している。

**1**：①には「行政庁」、②には「行政官庁」が入る。
**2**：①には「行政機関」、③には「行政官庁」が入る。
**3**：②には「行政庁」、③には「行政機関」が入る。
**4**：②には「行政機関」、③には「行政庁」が入る。
**5**：③には「行政機関」、④には「行政官署」が入る。

※省庁の名称は、出題当時のままである。

## 実践 問題 17 の解説

チェック欄 1回目 2回目 3回目

〈行政機関〉

伝統的な行政法理論では、国は、行政主体として、私人と相対立する1個の法人格を有すると考えられているが、行政主体は法人であるから、現実に行政上の法律関係を形成するには、その手足となって現実にその職務を行う機関を設け、自然人によりその業務を行わせる必要がある。行政主体のためにその手足となって現実にその職務を行う機関（自然人）のことを、「行政機関」という（したがって、①には行政機関が入る）。そして、行政機関の中で、特に法令上、行政主体のために自己の名において行政主体の具体的意思を決定し外部に表示する権限を与えられている機関のことを、「行政庁」とよび（したがって、②には、行政庁が入る)、このうち特に国が行政主体である場合には、「行政官庁」とよんできた（したがって、③には、行政官庁が入る)。

よって、肢2が正解となる。

なお、④には、行政官署が入る。

**正答 2**

# 第1章 SECTION 1 行政組織法 行政主体と行政機関

## 実践 問題 18 基本レベル

| 頻出度 | 地上★ | 国家一般職★★ | 特別区★ |
|---|---|---|---|
| | 国税·財務·労基★ | 国家総合職★★★ | |

**問** 行政組織の権能等に関する次の記述のうち、妥当なのはどれか。

（国税・労基2000改題）

1：行政庁とは、国や地方自治体等の行政主体の法律上の意思を決定し外部に表示する権限を持つ機関をいい、責任の所在を明確にするため独任制を原則としており、行政委員会にあっては、委員長等その合議体を代表する者が行政庁となる。

2：諮問機関である審議会の答申は、法的には行政庁を拘束しないので、行政庁が処分をするに当たり審議会への諮問を法律上義務付けられている場合でも、諮問を経ないでなされた処分は、何ら手続上の瑕疵はない。

3：通達は、法律の解釈運用を統一するために発せられるものであるので、行政庁が、ある私人に対し通達の趣旨に反する処分をした場合には、当該私人は、通達に反していることのみを理由として当該処分の違法を主張することができるとするのが判例である。

4：行政組織における権限の代理は、本来の行政庁が他の機関に対し自己に代理してその権限の一部を行う権能を与えるものであり、被代理機関と代理機関の関係は行政組織法令上明らかであるので、代理機関は自己の名において当該権限を行使することができる。

5：行政組織における権限の委任は、権限の一部を他の機関に委譲するものであり、権限の委任に基づいて受任機関が委任機関の権限を行使した場合、処分の相手方は、受任機関の所属する行政主体を被告として処分の取消の訴えを提起しなければならない。

直前復習

チェック欄

| 1回目 | 2回目 | 3回目 |
|---|---|---|
| | | |

## 実践 問題 18 の解説



〈行政組織の権能〉

**1 ×** 国や地方公共団体などの行政主体の職務を行うために設置された機関を行政機関といい、行政機関のうち、法律上の意思を決定し外部に表示する権限を持つ機関を行政庁という。責任の所在を明確にするため、行政庁は独任制を原則とする。しかし、政治的中立性が要求されるときは、行政委員会のような合議制の行政庁が設置される。この場合においては、合議体としての行政委員会自体が行政庁であり、委員長などその合議体を代表する者が行政庁となるのではない。

**2 ×** 行政庁の諮問を受け、答申などの意見を具申する機関を諮問機関という。各種審議会がこれにあたることが多い。諮問機関である審議会の答申は、法的には行政庁を拘束しない。ただ、行政庁が処分をするにあたり審議会への諮問を義務付けられている場合、諮問を経ないでなされた処分は手続上の瑕疵を帯びるとされている（伊方原発訴訟、最判平4.10.29）。

**3 ×** 上級機関が下級機関に対して発する命令を通達という。たとえば、行政の統一性を保つため、通達で法律の解釈運用を統一することがある。しかし、通達は行政内部では通用するが、外部的効果は一切ない。したがって、当該私人は、通達に反していることのみを理由として当該処分の違法を主張することはできない（最判昭43.12.24参照）。

**4 ×** 権限の代理とは、法令で権限を与えられた行政庁の権限の一部または全部を他の行政機関が被代理庁に代わって行使することをいう。民法における代理と同様、代理機関は代理関係を顕名して権限を行使する必要があり、それによって被代理庁に効果が帰属することになる。代理機関が自己の名で権限を行使するのではない。

**5 ○** 権限の委任は、権限の一部を他の機関に委譲するものである。授権代理と異なり権限が移動するので、委任を行うには法律の根拠を要する。外部への公示も必要である。委任機関は対象となった権限を失い、受任機関が自らの名で権限を行使する。権限の委任に基づいて受任機関が委任機関の権限を行使した場合、処分の相手方は、受任機関の所属する行政主体を被告として処分の取消訴訟を提起しなければならない。

**正答 5**

## 実践 問題 19 基本レベル

| 頻出度 | 地上★ | 国家一般職★★ | 特別区★ |
|---|---|---|---|
| | 国税·財務·労基★ | 国家総合職★★★ | |

**問** 国の行政組織等に関するア～オの記述のうち、妥当なもののみを挙げているのはどれか。（国家総合職2023）

ア：各省には、省の長である大臣の命を受け、政策及び企画をつかさどり、政務を処理する副大臣及び大臣政務官のほか、大臣の命を受け、企画及び立案並びに政務に関して大臣を補佐する大臣補佐官を必ず置かなければならない。

イ：国家行政組織法は、内閣の統轄の下における行政機関で内閣府及びデジタル庁以外のものの組織の基準を定めており、人事院や復興庁も同法の適用対象に含まれるが、会計検査院に対しては適用されない。

ウ：独立行政法人は、公共上の見地から確実に実施されることが必要な事業であって、国が自ら主体となって実施する必要のないもののうち、民間の主体に委ねた場合には必ずしも実施されないおそれがあるもの又は一の主体に独占して行わせることが必要であるものについて、これを一定の自主性及び自律性を発揮しつつ執行することを目的として、独立行政法人通則法の規定により設立された法人であり、具体的には、中期目標管理法人、国立研究開発法人、国立大学法人、行政執行法人又は特殊法人として設立される。

エ：内閣総理大臣は、閣議にかけて決定した方針が存在しない場合においても、流動的で多様な行政需要に遅滞なく対応するため、少なくとも、内閣の明示の意思に反しない限り、行政各部に対し、随時、その所掌事務について一定の方向で処理するよう指導、助言等の指示を与える権限を有するとするのが判例である。

オ：内閣総理大臣は、内閣の重要政策に関して行政各部の施策の統一を図るために特に必要がある場合においては、内閣府に特命担当大臣を置くことができる。また、内閣の重要政策に関して行政各部の施策の統一を図るために必要となる企画及び立案並びに総合調整に資するため、経済財政諮問会議等の重要政策に関する会議が内閣府に置かれている。

1：ア、イ
2：ア、エ
3：イ、オ
4：ウ、エ
5：エ、オ

チェック欄

| 1回目 | 2回目 | 3回目 |
|---|---|---|
| | | |



## 実践 問題 19 の解説

〈国の行政組織〉

**ア×** 各省に、その省の長である大臣の命を受け、政策および企画をつかさどり、政務を処理する副大臣と大臣政務官を置くと述べる本記述前半は妥当である（国家行政組織法16条１項・３項、17条１項）。これに対し、大臣の命を受け、企画および立案ならびに政務に関して大臣を補佐する大臣補佐官（同法17条の２第２項）は、特に必要がある場合において１人置くことができるにすぎず（同条１項）、必ず置かなければならないわけではない。

**イ×** 人事院は、国家公務員法３条１項前段に基づき設置された中央人事行政機関であり、国家行政組織法は適用されない（国家公務員法４条４項後段）。また、復興庁は、復興庁設置法に基づき設置された行政機関であり、国家行政組織法は適用されない（復興庁設置法附則３条）。

**ウ×** 独立行政法人の定義は正しく（独立行政法人通則法２条１項）、本記述前半は妥当である。そして、同条は、独立行政法人として中期目標管理法人（２項）、国立研究開発法人（３項）、行政執行法人（４項）を挙げている。また、国立大学法人は国立大学法人法により設立された法人（同法２条１項）であるが、独立行政法人の一形態とされており、政府の施策においても、国立大学法人は独立行政法人と同様に扱われている。しかし、特殊法人は、法律により直接に設立される法人、または特別の法律により特別の設立行為をもって設立される法人のうち、独立行政法人に該当しないものとされており、特殊法人と独立行政法人は概念的に区別されている。

**エ○** 判例は、憲法66条で内閣総理大臣に内閣の首長の地位が与えられ、憲法68条で大臣の任免権が与えられていることにかんがみると、閣議にかけて決定した方針が存在しなくとも、少なくとも内閣の明示の意思に反しない限り、行政各部に対して一定の方向で処理するよう、指導、助言などの指示を与える権限を持つとしている（ロッキード事件、最大判平7.2.22）。

**オ○** 本記述前半で内閣総理大臣は内閣府に特命担当大臣を置くことができる（内閣府設置法９条１項）と述べる点、後半で内閣府に経済財政諮問会議等（総合科学技術・イノベーション会議）の重要政策に関する会議が置かれている（同法18条１項）と述べる点、いずれも正しく妥当である。

以上より、妥当なものはエ、オであり、肢５が正解となる。

**正答 5**

## 実践 問題 20 基本レベル

頻出度 地上★ 国家一般職★★ 特別区★ 国税·財務·労基★ 国家総合職★★★

**問 国の行政組織等に関するア～オの記述のうち、妥当なもののみを全て挙げているのはどれか。（国家総合職2020）**

ア：日本国憲法の下では、行政権は内閣に属する。したがって、政治的中立性が強く求められる会計検査院及び人事院を除く全ての行政機関は、内閣の所轄の下にある。

イ：内閣には内閣官房が置かれ、国務大臣が充てられる内閣官房長官が内閣官房の事務を統轄し、職員の服務を統督する。内閣官房は、その所掌事務として、政策の総合調整に加えて政策の企画及び立案も担うこととされている。

ウ：内閣総理大臣は、内閣府の長であり、主任の大臣として内閣府の事務を分担管理するが、加えて、各省大臣となることはできない。

エ：内閣の重要政策に関して行政各部の施策の統一を図るために必要となる企画及び立案並びに総合調整に資するため、内閣総理大臣又は内閣官房長官を長とし、関係大臣及び学識経験者等の合議により処理することが適当な事務をつかさどらせるための機関として、経済財政諮問会議や総合科学技術・イノベーション会議等の重要政策に関する会議が内閣府に置かれている。

オ：各省に特別な職として置かれる副大臣及び大臣政務官は、その省の長である大臣の命を受け、政務を処理する。副大臣は、大臣不在の場合にその職務を代行する必要があるため、必ず置かなければならないが、大臣政務官は置かないこととすることもできる。

1：ア、イ
2：ア、ウ
3：イ、エ
4：ウ、オ
5：エ、オ

チェック欄

| 1回目 | 2回目 | 3回目 |
| --- | --- | --- |
| | | |



## 実践 問題 20 の解説

〈国の行政組織〉

**ア×** 人事院を内閣の所轄の下から除くと述べる本記述は、国家公務員法の規定と異なるので、妥当でない。会計検査院と人事院はともに政治的中立性が強く求められる行政機関である。会計検査院は、憲法上内閣から独立した機関であり（憲法90条）、内閣の所轄の下から除かれるが、人事院は、内閣の所轄の下に置かれる行政機関である（国家公務員法３条１項）。なお、人事院は、職務の性質上、実質的には委員会としての性格を有するため、国家行政組織法は、人事院には適用されない（国家公務員法４条４項）。

**イ○** 内閣官房は、内閣に置かれ、閣議事項の整理その他政策の総合調整および政策の企画・立案、情報の収集調査の事務等をつかさどる（内閣法12条１項・２項）。内閣官房長官は、国務大臣をもって充てられ、内閣官房長官が内閣官房の事務を統轄し、職員の服務を統督する（同法13条２項・３項）。

**ウ×** 内閣総理大臣は各省大臣となることはできないと述べる本記述は、国家行政組織法の規定と異なるので、妥当でない。内閣総理大臣は、内閣府の長であり（内閣府設置法６条１項）、主任の大臣として内閣府の事務を分担管理するので（同条２項）、本記述前半は妥当である。しかし、各省大臣は、国務大臣のうちから内閣総理大臣が命ずるが、内閣総理大臣自ら当たることもできる（国家行政組織法５条３項）。よって、内閣総理大臣も各省大臣となることができる。

**エ○** 内閣府には、内閣の重要政策に関し、行政各部の施策の統一を図るために必要となる企画立案・総合調整に資するため、内閣総理大臣または内閣官房長官を長とし、関係大臣および学識経験を有する者等の合議により処理することが適当な事務をつかさどらせるための機関（重要政策に関する会議）が置かれている。経済財政諮問会議、総合科学技術・イノベーション会議がそれである（内閣府設置法18条１項）。

**オ×** 大臣政務官を各省に置かないこととすることもできると述べる本記述は、国家行政組織法の規定と異なるので、妥当でない。副大臣も大臣政務官も、各省に必置され、いずれも内閣によって任免される（同法16条１項・５項、17条１項・５項）。したがって、大臣政務官も各省に置かなければならない機関である。

以上より、妥当なものはイ、エであり、肢３が正解となる。

**正答 3**

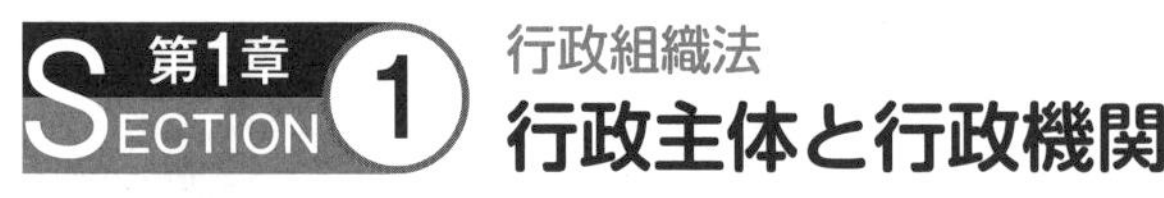

第1章 SECTION 1 行政組織法

# 行政主体と行政機関

## 実践 問題 21 応用レベル

頻出度 地上★ 国家一般職★★ 特別区★ 国税·財務·労基★ 国家総合職★★★

**問 国家行政組織法上の委員会に関する次の記述のうち、妥当なのはどれか。**

**(国家総合職2013)**

1：国家行政組織法上、委員会は国の行政機関として位置付けられており、同法によれば、その所掌事務は、政治的中立性の確保が必要なもの、専門技術的判断が必要なもの及び複数当事者の利害調整を行うものに限定されている。

2：国家行政組織法上、委員会は、別に法律の定めるところにより、省にその外局として置かれ、特に必要がある場合においては、委員会の長に国務大臣を充てることができるとされている。

3：国家行政組織法上、委員会は、別に法律の定めるところにより、政令及び省令以外の規則その他の特別の命令を自ら発することができるとされているが、当該命令には、法律の委任がなければ、罰則を設け、又は義務を課し、若しくは国民の権利を制限する規定を設けることができない。

4：国家行政組織法上、委員会の長たる委員長は、各省大臣及び各庁の長官と同様に、その機関の所掌事務について、命令又は示達するため、所管の諸機関及び職員に対し、訓令又は通達を発することができる。

5：人事院は、国家公務員法に基づき内閣の所轄の下に設置される行政機関であるが、国家行政組織法上は、内閣総理大臣が主任の大臣となっている内閣府に置かれる委員会として位置付けられる。

チェック欄

| 1回目 | 2回目 | 3回目 |
|---|---|---|
| | | |



## 実践 問題 21 の解説

〈委員会〉

**1 ×** 国家行政組織法は、国の行政機関として、省・委員会・庁の３種類を置くと定めている（同法３条２項）。これらは、３条機関とよばれる。現在の委員会は、政治的中立性の確保が必要とされるもの、専門技術的判断が必要とされるもの、複数当事者の利害調整を行うものを所掌事務としている。しかし、国家行政組織法は、委員会の所掌事務については何も規定しておらず、上記の事務に限定していない。

**2 ×** 国家行政組織法３条３項は、委員会は、省にその外局として置かれるものとすると規定しているが、その政治的中立性を確保するため、委員会の長に国務大臣をもって充てることはない。したがって、本肢は妥当でない。もっとも、警察法上、国家公安委員会の長に国務大臣をもって充てることとされている（同法６条１項）。しかし、国家公安委員会は警察法上の委員会であり、国家行政組織法上の委員会ではない。

**3 ○** 国家行政組織法13条１項は、各委員会（および各庁の長官）は、別に法律の定めるところにより、政令および省令以外の規則その他の特別の命令を自ら発することができる、と定めている。ただし、この命令には、法律の委任がなければ、罰則を設け、または義務を課し、もしくは国民の権利を制限する規定を設けることができない（国家行政組織法13条２項・12条３項）。

**4 ×** 国家行政組織法14条２項は、各省大臣、各委員会および各庁の長官は、その機関の所掌事務について、命令または示達するため、所管の諸機関および職員に対し、訓令または通達を発することができると規定しており、告示と同様、訓令・通達を発する権限を委員会の長ではなく委員会そのものに与えている。委員会の長ではなく、委員会そのものに当該権限を付与したのは、省および庁とは異なり、委員会はそれ自体が意思を決定し、それを外部に表示する機関であることを特徴としているからである。

**5 ×** 人事院は、国家公務員法に基づき内閣の所轄のもとに設置される行政機関である（国家公務員法３条１項・２項）。形式上は内閣の補助部局であるが、人事行政の政治的中立性確保の要請から、内閣の統轄下にある行政機関について規律する国家行政組織法は人事院には適用されないこととなっている（同法４条４項）、典型的な独立行政委員会である。

**正答 3**

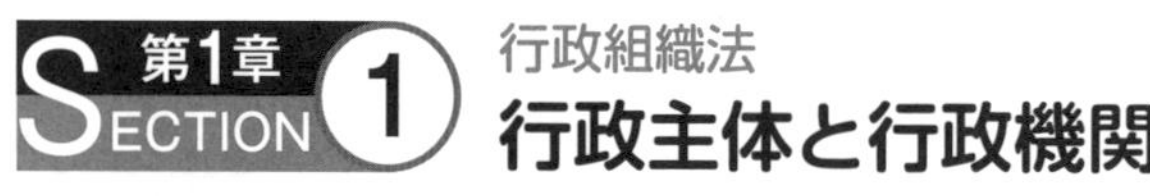

第1章 SECTION 1 行政組織法

# 行政主体と行政機関

## 実践 問題 22 応用レベル

頻出度 地上★ 国家一般職★★ 特別区★ 国税·財務·労基★ 国家総合職★★★

問 いわゆる行政委員会に関する次の記述のうち、妥当なのはどれか。

(国Ⅰ2007)

1：行政委員会が国家行政組織法第３条の規定により省の外局として置かれている場合、その具体的な権限の行使については、当該省の大臣の指揮監督を当然に受けるものと解される。

2：行政委員会の独立性を保つ必要性にかんがみ、行政委員会の代表者自らが法律案を内閣総理大臣に提出して閣議を求めることができるとされているのが通例である。

3：行政委員会の構成員の任免権は一般に内閣が有しているが、行政委員会は、その職務の性質上、多かれ少なかれ内閣から独立して活動するものであることから、予算の編成権については内閣から完全に独立している。

4：憲法は三権分立を原則としているものの、行政委員会の中には、争訟の判断といった準司法的権限や規則制定といった準立法的権限を持つことが認められているものも存在する。

5：行政委員会の職務は行政権に属するものであることから、行政権は内閣に属すると規定する憲法第65条の規定の趣旨にかんがみ、行政委員会の人事について国会のコントロールを受けることはおよそ認められていない。

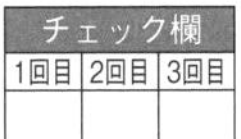



## 実践 問題 22 の解説

チェック欄

| 1回目 | 2回目 | 3回目 |
|---|---|---|
| | | |



〈行政委員会〉

**1 ×** 国家行政組織法上の省の外局（同法３条３項）としての委員会は、省の所轄の下に置かれているものの、組織上、省の内部部局とは異なる独立性を有し、原則として、各省大臣の指揮監督を受けない。

**2 ×** 主任の行政事務について、法律もしくは政令の制定、改正または廃止を必要と認めるとき、案をそなえて内閣総理大臣に提出し、閣議を求めなければならないとされるのは、各省大臣のみである（国家行政組織法11条）。

**3 ×** 委員会の構成員たる委員については、たとえば人事院における人事官は内閣が任命し（国家公務員法５条１項）、公正取引委員会委員は内閣総理大臣が任命する（私的独占の禁止及び公正取引の確保に関する法律（以下「独占禁止法」）29条２項）こととなっている。他方、予算編成権については、委員会は、各省大臣と異なり、財務大臣に予算経費要求書等を直接送付して予算要求をすることができない（財政法20条２項）ことなどから、内閣から完全に独立しているとはいえない。

**4 ○** 行政委員会において、争訟の裁断などの準司法的権限、規則制定などの準立法的権限を認められている場合がある。たとえば、人事院は、その所掌事務について、法律を実施するため、または法律の委任に基づいて人事院規則を制定する（国家公務員法16条１項前段）という準立法的権限を有している。

**5 ×** 委員会の構成員たる委員の任命については、各委員会の設置法などにおいて、委員の資格が定められたり、国会の両議院または一院の同意を要することとなったりしている。たとえば、公正取引委員会の委員長および委員は、内閣総理大臣が、両議院の同意を得て任命する（独占禁止法29条２項）。したがって、委員会の人事について国会のコントロールを受けることはある。

**正答 4**

実践 問題 23 応用レベル

頻出度 地上★ 国家一般職★★ 特別区★ 国税·財務·労基★ 国家総合職★★★

問 独立行政法人に関するア～エの記述のうち、妥当なもののみをすべて挙げているのはどれか。 (国Ⅱ2006)

ア：独立行政法人は、従来国や特殊法人が行っていた事務又は事業を効率的かつ効果的に行わせることを目的としているが、その事業に要する費用をすべて事業収益によりまかなうことまでは必要とされておらず、政府は、予算の範囲内において、独立行政法人に対し、その業務の財源に充てるために必要な金額の全部又は一部に相当する金額を交付することができるとされている。

イ：独立行政法人は、3年以上5年以下の期間において当該独立行政法人が達成すべき業務運営に関する中期目標を定め、主務大臣の認可を受けなければならないこととされている。

ウ：独立行政法人は、中期目標の期間における業務の実績について評価委員会の評価を受けることとされており、評価委員会は、中期目標の期間の終了時において、当該独立行政法人の主要な事務及び事業の改廃について、主務大臣に勧告することとされている。

エ：独立行政法人は、毎事業年度、貸借対照表、損益計算書等の財務諸表を作成し、当該事業年度の終了後3月以内に主務大臣に提出し、その承認を受けなければならないこととされている。

1：ア、イ
2：ア、エ
3：イ、ウ
4：ア、ウ、エ
5：イ、ウ、エ

## 実践 問題 23 の解説

〈独立行政法人〉

**ア○** 独立行政法人は、従来国や特殊法人が行っていた事務または事業を効率的かつ効果的に行わせることを目的として設置された法人であるが、その業務が公共上の見地から確実に実施されることが必要な事務および事業にかかわるものであることから（独立行政法人通則法２条１項）、独立行政法人の組織、人事、財務、業務に対する国の関与権は否定されていない。したがって、政府は、予算の範囲内において、独立行政法人に対し、その業務の財源に充てるために必要な金額の全部または一部に相当する金額を交付することができる（同法46条）。

**イ×** 記述アの解説にあるように、国は独立行政法人の業務に対して関与することがある。その一態様として、主務大臣は、３年以上５年以下の期間において独立行政法人が達成すべき業務運営に関する目標（中期目標）を定め、これを当該独立行政法人に指示することとされる（独立行政法人通則法29条１項）。したがって、中期目標を定めるのは独立行政法人ではない。また、中期目標に関する主務大臣の役割は、中期目標を認可することではなく、これを定めることである。

**ウ×** 中期目標の期間における業務の実績について評価を受けなければならないのは、独立行政法人のうち中期目標管理法人であり、評価するのは評価委員会ではなく、主務大臣である（独立行政法人通則法32条１項）。また、主務大臣に勧告しうるのは評価委員会ではなく、独立行政法人評価制度委員会である。すなわち、独立行政法人評価制度委員会は、中期目標管理法人の主要な事務および事業の改廃に関し、主務大臣に勧告することができるのである（同法35条４項）。

**エ○** 記述アの解説にあるように、国は独立行政法人の財務に対して関与権を有している。独立行政法人は、毎事業年度、貸借対照表、損益計算書などの財務諸表を作成し、当該事業年度の終了後３月以内に主務大臣に提出し、その承認を受ける義務を負う（独立行政法人通則法38条１項）。

以上より、妥当なものはア、エであり、肢２が正解となる。

**正答 2**

# 実践 問題 24 応用レベル

| 頻出度 | 地上★　国家一般職★★　特別区★<br>国税·財務·労基★　国家総合職★★★ |
|---|---|

**問** 公の施設の指定管理者に関する次の記述のうち、妥当なものはどれか。

（地上2011）

1：普通地方公共団体が、指定管理者を選ぶときはあらかじめ当該普通地方公共団体の議会において議決されなければならない。

2：指定管理者になれるのは、地方公共団体に属するかその出資法人のみであり、民間事業者やＮＰＯ法人はその指定の対象となることができない。

3：指定管理者はあらかじめ任期を決めて選ばれるが、10年以上の任期については公共施設の透明性を保つことが出来ないために禁止されている。

4：指定管理者は公共施設にかかる経費についてすべて当該公共団体からの支出金で賄わなければならない。

5：指定管理者が行った行為について行政事件訴訟法における処分取消訴訟を提起した場合、被告は指定管理者を選んだ地方公共団体となる。

チェック欄

| 1回目 | 2回目 | 3回目 |
| --- | --- | --- |
| | | |



## 実践 問題 24 の解説

〈指定管理者〉

**1 ○** 地方自治法244条の２第６項は、指定管理者の指定をするときは、あらかじめ、当該普通地方公共団体の議会の議決を経なければならないと定めている。

**2 ×** 指定管理者とは、公の施設の設置の目的を効果的に達成するため必要があると認めるときにおいて、条例の定めるところにより、地方公共団体の指定を受けて公の施設の管理を行う法人そのほかの団体である（地方自治法244条の２第３項)。指定管理者は、法人そのほかの団体であればよく、ＮＰＯ法人や株式会社なども参入可能である。

**3 ×** 指定管理者の指定は期間を定めて行うものであるが（地方自治法244条の２第５項)、その期間について10年以上といった期間の上限は明記されていない（同法244条の２第２項参照)。それゆえ、10年以上の期間を定めることは禁止されていない。

**4 ×** 指定管理者と普通公共団体との関係は委任行政にあたると解されているため、指定管理者は管理権限を有することになる。また、指定管理者は利用料を収入として収受できるとされている（地方自治法244条の２第８項)。したがって、指定管理者は管理権限に基づき利用料から経費を支出しうる。

**5 ×** 行政事件訴訟法は、原則として被告を処分などをした行政庁の所属する国または公共団体とする（行政事件訴訟法11条１項)。このように定めたのは、被告を特定しなければならないという原告の負担を軽減することや訴えの変更や併合などの手続をしやすくするという趣旨に基づくものである。もっとも、行政庁が国または公共団体に所属しない場合には（例、弁護士会)、当該処分をした行政庁が被告となる（行政事件訴訟法11条２項)。指定管理者が公の施設の利用許可といった処分権限を委任された場合には、指定管理者がその利用許可の行政庁となる。しかも、指定管理者は民間業者であるため（肢２の解説参照)、国または公共団体に所属していない。よって、指定管理者が行った行為（利用許可など）について処分取消訴訟を提起する場合には、被告は指定管理者としなければならない。

**正答 1**

第1章 2 SECTION

# 行政組織法
# 行政機関相互の関係

## 必修問題 セクションテーマを代表する問題に挑戦！

**行政庁は自分の持つ権限を他の行政庁に行使させることがあります。**

**問** 行政機関の権限の代行に関する次の記述のうち、妥当なものはどれか。 (地上2011)

1：行政機関の法律上の権限を他の行政機関に委任する場合、権限の委任について法律の根拠は必ずしも必要ではない。

2：法律で権限の委任が認められている場合、行政機関はそのすべての権限を委任することができる。

3：行政機関が他の行政機関の権限を代理する場合、代理機関は被代理機関の指揮監督に服することはない。

4：権限の委任および代理は、ある行政機関から他の行政機関へ権限が移ることになるので、そのことを公示しなければならない。

5：特定の行政機関が持つ法律上の権限を補助機関が専決して行う場合、当該補助機関は当該権限の属する行政機関の名と責任において当該権限を行使する。

直前復習

### Guidance ガイダンス

**権限の委任**

行政庁が自分の持つ権限を他の行政庁に移すこと

**権限の代理**

行政庁が持つ権限を、他の行政庁が代わって行使すること

**○授権代理**

行政庁の授権により代理関係が成立

**○法定代理**

法律に基づいて代理関係が成立

| 頻出度 | 地上★★ | 国家一般職★ | 特別区★ |
|---|---|---|---|
| | 国税・財務・労基★ | 国家総合職★★★ | |

〈権限の代行〉

**1 ×** 権限の委任は、法律上定められた処分権者を変更するものであるから、法律よりも下位の法形式で行うことはできず、法律の根拠が必要である。

**2 ×** 委任機関の固有の権限については、委任が認められない。

**3 ×** 権限の代理には、授権代理と法定代理の２種類がある。前者の場合には、被代理機関は授権の範囲内で代理機関に対する指揮監督権を有すると解される。他方、後者の法定代理については、原則として指揮監督権は認められないが、例外的に認められる場合がある。たとえば、外遊のようなときには、昨今の電気通信技術の発展にかんがみれば、指揮監督権の働く場合があると考えてよいと解されている。

**4 ×** 権限の委任が行われた際に公示が必要か否かについて通説は必要であると解している。これに対して、権限の代理については、代理機関が被代理機関の代理として権限を行使することを明らかにする必要があるものの、代理権の付与の公示までは不要である。

**5 ○** 専決とは、権限を対外的には委任・代理権を付与せず、実際上、補助機関が行政庁の名において権限を行使することをいう。形式的には権限の属する行政機関の名と責任において補助機関が権限を行使することになる。

**正答 5**

第1章 SECTION 2 行政組織法
# 行政機関相互の関係

## 1 権限の監督

### (1) 意義

権限の監督とは、行政を系統的、統一的に行うために、上級の行政機関が、その系統下にある下級の行政機関を指揮・監督することをいいます。

### (2) 指揮監督権の種類

| 監視権 | 上級行政機関が下級行政機関に対し調査や報告を要求する権限 |
|---|---|
| 許認可権 | 下級行政機関の権限遂行に際して、上級行政機関の許認可を要求することで統制する権限 |
| 指揮命令権 | 上級行政機関から下級行政機関に対して命令する権限 |
| 取消権・停止権 | 上級行政機関が、下級行政機関の違法・不当な行為を取り消す、または停止する権限 |
| 裁定権 | 行政機関相互間の権限に関する争いを、それらの上級行政機関が裁定する権限 |

## 2 権限の代行

権限の代行とは、行政機関が組織法で与えられた権限を他の行政機関に代わって行使させることをいいます。権限の代行には、「権限の委任」と「権限の代理」があります。

### (1) 権限の委任

#### ① 意義

権限の委任とは、法令上権限を与えられた行政庁（委任庁）が、他の行政機関（受任庁）に権限の一部を移して、当該権限を行使させることをいいます。

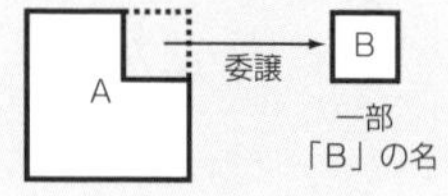


#### ② 特徴

ア　権限は委任庁から受任庁へ移動し、受任庁は自己の名と責任のもとで権限を行使します。

イ　法律で分配された権限を移動するものですから、その効果の大きさゆえ、①法律の根拠、②対外的な公示（官報など）、③相手方に対する委任を受けたことの表示が、それぞれ必要です。

ウ　受任庁に対して権限の全部を委任することはできません。

エ　受任庁が委任庁の下級行政庁である場合を除き、委任庁は原則として受任庁を指揮・監督できません。

オ　権限の委任に基づく権限の行使に不服がある者は、受任機関の属する行政主体を被告として取消訴訟を提起しなければなりません。

### (2)　権限の代理

#### ①　意義

権限の代理とは、法令上権限を与えられた行政庁（被代理庁）の権限を他の行政機関（代理庁）が代わって行使することをいいます。

代理には、被代理庁の授権によって代理関係が生ずる授権代理と、法律の定めた事実の発生によって法律上当然に代理関係が生ずる法定代理があります。

〈授権代理〉　　〈法定代理〉

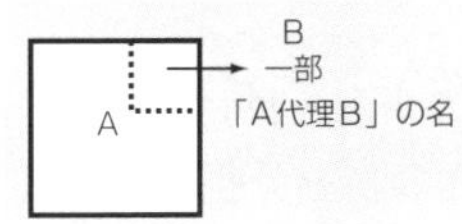


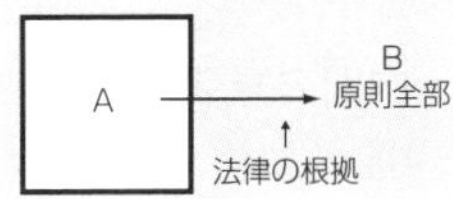


#### ②　特徴

ア　法令上の権限は被代理庁のもとにとどまったままであり、被代理庁に効果が帰属します。

イ　権限が移動しないので、①法律の根拠、②公示は不要ですが、法律関係を明確にするため、③相手方に対し代理関係を明示する必要があります。

ウ　授権代理の場合、権限の全部の代理は認められませんが、法定代理の場合は認められます。

エ　指揮監督権は権限の委任の場合と同様ですが、授権代理の場合は、被代理庁は代理庁に対して、授権の範囲内で指揮監督権を有します。

オ　私人が取消訴訟を提起する場合の被告は、被代理庁の所属する行政主体です。

| | | 法令の根拠 | 権限の移動 | 権限の範囲 | 責任の所在 | 表示の形式 | Aの指揮監督 | 対外的公示 |
|---|---|---|---|---|---|---|---|---|
| 権限の代理 | 授権代理 | 不要 | なし | 一部 | A・B | A 代 理 B | 可 | 不要 |
| | 法定代理 | 要 | なし | 全部 | B | A 代 理 B | 不可 ※1 | 不要 |
| 権限の委任 | | 要 | あり | 一部 | B | B | ※2 | 要 |

A：被代行機関　B：代行機関

※1：被代理庁の外遊などの場合は、指揮監督できるとされる　※2：委任庁が上級行政庁なら可

# 行政機関相互の関係

## 実践 問題 25 基本レベル

頻出度 地上★★ 国家一般職★ 特別区★ 国税·財務·労基★ 国家総合職★★★

問 行政機関に関するア～オの記述のうち、妥当なもののみを全て挙げているのはどれか。 (国家総合職2017)

ア：行政機関の概念は、行政官庁法理を踏まえて国家行政組織法が採用する作用法的行政機関概念と、憲法第92条が定める「地方自治の本旨」を踏まえて地方自治法が採用する事務配分的行政機関概念の二種類に区別される。

イ：上級行政機関には下級行政機関に対する指揮監督権が認められるため、下級行政機関が処分権限を行使しない場合に上級行政機関がこれを代行することは、指揮監督権の一部として法律に明文の規定がなくても認められると一般に解されている。

ウ：内閣府は、内閣に置かれ、内閣の重要政策に関する内閣の事務を助けることを任務とするが、同時に、内閣の統轄の下で、一定の行政事務を分担管理することも任務とする。したがって、内閣府は、内閣府設置法により規律される一方で、国家行政組織法が定める組織基準によっても規律される。

エ：行政機関相互間での政策調整システムの一環として、各省大臣、各委員会及び各庁の長官は、その機関の任務を遂行するため政策について行政機関相互の調整を図る必要があると認めるときは、その必要性を明らかにした上で、関係行政機関の長に対し、必要な資料の提出及び説明を求め、並びに当該関係行政機関の政策に関し意見を述べることができる。

オ：内閣の重要政策に関する行政機関相互の総合調整機能を強化するため、各省大臣は、分担管理する行政事務に係る各省の任務に関連する特定の内閣の重要政策について、当該重要政策に関して閣議において決定された基本的な方針に基づいて、行政各部の施策の統一を図るために必要となる企画及び立案並びに総合調整に関する事務を掌理する。

1：ア、ウ
2：エ、オ
3：ア、イ、ウ
4：イ、ウ、エ
5：イ、エ、オ

## 実践 問題 25 の解説

〈行政機関〉

**ア×** 国家行政組織法と地方自治法が採用するそれぞれの行政機関概念の内容を反対に述べる本記述は、妥当でない。**事務配分的行政機関概念**とは、行政機関を一定の事務分配の単位として捉える概念であり、所掌する行政事務をどのように配分するかという単位を基準として機関を分類・整理する方法である。たとえば、行政事務を性質ごとに区分して1つのまとまりを1省庁とし、それを財務省、経済産業省などとする。組織法的意義における行政機関概念ともよばれ、アメリカ法的捉え方である。国家行政組織法3条2項は、内閣の統括下における組織の基準として、省・委員会・庁の3つを国の行政機関としている。同法に基づき制定される各省設置法も、これを受けて各省の担当する事務を列挙している。つまり、**国家行政組織法は事務配分的機関概念を採用している**。これに対して、**作用法的行政機関概念**とは、行政機関と私人との関係を基準とし、行政機関を一定の権限の帰属者として捉える概念である。権限配分的行政機関概念ともよばれ、ドイツ法的な捉え方である。**この概念は、国家行政組織に関する制定法レベルでは採用されていないが、地方自治法では採用されている**。

**イ×** 下級行政機関が処分権限を行使しない場合に上級行政機関がこれを代行することを代執行権ないし代行権という。**代執行権は、法律の明文の根拠がない限り認められない**と解されている。なぜなら、上級行政機関とはいえ、下級行政機関の権限に属する事務を代行することは、まさに下級行政機関の権限を奪うものであり、また、法律の定めた権限配分を変更することにもなるからである。したがって、指揮監督権の一部として法律に明文の規定がなくても認められると述べる本記述は、妥当でない。

**ウ×** 内閣府に関する事項は内閣府設置法により規律されるのであり、国家行政組織法により規律されるのではない。この点において本記述は妥当でない。ちなみに、国家行政組織法により規律されるのは内閣府およびデジタル庁と復興庁以外の内閣統轄下の行政機関である（国家行政組織法1条、復興庁設置法附則3条）。

**エ○** 本記述は、国家行政組織法15条の規定のとおりであり、妥当である。

**オ○** 本記述は、国家行政組織法5条2項の規定のとおりであり、妥当である。

以上より、妥当なものはエ、オであり、肢2が正解となる。

**正答 2**

# 第1章 SECTION 2 行政組織法 行政機関相互の関係

## 実践 問題 26 基本レベル

| 頻出度 | 地上★★　国家一般職★　特別区★　国税·財務·労基★　国家総合職★★★ |
|---|---|

**問 行政機関相互の関係に関する次の記述のうち、妥当なのはどれか。**

（国家一般職2014）

1：行政機関がその権限の一部を他の行政機関に委譲（移譲）し、これをその行政機関の権限として行わせる権限の委任について、権限の委譲（移譲）を受けた受任機関は、委任機関の行為として、当該権限を行使するとするのが判例である。

2：行政法上の委任は、民法上における委任と異なり、委任によって権限が委任機関から受任機関へ委譲（移譲）されるものの、なお委任機関は当該権限を喪失せず、引き続き当該権限を行使することができると一般に解されている。

3：法定代理は、法律によってあらかじめ他の行政機関が本来の行政庁の権限を代行することが定められていることから、法定代理によって権限を行使することになった代理機関は、被代理機関の代理として権限を行使することを明らかにする必要はないと一般に解されている。

4：補助機関が、法律により権限を与えられた行政機関の名において権限を行使することをいう専決は、法律が定めた処分権限を変更することになるため、法律による明文の根拠が必要であると一般に解されている。

5：上級行政機関が法律が定めた下級行政機関の権限を代執行（代替執行）する場合、実質的に法律が定めた処分権限を変更することになるため、法律による明文の根拠が必要であると一般に解されている。

直前復習

| チェック欄 | | |
|---|---|---|
| 1回目 | 2回目 | 3回目 |
| | | |

## 実践 問題 26 の解説

〈行政機関相互の関係〉

**1 ×** 権限の委任は、権限の代理と異なり、受任機関に権限の一部が移動するところ、委任機関はその限りで権限を失い、当該権限は受任機関のものとなり、受任機関は自己の権限として当該権限を行使するものである。この点につき判例は、権限の委任がされ、委任を受けた行政庁が委任された権限に基づいて行政処分を行う場合には、委任を受けた行政庁はその処分を自己の行為としてするとしている（最判昭54.7.20）。権限の委任について、権限の委譲を受けた受任機関は、委任機関の行為として当該権限を行使する、としている点が妥当でない。

**2 ×** 肢１の解説のとおり、権限の委任により、受任機関に権限の一部が移動し、委任機関はその限りで権限を失うこととなる。本肢は、権限の委任がされた場合でも、委任機関は当該権限を喪失せず、としているので妥当でない。

**3 ×** 法定代理、授権代理いずれも、代理関係が生じた場合、代理機関は、代理関係と被代理機関（法律により本来の権限を与えられている行政機関）を明らかにして権限を行使しなければならないと解されている。本肢は、代理機関は、被代理機関の代理として権限を行使することを明らかにする必要はない、としているので妥当でない。

**4 ×** 専決とは、法律上の権限を有する行政機関が、補助機関に事務処理についての決裁権限を与え、補助機関が行政機関の名において権限を行使することであるから、この点についての本肢の記載は妥当である。しかし、専決は、代理関係を明示せずに行われる事実上の代理にすぎず、本来の行政機関の処分権限に変更を生じさせるものではない。それゆえ、法律の明文の根拠も不要であると解されている。

**5 ○** 本肢は、上級行政機関の代執行権（代行権）に関する適切な記述であり、妥当である。下級行政機関が処分権限を行使しない場合に、上級行政機関が代行しうることを代執行権ないし代行権という。かかる権限の行使は、法律が定めた処分権限を変動させることになるので、法律の明文の根拠がない限り認められないと解されている。

**正答 5**

# 第1章 SECTION 2 行政組織法 行政機関相互の関係

## 実践 問題 27 基本レベル

| 頻出度 | 地上★★ | 国家一般職★ | 特別区★ |
|---|---|---|---|
| | 国税・財務・労基★ | 国家総合職★★★ | |

**問** **行政機関相互の関係に関する次の記述のうち、最も妥当なのはどれか。**

**（財務2024）**

1：権限の委任とは、ある行政機関の権限の一部を、別の行政機関に委任して行使させることをいう。権限の委任により権限が委任機関から受任機関に移譲（委譲）されるものの、委任機関は、当該権限を完全には失わず、引き続き当該権限を行使することができると一般に解されている。

2：権限の代理とは、ある行政機関の権限を、別の行政機関が代理機関となって行使することをいい、代理機関の行為は被代理機関の行為としての法的効力を有する。権限の代理には法定代理と授権代理があり、前者は法定の要件の充足により当然に代理関係が発生し、後者は法定の要件の充足に加えて被代理機関による代理機関の指定行為によって代理関係が発生する。

3：専決とは、法律により権限を与えられた行政機関の権限を補助機関が決裁することをいう。専決は、補助機関が権限の委任や代理権の付与なく、法律により権限を与えられた行政機関の名において権限を行使するが、法律が定めた処分権限を変更することになるため、法律の根拠が必要であると一般に解されている。

4：訓令は、行政機関を名宛人として出されるものであるが、行政機関の職員に対する職務命令としての性格も有すると一般に解されている。例えば、X省大臣官房総務課長に対する訓令は、この職に就く職員がAからBに交替すれば失効し、後任のBは当該訓令に拘束されない。

5：各省大臣は、その機関の任務（各省大臣が主任の大臣として分担管理する行政事務に係るもの）を遂行するため政策について行政機関相互間の調整を図る必要があると認めるときは、その必要性を明らかにした上で、関係行政機関の長に対し、必要な資料の提出及び説明を求めたり、当該関係行政機関の政策に関し意見を述べたりすることができる。

| チェック欄 | | |
|---|---|---|
| 1回目 | 2回目 | 3回目 |
| | | |



## 実践 問題 27 の解説

〈行政機関相互の関係〉

**1** × 権限の委任においては、委任により権限の一部が委任機関から受任機関に移譲（委譲）される。その結果、当該権限の一部は受任機関のものとなり、委任機関は当該権限を失うことになる。この点において行政法上の権限の委任は権限の代理と明確に異なっている。

**2** × 授権代理は被代理機関の授権に基づいて代理関係を発生させるものである。それゆえ、授権代理には法定の要件の充足と指定行為を要しない。これに対して、法定の要件の充足に加えて被代理機関による代理機関の指定行為によって代理関係が発生する場合を指定代理とよぶ。指定代理は、法定代理の一種である。

**3** × 専決については、権限を委任せず、また代理権も付与していない。そのため、対外的には法律により権限を付与された機関が当該権限を行使しており、専決機関は単に補助をしているにすぎないと解されている。したがって、専決には法律の根拠は不要である。

**4** × 内閣総理大臣は内閣府の所掌事務について、各省大臣、各委員会および各庁の長官はその機関の所掌事務について、命令または示達をするため、所管の諸機関および職員に対し、訓令または通達を発することができる（内閣府設置法７条６項、国家行政組織法14条２項）。訓令は行政組織間の指揮監督権としてなされるものであるから、訓令の名あて人は職員ではなく、行政機関である。本肢の場合は、Ｘ省大臣官房総務課長の職を占める公務員がＡからＢに交替してもＢは当該訓令に拘束されることになる。

**5** ○ 本肢は国家行政組織法の規定のとおりであり、妥当である。すなわち、各省大臣、各委員会および各庁の長官は、その機関の任務（各省にあっては、各省大臣が主任の大臣として分担管理する行政事務に係るものに限る）を遂行するため政策について行政機関相互の調整を図る必要があると認めるときは、その必要性を明らかにしたうえで、関係行政機関の長に対し、必要な資料の提出および説明を求め、ならびに当該関係行政機関の政策に関し意見を述べることができる（同法15条）。

**正答 5**

第1章 SECTION ② 行政組織法

# 行政機関相互の関係

## 実践 問題 28 基本レベル

頻出度 地上★★ 国家一般職★ 特別区★ 国税·財務·労基★ 国家総合職★★★

**問** 行政機関相互の関係に関する次の記述のうち、妥当なのはどれか。

（国家総合職2016）

1：行政機関の権限の代理とは、ある行政機関の権限を別の行政機関が代理機関となって行使することをいう。権限の代理には法定代理と授権代理とがあり、前者は法律に定められた一定の要件が生じた場合に当然に代理関係が生じるものであり、後者は法律に定められた一定の要件が生じた場合に元の行政機関による指定行為によって決められた行政機関に代理関係が生じるものである。

2：行政機関の権限の委任とは、ある行政機関の権限の一部を別の行政機関に委任して行使させることをいう。権限の委任を行うためには原則として法律の根拠が必要であるが、上級行政機関が下級行政機関に権限の委任をする場合には、上級行政機関は下級行政機関の指揮監督権を有しているため、法律の根拠は不要であると一般に解されている。

3：地方公営企業の管理者が自己の権限に属する公金の支出行為を補助職員に専決させた場合において、当該補助職員に違法な公金支出について故意又は過失の帰責事由があるときは、当該管理者は、現実に当該支出行為に関与していなくとも、当該補助職員をいわば手足として自己の権限に属する行為を行わせる者として、当該補助職員の責任をそのまま自己の責任として負うものであり、違法な公金支出によって普通地方公共団体に与えた損害を賠償する責任を免れないとするのが判例である。

4：抗告訴訟の対象となるべき行政庁の行為は、国民に対する直接の関係において、その権利義務に関係のあるものであることを必要とし、行政機関相互間における行為は、その行為が、国民に対する直接の関係において、その権利義務を形成し、又はその範囲を確定する効果を伴うものでない限りは、抗告訴訟の対象とならないとするのが判例である。

5：対等な関係にある複数の行政機関がある場合、行政の統合性を確保する観点から、協議、同意、共助など相互に調整を図るための法的仕組みが存在するが、それぞれの行政機関は最終的には独立して権限を行使するものとされており、複数の行政機関が共同で一つの意思決定をすることは認められていない。

| チェック欄 | | |
|---|---|---|
| 1回目 | 2回目 | 3回目 |
| | | |

## 実践 問題 28 の解説



〈行政機関相互の関係〉

**1 ×** 権限の代理のうち法定代理には、法定要件の具備により代理関係が当然に生じる場合（狭義の法定代理）と、法定要件の具備と元の行政機関による指定行為により代理関係が生じる場合（指定代理）に区別される。したがって、本肢後半の指定代理は、授権代理ではなく法定代理に分類されるので、妥当でない。

**2 ×** 権限の委任は、法律で配分された権限を移動させるという重大な効果が生ずるので、法律より下位の法形式で行うことができず、法律の根拠が必要となると解されている。したがって、上級行政機関が下級行政機関に指揮監督権を有していても、法律で定められた処分権者を変更するものである以上、法律の根拠が必要となる。

**3 ×** 補助機関が故意または過失による違法行為を行った場合に、権限を有する行政機関がどのような要件のもとで損害賠償責任を負うか問題となるが、本肢と同様の事案において判例は、財務会計上の違法行為により生じた損害は、自らの判断により違法行為を行った当該補助職員が賠償すべきであるから、地方公営企業の管理者は、補助職員による財務会計上の違法行為につき、故意または過失により違法行為を阻止すべき指揮監督上の義務に違反する場合に限り責任を負うとした（最判平3.12.20）。したがって、当該補助職員の責任をそのまま自己の責任として負うとする本肢は妥当でない。

**4 ○** 行政機関相互間における行為に関し、消防法７条の消防長の「同意」に処分性が認められるかが争われた事件において判例は、抗告訴訟の対象となるべき行政庁の行為は、対国民との直接の関係においてその権利義務に関係あることを必要とし、行政機関相互間における行為は、その行為が、国民に対する直接の関係において、その権利を形成しまたはその範囲を確定する効果を伴うものでない限り、抗告訴訟の対象とならないとした（最判昭34.1.29）。

**5 ×** 対等な関係にある行政機関は相互に調整や協力を図る必要がある。これを実現するための法的仕組みとして、権限を有する行政機関がその権限行使の際に他の行政機関と協議する場合（協議）、権限を有する行政機関の同意・承認を要する場合（同意）、行政機関相互の援助や協力がなされる場合（共助）などが存在する。また、複数の行政機関が共同で１つの意思決定をする場合（共管）も認められている。したがって、複数の行政機関が共同で１つの意思決定をすることを否定する本肢は妥当でない。

**正答 4**

第1章 SECTION 2 行政組織法

# 行政機関相互の関係

## 実践 問題 29 応用レベル

頻出度 地上★★ 国家一般職★ 特別区★ 国税·財務·労基★ 国家総合職★★★

**問 行政機関相互の関係に関する次の記述のうち、最も妥当なのはどれか。ただし、争いのあるものは判例の見解による。 (国家総合職2024)**

1：専決とは、補助機関が行政庁の名において最終的な判断権限を行使するものであり、代決とは、補助機関が臨時で行政庁の権限を行使し、事後に行政庁に報告をするものである。専決では最終的な判断権限を行使するのは補助機関であるから、補助機関が処分庁として扱われ、行政手続法の規定に基づく審査基準の作成義務も補助機関が負う。

2：権限の委任とは、行政機関の権限の一部を他の行政機関に移譲し、これをその行政機関の権限として行わせることであり、権限の委任を受けた行政機関は、その権限を自己の名と責任において行使する。法律上の権限の移動を伴うため、法律の根拠を必要とする。

3：専決・代決の法的性格については、これを授権代理の一種とする説と単なる補助執行にすぎないとする説があるが、いずれの説によっても、法律の根拠が必要であると一般に解されている。

4：専決・代決は行政内部の事実行為であり、仮に専決・代決による事務処理が違法に行われた場合、例えば地方公営企業の接待費の支出の違法を問う住民訴訟においては、当該支出を行う権限を法令上本来的に有する地方公営企業の管理者の責任が問われるのみであり、訓令に基づき専決権限を行使した補助職員が不法行為責任を負うことはない。

5：権限の委任がなされると、法律に別段の定めがない限り、受任機関が委任機関の下級機関であっても、委任機関は受任機関に対して指揮監督権を行使することはできない。

## 実践 問題 29 の解説

〈行政機関相互の関係〉

**1 ×** 専決と代決の定義は正しく妥当である。両者は、本来の行政庁の権限を、その補助機関が、当該行政庁の名前で代理関係を明示せずに行使するので「事実上の代理」ともよばれる。しかし、「事実上の代理」である限り、権限を有する行政庁が処分庁であり、補助機関が処分庁として扱われるわけではない。また、行政手続法に基づく審査基準の作成義務も行政庁にある（同法5条1項）。

**2 ○** 権限の委任とは、権限を有する行政庁が、その権限の一部を他の行政機関に委譲し、これをその行政機関の権限として行使させることをいう。権限の委任があると、権限の所在は受任機関に移動するので、受任機関は、その権限を自己の名と責任において行使する。また、法律上の権限が移動するので、法律の根拠が必要である（地方自治法153条1項・2項参照）。

**3 ×** 専決および代決は、行政主体内部における事務処理の委託であり、対外的には本来の行政庁の決定として表示される。したがって、専決と代決の法的性格について、授権代理の一種とする説（肢1参照）、単なる補助執行にすぎないとする説のいずれによっても法律の根拠は不要である（通説）。

**4 ×** 本肢と同様の事案につき、判例は、専決を任された補助職員が地方公営企業の管理者の権限に属する財務会計上の行為につき違法な専決処理をし、これにより当該普通地方公共団体に損害を与えたときには、その損害は、自らの判断において行為を行った当該補助職員がこれを賠償すべきであるとし、管理者は、当該補助職員が財務会計上の違法行為をすることを阻止すべき指揮監督上の義務に違反し、故意または過失により当該補助職員が財務会計上の違法行為をすることを阻止しなかったときに限り、普通地方公共団体に対し損害賠償責任を負うとしている（最判平3.12.20）。

**5 ×** 委任機関が受任機関の上級行政庁であれば、委任機関は下級行政庁たる受任機関に対する指揮監督権を有する。権限の委任は委任機関の処分権が受任機関に移動するのであり、指揮監督権が移動するのではない。したがって、権限の委任がなされても、この権限に基づき指揮監督することができる。

**正答 2**

第1章 SECTION 2 行政組織法

# 行政機関相互の関係

## 実践 問題 30 応用レベル

頻出度 地上★ 国家一般職★ 特別区★ 国税·財務·労基★ 国家総合職★★

**問 行政機関相互の関係に関するア〜オの記述のうち、妥当なもののみをすべて挙げているのはどれか。 (国Ⅰ2010)**

ア：一般に、行政組織においては、組織内における意思統一を可能にするため、上級機関には下級機関に対する指揮監督権が認められるが、この指揮監督権は、明文の規定がなくても、上級機関に対して当然に認められるものである。

イ：指揮監督権の内容として、上級機関には下級機関の事務処理に対して同意（承認）を行う権限が認められることがあるが、上級機関の同意（承認）が得られない場合、下級機関は、法律に特別の定めがあるときに限り、不同意（不承認）の取消しや同意（承認）の義務付けを求めて訴訟を提起することができる。

ウ：下級機関が処分権限を行使しない場合に上級機関がこれを代行（代執行）することは、明文の規定がなくても、上級機関の指揮監督権の実効性を担保するため、当然に認められる。

エ：訓令は、下級行政機関を名あて人にするものであり、私人に対する拘束力を有するものではない。訓令に従って行政作用が行われても、そのことは当該行政作用が適法であることを保障するものではないし、訓令に違反して行政作用が行われても、そのことから直ちに当該行政作用が違法となるわけではない。

オ：対等の行政機関の間で権限争議が発生した場合には、それらに共通の上級機関の裁定により処理されることとなる。内閣法は、内閣総理大臣に、主任の大臣相互間における権限争議の裁定権を付与しており、地方自治法も、普通地方公共団体の長に当該普通地方公共団体の執行機関相互間における権限争議の裁定権を付与している。

1：ア、イ、エ
2：ア、イ、オ
3：ア、ウ、エ
4：イ、ウ、オ
5：ウ、エ、オ

直前復習

| チェック欄 | | |
|---|---|---|
| 1回目 | 2回目 | 3回目 |
| | | |



## 実践 問題 30 の解説

〈行政機関相互の関係〉

**ア○** 行政組織相互の関係のうち、上級機関と下級機関の関係は指揮監督関係にある。上級機関の下級機関に対する指揮監督権は、行政組織が統一性を保つために当然に認められるものであり、法律の明文の規定は不要であると解されている。

**イ○** 指揮・監督権の内容として、上級行政機関が下級行政機関に対して同意（承認）権を持つことが定められる場合がある。そして、ここに同意（承認）とは、行政機関内部での権限行使等に関するものであり、私人に対する許認可等とまったく根拠・性質を異にするものであって、特別の法律の根拠がない限り、訴訟等で争うことはできないと解されている。

**ウ×** 上級行政機関が下級行政機関に代わってその所掌事務を行う権限を、代執行権という。この権限は、上級行政機関の指揮命令権の内容とされておらず、代執行は特別の法律の根拠がない限り認められないとするのが、通説である。法律による行政の原理から、権限は法律でそれを割り当てられた行政機関が行使するのが原則であるところ、上級行政機関であるとはいえ、下級行政機関の権限に属する事務を代執行することは、まさに下級行政機関の権限を奪うものであり、同時に法律の定めた権限分配を変更することにもなるからである。

**エ○** 上級行政機関から下級行政機関に対して命令をなしうる指揮・監督権限を、指揮・命令権（訓令権）という。指揮・命令は、具体的には、訓令・通達という形でなされる。訓令・通達は、裁判の適法・違法の基準とならない。したがって、私人は通達に違反していることのみを理由に処分の取消しを求めることはできない。そのように主張しても、違法であることの主張とはならないからである。逆に行政庁も、処分が通達に適合していることを理由に処分の適法性を主張することはできないということになる。判例も、同様のことを述べている（墓地埋葬通達事件、最判昭43.12.24）。

**オ×** 行政機関同士の権限に関する争い（権限争議）について、それらの上級機関が裁定する権限を、裁定権という。この紛争の解決は、上級官庁による裁定や行政官庁間の協議によるのが通例であるが、それでも紛争が解決しない場合には、最終的には内閣総理大臣が閣議にかけて裁定する（内閣法7条）。ただし、普通地方公共団体の長には、当該普通地方公共団体の執行機関相互間における権限争議の裁定権は付与されておらず、権限につき疑義が生じた場合は調整するよう努めなければならないと規定されるにとどまる（地方自治法138条の3第3項）。

以上より、妥当なものはア、イ、エであり、肢1が正解となる。

**正答 1**

第1章

# 行政組織法

章末CHECK

? Question

**Q1** 国の行政機関は、原則として内閣の統括下に置かれ、府・省・庁・委員会という大枠により組織される。

**Q2** 国務大臣の数は原則11人以内とされるが特別に必要がある場合は最大14人以内とすることができる。

**Q3** 各国務大臣の中に、行政機関を分担・管理しない無任所大臣を置くことも許されている。

**Q4** 平成13年の中央省庁改革は、内閣機能の強化、所掌事務の範囲の明確化、行政の能率化を目的として行われ、これに伴い、内閣法および行政組織法の改正、内閣府設置法の制定がなされた。

**Q5** 内閣府も、国家組織法の最大の単位である省同様に行政事務を担当し、省と同じ次元で、具体的な行政事務を行う機関であり、省と区別して扱われることはない。

**Q6** 政務官は、省の長である大臣を助け、特定の政策および企画をつかさどり、政務を処理し、大臣が不在の場合にはその職務を代行する。

**Q7** 庁とは、専門的な知識を必要とする事務や、府、省からある程度独立性を保つ必要のある事務を処理するために設けられる行政機関のことをいう。

**Q8** 委員会は、行政庁ではないため、国家意思を決定し、外部に表示する権限は持っていない。

**Q9** 権限の委任とは法令上権限を与えられた行政庁の権限を移すことなく、他の行政機関が代わって行使することである。

**Q10** 授権代理では原則として権限の全部代理は認められない。

**Q11** 被代理庁の授権によって代理関係が生ずる授権代理には法律の根拠は不要である。

**Q12** 権限の委任において、委任庁の権限の全部または主要部分の委任は許されない。

**Q13** 上級行政機関が下級行政機関に権限の委任を行った場合、委任庁である上級機関の受任庁である下級機関に対する一般的指揮監督権は消滅する。

**Q14** 行政機関相互間で、その権限について争いが起こったとき、上級行政機関がその争いの決着をつける権限のことを許認可権という。

**Q15** 指揮命令権とは上級機関が下級機関に対してなすべき行政活動の内容を指示する権限のことをいう。

**A1** ○ 国の行政機関は、原則内閣の統括下に置かれ、内閣の行う事務を分担する機関として府・省があり、その府・省の外局として庁・委員会がある。

**A2** × 国務大臣の数は、原則14人以内とされているが、特別に必要がある場合は、最大17人以内とすることができる（内閣法２条２項）。

**A3** ○ 内閣の構成員でありながら行政事務を分担管理しない無任所大臣を置くことも認められている（内閣法３条２項）。

**A4** ○ なお、内閣府は、内閣機能強化策の一環として中央省庁改革により設けられたものであり、内閣に置かれている。

**A5** × 内閣府は省同様に行政事務を担当するのみならず、省より高い次元で国政の具体的重要事項についての仕事を担当する特別の役割を有する官庁であり、省とは区別して扱われる。

**A6** × 政務官には大臣が不在の場合の職務代行権は認められていない。

**A7** × 庁とは、ある行政事務が膨大でそれを省（内部部局）が行うには多すぎる場合等に設置される行政機関のことをいう。

**A8** × 委員会は、それ自体が国家意思を決定し外部に表示する権限を持つ行政庁である。

**A9** × 権限の委任とは法令上権限を与えられた行政庁が他の行政機関に権限を移して、当該権限を行使させることをいう。

**A10** ○ 権限の全部代理が認められるのは法定代理の場合である。

**A11** ○ 権限の代理は法律で分配された権限を移動しないものなので、授権代理に、法律の根拠は不要である。

**A12** ○ 法律により権限を分配した意味を失わせてしまうからである。

**A13** × 権限の委任により、権限が受任庁に完全に移るので、原則委任庁は受任庁に対する指揮監督権はないが、上級行政機関が下級行政機関に権限の委任をした場合には委任庁である上級行政機関はなお一般的指揮監督権を有する。

**A14** × 許認可権とは、下級行政機関の権限遂行に際して、上級行政機関の許可、認可を受けさせることによって、権限の行使を事前に統制する権限のことをいう。

**A15** ○ 指揮命令権の行使は訓令・通達という形式で行われている。

memo

# 第3編
# 行政作用法

# 第1章

# 行政立法

SECTION

# 第1章　行政立法

## 出題傾向の分析と対策

| 試験名 | 地上 | | | 国家一般職 | | | 特別区 | | | 国税・財務・労基 | | | 国家総合職 | | |
|---|---|---|---|---|---|---|---|---|---|---|---|---|---|---|---|
| 年度 | 16-18 | 19-21 | 22-24 | 16-18 | 19-21 | 22-24 | 16-18 | 19-21 | 22-24 | 16-18 | 19-21 | 22-24 | 16-18 | 19-21 | 22-24 |
| 出題数 セクション | 2 | 1 | 1 | 1 | | 1 | | 1 | | 1 | | 1 | 1 | 1 | 1 |
| 行政立法 | ★★ | ★ | ★ | ★ | | ★ | | ★ | | ★ | | ★ | ★ | ★ | ★ |

（注）１つの問題において複数の分野が出題されることがあるため、星の数の合計と出題数とが一致しないことがあります。

この分野は国家総合職ではよく出題されていますが、それ以外の試験ではあまり出題されていません。

### 地方上級

しばらく出題されていませんでしたが、近年は出題が目立つようになりました。万全を期したい人は、過去問を解いて基本的な知識を身につけておいてください。

### 国家一般職

ほとんど出題されていませんでしたが、近年出題されました。万全を期したい人は、過去問を解いて基本的な知識を身につけておいてください。

### 特別区

近年、行政立法の限界に関する判例が出題されました。問われる知識は基本的なものばかりですので、過去問を解いて基本的な知識を身につけておいてください。

### 国税専門官・財務専門官・労働基準監督官

近年、行政立法の類型について出題された程度です。万全を期したい人は、過去問を解いて基本的な知識を身につけておいてください。

国家総合職

3年に1度くらいの頻度で出題されています。特に行政規則については、最近よく出題されています。また、委任立法の限界に関する判例についてよく問われますので、判例集などで判例の内容を理解するようにしてください。

## Advice アドバイス 学習と対策

行政立法については、まず法規命令と行政規則の違いを理解しましょう。

法規命令については、執行命令と委任命令の2種類が認められていますので、それぞれの特徴を理解しましょう。特に委任命令の限界に関する判例についてよく出題されていますので、判例の内容をしっかり理解するようにしてください。

# 行政立法

## 必修問題 セクションテーマを代表する問題に挑戦！

**行政機関が立法を行うことがあります。その立法の種類を学びましょう。**

**問 行政法学上の法規命令に関する記述として、通説に照らして、妥当なのはどれか。 (特別区2013)**

1：法規命令は、公布されること及び施行期日が到来することによってその効力を生じ、規則の形式をとることもある。

2：法規命令は、一旦、有効に成立した以上、根拠法とは独立の存在を有するので、根拠法が廃止されても、失効することは一切ない。

3：法規命令のうち執行命令は、法律の特別の委任に基づき、新たに国民の権利や義務を創設する命令である。

4：執行命令を制定するためには、法律の一般的な授権だけでは足りず、法律の個別的・具体的な授権が必要である。

5：法規命令のうち委任命令は、法律の執行を目的とし、法律において定められている国民の権利義務の具体的細目や手続を規定する命令である。

直前復習

Guidance ガイダンス

**法規命令**

私人の権利義務関係に関する法規範

**○委任命令**

法律の委任に基づいて、私人の権利義務の内容を定める命令

**○執行命令**

法律を執行するための細目を定める命令

**行政規則**

行政組織の内部規範

## 必修問題の解説

チェック欄
| 1回目 | 2回目 | 3回目 |
|---|---|---|
| | | |



〈法規命令〉

**1 ○** 法規命令とは、行政立法の１つで、行政機関が制定する私人の権利義務に関する法規範のことをいう。具体的には、内閣総理大臣が発する内閣府令、各省大臣が発する省令、各独立機関が定める規則などがある。法規命令は、国民を拘束するので、これを国民一般に周知する必要がある。したがって、法規命令は、公布されることおよび施行期日が到来することによって効力を生じる。

**2 ×** 法規命令は法律の授権に基づいて制定されるものであり、根拠法から独立した存在ではない。したがって、法規命令の授権法が廃止された場合、法律に別段の規定がない限り、法規命令も失効すると解するのが通説である。

**3 ×** 法規命令には委任命令と執行命令の２種類がある。委任命令とは、法律の委任を受けて法律の規定を補充し、具体化するために、私人の権利義務の内容を定める法規命令をいう。これに対し、執行命令とは、私人の権利義務の内容を実現するための手続を定める法規命令をいう。

**4 ×** 法規命令の制定には、法律の授権が必要である。このうち委任命令は国民の権利義務を定めるものなので、法律の個別的・具体的な授権が必要である。これに対して執行命令は、国民の権利義務自体ではなく、その実現手続を定めるものにすぎないので、法律の一般的授権で足りると解するのが通説である。

**5 ×** 法規命令には委任命令と執行命令の２種類がある。委任命令は、国民の権利義務の内容を定めるものである。これに対して執行命令は、法律の執行を目的とし、権利義務自体ではなく、その内容を実現する手続を定めるものである（肢３解説参照）。

**正答 1**

**法規命令の種類（制定権者による分類）**

・政令……………………内閣が制定
・内閣府令・省令……内閣総理大臣・各省大臣が制定
・規則……………………独立行政委員会、庁の長などが制定

行政立法

# 行政立法

## 1 行政立法の意義

行政立法とは、行政機関が法条の形式で規範を制定する作用の総称、またはそのような作用によって制定された規範自体をいいます。行政立法は、法規命令と行政規則に分類されます。

## 2 法規命令とは

行政機関が制定する私人の権利義務に関する法規範を、法規命令といいます。

憲法73条6号は、法律の委任に基づいて行政機関が立法作用を行うことを認めています。

## 3 法律の授権（委任）

行政機関が法律の規定を離れて独自に法規を定めることができるとすれば、憲法が国会を「唯一の立法機関」とした趣旨は失われてしまいます。そこで、法規命令を制定するには、法律の授権が必要であるとされています（憲法73条6号）。

明治憲法は、法律に基づくことなく行政権が独自の判断で発する独立命令を認めていました。しかし、国会を唯一の立法機関（憲法41条）としている日本国憲法下では、独立命令の制定は一切認められていません。

## 4 委任命令

### (1) 委任命令とは

委任命令とは、法律の授権を受けて法律の規定を補充し、具体化するために、私人の権利義務の内容を定める法規命令をいいます。

### (2) 法律の授権の程度

委任命令は、私人の権利義務の内容自体を定めるものであるため、その制定には法律の個別具体的な授権が必要であると解されています。

### (3) 委任命令の限界

#### ① 法律による委任の限界

法律による委任は、包括的な委任（白紙委任）であってはならず、個別具体的な委任でなければならない、と解されています（白紙委任の禁止）。

国家公務員の政治的行為の制限について人事院規則に委任した国家公務員法の規定が白紙委任の禁止に反しないかが争われた事件で、判例は、理由を明示せずに、憲法に反しないとしました（猿払事件、最大判昭49.11.6）。

なお、委任された事項の再委任が許されるかについては、委任した法律が再委任を禁止する趣旨でない限り許される、と解されています（最大判昭33.7.9）。

② 委任命令制定の限界

委任命令は、法律の委任の範囲内で定められなければなりません。委任の範囲を超えた委任命令は、法律に違反するものとして無効とされます。

委任命令は法律の委任に基づいて制定されるので、根拠となる法律が廃止されたときや、当該法規命令と抵触する法律が制定されたときには、効力を失います。

判例

《サーベル事件》（最判平2.2.1）
【事案】銃砲刀剣類登録規則が定めた美術品として価値のある刀剣類の登録のための鑑定基準が対象を日本刀に限定したことが、旧銃刀法の委任の範囲を逸脱しないかが争われた事件
【判旨】銃刀法はどのような鑑定の基準を定めるかについて、所管行政庁に専門技術的観点からの一定の裁量権を認めているため、対象を日本刀に限定しても、法律の委任の趣旨を逸脱しない。

判例

《幼児接見禁止事件》（最判平3.7.9）
【事案】被勾留者と幼年者との接見を原則禁止としていた旧監獄法施行規則が、旧監獄法の委任の範囲を逸脱しないかが争われた事件
【判旨】旧監獄法は接見許可を原則とする立場にあるから、旧監獄法施行規則が幼年者との接見を原則として不許可とし、許可を例外としていることは、委任の範囲を超え無効である。

## 5 執行命令

### (1) 執行命令とは

執行命令とは、私人の権利義務の内容を実現するための手続・実施の細目を定める法規命令をいいます。

### (2) 法律の授権の程度

執行命令の制定には法律の一般的授権があれば足り、個別具体的授権は必要ではない、とされています。

憲法73条6号本文、国家行政組織法12条1項が、執行命令の制定を行政機関に対して一般的に授権した条文だとされています。

## 6 行政規則とは

行政機関が定立する規範のうち、行政組織の内部に対する効力のみを有し、私

# 行政立法
## 行政立法

人の権利義務に直接かかわらないものを行政規則といいます。

行政規則は内部的効力しか有しないので、法律の授権がなくても制定することができます。

### 7 行政規則の形式

行政規則には、次のような形式があります。

| 訓令・通達（国家行政組織法14条２項） | 上級機関が下級機関の権限行使について指示するために発せられる |
|---|---|
| 要綱 | 地方公共団体が条例施行のために発するなど、多様な目的で用いられる |

### 8 通達の特徴

**① 通達は、国民を直接に拘束しない。**

通達は、行政機関内部に対する効力を有するにすぎず、私人に対して直接拘束力を持ちません。

したがって、通達によって国民に事実上何らかの不利益が及んだとしても、通達自体の取消しを求めて取消訴訟を提起することはできません。違法な通達が発せられた場合には、行政庁が通達に従い具体的な処分をするのを待って、この処分に対する取消訴訟を提起することになります。

**判例**

《墓地埋葬通達事件》最判昭43.12.24
【事案】墓地管理者は、埋葬等の請求者が他の宗教団体の信者であることだけを理由に埋葬等を拒否することは許されない、とした通達の取消しを求めることができるかが争われた事件
【判旨】通達はもっぱら行政機関を拘束するにとどまり国民を直接拘束しないから、取消訴訟の対象となる処分にはあたらない。

**② 通達は、裁判所を拘束しない。**

通達は行政機関内部に対する効力しか有しません。したがって、法令の解釈・適用について裁判所は通達に拘束されず、独自の基準で判断することができます（墓地埋葬通達事件、最判昭43.12.24）。

また、行政庁が通達に反する処分を行ったとしても、通達に反することだけではその処分が違法とされることはありません（マクリーン事件、最大判昭53.10.4）。

memo

行政立法
# 行政立法

## 実践 問題 31 基本レベル

頻出度 地上★ 国家一般職★ 特別区★★ 国税·財務·労基★ 国家総合職★★★

**問 行政立法に関するア～オの記述のうち、妥当なもののみを全て挙げているのはどれか。** （国家一般職2012）

ア：法規命令は国民の権利義務にかかわる行政立法であり、その制定には法律の授権が必要とされるが、必要とされる授権の程度は委任命令と執行命令とで異なり、委任命令の制定は法律の一般的授権で足りる一方、執行命令の制定には具体的な法律の根拠が必要とされる。

イ：法規命令は、政令、府省令、規則の形式をとるのが通例であるが、このうち政令は、内閣総理大臣が独自の判断で制定できるものであり、閣議における合意を要しない。

ウ：行政の統一性を確保するための、法令解釈の基準である解釈基準の定立権は、上級行政機関の有する指揮監督権に当然含まれると解されており、このような解釈基準としての通達は、下級行政機関を拘束する。

エ：行政の統一性を確保するための、法令解釈の基準である解釈基準が設定され、かつ、行政機関がこれに則って行政処分をしたときは、当該処分が適法か否かについての司法の審査は、まず、その解釈基準に不合理な点があるかどうかについてなされることになる。

オ：行政機関は、法規命令を制定しようとする場合は行政手続法上の意見公募手続を行わなければならないが、許認可に当たっての審査基準や不利益処分についての処分基準を定めようとする場合に当該意見公募手続を実施するか否かの判断は、各機関の長に委ねられている。

1：ア
2：ウ
3：イ、ウ
4：イ、オ
5：エ、オ

直前復習

チェック欄

| 1回目 | 2回目 | 3回目 |
|---|---|---|
| | | |



## 実践 問題 31 の解説

〈行政立法〉

**ア×** 通説は、委任命令は具体的な法律の根拠が必要で、執行命令は法律の一般的授権で足りるとする。それは、委任命令は私人との権利義務の内容を定めるものに対して、執行命令は権利義務の内容を新たに定立するものではないからである。

**イ×** 政令を制定するのは、内閣であり内閣総理大臣ではない（憲法73条6号本文）。また、政令の制定は内閣の職務だから（同号本文）、閣議における合意を要する（内閣法4条1項）。

**ウ○** 解釈基準の通達は、上級行政機関の下級行政機関に対する指揮監督権の一環として発せられるものであって、解釈基準の定立権は上級行政機関の有する指揮監督権に当然含まれると解される。したがって、下級行政機関は、上級機関の示した通達に原則として拘束されることになる。

**エ×** 解釈基準は、行政機関の内部における規範を定めるための形式であり、裁判所を拘束する外部効果はない。したがって、裁判所は、行政処分の適法性の審査について、当該解釈基準に拘束されない。判例も、裁判所は通達に示された法令の解釈とは異なる独自の解釈をすることができ、通達に定める取扱いが法の趣旨に反するときは独自にその違法を判定することもできるとしている（墓地埋葬通達事件、最判昭43.12.24）。

**オ×** 命令等制定機関が命令等を定めようとする場合には、意見公募手続によるのが原則である（行政手続法39条1項）。そして、審査基準や処分基準は、意見公募手続を予定する命令等に含まれている（同法2条8号）。もっとも、命令等の内容・性質に照らして意見公募手続の規定になじまないもの（同法3条2項）、行政組織内部または行政主体相互間の関係についての命令等であって、直接に国民の権利義務とかかわらないもの（同法4条4項）は、意見公募手続の適用除外とされている。また、審査基準、処分基準または行政指導指針であって、法令の規定によりもしくは慣行として、または命令等を定める機関の判断により公にされるもの以外のものについては、意見公募手続の規定を適用しない（同法3条2項6号）。

以上より、妥当なものはウであり、肢2が正解となる。

**正答 2**

# 行政立法

## 実践 問題 32 基本レベル

| 頻出度 | 地上★ | 国家一般職★ | 特別区★★ |
|---|---|---|---|
| | 国税･財務･労基★ | 国家総合職★★★ | |

**問 行政基準に関する次の記述のうち、最も妥当なのはどれか。ただし、争いのあるものは判例の見解による。** **(国家一般職2023)**

1：行政機関が定立する規範を命令といい、内閣が定める政令、内閣総理大臣が定める内閣府令、主任の大臣が定める省令などがある。各大臣が公示を必要とする場合に発する告示は、行政機関の意思決定や一定の事項を国民に周知させるための形式の一つであり、法規としての性質を持つことはない。

2：法律が政令に委任しているにもかかわらず、当該政令が更に一部の事項について省令に再委任することは、法律から命令への委任が許される以上、原則として容認されていると解されるが、犯罪の構成要件を再委任することは許されない。

3：行政規則は、行政機関が策定する一般的な法規範であって、国民の権利義務に関係する法規としての性質を有しないため、法律の授権を要しない。また、命令の形式をとる必要はなく、内規、要綱などの形式で定めることができる。

4：解釈基準は、法令の解釈を統一するため、上級行政機関が下級行政機関に対して発する基準である。上級行政機関は通達という形式で解釈基準を示すことがあるが、解釈基準としての通達は、単に法令の解釈の指針を示したものにすぎず、上級行政機関による指揮監督権の行使として下級行政機関を拘束するものではない。

5：裁量基準は、行政庁の作成する内部基準であるが、行政手続法は、申請に対する処分についての裁量基準である審査基準を作成し、原則として公にすることを行政庁に義務付けている。この審査基準は恣意的な裁量行政を排除するためのものであるから、行政庁が審査基準に違背して処分を行った場合には、当該処分は当然に違法となる。

チェック欄

| 1回目 | 2回目 | 3回目 |
|---|---|---|
| | | |

## 実践 問題 32 の解説



〈行政基準〉

**1 ×** 告示の形式でなされた高等学校学習指導要領の法的性質が問題となった事案につき、判例は、法規としての性質を有するとしている（伝習館高校事件、最判平2.1.18）。

**2 ×** 犯罪構成要件の再委任の可否が問題となった事案において判例は、法律は一切の再委任を禁じているわけではなく、酒税法施行規則が税務署長の指定に再委任したことについて、委任の規定に反しないとしている（最大判昭33.7.9）。したがって、犯罪の構成要件を再委任することも許されるので、本肢は妥当でない。

**3 ○** 行政規則は、行政機関が策定する行政組織の内部規範であり、国民の権利義務に影響する法規としての性質を有しないため、法律の授権を要しない。また、内規、要綱などの形式で定めることもできる。

**4 ×** 解釈基準は、上級行政機関が下級行政機関に対して発する、法令の解釈を統一するための基準である。他方、通達は、上級行政機関の下級行政機関に対する訓令としての性格を持っており、指揮監督権の一環として発せられる行政規則である。したがって、解釈基準を通達という形式で発する場合、当該通達は上級行政機関による指揮監督権の行使として下級行政機関を拘束する。

**5 ×** 審査基準のような裁量基準から逸脱した処分が行われた場合の当該処分の違法性について判例は、「裁量権行使の準則は、行政庁の処分の妥当性を確保するためのものであり、準則に違反してなされた処分は、原則として当不当の問題を生ずるにとどまり、当然に違法となるわけではない」としている（マクリーン事件、最大判昭53.10.4）。したがって、行政庁が審査基準に違背して処分を行った場合でも、当該処分は当然に違法になるわけではない。

**正答 3**

# 行政立法

## 実践 問題 33 基本レベル

| 頻出度 | 地上★ | 国家一般職★ | 特別区★★ |
|---|---|---|---|
| | 国税·財務·労基★ | | 国家総合職★★★ |

**問 行政法学上の行政立法に関する記述として、最高裁判所の判例に照らして、妥当なのはどれか。** （特別区2020）

1：銃砲刀剣類登録規則が、銃砲刀剣類所持等取締法の登録の対象となる刀剣類の鑑定基準として、美術品としての文化財的価値を有する日本刀に限る旨を定め、この基準に合致するもののみを登録の対象にすべきものとしたことは、同法の趣旨に沿う合理性を有する鑑定基準を定めたものではないから、同法の委任の趣旨を逸脱する無効のものであるとした。

2：児童扶養手当法の委任に基づき児童扶養手当の支給対象児童を定める同法施行令が、母が婚姻（婚姻の届出をしていないが事実上婚姻関係と同様の事情にある場合を含む。）によらないで懐胎した児童から、父から認知された児童を除外したことは、同法の委任の範囲を逸脱しない適法な規定として有効であるとした。

3：国の担当者が、原爆医療法及び原爆特別措置法の解釈を誤り、被爆者が国外に居住地を移した場合に健康管理手当の受給権は失権の取扱いとなる旨を定めた通達を作成、発出し、これに従った取扱いを継続したことは、公務員の職務上通常尽くすべき注意義務に違反するとまではいえず、当該担当者に過失はないとした。

4：町議会議員に係る解職請求者署名簿に関する事件において、地方自治法施行令の各規定は、地方自治法に基づき公職選挙法を議員の解職請求代表者の資格について準用し、公務員について解職請求代表者となることを禁止しているが、これは、地方自治法に基づく政令の定めとして許される範囲を超えたものであって、その資格制限が請求手続にまで及ぼされる限りで無効であるとした。

5：医薬品ネット販売の権利確認等請求事件において、薬事法施行規則の各規定が、一般用医薬品のうち第一類医薬品及び第二類医薬品につき、店舗販売業者による店舗以外の場所にいる者に対する郵便その他の方法による販売又は授与を一律に禁止することとなる限度で、薬事法の委任の範囲を逸脱した違法なものではなく有効であるとした。

| チェック欄 | | |
|---|---|---|
| 1回目 | 2回目 | 3回目 |
| | | |



## 実践 問題 33 の解説

〈行政立法〉

**1 ×** 判例は、美術品としての文化財的価値を有する日本刀に限定する鑑定基準に合致するもののみを登録の対象にしたことは、銃砲刀剣類所持等取締法14条の趣旨に沿うものというべきであり、これをもって法の委任の趣旨を逸脱する無効のものということはできないとした（サーベル事件、最判平2.2.1）。

**2 ×** 判例は、「児童扶養手当法４条１項各号は、父による現実の扶養を期待することができないと考えられる児童を類型化しているのであり、法律上の父の存否のみによって支給対象児童を類型化する趣旨ではない」とし、同法施行令が父から認知された児童を除外したことは、「法の趣旨、目的に照らし均衡を欠き、法の委任の趣旨に反し無効なものであり、本号括弧書を根拠としてなされた本件処分は違法である」とした（最判平14.1.31）。

**3 ×** 判例は、通達の作成・発出につき担当者がその職務上通常尽くすべき注意義務を尽くしていれば法令解釈の正当性に対し疑問を当然に認識することが可能であったとして違法性を認めている（最判平19.11.1）。

**4 ○** 判例は、解職請求と解職投票の区分を前提として、地方自治法85条１項は公職選挙法の選挙関係規定を解職投票（同法80条３項）に準用しているので、準用されるのは請求手続とは区分された投票手続についてであるとした。そして、地方自治法施行令が、公務員が「公職の候補者」となることを禁じた公職選挙法89条１項本文の規定を議員の解職請求代表者の資格について準用していたのは、地方自治法85条１項の規定に基づく政令の定めとして許される範囲を超えており、資格制限が解職請求手続にまで及ぼされる限りで無効であるとした（最大判平21.11.18）。

**5 ×** 判例は、薬事法（現「医薬品、医療機器等の品質、有効性及び安全性の確保等に関する法律」）は、郵便等販売の規制や店舗における販売・授与を義務付けていないことから、薬事法が、第一類医薬品および第二類医薬品の郵便等販売を一律に禁止する省令の制定をも委任していると解するのは困難であるとし、したがって、薬事法施行規則のうち、郵便等販売をしてはならないとした各規定は、医薬品にかかる郵便等販売を一律に禁止することとなる限度において薬事法の委任の範囲を逸脱した違法なものとして無効であるとした（医薬品ネット販売事件、最判平25.1.11）。

**正答 4**

行政立法
# 行政立法

**実践 問題 34** 基本レベル

頻出度 地上★ 国家一般職★ 特別区★★ 国税·財務·労基★ 国家総合職★★★

**問 行政立法に関するア～オの記述のうち、判例に照らし、妥当なもののみを全て挙げているのはどれか。 (国税・財務・労基2022)**

ア：14歳未満の者と被勾留者との接見を原則として許さないこととする旧監獄法施行規則の規定は、当該規定が事物を弁別する能力の未発達な幼年者の心情を害することがないようにという配慮の下に設けられたものであるとしても、法の委任の範囲を超え、無効である。

イ：教科書検定の審査の内容及び基準並びに検定の手続について、学校教育法には具体的な規定がなく、省令や告示でこれを定めていることは、教育基本法や学校教育法の関係条文から教科書の満たすべき要件が明らかであっても、法律の委任を欠き、違法である。

ウ：銃砲刀剣類登録規則が、文化財的価値のある刀剣類の鑑定基準として、美術品として文化財的価値を有する日本刀に限る旨を定め、この基準に合致するもののみを文化財的価値を有するものとして登録の対象にすべきものとしていることは、これをもって法の委任の趣旨を逸脱する無効のものということはできない。

エ：酒税法が、酒類の製造業者又は販売業者に帳簿の記載義務を課し、その違反に対して罰則を定め、具体的な帳簿記載事項については同法施行規則に委任している場合、帳簿の記載事項が罰則の構成要件を規定することになるため、同規則で税務署長に記載事項の規律を再委任することは、同法の委任の趣旨に反し、許されない。

オ：農地法が、国が強制買収により取得した農地につき売払いの対象となるべき土地を定める基準を同法施行令に委任している場合に、売払いの対象となる場合を同令所定の場合に限ることとし、それ以外の明らかに同法が売払いの対象として予定しているものを除外することになったとしても、法の委任の趣旨を逸脱する無効のものとはいえない。

1：ア、イ
2：ア、ウ
3：イ、エ
4：ウ、オ
5：エ、オ

直前復習

| チェック欄 | | |
|---|---|---|
| 1回目 | 2回目 | 3回目 |
| | | |



## 実践 問題 34 の解説

〈行政立法〉

**ア○** 14歳未満の者と被勾留者との接見を原則として許さないとする旧監獄法施行規則の規定につき判例は、被勾留者も拘禁関係に伴う一定の制約の範囲外においては原則として一般市民としての自由を保障されるのであり、幼年者の心情の保護は元来その監護にあたる親権者などが配慮すべき事柄であるから、法が一律に幼年者と被勾留者との接見を禁止することを予定し、容認しているものと解することは困難であるとして、当該規定は、法の委任の範囲を超えた無効なものであるとした（最判平3.7.9）。

**イ×** 判例は、旧検定規則（省令）、旧検定基準（告示）は、教育基本法や学校教育法から明らかな教科書の要件を審査の内容および基準として具体化したものにすぎず、文部大臣（当時）が学校教育法に基づいて、旧検定規則、旧検定基準に教科書検定の審査の内容および基準ならびに検定の手続を定めたことは、法律の委任を欠くとまではいえないとしている（最判平9.8.29）。

**ウ○** 判例は、銃砲刀剣類登録規則が文化財的価値のある刀剣類の鑑定基準として、美術品としての文化的価値を有する日本刀に限る旨を定め、この基準に合致するもののみを登録の対象にしたことは、法の趣旨に沿うものというべきであり、これをもって同法の委任の趣旨を逸脱する無効のものということはできないとしている（サーベル事件、最判平2.2.1）。

**エ×** 再委任をすることも許されるので、本記述は妥当でない。本記述では再委任の可否が問題となるが、①法律が再委任を許容する規定を置いているか、②法律が再委任を許容する趣旨と解される場合に限り許されると解されている。判例も、改正前酒税法の委任を受けて記帳義務の詳細を定めていた同法施行規則がさらに詳細を税務署長の指定に委ねたことが争われた事案において、このような再委任は同法の趣旨に反しないとしている（最大判昭33.7.9）。

**オ×** 判例は、農地法80条に基づく売払制度の趣旨に照らし、明らかに同法が売払いの対象として予定しているものを、同法施行令で除外し、同法の認定をすることができないとしたことは法の委任を超えるもので無効であるとしている（最大判昭46.1.20）。

以上より、妥当なものはア、ウであり、肢2が正解となる。

**正答 2**

第1章 SECTION 1 行政立法

# 行政立法

## 実践 問題 35 基本レベル

| 頻出度 | | | |
|---|---|---|---|
| | 地上★ | 国家一般職★ | 特別区★★ |
| | 国税·財務·労基★ | 国家総合職★★★ | |

**問 行政立法に関するア～オの記述のうち、妥当なもののみを全て挙げているのはどれか。**
**(国税・財務・労基2016)**

ア：明治憲法においては、議会と関わりなく天皇が自ら規範を定立することができたが、現行憲法においては、国会が「国の唯一の立法機関」とされているため、国会と無関係に行政機関が法規命令を制定することはできない。

イ：法律を執行するために定められる執行命令については、その執行の手続の適正を担保するため、たとえ権利・義務の内容を新たに定立するものではなくとも、具体的な法律の根拠が必要であると一般に解されている。

ウ：委任命令を制定する行政機関は、委任の趣旨に従って命令を制定することになるところ、委任の趣旨をどのように具体化するかについては、法の委任の趣旨を逸脱しない範囲内において、当該行政機関に専門技術的な観点からの一定の裁量権が認められるとするのが判例である。

エ：告示は、行政機関の意思決定や一定の事項を国民に周知させるための形式の一つであり、法規としての性質を有するものはないとするのが判例である。

オ：通達を機縁として課税処分が行われたとしても、通達の内容が法の正しい解釈に合致するものである以上、当該課税処分は、法の根拠に基づく処分と解され、租税法律主義に反しないとするのが判例である。

1：ア、イ
2：イ、ウ
3：エ、オ
4：ア、ウ、オ
5：ア、エ、オ

チェック欄

| 1回目 | 2回目 | 3回目 |
| --- | --- | --- |
| | | |



## 実践 問題 35 の解説

〈行政立法〉

**ア○** 明治憲法下では、法律に基づくことなく行政権を有する天皇が独自の判断で発する独立命令を認めていたが、日本国憲法41条は、国会を唯一の立法機関であるとし、法規命令の制定権限は国会に留保されることとなった（法律の法規創造力の原則）。もっとも、憲法41条は委任立法を許容する（最大判昭25.2.1）。ただし、この場合でも右原則との関係から、法規命令の策定には、法律による授権が必要となる。したがって、国会と無関係に行政機関が法規命令を制定することはできない。

**イ×** 法規命令のうち執行命令は、国民の権利・義務の内容を新たに定立するものでなく、その実現手続を定めるものにすぎないので、その制定にあっては法律の一般的授権で足りると解されている。したがって、具体的な法律の根拠が必要であるとする本記述は妥当でない。

**ウ○** 委任命令の制定について判例は、「法の委任の趣旨を逸脱しない範囲内において、所管行政庁に専門技術的な観点からの一定の裁量権が認められているものと解するのが相当である」と判示しており（最判平2.2.1）、本記述は妥当である。

**エ×** 伝習館高校事件において判例は、告示という形式でなされた高等学校学習指導要領につき、法規としての性質を有すると判示した（最判平2.1.18）。したがって、告示には、法規としての性質を有するものはないとする本記述は妥当でない。

**オ○** 判例は、本件課税がたまたま通達を機縁として行われたものであっても、通達の内容が法の正しい解釈に合致するものである以上、本件課税処分は法に基づく処分であるので租税法律主義に反しないと判示した（最判昭33.3.28）。したがって、本記述は、判例が判示するとおりなので妥当である。

以上より、妥当なものは、ア、ウ、オであり、肢4が正解となる。

**正答 4**

# 行政立法

## 実践 問題 36 基本レベル

頻出度 地上★ 国家一般職★ 特別区★★ 国税・財務・労基★ 国家総合職★★★

**問 行政法学上の法規命令に関する記述として、通説に照らして、妥当なのはどれか。** **(特別区2015)**

1：法規命令は、国民の権利義務に関係する一般的な法規範であり、内閣の制定する政令や各省大臣の発する省令はこれに当たるが、各省の外局に置かれる各行政委員会の制定する規則は当たらない。

2：法規命令のうち委任命令の制定についての法律の委任は、法律の法規創造力を失わせるような白紙委任が禁じられるが、一般的で包括的な委任は認められる。

3：法規命令のうち委任命令は、法律の委任に基づいて法律事項を定めた命令であり、法律による個別的で具体的な委任がある場合には、委任命令に罰則を設けることができる。

4：法規命令のうち委任命令は、法律等の上位の法令の実施に必要な具体的で細目的な事項を定める命令であり、国民の権利や義務を創設する命令ではない。

5：法規命令のうち執行命令は、新たに国民の権利や義務を創設する命令であり、法律の個別的で具体的な事項ごとに授権がなければならない。

チェック欄

| 1回目 | 2回目 | 3回目 |
|---|---|---|
| | | |

## 実践 問題 36 の解説

〈法規命令〉

**1 ×** 本肢は、各省の外局に置かれる各行政委員会の制定する規則は、法規命令にあたらないとする点で、妥当でない。行政立法は、行政機関によって定立される一般的抽象的法規範であり、法規命令と行政規則に区別される。両者は、法規（国民の権利義務にかかわる規範）たる性質を有するかどうかにより区別され、法規としての性質を有するものを法規命令といい、有しないものを行政規則という。そして、法規命令には、政令、内閣府令、省令のほか、各省の外局に置かれる各行政委員会や庁の長官の制定する規則などがある。

**2 ×** 本肢は、委任命令について、法律の一般的で包括的な委任は認められるとする点で、妥当でない。法規命令には、委任命令と執行命令がある。委任命令とは、法律の委任を受けて行政機関が制定する命令をいう。委任命令は、国会を「唯一の立法機関」（憲法41条）としていることから、法律の規定を離れて独自に定立することは許されず、法律の個別具体的な委任に基づくことが必要であるとされる。したがって、白紙委任のみならず、一般的で包括的な委任も認められないのである。

**3 ○** 本肢は、委任命令における罰則についての記述として適切であるので、妥当である。罰則についても、国会中心立法の原則（憲法41条）、罪刑法定主義（憲法31条）との関係上、法律による個別具体的な委任があれば、委任命令で罰則を定めることもできる。なお、憲法73条６号但書も委任命令に罰則を設けることを認めている。

**4 ×** 本肢は、執行命令に関する記述であるので、妥当でない。法規命令のうち委任命令は、法律の委任に基づいて、国民の権利義務の内容を定める命令をいう。法律の個別具体的な委任に基づくことを要する（肢２参照）。

**5 ×** 本肢は、委任命令に関する記述であるので、妥当でない。執行命令とは、権利義務の内容自体でなく、上位規範たる法律の存在を前提として、当該法律を具体的に実施するために必要な付随的細目的事項を定める命令をいう。執行命令は、権利義務の内容を新たに定立するものではないので、具体的な法律の根拠を要せず、法律の一般的な授権で足りると解されている。

**正答 3**

# 第1章 SECTION 1 行政立法
## 行政立法

### 実践 問題 37 応用レベル

| 頻出度 | 地上★ 国家一般職★ 特別区★<br>国税·財務·労基★ 国家総合職★★ |
|---|---|

**問 法規命令に関するア～オの記述のうち、妥当なもののみを全て挙げているのはどれか。ただし、以下に示す法令は、その事件当時のものである。**

（国家総合職2013）

ア：法規命令は、国民の権利義務に関する一般的定めとしての性質を持ち、国民を拘束するとともに、裁判規範としても機能する。他方、法規命令は、行政組織の内部関係を規律する行政規則とは異なり、行政機関にとっての行為規範として行政機関を拘束するものではない。

イ：法規命令については、当該法規命令が、その制定を委任した法律に抵触しないかという問題がある。この点について、判例は、地方自治法第85条第１項は、専ら解職の投票に関する規定であり、これに基づき政令で定めることができるのもその範囲に限られるものであって、解職の請求についてまで政令で規定することを許容するものということはできないとしている。

ウ：法規命令について、法律の委任を受けて国民の権利義務の内容自体を定める委任命令と、国民の権利義務の内容自体ではなく、その内容の実現のための手続を定める執行命令とに分けるという考え方がある。これによれば、執行命令は、法律とは別に憲法上の根拠に基づく独立命令としての性格を有することになるが、日本国憲法は独立命令を認めていないと解されることから、執行命令もまた憲法上許容されないと考えられている。

エ：法律が行政機関に法規命令の定立を委任する際に、行政機関に一定の裁量権が認められる場合がある。この点について、判例は、銃砲刀剣類所持等取締法第14条第５項の委任による銃砲刀剣類登録規則の制定について、同規則においていかなる鑑定の基準を定めるかについては、法の委任の趣旨を逸脱しない範囲内において、所管行政庁に専門技術的な観点からの一定の裁量権が認められているとしている。

オ：法規命令について、法律の委任の範囲を超えないかという問題とは別に、当該法規命令が法の一般原則の違反により無効でないかという問題がある。この点について、判例は、児童扶養手当法に基づく児童扶養手当の支給対象から父から認知された児童を除外することを定めた児童扶養手当法施行令の規定について、同手当の支給対象とされている児童との関係で合理性を欠く差別的取扱いであり、法の委任の趣旨に反するか否かを論じるまでもなく平等原則違反により無効であるとしている。

1：ア、ウ
2：ア、オ
3：イ、エ
4：ア、エ、オ
5：イ、ウ、エ

（参考）
地方自治法
第80条　選挙権を有する者は、政令の定めるところにより、（中略）普通地方公共団体の選挙管理委員会に対し、当該選挙区に属する普通地方公共団体の議会の議員の解職の請求をすることができる。（以下略）
2　（略）
3　第1項の請求があつたときは、委員会は、これを当該選挙区の選挙人の投票に付さなければならない。（以下略）

第85条　政令で特別の定をするものを除く外、公職選挙法中普通地方公共団体の選挙に関する規定は、（中略）第80条第3項（中略）の規定による解職の投票にこれを準用する。
2　（略）

銃砲刀剣類所持等取締法
第14条　文化庁長官は、美術品若しくは骨とう品として価値のある火なわ式銃砲等の古式銃砲又は美術品として価値のある刀剣類の登録をするものとする。
2　銃砲又は刀剣類の所有者（所有者が明らかでない場合にあつては、現に所持する者。以下同じ。）で前項の登録を受けようとするものは、文部省令で定める手続により、登録の申請をしなければならない。
3　第1項の登録は、登録審査委員の鑑定に基いてしなければならない。
4　（略）
5　第1項の登録の方法、第3項の登録審査委員の任命及び職務、同項の鑑定の基準及び手続その他登録に関し必要な細目は、文部省令で定める。

第1章 SECTION 1 行政立法

# 行政立法

## 実践 問題 37 の解説

| チェック欄 | | |
|---|---|---|
| 1回目 | 2回目 | 3回目 |
| | | |

〈法規命令〉

**ア×** 法規命令は、行政機関が定める法規（国民一般の権利義務に関係する法規範）であるから、国民の権利義務に関する一般的定めとしての性質を持ち、国民を拘束するとともに裁判規範としても機能する。また、法規命令は行政機関にとっての行為規範でもあり、行政機関を拘束する。

**イ○** 判例は、地方自治法85条１項は、もっぱら解職の投票に関する規定であり、これに基づき政令で定めることができるのもその範囲に限られるものであって、解職の請求についてまで政令で規定することを許容するものということはできないとした（最大判平21.11.18）。

**ウ×** 法規命令には、法律の委任に基づいて国民の権利義務の内容自体を定める委任命令と、国民の権利義務の内容自体ではなく、その内容の実現のための手続を定める執行命令とがある。国会を「唯一の立法機関」（憲法41条）とする憲法のもとでは、行政機関が、法律の規定を離れて独自に立法作用を営むことは許されない。委任命令も執行命令も法規であるから、その制定には法律の委任が必要となる。したがって、執行命令は、法律の委任に基づいて定められるので、立法機関から独立して定められる独立命令としての性格を有しない。また、そうした法律の委任に基づいて定められた執行命令であれば、憲法上許容される。

**エ○** 判例は、銃砲刀剣類所持等取締法14条が規定している銃砲刀剣類登録制度は、美術品として文化財的価値を有する刀剣類を文化財として保存活用を図る制度であるところ、どのような刀剣類をわが国において文化財的価値を有するものとして登録の対象とするのが相当であるかの判断には、専門技術的な検討を必要とすることから、登録に際しては、専門的知識経験を有する登録審査委員の鑑定に基づくことを要するものとするとともに、その鑑定の基準を設定すること自体も専門技術的な領域に属するものとしてこれを規則に委任したものというべきであり、したがって、規則においていかなる鑑定の基準を定めるかについては、法の委任の趣旨を逸脱しない範囲において、所轄行政庁に専門技術的な観点からの一定の裁量権が認められているとした（サーベル事件、最判平2.2.1）。

**オ×** 児童扶養手当の支給対象児童の一部を政令事項とする児童扶養手当法４条１項５号の委任に基づき制定された同法施行令１条の２第３号（平成10年改正前のもの）が、母が婚姻によらないで懐胎した児童を対象としつつ父から認知された児童を同号かっこ書きで除外していることの違憲性（憲法14条違反）、違法性が問題となった。この事案について、判例は、同号かっこ書きで父から認知された婚姻外懐胎児童を除外することは、同法の趣旨・目的に照らし、認知されていない婚姻外懐胎児童との間の均衡を欠き、法の委任の趣旨に反するものといわざるをえないとして、これを違法としているが、憲法14条の平等原則違反により無効であるとしてはいない（児童扶養手当法施行令奈良事件、最判平14.1.31）。判例は、①認知によって当然に世帯の生計維持者としての父が存在する状態になるわけではなく、②認知されれば通常父による現実の扶養を期待できることになるともいえないから、婚姻外懐胎児童が認知されても、依然として同法４条１項１号ないし４号に準ずる状態は続いているので、同号かっこ書きで父から認知された婚姻外懐胎児童を除外することは、同法の趣旨・目的に照らし、両者の間の均衡を欠き、法の委任の趣旨に反するものといわざるをえないとした。

以上より、妥当なものはイ、エであり、肢３が正解となる。

**正答 3**

行政立法
# 行政立法

**実践 問題 38 応用レベル**

| 頻出度 | 地上★ | 国家一般職★ | 特別区★ |
|---|---|---|---|
| | 国税·財務·労基★ | 国家総合職★★ | |

**問** **委任命令に関するア～エの記述のうち、判例に照らし、妥当なもののみを挙げているのはどれか。** **（国家総合職2023）**

ア：農地法施行令が、自作農創設特別措置法による買収農地のうち、農地法に定める自作農の創設等の目的に供しないことが相当であるとの認定をすることができる土地を、買収後新たに生じた公用等の目的に供する緊急の必要があり、かつ、その用に供されることが確実なものに制限していることは、農地法に基づく売払制度の趣旨に沿った売払いの認定基準を定めたものであるから、これをもって法の委任の範囲を越えた無効のものということはできない。

イ：銃砲刀剣類所持等取締法の規定を受けて制定された銃砲刀剣類登録規則が、文化財的価値のある刀剣類の鑑定基準として、美術品として文化財的価値を有する日本刀に限る旨を定め、この基準に合致するもののみを我が国において文化財的価値を有するものとして登録の対象にすべきとしたことは、同法の趣旨に沿う合理性を有する鑑定基準を定めたものというべきであるから、これをもって法の委任の趣旨を逸脱する無効のものということはできない。

ウ：児童扶養手当法の委任に基づき児童扶養手当の支給対象児童を定める児童扶養手当法施行令が、母が婚姻によらずに懐胎した婚姻外懐胎児童を児童扶養手当の支給対象児童としながら、「(父から認知された児童を除く。)」との括弧書により父から認知された婚姻外懐胎児童を除外することは、法の趣旨、目的に照らし、両者の間の均衡を欠き、法の委任の趣旨に反するものであり、当該括弧書は法の委任の範囲を逸脱した違法な規定として無効である。

エ：地方自治法施行令が、公職選挙法の規定の準用により、公務員につき議員の解職請求代表者となることを禁止していることは、かかる委任の根拠規定である地方自治法が、議員の解職請求に係る投票手続のみならず、これと密接に関連する当該解職請求手続についても、公務員の職務遂行の中立性を確保し手続の適正を期する観点から公職選挙法の規定の準用を認めたものであるから、その委託の範囲内の適法かつ有効なものと解すべきである。

1：ア、ウ
2：ア、エ
3：イ、ウ
4：イ、エ
5：ウ、エ

直前復習

| チェック欄 | | |
|---|---|---|
| 1回目 | 2回目 | 3回目 |
| | | |

## 実践 問題 38 の解説



〈委任命令〉

**ア×** 本記述と同様の事案につき判例は、農地法の委任を受けて制定された旧農地法施行令16条は、売り払われるべき買収農地について、買収後新たに生じた公用の目的に供する緊急の必要があり、かつ、その用に供されることが確実な場合に限って売り払うという限定を付していたが、農地法にはそのような制限は規定されていないため、同条は、農地法が明らかに売払いの対象として予定しているものを除外しており、法律の委任の範囲を超えた無効なものであるとしている（最判昭46.1.20）。

**イ○** 銃砲刀剣類登録規則において、登録の対象となる美術品として価値ある刀剣類を日本刀に限定する、という規定の適法性が争われた事案において判例は、同規則は、銃砲刀剣類所持等取締法14条の趣旨に沿う合理性を有する鑑定基準を定めたものというべきであり、法の委任の趣旨を逸脱する無効のものではないとしている（サーベル事件、最判平2.2.1）。

**ウ○** 判例は、児童扶養手当法の委任に基づき支給対象児童を定める児童扶養手当法施行令の規定は、父による現実の扶養を期待できないと考えられる児童を類型化したものであるが、父から認知された児童が通常、父による現実の扶養を期待できるとはいえないとし、父から認知された婚姻外懐胎児童を児童扶養手当の支給対象から除外することは、法の委任の趣旨に反し無効なものであるとしている（最判平14.1.31）。

**エ×** 判例は、議員の解職請求手続と解職投票手続との間に類似性・同質性を認めていない。すなわち、地方自治法80条の議員の解職請求に関する規定は解職の請求（１項）と解職の投票（３項）の２つに区分しているところ、同法85条１項は、もっぱら「解職の投票」に関する規定であり、これに基づき政令で定めることができるのもその範囲に限られるのであって、「解職の請求」についてまで政令で規定することを許容するものではないから、地方自治法施行令の規定は、同法85条１項に基づく政令の定めとして許される範囲を超えたものであって、その資格制限が請求手続にまで及ぼされる限りで無効と解すべきであるとしている（最大判平21.11.18）。

以上より、妥当なものはイ、ウであり、肢３が正解となる。

**正答 3**

第1章

# 行政立法

章末 CHECK

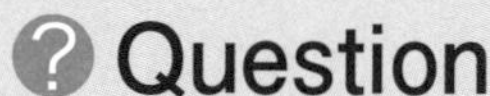

Q1 行政機関が制定する国民の権利義務に関する規律を、法規命令という。

Q2 法規命令は、政令の形式で定めなければならない。

Q3 法規命令のうち執行命令は、法律の委任に基づいて、新たに国民の権利義務を創設する命令である。

Q4 現行憲法においては、法律の委任に基づかず、行政権が独自の立場で国民の権利義務に関する一般的定めを行う独立命令は、認められない。

Q5 法律が政令に委任しているにもかかわらず、当該政令がさらに一定事項を省令等に再委任することは許されない。

Q6 判例は、国家公務員に禁止される政治的行為について人事院規則に委任した国家公務員法の規定は憲法に違反しないと判断した。

Q7 委任命令は法律が委任した範囲で制定されなければならず、その範囲を逸脱した委任命令は、無効である。

Q8 根拠法が廃止されても、いったん制定された委任命令の効力が失われることはない。

Q9 執行命令の制定には、法律の委任は必要ない。

Q10 行政規則は、行政機関内部に対する効力のみを有しており、国民の権利義務には直接関係しない。

Q11 行政規則の形式としては、通達、要綱、府令などがある。

Q12 通達・訓令は、上級行政機関から下級行政機関に対して発せられる、行政規則である。

Q13 行政機関が通達を発するには、法律の授権を要する。

Q14 法令の解釈について行政庁が通達を発した場合、裁判所はその通達の解釈に従わなければならない。

Q15 通達の中に刑罰規定を定めることもできる。

Q16 違法な通達が発せられたとしても、国民がその通達の違法を主張して、通達自体の取消訴訟を提起することはできない。

Q17 行政庁が通達に反する処分を行ったとしても、通達違反それ自体を理由として処分が違法とされることはない。

A1 ○ 行政立法のうち、国民の権利義務に関する規律が法規命令、行政機関の内部的規律が行政規則である。

A2 × 法規命令の形式には、政令のほか、府令や省令、規則などがある。

A3 × 本問は、執行命令ではなく、委任命令の定義である。

A4 ○ 明治憲法は独立命令を認めていたが、現在の日本国憲法では、独立命令の制定は一切認められない。

A5 × 法律が再委任を許す趣旨のものであれば、再委任も許される（最大判昭33.7.9）。

A6 ○ 判例は猿払事件において、政治的行為の内容について人事院規則に委任した国家公務員法の規定を合憲としている（最大判昭49.11.6）。

A7 ○ 本問のとおりである。

A8 × 根拠法が廃止されると、委任命令も効力を失う。

A9 × 執行命令も国民の権利義務に関係するので、法律の委任がなければ制定できない。ただし、個別具体的な委任が要求される委任命令とは異なり、一般的委任で足りると解されている。

A10 ○ 行政規則は内部的効力のみを有する。

A11 × 府令は行政規則ではなく、法規命令の形式である。

A12 ○ 本問のとおりである。

A13 × 通達は内部的効力のみを有するにすぎず、私人に対して直接に影響するものではないことから、法律の授権は不要とされている。

A14 × 裁判所は通達に拘束されず、独自に法令を解釈することができる。

A15 × 通達は行政規則の一形式であるから、国民の法的地位に直接影響を及ぼす刑罰規定を置くことはできない。

A16 ○ 通達そのものは国民の権利義務に直接影響しないものとされているので、通達の取消訴訟は認められない。

A17 ○ 通達は裁判所に対する拘束力を有しないので、裁判所は、当該処分が法律の定める要件に適合しているかどうかを、独自の基準で判断することができる。

# memo

# 行政行為

SECTION

① 行政行為の意義・分類
② 行政行為の効力
③ 行政裁量
④ 行政行為の瑕疵
⑤ 行政行為の取消し・撤回
⑥ 行政行為の附款
⑦ 行政行為総合

# 第2章 行政行為

## 出題傾向の分析と対策

| 試験名 | 地上 | | | 国家一般職 | | | 特別区 | | | 国税・財務・労基 | | | 国家総合職 | | |
|---|---|---|---|---|---|---|---|---|---|---|---|---|---|---|---|
| 年度 | 16-18 | 19-21 | 22-24 | 16-18 | 19-21 | 22-24 | 16-18 | 19-21 | 22-24 | 16-18 | 19-21 | 22-24 | 16-18 | 19-21 | 22-24 |
| 出題数<br>セクション | 2 | 4 | 3 | 2 | 1 | 2 | 5 | 4 | 4 | 4 | 3 | 1 | 3 | 3 | 2 |
| 行政行為の意義・分類 | ★ | | | | | | ★ | ★ | ★ | ★ | | | | ★ | |
| 行政行為の効力 | ★ | | | ★ | | | ★ | | ★ | | | | ★ | | |
| 行政裁量 | | ★ | | | | ★ | ★ | | | | ★★ | ★ | ★ | ★ | ★ |
| 行政行為の瑕疵 | | ★ | ★ | | | ★ | ★ | ★ | ★ | | ★ | | ★ | | |
| 行政行為の取消し・撤回 | | ★ | ★ | | | | | ★ | | ★★ | | | | | |
| 行政行為の附款 | | ★ | ★ | ★ | | | ★ | ★ | ★ | ★ | | | | | |
| 行政行為総合 | | | | | ★ | | | | | | | | | ★ | ★ |

（注）１つの問題において複数の分野が出題されることがあるため、星の数の合計と出題数とが一致しないことがあります。

行政行為は行政法の中心分野ですので、どの試験種でもよく出題されています。しっかり勉強するようにしてください。

**地方上級**

よく出題されています。最近は行政行為の瑕疵などについてよく問われていますので、これらを中心に過去問を解いて知識を身につけるようにしてください。

**国家一般職**

たまに出題されます。行政行為の効力や行政裁量を中心に勉強しておきましょう。特に行政裁量に関しては判例の内容をしっかりと理解するようにしてください。

**特別区**

ほぼ毎年出題されています。行政行為の各分野から満遍なく出題されていますので、行政行為全体についてしっかり勉強するようにしてください。問われている知識は基本的なものばかりですので、過去問を繰り返し解いて基本的な知識を身につけておいてください。

**国税専門官・財務専門官・労働基準監督官**

よく出題されています。行政行為全体を問う問題がほとんどですので、行政行為全体について満遍なく勉強するようにしてください。比較的難易度が高いですので、特に判例の知識をしっかりと身につけるようにしてください。

**国家総合職**

近年は、ほぼ毎年出題されています。行政行為全体を問う問題がほとんどですので、行政行為全体について満遍なく勉強するようにしてください。あまり有名ではない判例や、判例の細かい内容について問われますので、判例集などで判例の内容をしっかり理解するようにしてください。

## Advice アドバイス 学習と対策

行政法の中でも頻出の分野ですので、力を入れて勉強する必要があります。

行政行為の分類については、各分類の特徴や相違点をしっかり学習しましょう。

行政行為の効力については、公定力をはじめとする特徴的な効力がありますので、それらの内容をしっかり理解しましょう。

行政裁量については判例が多数存在しますので、判例の内容をしっかり理解するようにしましょう。

行政行為の瑕疵については、特に無効な行政行為に関する判例の内容が問われますので、これをしっかりと理解しましょう。

行政行為の取消し・撤回については、両者の違いを理解することが重要です。

行政行為の附款については、附款の種類を理解しましょう。

第2章 1 SECTION

行政行為

# 行政行為の意義・分類

## 必修問題 セクションテーマを代表する問題に挑戦！

**行政行為は性質によって分類されます。各分類の特徴を理解しましょう。**

**問 行政法学上の行政行為の分類に関する記述として、通説に照らして、妥当なのはどれか。 （特別区2024）**

1：特許とは、人が本来有していない権利や権利能力等を設定する行為であり、鉱業権設定の許可や公務員の任命がこれにあたる。

2：確認とは、特定の事実や法律関係の存否を、公の権威をもって判断し、確定する行為であり、選挙人名簿への登録や市町村の境界の裁定がこれにあたる。

3：認可とは、第三者の行為を補充して、その法律上の効果を完成させる行為であり、農地の権利移転の許可や公有水面埋立の竣功（しゅんこう）の認可がこれにあたる。

4：許可とは、法令による一般的禁止を特定の場合に解除する行為であり、道路の占用許可や河川占用権の譲渡の承認がこれにあたる。

5：下命とは、作為、給付又は受忍の義務を課す行為であり、違法建築物の除却命令や納税の督促がこれにあたる。

直前復習

Guidance ガイダンス

### 行政行為の分類

- 許可……一般的な禁止を特定の場合に解除すること
- 認可……第三者の法律行為を補充して、その法律上の効果を完成させること
- 特許……人が本来有していない特殊な権利を与えること
- 確認……特定の事実または法律関係の存否を判断・確定すること
- 下命……国民に一定の作為義務を課すこと

チェック欄 1回目 2回目 3回目

# 必修問題の解説

〈行政行為の分類〉



**1 ○** 特許とは、人が本来有していない権利や権利能力、法的地位を設定する行為をいう。その具体例として、鉱業権の設定（鉱業法５条・２条）や公務員の任命（国家公務員法35条、地方公務員法17条１項）のほか、河川の占用許可（河川法23条など）がある。したがって、本肢は適切である。

**2 ×** 確認とは、特定の事実や法律行為に関し疑義または争いがある場合に、公の権威をもってこれを確定する行為をいう。具体例として、本肢の市町村の境界の裁定（地方自治法９条２項）のほか、建築確認（建築基準法６条１項）や当選人の決定（公職選挙法95条）がある。しかし、選挙人名簿への登録（公職選挙法22条）は確認ではなく、公証である。

**3 ×** 認可とは、契約などの法律行為を補充し、その法的効果を完成させる行為をいう。具体例として、農地の権利移転の許可（農地法３条１項）のほか、銀行の合併の認可（銀行法30条１項）や河川占用権の譲渡の承認（河川法34条）が挙げられる。しかし、公有水面埋立の竣功の認可（公有水面埋立法22条１項）は認可ではなく、確認である。

**4 ×** 許可とは、法令による一般的禁止を特定の場合に解除する行為をいう。具体例として、自動車運転免許（道路交通法84条１項）や医師免許（医師法２条）がある。しかし、道路の占用許可（道路法32条）は特許、河川占用権の譲渡の承認（河川法34条）は認可にあたる（肢３の解説参照）。

**5 ×** 下命とは、国民に対し一定の作為を命ずる行為をいう。具体例として、違法建築物の除却命令（建築基準法９条１項）のほか、各種の課税処分がある。しかし、納税の督促（国税通則法37条）は下命ではなく、通知である。

**正答 1**

行政行為

# 行政行為の意義・分類

## 1 行政行為とは

行政行為とは、①行政庁が、②その一方的判断によって、③私人の権利義務その他の法的地位を、④具体的に決する、⑤法的行為をいいます。

## 2 行政行為の分類

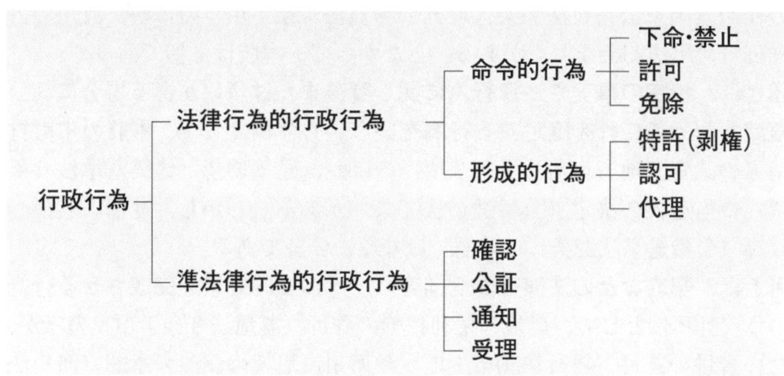


### (1) 法律行為的行政行為・準法律行為的行政行為

法律行為的行政行為とは、行政庁の意思表示に基づいた効果が発生する行政行為をいいます。

準法律行為的行政行為とは、行政庁の意思表示以外の判断や認識の表示に対して、法律が一定の効果を与える行政行為をいいます。すなわち、その法的効果は、行政庁の効果意思ではなく法律の規定により直接発生することになります。

### (2) 命令的行為・形成的行為

命令的行為とは、私人が本来有している自由にかかわる行為です。これは、生来的に有する自由を奪ったり、いったん奪った生来的自由を回復したりするということです。

形成的行為とは、私人が本来有していない特別な権利・地位を新たに設定するものです。

## 3 行政行為の類型

| 分類 | | | 意義 | 具体例 |
|---|---|---|---|---|
| 法律行為的行政行為 | 命令的行為 | 下命 | 国民に一定の作為義務を課す行為 | 租税賦課処分 |
| | | 禁止 | 国民に一定の不作為義務を課す行為 | 営業停止処分<br>道路の通行禁止処分 |
| | | 許可 | 法令や行政行為によってなされている一般的禁止を特定の場合に解除すること | 自動車運転免許 |
| | | 免除 | 課せられている作為義務を特定の場合に解除すること | 納税義務の免除 |
| | 形成的行為 | 特許（剥権） | 人が本来有していない特殊な権利や地位を特定の人に与える（特許）または特定の人から奪う（剥権）行為 | 河川占有許可（特許）<br>法人の解散命令（剥権） |
| | | 認可 | 第三者の行った法律行為を補充して、その法律上の効果を完成させる行為 | 農地の権利移転の許可 |
| | | 代理 | 第三者のなすべき行為を、行政主体が代わりに行い、その者が行ったのと同じ効果をもたらす行為 | 土地収用裁決 |
| 準法律行為的行政行為 | | 確認 | 特定の事実または法律関係の存否を、公の権威で判断し、確定する行為 | 選挙の当選人の決定 |
| | | 公証 | 特定の事実または法律関係の存在を、公に認識し、これを証明する行為 | 選挙人名簿への登録 |
| | | 通知 | 特定人や不特定多数人に対し、一定の事項を知らせる行為 | 納税の督促 |
| | | 受理 | 他人の行為を有効な行為として受領する行為 | 婚姻届の受理 |

以下では、特に注意すべき用語について解説します。

**許可は、本来は人の自由に属する事柄について公益上の理由から全面的に禁止し、一定の場合にその禁止を解除するものです。**たとえば、飲食店の営業は本来国民の営業の自由に属するものですが、放任すると食中毒などの問題が多発するおそれがあるため、食品営業法は、いったん全面的に禁止としたうえで、一定の者に対しては営業許可を与えて、禁止を解除することとしているのです。

**特許は、私人が一般的には取得しえない特別の権利・地位を設定するものです。**ガスや電気、水道などの営業の許可が、講学上の特許にあたるとされています。

**認可は、一定の法律行為の効果を完成させるものです。**たとえば、農地の売買契約は、農業委員会の許可（認可）を得ない限り、所有権移転の効果が生じないものとされています。

# 第2章 SECTION 1 行政行為
# 行政行為の意義・分類

## 実践 問題 39 基本レベル

| 頻出度 | 地上★★ | 国家一般職★ | 特別区★★★ |
|---|---|---|---|
| | 国税·財務·労基★ | 国家総合職★★ | |

**問 行政法学上の行政行為の分類に関する記述として、通説に照らして、妥当なのはどれか。** （特別区2018）

1：公証とは、特定の事実又は法律関係の存在を公に証明する行為をいい、納税の督促や代執行の戒告がこれにあたる。

2：特許とは、第三者の行為を補充して、その法律上の効果を完成させる行為をいい、農地の権利移転の許可や河川占用権の譲渡の承認がこれにあたる。

3：認可とは、すでに法令によって課されている一般的禁止を特定の場合に解除する行為で、本来各人の有している自由を回復させるものをいい、自動車運転の免許や医師の免許がこれにあたる。

4：確認とは、特定の事実又は法律関係の存否について公の権威をもって判断する行為で、法律上、法律関係を確定する効果の認められるものをいい、当選人の決定や市町村の境界の裁定がこれにあたる。

5：許可とは、人が生まれながらには有していない新たな権利その他法律上の力ないし地位を特定人に付与する行為をいい、鉱業権設定の許可や公有水面埋立の免許がこれにあたる。

| チェック欄 | | |
|---|---|---|
| 1回目 | 2回目 | 3回目 |
| | | |

## 実践 問題 39 の解説



〈行政行為の分類〉

**1 ×** 納税の督促や代執行の戒告は通知の具体例なので、本肢は妥当でない。公証とは、特定の事実または法律関係の存在を公に証明する行為をいう。具体例として、選挙人名簿への登録、不動産登記簿への登記、戸籍への記載などが挙げられる。一方、納税の督促や代執行の戒告は、講学上、特定人や不特定多数人に対して一定の事項を知らせる行為である通知にあたる。

**2 ×** 本肢は認可の内容を説明しているので、妥当でない。特許とは、人が生来的には有していない新たな権利その他法律上の力ないし地位を特定人に付与する行為をいう。具体例として、鉱業権設定の許可や公有水面埋立の免許が挙げられる。

**3 ×** 本肢は許可の内容を説明しているので、妥当でない。認可とは、第三者の行為を補充して、その法律上の効果を完成させる行為をいう。具体例として、農地の権利移転の許可や河川占用権の譲渡の承認が挙げられる。

**4 ○** 確認の説明として適切であり、本肢は妥当である。確認とは、特定の事実または法律関係の存否について公の権威をもって判断する行為をいう。公証、通知、受理とともに**準法律行為的行政行為**に分類される。確認の具体例としては、選挙の当選人の決定や市町村の境界の裁定のほか、建築基準法上の建築確認が挙げられる。

**5 ×** 本肢は特許の内容を説明しているので、妥当でない。許可とは、すでに法令によって課されている一般的禁止を特定の場合に解除する行為をいう。本来各人の有している自由を回復させるものであり（**不作為義務の解除**）、具体例として、自動車運転の免許や医師の免許が挙げられる。

**正答 4**

第2章 SECTION 1 行政行為

# 行政行為の意義・分類

## 実践 問題 40 基本レベル

| 頻出度 | 地上★★ | 国家一般職★ | 特別区★★★ |
|---|---|---|---|
| | 国税·財務·労基★ | 国家総合職★★ | |

**問 行政法学上の法律行為的行政行為である命令的行為又は形成的行為に関する記述として、妥当なのはどれか。** (特別区2002)

1：命令的行為である下命は、一定の作為、給付又は受忍を命じる行為であり、その例として農地法による権利移動の許可がある。

2：命令的行為である許可は、作為、給付又は受忍の義務を特定の場合に特定人に解除する行為であり、その例として医師法による医師免許がある。

3：命令的行為である免除は、一般的禁止を特定の場合に特定人に解除する行為であり、その例として学校教育法による就学義務の猶予・免除がある。

4：形成的行為である特許は、一定の権利又は権利能力を設定する行為であり、その例として公有水面埋立法による公有水面の埋立免許がある。

5：形成的行為である認可は、第三者の法律行為を補充してその法律上の効果を完成させる行為であり、その例として道路交通法による自動車運転免許がある。

チェック欄

| 1回目 | 2回目 | 3回目 |
|---|---|---|
| | | |

## 実践 問題 40 の解説

〈命令的行為・形成的行為〉

**1 ×** 命令的行為とは、国民が本来有している自由に制限を課して義務を発生させたり、その義務を解除したりする行政行為である。命令的行為には、下命、禁止、免除、および許可がある。命令的行為のうち、一定の作為・給付または受忍を命じるのは下命であるというのはそのとおりであるが、農地法による農地の権利移動の許可は形成的行為である認可の例である。なお、形成的行為とは、国民が本来有していない特殊な権利や法的地位を与えたり、奪ったりする行政行為である。形成的行為としては、特許、認可、および代理がある。

**2 ×** 一定の作為・給付または受忍の義務を特定の場合に特定人に解除する行為は、免除であって許可ではない。許可は一般的禁止を特定の場合に特定人に解除する行為であり、医師法による医師免許がその例である。

**3 ×** 一般的禁止を、特定の場合に特定人に解除する行為は、許可であって免除ではない。免除は一定の作為・給付または受忍の義務を特定の場合に特定人に解除する行為であり、学校教育法による就学義務の猶予・免除がその例である。

**4 ○** 人が本来有してはいない特殊な一定の権利または権利能力を設定する行為は、形成的行為の特許である。また、公有水面の埋立免許は特許の例である。

**5 ×** 第三者の法律行為を補充してその法律上の効果を完成させるのは、形成的行為の認可であるが、道路交通法による自動車運転免許は認可ではなく許可の例である。

**正答 4**

行政行為

# 行政行為の意義・分類

## 実践 問題 41 基本レベル

| 頻出度 | 地上★★ 国家一般職★ 特別区★★★ 国税·財務·労基★ 国家総合職★★ |
|---|---|

**問 行政法学上の行政行為の分類に関する記述として、通説に照らして、妥当なのはどれか。** (特別区2012)

1：許可とは、第三者の行為を補充してその法律上の効果を完成させる行為をいい、農地の権利移転の許可や建築協定の認可がこれにあたり、許可を受けないで行われた行為は、効力を生じない。

2：公証とは、特定の事実または法律関係の存否について公の権威をもって判断する行為で、法律上、法律関係を確定する効果の認められるものをいい、当選人の決定や租税の更正・決定がこれにあたる。

3：認可とは、すでに法令によって課されている一般的禁止を特定の場合に解除する行為をいい、自動車運転の免許や医師の免許がこれにあたるが、無認可の行為は、当然に無効になるわけではない。

4：確認とは、特定の事実または法律関係の存在を公に証明する行為のことをいい、選挙人名簿への登録、不動産登記簿への登記、戸籍への記載がこれにあたる。

5：特許とは、人が本来有しない権利や権利能力等を特定人に付与する行為をいい、河川の占用許可、公益法人の設立の認可、公有水面埋立の免許がこれにあたる。

チェック欄

| 1回目 | 2回目 | 3回目 |
| --- | --- | --- |
| | | |

## 実践 問題 41 の解説



〈行政行為の分類〉

**1 ×** 第三者の行為を補充してその法律上の効果を完成させる行為は、許可ではなく、認可である（許可については肢3解説参照）。認可の具体例は、本肢記載のとおり、農地の権利移転の許可や建築協定の認可などである。なお、上記具体例からもわかるとおり、行政行為の分類上の名称と法律上の名称が一致しないことがある。

**2 ×** 特定の事実または法律関係の存否について公の権威をもって判断する行為で、法律上、法律関係を確定する効果の認められるものは、公証ではなく、確認である（公証については肢4解説参照）。確認の具体例は、本肢記載のとおり、当選人の決定や租税の更正・決定などである。

**3 ×** すでに法令によって課されている一般的禁止を特定の場合に解除する行為は、認可ではなく、許可である（認可については肢1解説参照）。許可の具体例は、本肢記載のとおり、自動車運転免許、医師の免許などである。なお、無許可行為は当然に無効となるわけではないが、無認可行為は原則として無効である。

**4 ×** 特定の事実または法律関係の存在を公に証明する行為は、確認ではなく、公証である（確認については肢2解説参照）。公証の具体例は、本肢記載のとおり、選挙人名簿への登録、不動産登記簿への登記、戸籍への記載などである。

**5 ○** 特許とは、人が本来有しない権利や権利能力などを設定する行為のことである。その具体例は、本肢記載のとおり、河川の占用許可、公益法人の設立の認可、公有水面埋立の免許である。

**正答 5**

第2章 SECTION 1 行政行為

# 行政行為の意義・分類

## 実践 問題 42 基本レベル

頻出度 地上★ 国家一般職★ 特別区★★ 国税·財務·労基★ 国家総合職★

**問 以下の条文は「風俗営業等の規制及び業務の適正化等に関する法律（風営法）」からの抜粋である。抜粋された条文に引かれた下線部アからオに関する次の記述うち、妥当なものはどれか。** (地上2013)

第３条第１項　風俗営業を営もうとする者は…（中略）当該営業所の所在地を管轄する都道府県公安委員会（以下「公安委員会」という。）の~ア~許可を受けなければならない。

第２項　公安委員会は、…（中略）その必要の限度において、前項の許可に~イ~条件を付し、及びこれを変更することができる。

第４条第１項　公安委員会は、前条第１項の許可を受けようとする者が次の各号のいずれかに該当するときは、~ウ~許可をしてはならない。

第26条第１項　公安委員会は、風俗営業者若しくはその代理人等が…（中略）第３条第２項の規定に基づき付された条件に違反したときは、当該風俗営業者に対し、当該風俗営業の許可を~エ~取り消し、又は~オ~６月を超えない範囲内で期間を定めて当該風俗営業の全部若しくは一部の停止を命ずることができる。

1：アの「許可」は、一般的に禁止されたものを特定の場合に解除するものであるから、講学上は「特許」という行政行為である。

2：イの「条件」のことを附款というが、このように法律の根拠がなければ附款を付することはできない。

3：ウの「許可をしてはならない」とは、当事者にとっては営業の自由に対する不利益処分であるから、許可をしないためには、行政庁は意見陳述のための手続を執らなければならない。

4：エの「取り消し」とは、一度その行政行為に対して許可をしたのち、その許可を消失させる行政行為であるから、講学上は「撤回」という。

5：オの「６月を超えない範囲内で期間を定めて」とは、行政庁に認められた行政行為の判断の余地であるが、この営業停止処分の期間に関する決定は、要件裁量と効果裁量のうち、要件裁量にあたる。

| チェック欄 | | |
|---|---|---|
| 1回目 | 2回目 | 3回目 |
| | | |

## 実践 問題 42 の解説

〈行政行為一般〉



**1 ×** 「許可」とは、本来各人が持っている自由を、公共の福祉の観点からあらかじめ一般的に禁止し、個別の申請に基づいて行政庁がその禁止を解除する行政行為をいう。他方、「特許」とは、本来的に各人の自由に属しているとはいえない特権ないし特別の能力を行政庁が私人に付与する行政行為をいう。風俗営業は、本来各人が持っている自由といえるので、風営法に基づく風俗営業の許可（風営法３条１項）は、講学上の「許可」にあたる。

**2 ×** 行政行為の附款とは、行政行為の効果を制限したり、あるいは特別な義務を課すため、主たる意思表示に付加される行政庁の従たる意思表示をいう。附款は、①法律が附款を付することができる旨を明示している場合はもとより、②行政行為の内容の決定について行政庁に裁量が認められている場合にも付することができる。

**3 ×** 行政手続法は、行政庁が不利益処分をしようとする場合には、当該不利益処分の名あて人となるべき者について、意見陳述のための手続をとらなければならないと定めている（行政手続法13条１項）。しかし、申請拒否処分は不利益な処分ではあるが、行政手続法は申請に対する処分として扱い、不利益処分には含まれないとしている（同法２条４号ロ）。したがって、風営法４条１項に基づく不許可処分は、行政手続法における不利益処分に該当しないため、行政庁は意見陳述のための手続をとる必要はない。

**4 ○** 風営法26条１項は、風俗営業者等が同法３条２項に基づいて付された条件に違反したという、風俗営業許可後に発生した事情に基づいて、当該風俗営業の許可を取り消すことができるとしているので、ここでいう「取り消し」は講学上の「撤回」にあたる。

**5 ×** 要件裁量とは、行政庁が認定した事実を法律要件にあてはめる際に認められる裁量をいう。効果裁量とは、法律要件が充足されたことを前提として、行政行為をするかしないか、するとしていかなる内容の行政行為をするかについての裁量をいう。風営法26条１項の期間に関する決定は、どのくらいの期間風俗営業を停止させるかという風俗営業停止処分の内容についての裁量であるから、効果裁量である。

**正答 4**

# 第2章 SECTION 1 行政行為 行政行為の意義・分類

## 実践 問題 43 基本レベル

| 頻出度 | 地上★ | 国家一般職★ | 特別区★ |
|---|---|---|---|
| | 国税·財務·労基★ | 国家総合職★★ | |

**問** **登録及びいわゆる公証行為に関する記述のうち、判例に照らし、妥当なのはどれか。**

(国Ⅰ2005)

1：公の権威をもって一定の事項を証明し、それに公の証拠力を与えるいわゆる公証行為は、行政行為の一類型としての性質を有するのであるから、その公証行為が抗告訴訟の対象となるのは当然である。

2：毒物及び劇物取締法に基づく毒物及び劇物の輸入業の登録について、同法の登録は実質的に許可に近い性質を持つものであるから、毒物及び劇物がどのような目的でどのような製品に使われているかについて広く考慮した上で登録の拒否事由とすることが許される。

3：毒物及び劇物取締法に基づく毒物及び劇物の輸入業の登録について、行政庁の裁量の余地は認められないものの、同法の趣旨に照らして、毒物及び劇物の使用により人体に対する危害が生じるおそれがあることをもって登録の拒否事由とすることが許される。

4：市町村長が住民基本台帳法第７条に基づき住民票に同条各号に掲げる事項を記載する行為は、公の権威をもって住民の居住関係に関するこれらの事項を証明し、それに公の証拠力を与えるいわゆる公証行為ではなく、それ自体によって新たに国民の権利義務を形成し、又はその範囲を確定する法的効果を有する。

5：住民基本台帳は、これに住民の居住関係の事実と合致した正確な記録をすることによって、住民の居住関係の公証、選挙人名簿の登録その他の住民に関する事務の処理の基礎とするものであるから、市町村長が法定の届出事項に係る事由以外の事由を理由として転入届を受理しないことは許されない。

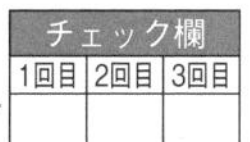


## 実践 問題 43 の解説

〈登録・公証〉



**1 ×** 判例は、市町村長が旧地代家賃統制令の規定に基づき家賃台帳に家賃の停止統制額などを記載する行為について、公の権威をもってそれらの事項を証明し、公の証明力を与える公証行為ではあるが、その行為によって新たに国民の権利義務を形成し、あるいはその範囲を確認する性質を有するものではないとして、処分性を否定した（最判昭39.1.24）。

**2 ×** 判例は、毒物及び劇物取締法それ自体は、毒物・劇物の輸入業などの営業に対する規制はもっぱら設備の面から登録を制限することで足りるものとし、毒物・劇物がどのような目的でどのような用途の製品に使われるかについては、他の個々の法律がそれぞれの目的に応じて個別的に取り上げて規制するのに委ねる趣旨であるので、護身用具がその用途に従って使用されることにより人体に危害が生じるおそれがあるからといって、そのことを理由に輸入業の登録を拒否することは、毒物及び劇物取締法の趣旨に反し許されない、とした（ストロングライフ事件、最判昭56.2.26）。

**3 ×** 肢２解説参照。上掲ストロングライフ事件判決によると、毒物および劇物の使用により人体に対する危害が生ずるおそれがあることをもって登録拒否事由とすることは許されないこととなる。

**4 ×** 判例は、市町村長が住民基本台帳法に基づき住民票に同法に掲げる事項を記載する行為は、公の権威をもって住民の居住関係に関するこれらの事項を証明し、それに公の証明力を与える公証行為であり、それ自体によって新たに国民の権利義務を形成し、またはその範囲を確定する法的効果を有するものではないとした（非嫡出子住民票続柄記載事件、最判平11.1.21）。

**5 ○** 判例は、住民基本台帳は、住民の居住関係の事実と合致した正確な記録をすることにより、住民の居住関係の公証、選挙人名簿の登録その他の住民に関する事務処理の基礎とするものであるから、市町村長は、住民基本台帳法の規定による転入届があった場合には、その者に新たに当該市町村の区域内に住所を定めた事実があれば、法定の届出事項にかかる事由以外の事由を理由として転入届を受理しないことは許されず、住民票を作成しなければならないとした（アレフ転入届不受理事件、最判平15.6.26）。

**正答 5**

第2章 SECTION 1 行政行為

# 行政行為の意義・分類

## 実践 問題 44 基本レベル

| 頻出度 | 地上★ | 国家一般職★ | 特別区★ |
|---|---|---|---|
| | 国税·財務·労基★ | 国家総合職★★ | |

**問 行政行為の分類に関するア～オの記述のうち、妥当なもののみを全て挙げているのはどれか。**　　（国税・財務・労基2017）

ア：特許とは、命令的行為の一つであり、法令等によって一般的に禁止されている行為を解除する行為のことである。例としては、酒類の製造免許が挙げられる。特許は、本来自由であるはずの行為が法令により規制されているのであるから、行政庁が裁量により特許を付与しないことは原則として許されない。

イ：認可とは、形成的行為の一つであり、私人相互間の法律行為の効果を完成させる行為である。例としては、農地の権利移転の許可が挙げられる。認可を要件としているにもかかわらず、認可を得ないで行われた契約等は、原則としてその効力を生じない。

ウ：許可とは、形成的行為の一つであり、国民が一般的には取得し得ない特別の能力又は権利を設定する行為である。例としては、河川や道路の占用許可が挙げられる。その法的効果は行政庁の意思に左右されるため、行政庁の広い裁量が認められ、附款を付すことができる。

エ：確認とは、準法律行為的行政行為の一つであり、特定の事実や法律関係の存否を認定し、これを対外的に表示する行為で、法律上一定の法的効果の発生と結び付けられているものをいう。例としては、建築確認が挙げられる。

オ：公証とは、準法律行為的行政行為の一つであり、特定の事実や法律関係の存在を公に証明する行為で、行政庁の効果意思によって法的効果が発生するものをいう。例としては、当選人の決定が挙げられる。

1：ア、ウ
2：ア、オ
3：イ、ウ
4：イ、エ
5：エ、オ

チェック欄

| 1回目 | 2回目 | 3回目 |
|---|---|---|
| | | |

## 実践 問題 44 の解説



〈行政行為の分類〉

**ア×** 本記述は、特許ではなく許可の説明になっているので、妥当でない。特許とは、形成的行為の１つであり、本来国民が一般的には取得できない特別の能力・権利を設定する行為をいう。例として、道路の占用許可（道路法32条１項）が挙げられる。特許は、私人の本来的自由にかかわる問題ではないので、行政庁には、どのような観点で特許を付与するかについて広い裁量が認められると解されている。

**イ○** 認可とは、形成的行為の１つであり、第三者の行為を補充して法律上の効果を完成させる行為をいう。例として、農地の権利移転の許可（農地法３条１項）が挙げられる。この例の場合、農業委員会の認可を得ない限り、農地の売買契約の効果である所有権移転の効果が生じないことになる。

**ウ×** 許可ではなく特許の説明になっているので、本記述は妥当でない。許可とは、命令的行為の１つであり、本来誰でも享受できる個人の自由を、公共の福祉の観点からあらかじめ禁止しておき、個別の申請に基づき禁止を解除する行為をいう。例として、酒類の製造免許（酒税法７条１項）が挙げられる。許可は、本来自由であるはずの行為が法令により規制されているのであるから、行政庁の裁量は狭いとされ、法定の要件を充たせば原則として許可しなければならないと解されている。

**エ○** 確認とは、特定の事実または法律関係の存否について公の権威をもって判断する行為であり、法律の規定により、一定の法律効果が認められる準法律行為的行政行為である。例として、建築確認（建築基準法６条１項）が挙げられる。

**オ×** 準法律行為的行政行為は、行政庁の効果意思によって法的効果が発生するのではなく、また、当選人の決定も、公証ではなく、確認に関する具体例なので本記述は妥当でない。準法律行為的行政行為の法的効果は、行政庁の効果意思ではなく、法の規定によって付与される。公証の例として、選挙人名簿への登録（公職選挙法21条・22条）が挙げられる。

以上より、妥当なものはイ、エであり、肢４が正解となる。

**正答 4**

行政行為

# 行政行為の意義・分類

## 実践 問題 45 基本レベル

| 頻出度 | 地上★ | 国家一般職★ | 特別区★ |
|---|---|---|---|
| | 国税·財務·労基★ | 国家総合職★★ | |

**問 行政行為に関するア～エの記述のうち、理論上の「許可」に分類されるもののみを全て挙げているのはどれか。** **(国家総合職2013)**

ア：道路、河川等の公共用物は、一般公衆の利用に供されるものであり、道路にガス管や電線等を埋設する際には、道路法に基づく道路の占用許可が必要とされ、また、水力発電に河川の流水を用いる場合には、河川法に基づく河川の流水の占用許可が必要とされている。

イ：外国人には日本国籍を取得する自由があるとは考えられておらず、外国人が帰化するには、国籍法に基づき、法務大臣の許可が必要とされている。

ウ：農地は、個人所有に係るものであっても、食料生産の基盤であることから、当事者間の契約のみで農地の所有権を移転することはできず、農地法に基づく許可が必要とされている。

エ：飲食店を営業するには、飲食に起因する衛生上の危害の発生を防止する観点から、施設の衛生状態等に問題がないこと等につき、食品衛生法に基づく許可が必要とされている。

1：ウ
2：エ
3：ア、ウ
4：ア、エ
5：イ、エ

チェック欄

| 1回目 | 2回目 | 3回目 |
| --- | --- | --- |
| | | |

## 実践 問題 45 の解説

〈許可〉

「許可」とは、私人が本来自由に行うことができる行為を、公共の秩序維持の観点から、法律で一般的に禁止しておき、個別の申請に基づいて、行政庁が危険がないと認める場合にその禁止を解除し、申請にかかる行為を適法になさしめる行政行為をいう。ここでいう許可というのはあくまで講学上の分類におけるそれであって、法令上は「許可」とされていても、講学上の分類の「特許」ないし「認可」とされるものも少なくないので注意が必要であり、本問はまさにその点を問うている。

**ア×** 「特許」とは、特定私人のために、私人が本来は有していない特殊な権利や法的地位を新たに設定、付与する行政行為である。道路や河川の流水は、本来特定私人が占用しうるものではない。したがって、道路や河川の流水の占用許可は、講学上の「特許」にあたる。

**イ×** 外国人の帰化の許可は、特定人に対し国家の名において国籍を付与し、それによって国民としての新たな能力を発生させるものである。したがって、この場合の許可は、講学上の「特許」にあたる。

**ウ×** 「認可」とは、第三者のなす契約や合同行為などの法律行為を補充し、その法律上の効果を完成させる行為をいう。法律において法律行為を行うにつき認可が要件とされている場合、当該法律行為は認可を受けない限り効力を生じない。農地の権利移転の許可は、農地法に基づく許可が要件とされ、農地の売買契約等はこの許可を受けない限り効力を生じない。したがって、この場合の許可は、講学上の「認可」にあたる。

**エ○** 飲食店の営業は、本来誰もが自由に行うことができるものである。しかし、食品衛生法は、飲食に起因する衛生上の危害の発生を防止する観点から、飲食店の営業をするには法に基づく許可を受けなければならないとして、無許可の飲食店の営業を一般的に禁止したうえで、許可を受けることにより飲食店の営業をすることができることとした。この場合の許可は、講学上の「許可」にあたる。

以上より、妥当なものはエであり、肢2が正解となる。

**正答 2**

行政行為

# 行政行為の効力

## セクションテーマを代表する問題に挑戦！

**行政行為は特別な効力を持っていますので、これを理解しましょう。**

問 行政法学上の行政行為の効力に関する記述として、妥当なのはどれか。（特別区2010）

1：行政行為の自力執行力は、行政行為によって命ぜられた義務を国民が履行しない場合に、行政庁が裁判判決を得て義務者に対し強制執行を行うことができるが、強制執行を行うためには、法律の根拠が必要である。

2：行政庁は、不服申立てや取消訴訟を提起できる争訟提起期間を経過すると、当該行政行為に不可変更力が生じ、職権による行政行為の取消しや撤回をすることができない。

3：行政行為の公定力又は行政行為に対する取消訴訟の排他的管轄制度には、違法性がいかに甚だしい場合でも、相手方が適法に取消訴訟を提起し取消判決を得ない限り、行政行為の事実上の通用に対して救済を求めることができない。

4：行政行為の公定力は、違法な行政行為によって損害を被ったことを理由とする損害賠償請求訴訟には及ばないので、裁判所が判決で行政行為を違法として損害賠償を認めても、行政行為の効力は存続する。

5：裁決庁がいったん下した裁決を自ら取消して、新たに裁決をやり直した場合、新たな裁決は、紛争を解決するための裁断作用に認められる不可争力に反して違法である。

Guidance ガイダンス

**公定力**

違法な行政行為も、重大かつ明白な違法が認められる場合を除いて、権限ある国家機関によって取り消されるまでは有効

**不可争力**

一定期間経過すると、私人の側から行政行為の瑕疵を争うことができなくなる

**自力執行力**

行政行為の内容を行政庁が自ら実現できる

**不可変更力**

裁決など裁判に類似する行政行為を、行政庁は変更・取消しできない

直前復習

チェック欄 1回目 2回目 3回目

# 必修問題の解説

〈行政行為の効力〉



**1 ×** 自力執行力とは、行政権が、裁判所の強制執行手続によらずに、相手方の意思に反して行政行為の内容を自力で実現しうる効力のことをいう。もっとも、法律の留保の原則により、強制執行を行うためには、私人に義務を課する規定のほかに、別途強制執行に関する授権を行政庁に対して行う法律が必要とされるので、この点は妥当である。

**2 ×** 不可変更力とは、一度行った行政行為について、処分庁は自ら変更できない効力をいい、職権取消しを制限するものである。この効力は、すべての行政行為に認められるものではなく、不服申立てに対する裁決等、事実関係や法律関係の争いを公権的に裁断することを目的とする行政行為にのみ認められる。この効力は、不服申立てや取消訴訟を提起できる争訟提起期間を経過しなくても、処分庁がいったん上記の行政行為をすれば生じる。

**3 ×** 公定力とは、違法な行政行為でも、取消権限を有する国家機関によって取り消されるまでは、行政行為の相手方はもちろん、第三者も他の国家機関も当該行為の効力を否定できない効力をいう。原則として取消訴訟でしか処分の有効性を争えないことから、取消訴訟の排他的管轄とも表現される。もっとも、行政行為に重大かつ明白な瑕疵がある場合には、当該行政行為は無効とされ、公定力が働かず、取消判決を得なくても無効等確認訴訟（行政事件訴訟法3条4項）などで救済を求めることができる。

**4 ○** 国家賠償請求訴訟に公定力が及ぶかが問題となるが、通説は及ばないとする。なぜなら、公定力は行政行為の「法効果」にかかわるものであるところ、国家賠償請求訴訟では行政行為の違法性が審理・判断され、行政行為の効果それ自体とは関係がないからである。判例も、行政処分が違法であることを理由として国家賠償の請求をするにあたってはあらかじめ行政処分につき取消しの判決を得なければならないものではないとして、公定力は国家賠償請求訴訟に及ばないとしている（最判昭36.4.21）。

**5 ×** 不可争力とは、一定の期間を経過すると、私人の側から行政行為の効力を争うことができなくなる効力をいう。この効力は取消訴訟の出訴期間（行政事件訴訟法14条）の限定による結果として認められるもので、行政上の法律関係を早期に安定させる趣旨に基づく。本肢は出訴期間ではなく、新たに裁決をやり直す場合の問題であるから、不可変更力の問題である（肢2解説参照）。

**正答 4**

# 行政行為の効力

## 1 公定力

### (1) 公定力とは

公定力とは、たとえ違法な行政行為でも、権限を有する国家機関によって取り消されるまでは、一応有効なものとして扱われるという効力をいいます。

### (2) 公定力の根拠

法律が、行政上の法律関係の安定を図るため、行政行為の適法性を争う方法を取消訴訟に限定した結果（取消訴訟の排他的管轄）、取消判決がなされるまでの間は、行政行為は有効に通用すると説明されます（反射的効力説）。

### (3) 公定力の限界

#### ① 無効な行政行為

行政行為が無効であるときは、当該行為に公定力は生じず、権限ある国家機関が取り消すまでもなく当然に効力が生じないと解されています。判例によれば、無効とは、行政行為に重大かつ明白な違法があることとされています。

無効な行政行為には、公定力は認められません。

#### ② 国家賠償訴訟との関係

行政行為の違法を理由として国家賠償請求をする場合には、あらかじめ取消訴訟などで行政行為の効力を排除しておく必要はないとするのが判例・通説です。

国家賠償請求の目的は、違法な行政行為によって生じた損害を「金銭で償ってもらうこと」であり、行政行為の効力を取り消すこととは無関係だからです。

**判例**
《公定力と国家賠償請求》最判平22.6.3
【事案】取消訴訟ないし無効確認訴訟を提起することなく、未還付となっていた固定資産税等の過納金相当額等の支払を求めて国家賠償請求をした事案
【判旨】行政処分が金銭を納付させることを直接の目的としており、その違法を理由とする国家賠償請求を認容したとすれば、結果的に当該行政処分を取り消した場合と同様の経済的効果が得られる場合であったとしても、行政処分が違法であることを理由として国家賠償請求をするについて、あらかじめ当該行政処分について取消しまたは無効確認判決を得ている必要はない。

#### ③ 刑事訴訟との関係

違法な行政行為によって命じられた義務に違反して刑罰を科せられることとなった場合にも、あらかじめ取消訴訟を提起して当該行政行為の取消しを求める必要は

なく、刑事訴訟手続において直接その行政行為の違法性を主張し、刑事責任を免れることができるとされています。

判例
《余目町個室付浴場刑事事件》最判昭53.6.16
【事案】風俗店の営業を阻止することを主たる目的として児童公園の開設認可がなされたが、これを無視して営業を開始したため訴追された刑事事件
【判旨】行政権の濫用による違法な児童公園開設認可処分は、被告会社の営業を規制する効力を有しないので、被告会社は無罪である。



## 2 不可争力

不可争力とは、一定期間を経過すると、私人の側から行政行為の瑕疵を争うことができなくなるという効力です。

ただし、一定期間の経過後でも、行政庁の側から自発的に行政行為を取り消すことはできるとされています。行政庁が瑕疵ある行政行為を取り消しても行政の機動的運営を害することにはならないので、不可争力の趣旨に反しないからです。

なお、無効な行政行為には、不可争力は認められません。

## 3 自力執行力

自力執行力とは、行政行為に私人が従わないときに、その行政行為の内容を行政庁が自ら実現しうる効力をいいます。「自力」とは、裁判所の関与なしで、ということです。

ただし、行政上の強制執行をするには、強制執行自体について独自の根拠法が必要とされます。

## 4 不可変更力

不可変更力とは、瑕疵ある行政行為であっても、一定の場合には、行政庁が自ら取り消し、または変更することが許されなくなるという効力をいいます。

この効力は、行政行為一般に認められる効力ではありません。不服申立てに対してなされた裁決・決定のように、裁判に類似した性質を持った行政行為だけに認められている効力です。

裁決は行政処分であるが、実質的にみればその本質は法律上の争訟を裁判するものである。かかる性質を有する裁決は、他の一般行政処分とは異なり、特別の規定がない限り、裁決をした行政庁において自ら取り消すことはできない（最判昭29.1.21）。

第2章 SECTION 2 行政行為

# 行政行為の効力

## 実践 問題 46 基本レベル

| 頻出度 | 地上★ 国家一般職★ 特別区★★<br>国税·財務·労基★★★ 国家総合職★★★ |
|---|---|

**問 行政行為（行政庁の処分）の効力に関する次の記述のうち、最も妥当なのはどれか。** **（財務・労基2012）**

1：取消訴訟の対象となる行政庁の処分とは、公権力の主体たる国や地方公共団体による行為を指し、直接国民の権利義務を形成し又はその範囲を確定することが法律上認められている行為に限定されないとするのが判例である。

2：一定期間経過すると、私人の側から行政行為の効力を裁判上争うことができなくなることを行政行為の不可争力というが、これは、行政行為の効果を早期に確定させるという趣旨に基づくもので、不可争力は制定法上の根拠なくして認められると解されている。

3：行政行為は、仮に違法であっても、取消権限のある者によって取り消されるまではその効果を否定することができないという公定力を有し、またその効果は、その行為を行った行政庁と相手方の私人に対してのみ及ぶものとされ、他の私人には及ばないと解されている。

4：特定の公務員の任免のような行政庁の処分の効果が発生するのは、特別の規定のない限り、その意思表示が相手方に到達した時、すなわち、辞令書の交付その他公の通知により、相手方が現実にこれを了知し、又は相手方の了知し得べき状態に置かれた時とするのが判例である。

5：行政行為の成立時に瑕疵はなかったものの、その後の事情によりその法律関係を存続させることが妥当でないという場合に、当該法律関係を行政行為の成立時に遡って消滅させることを行政行為の撤回というが、撤回については個別の法律による根拠を要しないとするのが判例である。

直前復習

| チェック欄 | | |
|---|---|---|
| 1回目 | 2回目 | 3回目 |
| | | |

## 実践 問題 46 の解説

〈行政行為の効力〉



**1 ×** 判例は、行政庁の処分とは、所論のごとく行政庁の法令に基づく行為のすべてを意味するものではなく、公権力の主体たる国または公共団体が行う行為のうち、その行為によって、直接国民の権利義務を形成しまたはその範囲を確定することが法律上認められているものをいうとする（最判昭39.10.29）。

**2 ×** 行政行為の不可争力とは、私人の側から行政行為の効力を裁判上争うことができなくなることをいう。不可争力を認めるには制定法の根拠が必要であるかについては、単なる時の経過によって私人の側からもはやその効力が争えなくなるというのは、それが長期間の場合はともかく、1年とか半年のような比較的短期間にすぎないときには、これを時効とか失権効とかの一般法的な法理論として解釈上導き出すことは困難である。その意味で、不可争力を認めるには制定法上の根拠が必要である（行政不服審査法18条、行政事件訴訟法14条）。

**3 ×** 行政行為は仮に違法であっても、取消権限のある国家機関によって取り消されるまでは、私人を含め何人もその効力を否定できない。

**4 ○** 特定の公務員の任免のような行政庁の処分の効果の発生時期について、判例は、特別の規定のない限り、意思表示の一般的法理に従い、その意思表示が相手方に到達した時と解するのが相当であり、すなわち、辞令書の交付その他公の通知によって、相手方が現実にこれを了知し、または相手方の了知しうべき状態に置かれた時とする（最判昭29.8.24）。

**5 ×** 行政行為の撤回は、行政行為の成立時には瑕疵がないとき、その後の事情により、その法律関係を存続させることが妥当でないということが生じたときに、この法律関係を将来にわたって消滅させる行政行為をいう。撤回の個別の法律による根拠の要否について、判例は指定医師の指定の撤回によって医師の被る不利益を考慮しても、なおそれを撤回すべき公益上の必要性が高いと認められるから、法令上その撤回について直接明文の規定がなくとも、指定医師の指定の権限を付与されている医師会は、その権限において医師に対する上記指定を撤回することができるとする（実子あっせん事件、最判昭63.6.17）。

**正答 4**

# 行政行為の効力

実践 問題 47 基本レベル

頻出度 地上★ 国家一般職★ 特別区★★ 国税·財務·労基★★★ 国家総合職★★★

**問 行政行為に関するア～オの記述のうち、妥当なもののみを全て挙げているのはどれか。ただし、争いのあるものは判例の見解による。（国家一般職2020）**

**ア**：行政処分は、たとえ違法であっても、その違法が重大かつ明白で当該行為を当然無効ならしめるものと認めるべき場合を除いては、適法に取り消されない限り完全にその効力を有する。

**イ**：行政処分が金銭を納付させることを直接の目的としており、その違法を理由とする国家賠償請求を認容したとすれば、結果的に当該行政処分を取り消した場合と同様の経済的効果が得られるという場合には、当該行政行為が違法であることを理由として国家賠償請求をするに際して、事前に当該行政行為について取消し又は無効確認の判決を得なければならない。

**ウ**：行政行為によって命じられた義務を私人が履行しない場合には強制執行自体についての独自の根拠法がなくとも、裁判所の関与なしに、行政庁が自ら義務者に強制執行し、義務内容を実現することができる。

**エ**：行政行為の成立時には瑕疵がなく、その後の事情の変化により、その行政行為から生じた法律関係を存続させることが妥当でなくなった場合であっても、法令上、撤回について直接明文の規定がないときは、当該行政行為を撤回することはおよそ許されない。

**オ**：負担とは、行政行為を行うに際して、法令により課される義務とは別に課される作為又は不作為の義務であり、附款の一種であるが、行政行為の相手方が負担によって命じられた義務を履行しなかった場合には、当該行政行為の効果は当然に失われる。

1：ア
2：オ
3：ア、イ
4：ウ、エ
5：エ、オ

## 実践 問題 47 の解説

〈行政行為の効力〉



**ア○** 本記述は、行政行為の公定力の内容を正確に述べており、妥当である。公定力とは、行政行為がたとえ違法であっても、当然に無効とされる場合を除いて、権限のある国家機関によって取り消されるまでは、有効なものとして扱われる効力をいう。

**イ×** 金銭納付を目的とした行政処分であっても、国家賠償請求訴訟をするに際して、事前に行政処分の取消しまたは無効判決を得る必要はないので、本記述は妥当でない。判例は、国家賠償請求訴訟において、公務員の行政行為の違法性を主張するにあたり、あらかじめ取消判決や無効確認の判決を得なければならないものではないとし（最判昭36.4.21）、さらに、このことは当該行政処分が金銭を納付させることを直接の目的としており、その違法を理由とする国家賠償請求を認容したとすれば、結果的に当該行政処分を取り消した場合と同様の経済的効果が得られるという場合であっても異ならないとしている（最判平22.6.3）。

**ウ×** 行政行為の自力執行力につき、現在の通説と異なるので、本記述は妥当でない。自力執行力とは、行政庁が義務者に強制執行し、義務内容を実現する効力をいう。戦前、自力執行力は、行政行為に内在する効力とされていたが、現在の通説は、法律の留保原則に従って、国民に義務を課す法律とは別に、強制執行そのものを根拠付ける法律が必要であるとしている。

**エ×** 判例（最判昭63.6.17）は、行政行為の撤回につき法律の根拠は不要であるとしているので、本記述は妥当でない。行政行為の撤回は、後発的に生じた社会的に有害な行為を排除するためにあるし（公益適合性の回復）、また、撤回権は、それ自体行政庁の処分権限に含まれているからである。

**オ×** 負担によって命じられた義務を履行しなかった場合でも、行政行為の効果は当然に失われるわけではないので、本記述は妥当でない。負担の定義を述べる本記述の前半は正しい。しかし、負担は本体たる行政行為とは独立の存在であるから、負担によって命じられた義務の不履行があっても、本体たる行政行為の効力に影響はない。よって、後半は誤りである。

以上より、妥当なものはアであり、肢1が正解となる。

**正答 1**

第2章 SECTION ② 行政行為

# 行政行為の効力

## 実践 問題 48 基本レベル

頻出度 地上★ 国家一般職★ 特別区★★ 国税·財務·労基★★★ 国家総合職★★★

**問 行政行為の効力に関するア～エの記述のうち、妥当なもののみをすべて挙げているのはどれか。** (国Ⅱ2008)

ア：行政行為の効力として、公定力や執行力等の特別な効力が認められているが、これらの効力は、すべての行政行為に一律に付与されるわけではなく、行政行為の中には、一定の効力を持たないものがある。

イ：行政行為の効力に関し、行政処分は、たとえ違法であっても、その違法が重大かつ明白で当該処分を当然無効ならしめるものと認められる場合を除いては、適法に取り消されない限りその効力を有するとするのが判例である。

ウ：行政行為には一般に不可変更力があるから、行政庁は、いったん行政行為を行った以上、当該行政行為に取り消し得べき瑕疵があったとしても、原則として、当該行政行為を取り消すことはできない。

エ：義務を課す行政行為には、行政目的の早期実現を図る観点から執行力が認められており、相手方が義務を履行しない場合には、行政行為についての法律の根拠とは別に執行力を基礎付ける法律の根拠がなくとも、行政庁自らの判断により、その義務を強制的に実現することができる。

1：ア、イ
2：ア、イ、エ
3：ア、ウ、エ
4：ウ
5：ウ、エ

## 実践 問題 48 の解説

〈行政行為の効力〉

**ア○** 行政行為には、特別な効力として、公定力、不可争力、不可変更力、（自力）執行力が認められるが、これらの効力は、すべての行政行為に一律に生ずるわけではない。たとえば、不可変更力は、審査請求に対する裁決（行政不服審査法44条）のような、争訟裁断作用として行われる行政行為についてのみ認められる効力である。また、（自力）執行力は、私人に義務を課す行政行為すべてに認められるわけではなく、たとえば公務員の免職処分のような、性質上執行を観念しえない行政行為については、（自力）執行力は認められない。

**イ○** 公定力とは、違法な行政行為であっても、裁判所など権限ある国家機関によって取り消されるまでは、原則として有効なものとして扱われる効力をいう。判例は、行政庁が先になした裁決（行政行為）を取り消して新たな裁決をすることは違法であるが、新たな裁決は、たとえ違法であっても、その違法が重大かつ明白で当該処分を当然無効とさせるものと認められる場合を除いては、適法に取り消されない限り完全にその効力を有する（最判昭30.12.26）として、公定力を認めている。

**ウ×** 記述アの解説にあるとおり、不可変更力が認められる行政行為は、争訟裁断作用として行われるものに限られており、行政行為一般に認められるわけではない。

**エ×** 行政行為には、（自力）執行力が認められる。（自力）執行力とは、行政行為によって命じられた義務を国民が任意に履行しない場合に、法律に基づき、行政庁自ら裁判所の手続によらずに義務者に強制執行し、義務内容を実現できる効力をいう。かつては、行政行為には（自力）執行力が内在しており、行政庁は、特別の法律の根拠がなくとも強制執行により義務内容を実現しうると解されていたが、現在ではこのような考え方は採用されておらず、強制執行は、それ自体に別に法律の根拠がある場合に限って行うことができ、そのような根拠がない場合には強制執行はなしえないものと解されている。

以上より、妥当なものはア、イであり、肢1が正解となる。

**正答 1**

第2章 SECTION 2 行政行為

# 行政行為の効力

## 実践 問題 49 基本レベル

頻出度 地上★ 国家一般職★ 特別区★★ 国税·財務·労基★★★ 国家総合職★★★

**問 行政行為の効力に関する次の記述のうち、妥当なのはどれか。**

**(国税・労基2005)**

1：行政庁が行う行為はすべて行政行為となるのであるから、行政目的を実現するための法律によって認められた権能に基づいて、特定の国民の権利義務を決定するという法的効果を伴わない通達や行政指導であっても、行政行為となる。

2：行政行為は、行政庁及び行政行為の相手方を拘束するという公定力を有するため、その行為の瑕疵が重大かつ明白であっても、取消権限のある行政庁によって取り消されるまでは効力を否定されないとするのが判例である。

3：行政行為のある種のものについては、処分をした行政庁によっても変更することができない不可変更力が認められるが、審査請求に対する裁決のように争訟裁断的な役割を期待された行政行為については、不可変更力は認められないとするのが判例である。

4：行政行為には、行政目的を早期に実現させる目的から、自力執行力が認められているため、行政庁は、行政行為の根拠規範とは別に自力執行力について特段の規定がない場合であっても、相手方の意思に反して行政行為の内容を実現することができる。

5：行政処分が違法であることを理由として国家賠償の請求をするについては、あらかじめ当該行政処分につき取消し又は無効確認の判決を得なければならないものではないとするのが判例である。

| チェック欄 | | |
|---|---|---|
| 1回目 | 2回目 | 3回目 |
| | | |

## 実践 問題 49 の解説



〈行政行為の効力〉

**1** × 行政行為とは、行政庁が、行政目的を実現するために、法律によって認められた権能に基づいて、一方的に、特定の国民の権利義務その他の法的地位を、個別具体的に決定する行為をいう。通達は、行政組織の内部行為であって国民に対する効力を有しないので、行政行為ではない。また、行政指導は国民に対する任意的な協力要請にすぎず、国民の権利義務を決定するものではないため、行政行為ではない。

**2** × 行政行為が重大かつ明白な瑕疵を有するときには、当該行政行為は無効である、とするのが判例である（最大判昭31.7.18）。無効な行政行為には公定力は及ばないから、取消しを待つまでもなく効力は否定される。

**3** × 不可変更力とは、いったんなされた行政行為について、これが違法である場合であっても、処分庁が自らこれを変更・取消し・撤回することはできない、という効力である。不可変更力は、裁決や決定など、裁判判決に類似するような争訟裁断的な行政行為についてのみ認められるとされる。法律による行政の原理からは、違法な行政行為については原則として取消しを認めるべきであるが、争訟裁断行為について取消しを認めると、紛争が蒸し返されることになりかねず、法的安定性が害されるからである。

**4** × 自力執行力とは、行政行為によって課された義務を私人が履行しない場合に、裁判所を経由することなく、行政権が当該行政行為の内容を自ら強制的に実現する作用をいう。もっとも、強制執行は私人の権利制限を伴うから、行政行為の根拠規範とは別に、自力執行自体についての根拠法がなければすることができないと解されている。

**5** ○ 判例は、行政行為の違法を理由とする国家賠償請求をするについては、あらかじめ当該行政行為についての取消しまたは無効確認の判決を得ておく必要はない、としている（最判昭36.4.21）。

**正答 5**

# 行政行為の効力

## 実践 問題 50 応用レベル

| 頻出度 | | |
|---|---|---|
| 地上★ | 国家一般職★ | 特別区★★ |
| 国税·財務·労基★★★ | 国家総合職★★★ | |

**問** **行政行為の効力に関するア～オの記述のうち、妥当なもののみをすべて挙げているのはどれか。** **(国Ⅰ2006)**

ア：行政行為の特色は、行政庁が法律に基づいて一方的に法律行為を行うことにより、法律関係を変動させることにある。私法上の行為であれば、当事者間の合意に基づかない一方的行為によって法律関係が変動することはあり得ないので、このことは行政行為の権力性を端的に示すものである。

イ：行政行為によって課せられた義務をその相手方が履行しない場合に、当該行政行為をした行政庁が自らその義務の内容を強制的に実現することができる効力を、一般に執行力と呼ぶ。執行力は、当該行政行為についての法律の根拠とは別に、執行力を基礎付ける法律の根拠が必要とされているが、その執行力を基礎付ける法律に行政代執行法は含まれない。

ウ：行政行為に執行力が認められる場合であっても、当該行政行為について適法に抗告訴訟が提起されたときは、裁判所による紛争処理を優先するという観点から執行力は停止し、当該行政行為に基づく強制執行は許容されない。

エ：行政行為は、たとえそれが違法であっても、権限ある国家機関が取り消さない限り一応有効なものとして通用するとされる。これを一般に行政行為の公定力と呼ぶが、違法な行政行為によって損害を被ったことを理由とする国家賠償請求訴訟には公定力が及ばないとされ、当該行政行為を取り消すことなく国家賠償請求訴訟を提起することが許される。

オ：行政行為に不服がある者は、行政上の不服申立てをしたり、取消訴訟を提起することができるが、これらの争訟の提起には時間的な制約があり、争訟提起期間を経過すると、当該行政行為を争うことが許されなくなる。これを、一般に不可争力と呼ぶ。不可争力が生じた場合、行政上の法律関係を安定させる必要から、行政庁が職権により当該行政行為を取り消すことも禁じられる。

1：エ
2：ア、イ
3：ア、エ
4：イ、ウ、オ
5：イ、エ、オ

直前復習

| チェック欄 | | |
|---|---|---|
| 1回目 | 2回目 | 3回目 |
| | | |

## 実践 問題 50 の解説



〈行政行為の効力〉

**ア ×** 私法上の行為につき、一方的行為により法律関係が変動することがありえないわけではない。たとえば、私法上の行為として行われた契約につき、一方当事者が解除事由に該当するものとして解除の意思表示をした場合、当該解除の意思表示は一方的行為であり、仮に行政主体がこれを行ったとしても、行政行為とは評価されない。

**イ ×** 行政行為に自力執行力が認められるには、義務を課すのとは別に強制執行を基礎づける法律の根拠が必要とされる。行政代執行法は、その根拠法の代表例であり、自力執行力の一般的な根拠法ともなっている。同法1条が、行政上の義務の履行確保については、「別に法律で定めるものを除いては、この法律の定めるところによる」と規定しているのは、行政行為に当然に自力執行力が認められるわけではなく、行政行為で義務を命じるのとは別に、強制執行自体に独自の根拠規定が必要であるということを明らかにしたものといえる。

**ウ ×** 取消訴訟の提起は、処分の効力、処分の執行または手続の続行を妨げないとされている（執行不停止の原則、行政事件訴訟法25条1項）。本記述の「行政行為に基づく強制執行」は、ここにいう「処分の執行」にあたる。

**エ ○** 判例は、行政行為が違法であることを理由として国家賠償請求をする場合、当該行政行為の取消判決や無効確認判決をあらかじめ得ることを必要とするものではないとする（最判昭36.4.21）。その理由については、国家賠償請求の目的は、国家の違法行為により現実に生じた損害の補填を求めることにあり、行政行為の法効果を否定することにはないからと説明されている。すなわち、行政行為の効力を争わない以上、公定力とは関係がなく、国家賠償請求訴訟には公定力は及ばないと解されているのである。

**オ ×** 不可争力は、私人側からの取消訴訟などの提起を拒む効力であって、行政庁が職権により当該行政行為を取り消すことは妨げられない。不可争力は、行政上の法律関係安定の見地から認められる効力にすぎず、不可争力が生じても、当該行政行為が違法であることに変わりないからである。

以上より、妥当なものはエであり、肢1が正解となる。

**正答 1**

行政行為

# 行政行為の効力

## 実践 問題 51 応用レベル

| 頻出度 | 地上★ 国家一般職★ 特別区★<br>国税·財務·労基★ 国家総合職★★ |
|---|---|

**問 行政法学上の行政行為の効力に関する記述として、通説に照らして、妥当なのはどれか。** **(特別区2023)**

1：行政行為の拘束力とは、一度行った行政行為について、処分庁は自ら変更できないという効力をいい、審査請求に対する裁決等の争訟裁断的性質をもつ行政行為に認められる。

2：行政行為の自力執行力とは、行政行為の内容を行政が自力で実現することができるという効力をいい、私人が行政の命令に従わない場合において、行政は強制執行を根拠付ける法律がなくとも、命令を根拠付ける法律により行政行為の内容を強制的に実現することができる。

3：行政行為の不可争力とは、一定期間を経過すると、私人から行政行為の効力を争うことができなくなるという効力をいい、不服申立期間又は出訴期間の限定による結果として認められるものであるが、これらの期間経過後に行政庁が職権により行政行為を取り消すことは可能である。

4：行政行為の実質的確定力とは、行政行為がたとえ違法であっても、無効と認められる場合でない限り、一定の手続を経るまでは有効なものとして扱われるという効力をいい、違法な行政行為が取消権限のある機関によって取り消されるまでは、何人もその効力を否定できない。

5：行政行為の形式的確定力とは、行政行為の内容が、以後、当該法律関係の基準となり、処分庁だけでなく上級庁も矛盾した判断をなし得ないという効力をいい、裁判所に対しても生じる。

チェック欄

| 1回目 | 2回目 | 3回目 |
|---|---|---|
| | | |

## 実践 問題 51 の解説



〈行政行為の効力〉

**1 ×** 本肢の内容は不可変更力についての説明である（肢４の解説参照）ので、妥当でない。行政行為の拘束力とは、行政行為がその内容に応じて相手方および行政庁を拘束する効力をいう。

**2 ×** 強制執行を根拠付ける法律がなければ行政行為の内容を実現できないので、本肢は妥当でない。行政行為の自力執行力の効力に関する本肢前半の説明は妥当である。かつて、自力執行力は行政行為に内在する効力と解されていたので、本肢後半のように強制執行を根拠付ける法律は不要とされていた。しかし、強制執行は侵害行政の典型であり、また、法律による行政の原理を徹底させる必要もあることから、現在では、国民に義務を課す法律とは別個に強制執行を根拠づける法律がなければならないと解されている。

**3 ○** 不可争力は、行政上の法律関係を早期に確定させるために認められる効力である。しかし、この効力は、一定期間を経過すると私人の側から行政行為の効力を争えなくなるというにすぎず、行政庁の側で変更・取消しできないという不可変更力の問題とは異なるから、行政庁自らが職権により行政処分を取り消すことは不可争力と抵触しない。

**4 ×** 本肢の内容は公定力についての説明であるので、妥当でない。本肢にいう行政行為の実質的確定力は、行政行為をした行政庁（処分庁）が自らこれを変更したり、取り消したりすることは許されないという不可変更力に類似する。すなわち、実質的確定力とは、処分庁だけでなく上級行政庁や裁判所も、なされた行政行為と矛盾した判断をなしえなくなる効力である。行政行為に実質的確定力を認めるかどうかにつき、学説上争いがあるが、上記の定義からは、実質的確定力は訴訟法上の既判力と同義となる。

**5 ×** 本肢の内容は実質的確定力についての説明であるので（肢４の解説参照）、妥当でない。行政法学において形式的確定力というときは、出訴期間の徒過により行政処分の効力を争えなくなるという不可争力を指す（肢３の解説参照）。

**正答 3**

# 行政行為
# 行政裁量

**必修問題** セクションテーマを代表する問題に挑戦！

**行政行為を行うにあたり、臨機応変に対応するため、行政庁にある程度判断が委ねられることがあります。**

**問** 行政裁量に関する次の記述のうち、妥当なのはどれか。

（地上1998）

1：伝統的学説によれば、行政行為は法による羈束の程度・態様によって羈束行為と裁量行為とに分類され、裁量行為はさらに裁判所による審査が及ぶかどうかという見地から、法規裁量行為（羈束裁量行為）と自由裁量行為（便宜裁量行為）とに分類される。

2：伝統的学説によれば、法規裁量行為については、その裁量を誤る行為は単に不当であるにすぎないから裁判所による審査が及ばないが、自由裁量行為については、その裁量を誤る行為は違法となり裁判所による審査の対象となる。

3：裁判所は、裁量行為のうち、何が法であるかの裁量を誤った違法な行為ならびに何が行政の目的に適合し公益に適するかの裁量を誤った不当な行為については、これを取り消すことができる。

4：自由裁量行為においては、裁量権を濫用した行為は違法となるのに対して、裁量権を踰越した行為は不当とされるにすぎない。

5：伝統的学説によれば、各種の営業許可は相手方に利益を与える行為であるから自由裁量行為であるとされるのに対して、公企業の特許は相手方に対して新たな権利を設定する行為であるから羈束行為であるとされる。

直前復習

Guidance ガイダンス

**行政裁量の分類**

羈束行為……裁量なし

裁量行為……裁量あり

- 羈束裁量行為……裁判所の審査が及ぶ
- 自由裁量行為……裁判所の審査が原則として及ばない

頻出度 地上★ 国家一般職★ 特別区★★
国税·財務·労基★ 国家総合職★★★

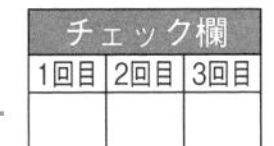

## 必修問題の解説

〈行政裁量〉

**1 ○** 伝統的学説によると、行政行為は、法による羈束の程度・態様によって、羈束行為（法律の規定が明確で、法律の機械的執行にとどまる行政行為）と、裁量行為（法律の規定が不明確なため、行政庁に裁量が与えられている行政行為）とに分類される。さらに、裁量行為は、裁判所による審査が及ぶかどうかという見地から、裁判所による審査が全面的に及ぶ羈束裁量行為（法規裁量行為）と、裁判所の審査が原則として及ばない自由裁量行為（便宜裁量行為）とに分類される。

**2 ×** 伝統的学説によると、法規裁量行為については、その裁量を誤る行為は違法となり、裁判所による審査が全面的に及ぶが、自由裁量行為については、その裁量を誤る行為は、単に不当であるにすぎないから、裁判所による審査は原則として及ばないとされている。

**3 ×** 裁判所は適法か違法かを判断する機関であって、当・不当の問題を審査の対象としていないため、不当な行為についてはこれを取り消すことができない。なお、自由裁量行為は、その裁量を誤っても単に不当であるにすぎないから、裁判所による審査は原則として及ばないとされている。しかし、自由裁量行為であっても、裁量権の踰越（逸脱）・濫用が認められる場合に限っては、裁判所はその行為を違法な行為として取り消すことができる（行政事件訴訟法30条）。

**4 ×** 自由裁量行為において、裁量権の踰越・濫用が認められる場合には、当該行政行為は違法な行政行為となる（肢３解説参照）。

**5 ×** 各種の営業許可は、通常、警察許可であり、本来国民が自由に行えることを、社会公共のために法令で一般的に禁止しておき、その一般的禁止を特定の場合に解除し、適法に営業を行えるようにするものである。国民が本来有している自由を回復させる行為なので、許可をするかどうかについて、原則として、行政庁の自由裁量は認められず、羈束裁量行為であるとされている。これに対して、公企業の特許（電気やガス事業に対する「許可」など）は、国が事業者に対して当該事業を営む特権を与える行為であり、誰に当該事業を営ませるのが最も公益に資するかという観点が重要となるので、特許をするかどうかについて、行政庁の自由裁量が認められる余地が大きいとされている。

**正答 1**

# 第2章 SECTION 3 行政行為
# 行政裁量

## 1 行政裁量とは

行政裁量とは、法律が定めた一定の枠の中で、行政庁に認められる判断の余地をいいます。

## 2 羈束行為・裁量行為

行政行為は、法律上行政庁の裁量の余地が認められているかどうかによって、羈束行為と裁量行為とに分けられます。

羈束行為とは、法律の規定が明確に定められているため、行政庁に裁量の余地がない行政行為をいいます。羈束行為においては、行政庁は法律を機械的に執行することになります。

これに対して裁量行為とは、法律上行政庁に裁量が与えられている行政行為をいいます。

## 3 羈束裁量行為・自由裁量行為

伝統的学説は、裁量行為をさらに裁判所の審査が及ぶ羈束裁量行為（法規裁量行為）と、これが及ばない自由裁量行為（便宜裁量行為）とに分類してきました。羈束裁量は適法性の判断についての裁量、自由裁量は公益性の判断についての裁量だとされます。

しかし、今日では、両者の違いは法律が認めた裁量の幅の問題にすぎず、裁量の幅の認定は法律の解釈の問題であるので、いずれにしても裁判所の統制は及びうると考えられています。

## 4 行政行為の判断過程と裁量

### ①　事実認定

何があったのかという、裸の事実の認定です。この場面では原則として、行政庁に裁量の余地はありません。したがって、事実誤認があった場合には、その後の裁量権の行使は原則として違法となります。

### ②　要件の認定

法律がどのような要件を定めているのか、そして①において認定した事実がその要件に該当するか、ということを判断する場面です。この場面で認められる裁量を、要件裁量といいます。

③　手続の選択

行政行為をしようとする場合に、どのような手続によるのかを判断する場面でも、行政庁の裁量が認められることがあります。



④　効果の選択

ある事実に対して法律が発生させることを認めている行政行為の効果のうち、どの効果を発生させるかという選択の場面です。この場面で認められる裁量を、効果裁量といいます。

⑤　時の選択

行政行為をいつするのか、行政行為の効果をいつ発生させるかという場面です。この場面でも、裁量権が認められることがあります。

## 5 裁量権の逸脱・濫用

行政庁の裁量権の行使が違法とされるのは、裁量権の逸脱・濫用があった場合です。何が裁量権の逸脱・濫用にあたるかについては、判例理論として、以下のような類型が定立されています。

### (1)　事実誤認

法律が行政庁に裁量を認めるにあたって一定の事実の存在を前提としていた場合、その事実が欠けている状態でなされた裁量権行使は、裁量権の逸脱・濫用となります。

### (2)　平等原則違反

特定の個人を合理的な理由なく差別的に取り扱った場合、裁量権の逸脱・濫用となります。

### (3)　比例原則違反

裁量権行使の目的に照らし、相手方に生ずる権利侵害の程度が不相当に過大である場合、裁量権の逸脱・濫用となります。

### (4)　考慮不尽・他事考慮

行政行為の判断に際して、考慮すべき事項を考慮せず、あるいは考慮してはならない事項を考慮した場合、裁量権の逸脱・濫用となります。

### (5) 法律の目的違反・不正な動機

行政庁の判断が、客観的には裁量権の範囲内のようにみえても、行政庁が不正な動機に基づいて判断した場合、裁量権の逸脱・濫用となります。

判例チェック　米の供出の割当ての方法・時期については行政庁の裁量に任されているが、その場合においても行政庁は特定の個人を差別的に取り扱い、不利益を及ぼす自由を有するものではなく、この意味においては行政庁の裁量権には一定の限界がある（最判昭30.6.24）。

判例チェック　宗教上の理由から剣道の履修を拒否する学生に対して代替措置を講ずることなくなした進級拒否処分は、考慮すべき事項を考慮せず、または考慮された事実に対する評価が明白に合理性を欠き、裁量権の範囲を超える違法なものである（エホバの証人剣道拒否事件、最判平8.3.8）。

判例チェック　旧出入国管理令21条３項に基づく法務大臣の「在留期間の更新を適当と認めるに足りる相当の理由」があるかどうかの判断については、その判断がまったく事実の基礎を欠きまたは社会通念上著しく妥当性を欠くことが明らかである場合に限り、裁量権の範囲を超えまたはその濫用があったものとして違法となるものというべきである（マクリーン事件、最大判昭53.10.4）。

判例チェック　裁判所が公務員の懲戒処分の適否を審査するにあたっては、懲戒権者と同一の立場に立って懲戒処分をすべきであったかどうか、またはいかなる処分を選択すべきであったかについて判断し、その結果と懲戒処分とを比較してその軽重を論ずべきものではなく、懲戒権者の裁量権の行使に基づく処分が社会観念上著しく妥当を欠き、裁量権を濫用したと認められる場合に限り違法であると判断すべきである（神戸税関事件、最判昭52.12.20）。

判例チェック　原子炉施設の安全性に関する審査は、多方面にわたるきわめて高度な最新の科学的、専門技術的知見に基づく総合的判断が必要とされるものであるから、原子力委員会の科学的、専門技術的知見に基づく意見を尊重して行う内閣総理大臣の合理的な判断に委ねられている。したがって、原子炉施設の安全性に関する判断の適否が争われる原子炉設置許可処分の取消訴訟における裁判所の審理、判断は、原子力委員会もしくは原子炉安全専門審査会の専門技術的な調査審議および判断をもとにしてされた行政庁の判断に不合理な点があるか否かという観点から行われるべきであって、現在の科学技術水準に照らし、その調査審議において用いられた具体的審査基準に不合理な点があり、あるいは当該原子炉施設が当該具体的審査基準に適合するとした原子力委員会もしくは原子炉安全専門審査会の調査審議および判断の過程に看過しがたい過誤、欠落があり、行政庁の判断がこれに依拠してされたと認められる場合には、行政庁の判断に不合理な点があるものとして、その判断に基づく原子炉設置許可処分は違法と解すべきである（伊方原発訴訟、最判平4.10.29）。

memo

# 第2章 SECTION 3 行政行為 行政裁量

## 実践 問題 52 基本レベル

頻出度 地上★ 国家一般職★ 特別区★★ 国税·財務·労基★ 国家総合職★★★

**問 行政裁量に関する記述として、判例、通説に照らして、妥当なのはどれか。**

**(特別区2017)**

1：要件裁量とは、行政行為を行うか否か、またどのような内容の行政行為を行うかの決定の段階に認められる裁量をいい、決定裁量と選択裁量に区別することができる。

2：裁量権消極的濫用論とは、裁量の範囲は状況に応じて変化し、ある種の状況下では裁量権の幅がゼロに収縮するとし、この裁量権のゼロ収縮の場合は裁量がなくなり作為義務が生じるため、不作為は違法になることをいう。

3：行政事件訴訟法は、行政庁の裁量処分について、裁量権の範囲をこえた場合、裁判所はその処分を取り消さなければならないと定めているが、裁量の範囲内であれば、不正な動機に基づいてなされた裁量処分が違法とされることはない。

4：最高裁判所の判例では、道路法の規定に基づく車両制限令上の認定を数ヵ月留保したことが争われた事件について、道路管理者の認定は、基本的には裁量の余地のない確認的行為の性格を有することは明らかであるが、当該認定に当たって、具体的事案に応じ道路行政上比較衡量的判断を含む合理的な行政裁量を行使することが全く許容されないものと解するのは相当でないとした。

5：最高裁判所の判例では、都知事が小田急小田原線に係る都市計画変更を行う際に、喜多見駅付近から梅ヶ丘駅付近までの区間を一部掘割式とするほかは高架式を採用したのは、周辺地域の環境に与える影響の点で特段問題がないという判断につき著しい誤認があったと認められるため、行政庁にゆだねられた裁量権の範囲を逸脱したものとして違法であるとした。

チェック欄

| 1回目 | 2回目 | 3回目 |
| --- | --- | --- |
| | | |

## 実践 問題 52 の解説



〈行政裁量〉

**1 ×** 本肢は効果裁量に関する説明なので、妥当でない。要件裁量とは、法律がどのような要件を定めているのか、そして認定された事実がその要件に該当するかを判断する場面において認められる裁量のことをいう。

**2 ×** 本肢は「裁量権収縮論」の説明となっているので妥当でない。規制権限の行使につき行政庁に一定の裁量が認められるが、その権限が適切に行使されない場合には国民の利益が害されることから、かかる裁量に一定の統制をかける必要が生じる。この点、裁量権消極的濫用論とは、作為たる裁量処分について裁量権の逸脱・濫用とされる場合がある（行政事件訴訟法30条）のと同様に、規制権限を付与した法の趣旨・目的に照らし、その不行使が許容される限度を逸脱し、著しく不合理な場合には違法となるという見解である。

**3 ×** 裁量の範囲内でも不正な動機に基づく処分は裁量権の濫用とされ違法となるので、本肢は妥当でない。この点、小学校長が、地方公務員法28条１項３号により公立学校教員教諭に降格するという分限処分を受けた事案において判例は、分限処分につき、任命権者にある程度の裁量権が認められるとしつつも、分限制度の目的と関係のない目的や動機に基づいて分限処分をすることは許されないとしている（最判昭48.9.14）。

**4 ○** 道路管理者が車両制限令上の認定を約５カ月留保したことの違法性が争われた事案において判例は、かかる認定は基本的には裁量の余地がない確認的行為であるとしながら、認定にあたって具体的事案に応じ、道路行政上、比較衡量的判断を含む合理的な行政裁量を行使することがまったく許容されないものと解するのは相当でないとして、いわゆる時の裁量を認めている（最判昭57.4.23）。

**5 ×** 判例は、都市計画法や東京都環境影響評価条例が環境への影響を考慮することを行政庁に求めているところ、条例に基づく環境影響評価がなされ、東京地域公害防止計画にも適合していることから、本件都市計画決定が高架式工事を採用したことについて、裁量権の逸脱・濫用はないとしている（小田急線高架化訴訟、最判平18.11.2）。

**正答 4**

# 行政裁量

## 実践 問題 53 基本レベル

| 頻出度 | 地上★ | 国家一般職★ | 特別区★★ |
|---|---|---|---|
| | 国税·財務·労基★ | 国家総合職★★★ | |

問 行政裁量に関するア～エの記述のうち、判例に照らし、妥当なもののみを全て挙げているのはどれか。 (財務2021)

ア：裁判所が都市施設に関する都市計画の決定又は変更の内容の適否を審査するに当たっては、当該決定又は変更が裁量権の行使としてされたことを前提として、その基礎とされた重要な事実に誤認があること等により重要な事実の基礎を欠くこととなる場合、又は事実に対する評価が明らかに合理性を欠くこと、判断の過程において考慮すべき事情を考慮しないこと等によりその内容が社会通念に照らし著しく妥当性を欠くものと認められる場合に限り、裁量権の範囲を逸脱し又はこれを濫用したものとして違法となる。

イ：裁判所が懲戒権者の裁量権の行使としてされた公務員に対する懲戒処分の適否を審査するに当たっては、懲戒権者と同一の立場に立って懲戒処分をすべきであったかどうか又はいかなる処分を選択すべきであったかについて判断し、その結果と当該処分とを比較してその軽重を論ずべきものではなく、懲戒権者の裁量権の行使に基づく処分が社会観念上著しく妥当を欠き、裁量権を濫用したと認められる場合に限り違法と判断すべきである。

ウ：公立高等専門学校の校長が学生に対し、原級留置処分又は退学処分を行うかどうかの判断は、校長の合理的な教育的裁量に委ねられるべきものであるが、このうち原級留置処分については、必ずしも退学処分と同様の慎重な配慮が要求されるものではなく、校長がその裁量権を行使するに当たり、原級留置処分に至るまでに何らかの代替措置を採ることの是非、その方法、態様等について考慮する必要はない。

エ：農地に関する賃借権の設定移転は、本来個人の自由契約に任せられていた事項であり、旧農地調整法が小作権保護の必要上これに制限を加え、その効力を市町村農地委員会による承認にかからせているのは、個人の自由の制限である面があるものの、同法はその承認について客観的な基準を定めていないから、その承認をするか否かは市町村農地委員会の自由な裁量に委ねられる。

1：ア、イ
2：ア、エ
3：イ、ウ
4：ア、イ、エ
5：イ、ウ、エ

| チェック欄 | | |
|---|---|---|
| 1回目 | 2回目 | 3回目 |
| | | |

## 実践 問題 53 の解説

〈行政裁量〉



**ア○** 本記述は、小田急線高架化訴訟本案判決（最判平18.11.2）で示された見解と合致しており、妥当である。すなわち、裁判所が都市施設に関する都市計画の決定・変更の内容の適否を審査するにあたっては、基礎とされた重要な事実に誤認があること等により重要な事実の基礎を欠くこととなる場合、または、事実に対する評価が明らかに合理性を欠くこと、判断の過程において考慮すべき事項を考慮しないこと等によりその内容が社会通念に照らし著しく妥当性を欠くものと認められる場合に限り、裁量権の逸脱・濫用となるとしている。

**イ○** 本記述は、懲戒処分の適否につき裁判所が懲戒権者と同じ立場に立って判断する判断代置審査を否定したうえで、懲戒権者の裁量権の行使に基づく処分が社会観念上著しく妥当を欠き、裁量権を濫用したと認められる場合に限り違法となる旨を述べるものであるが、これは神戸税関事件（最判昭52.12.20）で示された判例の見解と合致しているので妥当である。

**ウ×** 判例は、原級留置処分の決定についても慎重な配慮が要求されているとしているので、本記述は妥当でない。すなわち、退学処分は学生の身分を剥奪する重大な措置であり、特に慎重な配慮を要するものであるが、「原級留置処分の決定に当たっても、同様に慎重な配慮が要求される」としたうえで、「本件各処分の性質にかんがみれば、本件各処分に至るまでに何らかの代替措置を採ることの是非、その方法、態様等について十分に考慮するべきであった」としている（エホバの証人剣道拒否事件、最判平8.3.8）。

**エ×** 法律が承認について客観的な基準を定めていない場合であっても、承認をするか否かにつき自由な裁量に委ねられているわけではないので、本記述は妥当でない。判例は、「農地に関する賃借権の設定移転は本来個人の自由契約に委せられていた事項であって、法律（旧農地調整法）が小作農保護の必要上これに制限を加え、その効力を承認にかからせているのは、結局個人の自由の制限であり、法律が承認について客観的な基準を定めていない場合でも、法律の目的に必要な限度においてのみ行政庁も承認を拒むことができるのであって、…承認するかしないかは農地委員会の自由な裁量に委せられているわけではない」としている（最判昭31.4.13）。

以上より、妥当なものはア、イであり、肢1が正解となる。

**正答 1**

行政行為

# 行政裁量

## 実践 問題 54 基本レベル

頻出度 地上★ 国家一般職★ 特別区★★ 国税·財務·労基★ 国家総合職★★★

**問 行政裁量に関するA～Dの記述のうち、最高裁判所の判例に照らして、妥当なものを選んだ組合せはどれか。 (特別区2012)**

A：道路運送法に定める個人タクシー事業の免許にあたり、多数の申請人のうちから少数特定の者を具体的個別的事実関係に基づき選択してその免許申請の許否を決しようとするときには、同法は抽象的な免許基準を定めているにすぎないのであるから、行政庁は、同法の趣旨を具体化した審査基準を設定し、これを公正かつ合理的に適用すべきである。

B：旧出入国管理令に基づく外国人の在留期間の更新を適当と認めるに足りる相当の理由の有無の判断は、法務大臣の裁量に任されており、その判断が全く事実の基礎を欠く場合又は社会通念上著しく妥当性を欠くことが明らかな場合に限り、裁判所は、当該判断が裁量権の範囲を超え又はその濫用があったものとして違法であるとすることができる。

C：原子炉施設の安全性に関する判断の適否が争われる原子炉設置許可処分においては、行政庁の判断が、原子力委員会若しくは原子炉安全専門審査会の専門技術的な調査審議及び判断を基にしてなされたものである限り、当該行政庁の処分が、裁判所の審理、判断の対象となることはない。

D：懲戒権者の裁量権の行使としてされた公務員に対する懲戒処分の適否を裁判所が審査するにあたっては、懲戒権者と同一の立場に立って、懲戒処分をすべきであったかどうか又はいかなる処分を選択すべきであったかについて決定し、その結果と当該懲戒処分とを比較して、その違法性を判断しなければならない。

1：A B
2：A C
3：A D
4：B C
5：B D

チェック欄

| 1回目 | 2回目 | 3回目 |
| --- | --- | --- |
| | | |

## 実践 問題 54 の解説

〈行政裁量〉

**A ○** 判例は、道路運送法６条は抽象的な免許基準を定めているにすぎないのであるから、内部的にせよ、さらにその趣旨を具体化した審査基準を設定し、これを公正かつ合理的に運用すべきとした（個人タクシー事件、最判昭46.10.28）。

**B ○** 旧出入国管理令に基づく外国人の在留期間の更新を適当と認めるに足りる相当の理由の有無の判断が争点となった事案において、判例は、上記判断が法務大臣の裁量権の行使としてされたものであることを前提として、その判断の基礎とされた重要な事実に誤認があること等により上記判断がまったく事実の基礎を欠くかどうか、または事実に対する評価が明白に合理性を欠くこと等により上記判断が社会通念に照らし著しく妥当性を欠くことが明らかであるかどうかについて審理し、それが認められる場合に限り、上記判断が裁量権の範囲を超えまたはその濫用があったものとして違法であるとすることができるとした（マクリーン事件、最大判昭53.10.4）。

**C ×** 判例は、原子力委員会もしくは原子炉安全専門審査会の専門技術的な調査審議において用いられた具体的審査基準に不合理な点があり、あるいは当該原子炉施設が上記の具体的審査基準に適合するとした原子力委員会もしくは原子炉安全専門審査会の調査審議および判断の過程に看過しがたい過誤、欠落があり、行政庁の判断がこれに依拠してされたと認められる場合には、行政庁の判断に不合理な点があるものとして、上記判断に基づく原子炉設置許可処分は違法と解すべきであるとした（伊方原発訴訟、最判平4.10.29）。

**D ×** 判例は、公務員につき懲戒処分を行うかどうか、懲戒処分を行うときにいかなる処分を選ぶかは、懲戒権者の裁量に任されているから、裁判所が懲戒処分の適否を審査するにあたっては、懲戒権者と同一の立場に立って懲戒処分をすべきであったかどうかまたはいかなる処分を選択すべきであったかについて判断し、その結果と懲戒処分とを比較してその軽重を論ずべきものではなく、懲戒権者の裁量権の行使に基づく処分が社会観念上著しく妥当を欠き、裁量権を濫用したと認められる場合に限り違法と判断すべきであるとした（神戸税関事件、最判昭52.12.20）。

以上より、妥当なものはA、Bであり、肢１が正解となる。

**正答 1**

# 第2章 SECTION 3 行政行為 行政裁量

## 実践 問題 55 基本レベル

| 頻出度 | 地上★ 国家一般職★ 特別区★<br>国税·財務·労基★ 国家総合職★★ |
|---|---|

問 行政行為と裁量に関するア〜エの記述のうち、判例に照らし、妥当なもののみを全て挙げているのはどれか。（国税・労基2023）

ア：市立高等専門学校の校長が学生に対し原級留置処分を行うかどうかの判断は、校長の合理的な裁量に委ねられるべきものであるが、当該学校においては、内規の定めにより原級留置処分が2回連続してされると退学処分につながるものであるなどの事情を考慮すると、その学生に与える不利益の大きさに照らして、原級留置処分の決定に当たっても、退学処分の決定と同様に、慎重な配慮が要求される。

イ：土地収用法における補償金の額は、「相当な価格」などの不確定概念をもって定められており、通常人の経験則及び社会通念に従って客観的に認定され得るものとは解されないから、収用委員会には、補償の範囲及びその額の決定について裁量権が認められる。

ウ：高等学校用の教科用図書の検定の審査、判断は、申請図書について様々な観点から多角的に行われるもので、学術的、教育的な専門技術的判断であるから、事柄の性質上、文部大臣（当時）の合理的裁量に委ねられる。したがって、合否の判定、条件付合格の条件の付与等についての教科用図書検定調査審議会の判断の過程に看過し難い過誤があり、文部大臣の判断がこれに依拠してされたと認められる場合には、文部大臣の判断は裁量権の範囲を逸脱したといえる。

エ：県知事が行った児童遊園設置認可処分が、個室付浴場の営業の規制を主たる動機・目的としてなされたものであることが明らかである場合、当該認可処分は、政治的・道義的に非難されるべきものではあるが、行政権の濫用に相当する違法性があるとまではいえない。

1：ア
2：イ
3：ア、ウ
4：イ、エ
5：ウ、エ

| チェック欄 | | |
|---|---|---|
| 1回目 | 2回目 | 3回目 |
| | | |

## 実践 問題 55 の解説

〈行政裁量〉



**ア○** 本記述と同様の事案につき、判例は、「高等専門学校の校長が学生に対し原級留置処分又は退学処分を行うかどうかの判断は、校長の合理的な教育的裁量にゆだねられるべきもの」と認めつつも、その重大性から退学処分の要件の認定には特に慎重な配慮を求め、原級留置処分についても同様に慎重な配慮を要するとしている（エホバの証人剣道拒否事件、最判平8.3.8）。

**イ×** 土地収用法における「相当な価格」（土地収用法71条参照）の内容について、判例は、「相当な価格」等の不確定概念をもって定められているものではあるが、通常人の経験則および社会通念に従って、客観的に認定されうるのであり、かつ認定すべきものであって、補償の範囲およびその額の決定につき収用委員会に裁量権が認められるものと解することはできないとしている（最判平9.1.28）。

**ウ○** 教科書検定における文部大臣の判断に裁量権があるか否かについて、判例は本記述と同様に述べ、教科書用図書検定調査審議会の判断の過程に看過しがたい過誤があり、文部大臣の判断がこれに依拠してされたと認められる場合には、文部大臣の判断は裁量権の範囲を逸脱し、国家賠償法上違法となるとしている（最判平5.3.16）

**エ×** 裁量審査の基準として、「裁量はそれを授権した法律の趣旨・目的に沿って行われなければならない」という目的拘束の法理があり、これに反する目的や不正な動機に基づいて行われた処分は裁量権の逸脱・濫用があったと判断される。判例は、本記述と同様の事案において、個室付浴場の営業を阻止する目的で行った児童遊園設置認可処分を、行政権の著しい濫用にあたるとしている（余目町個室付浴場民事事件、最判昭53.5.26）。

以上より、妥当なものはア、ウであり、肢３が正解となる。

**正答 3**

行政行為
# 行政裁量

## 実践 問題 56 応用レベル

| 頻出度 | 地上★ | 国家一般職★ | 特別区★ |
|---|---|---|---|
| | 国税·財務·労基★ | 国家総合職★★ | |

**問 行政裁量に関するア〜オの記述のうち、判例に照らし、妥当なもののみを全て挙げているのはどれか。ただし、以下に示す法令は、その事件当時のものである。** (国家総合職2013)

ア：市立高等専門学校の校長が学生に対し原級留置処分又は退学処分を行うかどうかの判断は、校長の合理的な教育的裁量に委ねられるべきものであり、裁判所がその処分の適否を審査するに当たっては、校長の裁量権の行使としての処分が、裁量権の範囲を超え又は裁量権を濫用してされたと認められる場合に限り、違法であると判断すべきものである。しかし、退学処分は学生の身分をはく奪する重大な措置であり、当該学生を学外に排除することが教育上やむを得ないと認められる場合に限って退学処分を選択すべきであり、その要件の認定につき特に慎重な配慮を要する。他方、原級留置処分は、学生に対して退学処分のような重大な不利益を与えるとまではいえず、その決定に当たっては、慎重な配慮が要求されているとはいえない。

イ：地方公務員法第28条に基づく分限処分については、任命権者にある程度の裁量権は認められるけれども、その純然たる自由裁量に委ねられているものではなく、分限制度の目的と関係のない目的や動機に基づいて分限処分をすることが許されないのはもちろん、処分事由の有無の判断についても恣意にわたることを許されず、考慮すべき事項を考慮せず、考慮すべきでない事項を考慮して判断するとか、また、その判断が合理性をもつ判断として許容される限度を超えた不当なものであるときは、裁量権の行使を誤った違法のものであることを免れない。

ウ：都市計画法上の都市施設は、その性質上、土地利用、交通等の現状及び将来の見通しを勘案して、適切な規模で必要な位置に配置することにより、円滑な都市活動を確保し、良好な都市環境を保持するように定めなければならないものであるから、都市施設の区域は、当該都市施設が適切な規模で必要な位置に配置されたものとなるような合理性をもって定められるべきである。この場合において、民有地に代えて公有地を利用することができるときには、そのことも当該合理性を判断する一つの考慮要素となり得る。

エ：海岸法には、一般公共海岸区域の占用の許否の要件に関する明文の規定が存在しないが、一般公共海岸区域が行政財産としての性格を失うものではない

直前復習

以上、同法第37条の４により一般公共海岸区域の占用の許可をするためには、行政財産の使用又は収益の許可の要件が満たされている必要があるというべきであって、一般公共海岸区域はその用途又は目的を妨げない限度において、その占用を許可することができる。したがって、申請に係る占用が当該一般公共海岸区域の用途又は目的を妨げないときは、海岸管理者は当該申請に対して必ず占用の許可をしなければならないものと解される。

**オ**：公立学校の学校施設の目的外使用許可について、管理者は、学校教育上支障があれば使用を許可することができないのは明らかであるが、そのような支障がないからといって当然に許可しなくてはならないものではなく、行政財産である学校施設の目的及び用途と目的外使用の目的、態様等との関係に配慮した合理的な裁量判断により使用許可をしないこともできる。



1：ア、イ、エ
2：ア、イ、オ
3：ア、ウ、エ
4：イ、ウ、オ
5：ウ、エ、オ

# 行政裁量

チェック欄

| 1回目 | 2回目 | 3回目 |
| --- | --- | --- |
| | | |

## 実践 問題 56 の解説

〈行政裁量〉

ア× 判例は、高等専門学校の校長が学生に対し原級留置処分または退学処分を行うかどうかの判断は、校長の合理的な教育的裁量に委ねられるべきものであり、裁判所がその処分の適否を審査するにあたっては、校長と同一の立場に立って当該処分をすべきであったかどうか等について判断し、その結果と当該処分とを比較してその適否、軽重等を論ずべきものではなく、校長の裁量権の行使としての処分が、まったく事実の基礎を欠くかまたは社会観念上著しく妥当を欠き、裁量権の範囲を超えまたは裁量権を濫用してされたと認められる場合に限り、違法であると判断すべきものであるとしている。

しかし、同判例は、退学処分は学生の身分をはく奪する重大な措置であり、学校教育法施行規則13条３項（現26条３項）も４個の退学事由を限定的に定めていることからすると、当該学生を学外に排除することが教育上やむをえないと認められる場合に限って退学処分を選択すべきであり、その要件の認定につき他の処分の選択に比較して特に慎重な配慮を要するものであるとした。

また、判例は、原級留置処分も、学生にその意に反して１年間にわたり既に履修した科目、種目を再履修することを余儀なくさせ、上級学年における授業を受ける時期を延期させ、卒業を遅らせるうえ、神戸高専においては、原級留置処分が２回連続してされることにより退学処分にもつながるものであるから、その学生に与える不利益の大きさに照らして、原級留置処分の決定にあたっても、同様に慎重な配慮が要求されるものというべきであるとした（エホバの証人剣道拒否事件、最判平8.3.8）。

イ○ 判例は、地方公務員法28条に基づく分限処分については、任命権者にある程度の裁量権は認められるけれども、もとよりその純然たる自由裁量に委ねられているものではなく、分限制度の目的と関係のない目的や動機に基づいて分限処分をすることが許されないのはもちろん、処分事由の有無の判断についても恣意にわたることを許されず、考慮すべき事項を考慮せず、考慮すべきでない事項を考慮して判断するとか、また、その判断が合理性を持つ判断として許容される限度を超えた不当なものであるときは、裁量権の行使を誤った違法なものであるとした（長塚小学校降任処分事件、最判昭48.9.14）。

**ウ○** 判例は、旧都市計画法は、都市施設に関する都市計画を決定するにあたり都市施設の区域をどのように定めるべきであるかについて規定しておらず、都市施設の用地として民有地を利用することができるのは公有地を利用することによって行政目的を達成することができない場合に限られると解さなければならない理由はないが、都市施設は、その性質上、土地利用、交通等の現状および将来の見通しを勘案して、適切な規模で必要な位置に配置することにより、円滑な都市活動を確保し、良好な都市環境を保持するように定めなければならないものであるから、都市施設の区域は、当該都市施設が適切な規模で必要な位置に配置されたものとなるような合理性をもって定められるべきものであるので、民有地に代えて公有地を利用することができるときには、そのことも上記の合理性を判断する１つの考慮要素となりうるとした（林試の森公園事件、最判平18.9.4）。

**エ×** 判例は、海岸法には、一般公共海岸区域の占用の許否の要件に関する明文の規定が存在しないが、一般公共海岸区域が行政財産としての性格を失うものではない以上、同法37条の４により一般公共海岸区域の占用の許可をするためには、行政財産の使用または収益の許可の要件が充たされている必要があるというべきであって、一般公共海岸区域は、その用途または目的を妨げない限度において、その占用の許可をすることができるとした。
さらに、判例は、申請にかかる占用が一般公共海岸区域の用途または目的を妨げないときであっても、海岸管理者は、必ず占用の許可をしなければならないものではなく、海岸法の目的等を勘案した裁量判断として占用の許可をしないことが相当であれば、占用の許可をしないことができるとした（最判平19.12.7）。

**オ○** 判例は、学校施設は、本来学校教育の目的に使用すべきものとして設置され、それ以外の目的に使用することを基本的に制限されていることからすれば、学校施設の目的外使用を許可するか否かは、原則として、管理者の裁量に委ねられているとした。したがって、管理者は、学校教育上支障があれば使用を許可することができないことは明らかであるが、そのような支障がないからといって当然に許可しなくてはならないものではなく、行政財産である学校施設の目的および用途と目的外使用の目的、態様等との関係に配慮した合理的な裁量判断により使用許可をしないこともできるとするのが判例である（呉市立中学校施設使用不許可事件、最判平18.2.7）。

以上より、妥当なものはイ、ウ、オであり、肢４が正解となる。

**正答 4**

# 行政行為
# 行政行為の瑕疵

**必修問題** セクションテーマを代表する問題に挑戦！

**瑕疵ある行政行為の扱いについて学びましょう。**

**問** 行政法学上の行政行為の瑕疵に関する記述として、最高裁判所の判例に照らして、妥当なのはどれか。 (特別区2019)

1：村農地委員会が農地について小作人の請求がないにもかかわらず、その請求があったものとして旧自作農創設特別措置法施行令第43条に基づいて定めた農地買収計画を、同計画に関する訴願裁決で同令第45条により買収を相当とし維持することは、村農地委員会が買収計画を相当と認める理由を異にするものと認められ違法である。

2：農地買収計画の異議棄却決定に対する訴願の提起があるにもかかわらず、その裁決を経ないで、県農地委員会が訴願棄却の裁決があることを停止条件として当該農地買収計画を承認し、県知事が土地所有者に買収令書を発行したという瑕疵は、その後、訴願棄却の裁決があったことによっても治癒されない。

3：法人税青色申告についてした更正処分の通知書が、各加算項目の記載では、更正にかかる金額がいかにして算出されたのか、なぜ会社の課税所得とされるのか等の具体的根拠を知る手段がない場合、更正の付記理由には不備の違法があるが、その瑕疵は後日これに対する審査裁決において処分の具体的根拠が明らかにされれば、それにより治癒される。

4：課税処分に課税要件の根幹に関する内容上の過誤が存し、徴税行政の安定とその円滑な運営の要請を斟酌してもなお、不服申立期間の徒過による不可争的効果の発生を理由として被課税者に処分による不利益を甘受させることが著しく不当と認められるような例外的事情のある場合には、当該処分は、当然無効と解するのが相当である。

5：都建築安全条例の接道要件を満たしていない建築物について、同条例に基づき建築物の周囲の空地の状況その他土地及び周囲の状況により安全上支障がないと認める処分が行われた上で建築確認がされている場合、その安全認定が取り消されていなければ、建築確認の取消訴訟において、安全認定が違法であるために同条例違反があると主張することは許されない。

直前復習

Guidance ガイダンス

**瑕疵ある行政行為**

・取り消しうべき行政行為（違法または不当な行政行為）

・無効の行政行為（瑕疵が重大かつ明白な行政行為）

| 頻出度 | 地上★　国家一般職★　特別区★★<br>国税･財務･労基★　国家総合職★★ |
|---|---|

## 必修問題の解説

| チェック欄 | | |
|---|---|---|
| 1回目 | 2回目 | 3回目 |
| | | |

〈行政行為の瑕疵〉



**1 ×** 本肢と同様の事案において判例は、同施行令43条に基づいて定められた農地買収計画を、同45条に基づく買収計画として適法として訴願を棄却した裁決は違法ではないとしている（最大判昭29.7.19）。この判例は、いわゆる違法行為の転換を認めたものとされており、これと反対に違法であると述べる本肢は妥当でない。

**2 ×** 本肢と同様の事案において判例は、農地買収計画につき異議・訴願の提起があるにもかかわらず、これに対する決定・裁決を経ないで以後の手続を進行させたことは違法であるが、訴願棄却の裁決がなされる前に承認その他買収手続を進行させた瑕疵は、その後の訴願棄却の裁決がなされたことによって治癒されたと解すべきであるとしている(最判昭36.7.14)。したがって、これと反対の趣旨を述べる本肢は妥当でない。

**3 ×** 本肢と同様の事案において判例は、更正処分の付記理由不備の瑕疵は、後日これに対する審査裁決において処分の具体的根拠が明らかにされたとしてもそれにより治癒されるものではないとしている（最判昭47.12.5）。したがって、付記理由不備の瑕疵は治癒されると述べる本肢は妥当でない。

**4 ○** 本肢は、判例（最判昭48.4.26）の見解を正確に述べており、妥当である。

**5 ×** 先行処分の取消訴訟を提起せずに後行処分の取消訴訟において、先行処分の違法性を主張できる、という違法性の承継については、行政上の法律関係の早期安定の要請から、原則として認めることはできない。もっとも、本肢と同様の事案において判例は、①本肢のような安全認定は建築確認と結合して初めてその効果を発揮する性質の行為であること、②安全認定の時点で申請者以外の者にはその適否を争うための手続的保障が十分に与えられていないこと、③建築確認がされる段階まで争訟の提起という手段をとらないという判断をすることもあながち不合理ではないことを理由に建築確認の取消訴訟において、安全認定が違法であるために都建築安全条例違反があると主張することは許されるとしている（最判平21.12.17）。したがって、それを許されないと述べる本肢は妥当でない。

**正答 4**

行政行為

# 行政行為の瑕疵

## 1 行政行為の瑕疵の意義

法律による行政の原理からは、行政行為は、法律に違反することはできません。法律に反する行政行為を、違法な行政行為といいます。

また、行政行為は公益に適合することが要請されますから、行政庁に裁量権が認められていても、その行使は適正になされる必要があります。適法であるけれども不適正な行政行為を、不当な行政行為といいます。

## 2 瑕疵ある場合の処理

違法な行政行為、不当な行政行為は、同じ瑕疵ある行政行為ですが、厳密に区別する必要があります。それを受けた私人が求めうる救済手続が異なっているからです。

**違法な行政行為は、行政庁、裁判所ともに取り消すことができます。しかし、不当な行政行為については、裁判所はこれを取り消すことはできません。**裁判所は行政行為が法律に適合するかどうかを判断する機関なので、行政行為が一応適法であるならば、審査権限は及ばないからです。

行政庁は、不当な行政行為についても、職権取消し、または行政不服申立てに対する裁決・決定という形で取り消すことができます。

違法　→行政庁・裁判所とも取り消しうる
不当　→行政庁のみが取り消しうる

## 3 取消し・無効

行政行為には公定力が認められ、違法の瑕疵がある行政行為も、原則として取り消されるまでは有効と扱われます。違法な行政行為のことを、**取り消しうべき行政行為**ということがあります。

しかし、**違法性が重大であり、しかもそれが外観上一見して明白である場合には、**その行政行為には公定力は生じず、行政行為は、権限ある機関が取り消すまでもなく、**当然に無効**とされます。この場合を、**無効な行政行為**といいます。

## 4 瑕疵の治癒

瑕疵の治癒とは、取り消しうべき瑕疵のある行政行為について、当初欠けていた要件が事後に具備された場合に、瑕疵がなくなったものとして扱うことをいいます。

農地買収計画についての訴願に対する裁決がなされる前に買収手続を進行させたという違法の瑕疵は、後に訴願棄却裁決があったときは、これによって治癒される（最判昭36.7.14）。

## 5 違法行為の転換

違法行為の転換とは、ある違法な行政行為について、他の行政行為として扱うことにより、その効力を維持することをいいます。当初適用された条文では違法であるけれども、他の条文に基づく行政行為として扱えば適法となる場合に、その条文によってなされた行為であったものとするというのが典型例です。



## 6 違法性の承継

違法性の承継とは、先行する行政行為が違法であることを理由として、後続の行政行為も違法とされることをいいます。

行政上の法律関係は早期に安定させることが望ましいので、行政行為の瑕疵はそれぞれ独立して判断されるべきとされます。したがって、違法性の承継は原則として認められません。

しかしながら、**行政行為が一連の処分であって、いずれも同一の目的を目指している場合には、例外的に違法性の承継が認められます。**

具体的に違法性の承継が認められた例としては、土地収用法上の事業認定とそれに続く収用裁決（東京高判昭48.7.13）や、農地買収計画とそれに続く買収処分（最判昭25.9.15）などがあります。

他方、租税賦課処分とそれに続く滞納処分には違法性の承継は認められないと解されています。なぜなら、前者が租税の納税義務を課す処分であるのに対し、後者はすでに課せられた義務の履行を強制するための処分であるので、両者は別個の効果を目指すものといえるからです。

**判例チェック**

建築確認における接道要件充足の有無の判断と、安全認定における安全上の支障の有無の判断は、避難または通行の安全の確保という同一の目的を達成するために行われるものであり、安全認定は、建築主に対し建築確認申請手続において接道義務違反がないものとして扱われるという地位を与えるものであり、建築確認と結合して初めてその効果を発揮する。したがって、安全認定が行われたうえで建築確認がされている場合、安全認定が取り消されていなくても、建築確認の取消訴訟において、安全認定が違法であるために接道義務の違反があると主張することは許される（最判平21.12.17）。

# 第2章 SECTION 4 行政行為 行政行為の瑕疵

## 実践 問題 57 基本レベル

| 頻出度 | 地上★ | 国家一般職★ | 特別区★★ |
|---|---|---|---|
| | 国税・財務・労基★ | 国家総合職★★ | |

**問** 行政行為の瑕疵に関する記述として、通説に照らして、妥当なのはどれか。

(特別区2017)

1：違法行為の転換とは、ある行政行為が本来は違法ないし無効であるが、これを別個の行政行為として見ると、瑕疵がなく適法要件を満たしていると認められる場合に、これを別個の行政行為として有効なものと扱うことをいう。

2：行政行為の撤回は、行政行為の成立当初は適法であったが、その後に発生した事情の変化により、将来に向かってその効力を消滅させる行政行為であり、その撤回権は監督庁のみ有する。

3：行政行為の取消しとは、行政行為が成立当初から違法であった場合に、行政行為を取り消すことをいい、その効果は遡及し、いかなる授益的行政行為の場合であっても、必ず行政行為成立時まで遡って効力は失われる。

4：行政行為の瑕疵の治癒とは、行政行為が無効であっても、その後の事情の変化により欠けていた要件が充足された場合、当該行政行為を行った処分庁が当該処分を取り消すことによって、その行政行為を適法扱いすることをいう。

5：取り消しうべき瑕疵を有する行政行為は、裁判所によって取り消されることにより効力を失うものであり、取り消されるまでは、その行政行為の相手方はこれに拘束されるが、行政庁その他の国家機関は拘束されない。

チェック欄

| 1回目 | 2回目 | 3回目 |
|---|---|---|
| | | |

## 実践 問題 57 の解説

〈行政行為の瑕疵〉

**1 ○** 違法行為の転換を述べる本肢の内容は正しく、妥当である。

**2 ×** 撤回権は、原則として処分庁のみに認められるので、本肢は妥当でない。本肢前半の行政行為の撤回の意義は正しく述べられている。しかし、行政行為の撤回は、公益上その効力を存続させることができない新たな事由が生じた場合に改めて処分をし直すものであり、新たな行政処分としての意味を有する。それゆえ、当該行政行為を行う権限を有する処分庁のみが撤回することができ、法律の根拠のない限り監督庁は行うことができないと解されている。

**3 ×** 本肢前半の行政行為の取消しの意義、および行政行為の成立当初より瑕疵が存在したことが前提となるから、行政行為の取消しの効果は、成立当初に遡及するとの記述は正しく述べられている。もっとも、授益的行政行為の場合、相手方の既得の利益を保護する必要があることから、例外的に将来に向かって効力が失われる場合を認めるべきであると解されている。

**4 ×** 行政行為の瑕疵の治癒とは、瑕疵の程度が軽微であり、欠けていた要件が事後的に具備されるに至った場合に、当該行政行為を有効なものとして扱うことをいう。この趣旨は、行政上の法律関係の安定と行政事務の煩雑さを防止するという行政経済にある。もっとも、瑕疵の治癒が認められるためには、瑕疵の程度が軽微な場合であるから、本肢のように、無効な行政行為は含まれない。また、当該処分を取り消す必要もない。

**5 ×** 本肢は公定力を述べている。公定力とは、たとえ違法な行政行為でも、権限ある国家機関によって取り消されるまでは、一応有効なものとして何人も当該行政行為の効力を否定できない（＝拘束される）効力をいう。この効力には、行政行為の相手方のみならず、行政庁その他の国家機関も拘束されるので、本肢は妥当でない。

**正答 1**

# 第2章 SECTION 4 行政行為 行政行為の瑕疵

## 実践 問題 58 基本レベル

頻出度 地上★ 国家一般職★ 特別区★★ 国税·財務·労基★ 国家総合職★★

**問** **行政行為に関する次の記述のうち、妥当なのはどれか。ただし、争いのあるものは判例の見解による。** **(国家一般職2022)**

1：行政行為に瑕疵があり、行政庁がこれを職権により取り消す場合、この場合における取消行為も行政行為であるため、当該職権取消しを認める法律上の明文の規定が必要である。

2：附款は、行政行為の効果を制限するために付加される意思表示であるから、附款が違法である場合は、本体の行政行為と分離可能であっても、附款を含めた行政行為全体の取消しを求める必要があり、附款のみを対象とする取消訴訟を提起することは許されない。

3：違法行為の転換とは、行政行為が法令の要件を満たしておらず本来は違法ないし無効であるが、これを別の行政行為としてみると、瑕疵がなく、かつ、目的や内容においても要件を満たしていると認められる場合に、その別の行政行為と見立てて有効なものとして扱うことをいい、行政効率の観点から認められる場合がある。しかし、訴訟において違法行為の転換を認めると、行政行為の違法性を争う私人にとって不意打ちとなるため、行政庁が訴訟において違法行為の転換を主張することは明文で禁止されている。

4：行政庁が行う行政行為が基本的には裁量の余地のない確認的行為の性格を有するものであっても、具体的事案に応じ行政上の比較衡量的判断を含む合理的な行政裁量を行使することが全く許容されないものと解するのは相当でなく、行政庁が、当該行政行為の名宛人と、同人と対立する住民との間で実力による衝突が起こる危険を回避するために、一定の期間、当該行政行為を留保することは、当該行政裁量の行使として許容される範囲内にとどまり、国家賠償法第１条第１項の定める違法性はない。

5：行政財産である土地について建物所有を目的とし期間の定めなくされた使用許可が、当該行政財産本来の用途又は目的上の必要に基づき将来に向かって取り消されたときは、使用権者は、特別の事情のない限り、当該取消しによる土地使用権喪失についての補償を求めることができる。

直前復習

チェック欄

| 1回目 | 2回目 | 3回目 |
| --- | --- | --- |
| | | |

## 実践 問題 58 の解説

〈行政行為の瑕疵〉



**1 ×** 職権取消しは、適法性の回復または合目的性の回復から要請されるものであるから、職権取消しを行うのに法律上の明文の規定は不要であると解されている。したがって、本肢は妥当でない。

**2 ×** 附款が違法である場合において、附款が本体の行政行為と不可分一体であるときは、附款を含めた行政行為全体の取消しを求める必要があるが、本肢のように、附款が本体の行政行為と分離可能であるときは、附款のみを対象とする取消訴訟を提起することも許されると解されている。

**3 ×** 行政庁が訴訟において違法行為の転換を主張することを禁止する法律の明文の規定はないので、本肢は妥当でない。なお、違法行為の転換が認められるかどうかは解釈によるが、判例には肯定したものがある（最大判昭29.7.19、最判令3.3.2等）。

**4 ○** 本肢と同様の事案につき判例は、道路法47条４項および車両制限令12条に基づく道路管理者の認定は、車両の通行の禁止・制限を解除する許可とは性格を異にし、「基本的には裁量の余地のない確認的行為の性格を有するものである」としつつも、認定制度の具体的効用が許可制度とほとんど変わらないことを理由に「認定に当って、具体的事案に応じ道路行政上比較衡量的判断を含む合理的な行政裁量を行使することが全く許容されないものと解するのは相当でない」としたうえで、道路管理者である行政庁が本件認定を約５カ月間留保した理由が、建物の建築に反対する付近住民と上告人との間で実力による衝突が起こる危険を回避するためであったことを考慮すると、当該認定の留保は、上記行政裁量の行使として許容される範囲内にとどまり、国家賠償法１条１項の定める違法性はないとした（最判昭57.4.23）。

**5 ×** 本肢と同様の事案につき判例は、都有行政財産たる土地につき使用許可によって与えられた使用権は、それが期間の定めのない場合であれば、当該行政財産本来の用途または目的上の必要を生じたときはその時点において原則として消滅すべきものであり、また、権利自体にそのような制約が内在しているものとして付与されているものとみるべきであるから、行政財産の使用許可を撤回した場合、特段の事情のない限り、使用権喪失についての補償は不要であるとしている（最判昭49.2.5）。

**正答 4**

## 実践 問題 59 基本レベル

| 頻出度 | 地上★ 国家一般職★ 特別区★ 国税･財務･労基★ 国家総合職★★ |
|---|---|

**問** **行政法学上の行政行為の瑕疵に関するＡ～Ｄの記述のうち、最高裁判所の判例に照らして、妥当なものを選んだ組合せはどれか。　　（特別区2024）**

Ａ：行政処分の瑕疵が明白であるというのは、処分の要件の存在を肯定する処分庁の認定が、処分成立の当初から、誤認であることが外形上、客観的に明白である場合を指し、瑕疵が明白であるかどうかは、処分の外形上、客観的に、誤認が一見看取し得るものであるかどうかにより決すべきものであって、行政庁が怠慢により調査すべき資料を見落としたかどうかは、処分に外形上客観的に明白な瑕疵があるかどうかの判定に直接関係を有するものではないとした。

Ｂ：行政処分の無効原因の主張としては、処分庁の誤認が重大・明白であることを抽象的事実に基づいて主張すべきであるが、地上に堅固な建物が建っているような純然たる宅地を農地と誤認して買収したという具体的な処分に重大・明白な瑕疵があると主張したり、又は、処分の取消原因が当然に無効原因を構成するものと主張することで足りると解すべきであるとした。

Ｃ：課税処分に課税要件の根幹に関する内容上の過誤が存し、徴税行政の安定とその円滑な運営の要請を斟酌（しんしゃく）してもなお、不服申立期間の徒過による不可争的効果の発生を理由として被課税者に処分による不利益を甘受させることが、著しく不当と認められるような例外的事情のある場合であっても、当該処分は、当然無効と解しないのが相当であるとした。

Ｄ：法人税青色申告についてした更正処分の通知書が、各加算項目の記載をもってしては、更正にかかる金額がいかにして算出されたのか、それが何ゆえに会社の課税所得とされるのか等の具体的根拠を知るに由ない場合、更正の付記理由には不備の違法があるが、その瑕疵は後日これに対する審査裁決において処分の具体的根拠が明らかにされたとしても、それにより治癒されるものではないと解すべきであるとした。

1：Ａ　Ｂ
2：Ａ　Ｃ
3：Ａ　Ｄ
4：Ｂ　Ｃ
5：Ｂ　Ｄ

チェック欄

| 1回目 | 2回目 | 3回目 |
| --- | --- | --- |
| | | |

## 実践 問題 59 の解説



〈行政行為の瑕疵〉

**A○** 行政処分の瑕疵の明白性に関して、判例は、本記述のとおり、行政庁がその怠慢により調査すべき資料を見落したかどうかにかかわらず、外形上、客観的に誤認が明白であると認められる場合には、明白な瑕疵があると認めることができるとしている（最判昭36.3.7）。

**B×** 無効原因となる重大・明白な違法の判断につき、判例は、無効原因の主張としては、誤認が重大・明白であることを具体的事実に基づいて主張すべきであり、単に抽象的に処分に重大・明白な瑕疵があると主張したり、もしくは、処分の取消原因が当然に無効原因を構成するものと主張することだけでは足りないとしている（最判昭34.9.22）。したがって、抽象的事実に基づいて主張すべきであると述べる本記述は誤りである。

**C×** 本記述と同様の事案において、判例は、徴税行政の安定とその円滑な運営の要請を斟酌してもなお、不服申立期間の徒過による不可争的効果の発生を理由として被課税者に処分による不利益を甘受させることが、著しく不当と認められるような例外的事情のある場合には、課税処分における内容上の過誤による瑕疵は、当該課税処分を当然無効ならしめるとしている（最判昭48.4.26）。

**D○** 欠けていた要件が事後的に具備されることにより瑕疵の治癒が認められるかにつき、判例は、更正に理由付記を命じた趣旨が、処分庁の判断の慎重、合理性を担保してその恣意を抑制するとともに、処分の理由を相手方に知らせて不服申立ての便宜を与えることにある点に照らすと、処分庁と異なる機関の行為により理由不備の瑕疵が治癒されるとすることは、処分そのものの慎重、合理性を確保する目的に沿わないばかりでなく、処分の相手方としても、審査裁決によって初めて具体的な処分根拠を知らされたのでは、それ以前の審査手続において十分な不服理由を主張することができないという不利益を免れないとし、更正の付記理由における不備の瑕疵は、後日これに対する審査裁決において処分の具体的根拠が明らかにされたとしても、それにより治癒されるものではないとしている（最判昭47.12.5）。

以上より、妥当なものはA、Dであり、肢３が正解となる。

**正答 3**

第2章 SECTION 4 行政行為

# 行政行為の瑕疵

## 実践 問題 60 基本レベル

| 頻出度 | 地上★ 国家一般職★ 特別区★ 国税·財務·労基★ 国家総合職★★ |
|---|---|

問 行政行為の瑕疵に関するア〜エの記述のうち、妥当なもののみを全て挙げているのはどれか。 (国税・財務・労基2019)

ア：行政処分が当然無効であるというためには、処分に重大かつ明白な瑕疵がなければならないが、瑕疵が明白であるかどうかは、処分の外形上、客観的に誤認が一見看取し得るものかどうかだけではなく、行政庁が怠慢により調査すべき資料を見落としたかどうかといった事情も考慮して決すべきであるとするのが判例である。

イ：一般に、課税処分が課税庁と被課税者との間にのみ存するもので、処分の存在を信頼する第三者の保護を考慮する必要のないこと等を勘案すれば、当該処分における内容上の過誤が課税要件の根幹についてのものであって、徴税行政の安定とその円滑な運営の要請をしんしゃくしてもなお、不服申立期間の徒過による不可争的効果の発生を理由として被課税者に当該処分による不利益を甘受させることが著しく不当と認められる場合には、当該処分は当然無効であるとするのが判例である。

ウ：ある行政行為がなされた時点において適法要件が欠けていた場合、事後的に当該要件が満たされたときであっても、法律による行政の原理に照らし、当該行政行為の効力が維持されることはない。

エ：建築確認における接道要件充足の有無の判断と、安全認定における安全上の支障の有無の判断が、もともとは一体的に行われていたものであり、同一の目的を達成するために行われるものであること等を考慮しても、安全認定を受けた上で建築確認がなされている場合は、当該安全認定が取り消されていない限り、建築確認の取消訴訟において安全認定の違法を主張することはおよそ許されないとするのが判例である。

1：イ
2：ウ
3：ア、イ
4：ア、エ
5：ウ、エ

直前復習

| チェック欄 | | |
|---|---|---|
| 1回目 | 2回目 | 3回目 |
| | | |

## 実践 問題 60 の解説

〈行政行為の瑕疵〉



**ア×** 行政処分が当然無効であるというためには、処分に重大かつ明白な瑕疵がなければならない。そのうえで、判例は、瑕疵が明白であるかどうかは、処分の外形上、客観的に、誤認が一見看取し得るものであるかどうかにより決すべきものであって、行政庁が怠慢により調査すべき資料を見落したかどうかは、処分に外形上客観的に明白な瑕疵があるかどうかの判定に直接関係を有するものではないとしている（最判昭36.3.7）。すなわち、行政処分の瑕疵が明白であるかどうかの判定の際に、行政庁が怠慢により調査すべき資料を見落したかどうかといった事情は考慮されないのである。

**イ○** 本記述は、判例（最判昭48.4.26）の見解を正確に述べており、妥当である。

**ウ×** 本記述のような場合、判例は、いわゆる「瑕疵の治癒」を肯定するので、本記述は妥当でない。行政行為がなされた時点では適法要件が欠けていたが、事後的に欠けていた要件が具備された場合に当該行政行為の効力を維持することを講学上「瑕疵の治癒」とよぶが、判例（最判昭36.7.14）はこれを肯定する。その理由としては、①当初の行政行為を取り消しても名あて人の権利救済に資する意義が乏しいこと、②行政効率や紛争の一回的解決の要請を害すること、③第三者の信頼保護のために法的安定性を図る必要があることが挙げられる。

**エ×** 判例は、①建築確認における接道要件充足の有無の判断と、安全認定における安全上の支障の有無の判断は、異なる機関が行うこととされているが、もともとは一体的に行われていたものであり、避難または通行の安全の確保という同一の目的を達成するために行われるものであること、②安全認定は、建築主に対し建築確認申請手続における一定の地位を与えるものであり、建築確認と結合して初めてその効果を発揮すること、③安全認定の時点で申請者以外の者にはその適否を争うための手続的保障が十分に与えられていないことを理由に、安全認定が取り消されていなくても、建築確認の取消訴訟において安全認定が違法であると主張することは許されるとしている（最判平21.12.17）。したがって、本記述は妥当でない。

以上より、妥当なものはイであり、肢１が正解となる。

**正答 1**

# 行政行為の瑕疵

## 実践 問題 61 応用レベル

頻出度 地上★ 国家一般職★ 特別区★ 国税·財務·労基★ 国家総合職★★

**問 ある行政過程において、先行する行政行為（先行行為）に瑕疵があった場合の後続する行政行為（後行行為）に関するア～オの記述のうち、妥当なもののみを全て挙げているのはどれか。 （国家総合職2012）**

ア：先行行為を前提として後行行為がなされたとき、後行行為の取消訴訟において先行行為が違法であることを主張できるか、という「違法性の承継」の問題については、「違法性の承継」が認められる場合があり得ると解されている。

イ：土地区画整理事業の事業計画決定に処分性が認められたとしても、当該土地区画整理事業計画に定められたところに従ってなされる仮換地の指定や換地処分は、通常、行政処分であると解されていない。したがって、先行行為たる事業計画決定と、後行行為たる仮換地の指定・換地処分との関係において、後行行為の取消訴訟において先行行為の違法性を主張できるかという「違法性の承継」の問題は生じない。

ウ：都市計画法は、都市計画事業認可の基準の一つとして、事業の内容が都市計画に適合することを掲げているから、都市計画事業認可が適法であるためには、その前提となる都市計画が適法であることが必要であるが、都市計画決定は権限のある機関によって取り消されない限り違法であっても有効と解されるため、都市計画事業認可の取消訴訟において、先行する都市計画決定の違法性を主張することはできないとするのが判例である。

エ：建築基準法に基づく建築確認における接道要件充足の有無の判断と、東京都建築安全条例に基づく安全認定における安全上の支障の有無の判断は、異なる機関がそれぞれの権限に基づき行うこととされているが、安全認定が行われた上で建築確認がされている場合、安全認定が取り消されていなくても、建築確認の取消訴訟において、安全認定が違法であるために接道要件を満たしていないと主張することは許されるとするのが判例である。

オ：教育委員会が、1日の間に、公立学校で教頭職にある者のうち勧奨退職に応じた者を校長に任命して昇給させた上で退職承認処分をし、これに基づいて知事が退職手当の支出決定を行った場合、教育委員会による退職承認処分等が著しく合理性を欠き、これに予算執行の適正確保の見地から看過し得ない瑕疵の存しない限り、知事による退職手当の支出決定が財務会計法規上の義務に違反するものとはならないとするのが判例である。

1：ア、ウ　　2：ア、オ　　3：イ、ウ　　4：イ、エ　　5：ア、エ、オ

## 実践 問題 61 の解説

チェック欄 1回目 2回目 3回目

〈行政行為の瑕疵〉



**ア○** 違法性の承継については、先行処分と後行処分が連続した一連の手続を構成し、一定の法律効果の発生を目指しているような場合、言い換えれば、先行処分が後行処分の準備として行われるにすぎない場合に認められうる。もっとも、行政行為の早期確定・法的安定性からは、原則として違法性の承継は認められず、きわめて狭い範囲でしか認められないことに注意が必要である。

**イ×** 土地区画整理事業における、仮換地の指定や換地処分は、宅地・建物の所有者または賃借人等の有する権利に対し、具体的な変動を与えるものであり、直接、特定個人に向けられた具体的な処分である。かつての判例は、土地区画整理事業計画の事業計画決定に処分性を認めていなかったため、事業計画の違法を主張する者は、仮換地の指定または換地処分の取消（または無効確認）訴訟において当該違法を主張すべきと解されていた（最大判昭41.2.23）。しかし、この判例は、最大判平20.9.10によって変更され、土地区画整理事業計画の事業計画決定に処分性が認められることとなった。これにより、新たな問題として、違法性の承継が認められるかという論点が浮上したが、上記平成20年判決の近藤補足意見は事業計画決定の公定力を根拠にこれを否定している。

**ウ×** 都市計画法上、都市計画事業認可が適法であるためには、その前提となる都市計画が適法である必要がある。しかし、都市計画決定には処分性が認められていないとするのが判例（最判昭62.9.22）であるため、後続の都市計画事業認可との関係で違法性の承継は問題とならない。都市計画決定に処分性がない以上、都市計画事業認可の取消訴訟において、都市計画決定の違法を主張するしかないからである。

**エ○** 判例（最判平21.12.17）は、本記述のように述べて、建築基準法に基づく建築確認と、それに先行する、東京都建築安全条例に基づく安全認定との間の違法性の承継を認めた。その理由として、①両者はもともとは一体的に行われていたものであり、避難または通行の安全の確保という同一の目的を達成するために行われるものであること、②安全認定は建築確認と結合して初めてその効果を発揮するものであること、③安全認定があっても、申請者以外の者はこれを知りえないことなどから、建築確認があった段階で初めて不利益が現実化することなどを挙げている。

**オ○** 本記述と同様の事案について、判例（最判平4.12.15）は、住民訴訟および代位請求にかかる損害賠償請求訴訟（地方自治法242条の2第1項（旧）4号）の目的である、地方財務行政の適正な運営の確保という目的にかんがみ、上記損害賠償責任を問うことができるのは、職員の財務会計上の行為に先行する原因行為に違法事由が存する場合であっても、当該財務会計上の行為自体が財務会計法規上の義務に違反する違法なものであるときに限られるとした。また、法律上、教育行政に関する権限は、教育の政治的中立性と教育行政の安定の確保から、原則として教育委員会に属し、地方公共団体の長の権限は、財務会計上の事務に限られるとした。このことから、地方公共団体の長は、教育委員会の人事に関する処分が著しく合理性を欠きそのためにこれに予算執行の適正確保の見地から看過しえない瑕疵の存する場合でない限り、当該処分を尊重しその内容に応じた財務会計上の措置をとるべき義務があるとした。そのうえで、本件のように勧奨退職に応じた教頭に対して、1日のうちに昇格・昇給させたうえで退職承認処分をすることは、学校職員の給与に関する条例に基づくもので、著しく合理性を欠きそのためにこれに予算執行の適正確保の見地から看過しえない瑕疵が存するものとは解しえないとして、知事による退職手当の支出決定が財務会計法規上の義務に違反するものではないとした。

以上より、妥当なものはア、エ、オであり、肢5が正解となる。

**正答 5**

memo

# 行政行為の取消し・撤回

## 必修問題 セクションテーマを代表する問題に挑戦！

**行政行為の取消しと撤回との違いは大事ですので、しっかり理解しましょう。**

**問** 行政行為の取消しまたは撤回に関する次の記述のうち、妥当なのはどれか。 (国Ⅰ1999)

1：瑕疵ある行政行為を行った行政庁が職権により行う取消しは、本来生じてはならない違法状態を是正するものにすぎないから、瑕疵なく成立した行政行為の効力を将来に向かって失わせる撤回とは異なり、独立の行政行為ではない。

2：瑕疵なく成立した行政行為は、その撤回について法令上直接明文の規定がない場合であっても、当該行政行為の性質等に照らし、その撤回によって被る私人の不利益を考慮してもなおそれを撤回すべき公益上の必要性が高いと認められるときには、撤回することができるとするのが判例である。

3：瑕疵ある行政行為は、その行政行為が直接相手方に権利や利益を賦与している場合に限り、その行政行為により成立した法律関係に対する私人の信頼の保護が必要であるとして、その取消しが制限されうる。

4：瑕疵ある行政行為であっても、取消訴訟の出訴期間を過ぎるとその効力を裁判上争うことはできなくなり、処分の効力が確定したことに対する信頼が私人の側に生ずることとなるから、処分を行った行政庁においても、これを取り消すことはできない。

5：行政庁は、瑕疵なく成立した行政行為を撤回する場合においては、その行政行為の根拠法に撤回に伴う補償規定がない場合には、補償を行う必要がない。

**Guidance ガイダンス**

**取消し**

行政行為の効力を成立当初に遡って失わせること

**撤回**

行政行為の効力を将来に向かって失わせること

頻出度 地上★ 国家一般職★ 特別区★★ 国税·財務·労基★ 国家総合職★

# 必修問題の解説

チェック欄 1回目 2回目 3回目

〈行政行為の取消しと撤回〉



**1 ×** 行政行為の取消し（職権取消し）とは、違法または不当な瑕疵を有するが一応は有効な行政行為につき、行政庁が、職権により、その成立当初に存在した瑕疵を理由としてその効力を失わせることをいう。行政行為の取消しは、その行政行為に瑕疵があることを理由に、これを取り消すことで法律関係を元に戻すというのがその趣旨であるが、その際、取り消すという行為自体も行政行為であるということが当然の前提と解されている。

**2 ○** 判例は、行政行為を撤回することにより行政行為の相手方の被る不利益を考慮しても、なお当該行政行為を撤回すべき公益上の必要性が高いと認められる場合には、法令上その撤回について直接明文の規定がなくとも、行政庁はその権限において当該行政行為を撤回することができるとしている（実子あっせん事件、最判昭63.6.17）。

**3 ×** 侵害的行政行為の取消しは、授益的行政行為と異なり、原則として自由であるが、その場合でも、当該行政行為により成立した法律関係に対する私人の信頼保護が必要であるとして、取消しが制限される場合がある。たとえば、農地買収令書の発令後３年以上経過したあとに、目的地の10分の１に満たない部分が宅地であったことを理由として買収令書全体を取り消すのは、買収農地の売渡しを受けるべき者の利益を考慮すれば、特段の事情がない限り違法であるとした判例がある（最判昭33.9.9）。

**4 ×** 行政事件訴訟法14条１項本文は、処分取消訴訟の出訴期間を、処分を知った日から６カ月以内と定めている。いつまでも効力を争えるというのでは、行政上の法律関係が安定しないから、早期安定のため比較的短期の出訴期間が定められているのである。この期間を徒過すると行政行為の相手方からは効力を争えなくなる（不可争力）。しかし、これは、相手方私人からは争えないということであって、行政庁からの職権取消しは妨げない。

**5 ×** 授益的行政行為を公益上の理由により撤回する場合、公用収用の場合に準じ、撤回によって生ずる不利益に対する補償をすることが、原則として必要となる。その行政行為の根拠法に撤回に伴う補償規定がない場合は、直接憲法29条３項を根拠とする損失補償を認めるのが判例（河川附近地制限令事件、最大判昭43.11.27）・通説である。

**正答 2**

第2章 SECTION 5 行政行為

# 行政行為の取消し・撤回

## 1 行政行為の職権取消し

### (1) 職権取消しとは

取消しとは、行政行為の効力を、成立当初に遡って失わせることをいいます。行政庁が自発的に行政行為を取り消すことを、職権取消しといいます。

補足　これに対して、国民の行政不服申立て、または行政事件訴訟の提起を受けて行政行為の効力を失わせる場合を、争訟取消しといいます。

職権取消しは、明文の規定で認められているわけではありません。しかし、法律による行政の原理からは、行政行為は適法に行われなければならないので、違法な行政行為をした処分庁は、処分に違法の瑕疵を発見した場合には、これを取り消すべき義務と権限を有しているものと解することができます。したがって、職権取消しには法律の明文の根拠は必要ありません。

処分庁の上級行政庁についても、下級庁に対する指揮監督権限の行使として取消権限を有すると解するのが通説です。

### (2) 職権取消しの制限

#### ① 不可変更力のある行政行為

不服申立てに対する裁決・決定のように裁判に類似した性質を持つ行政行為には不可変更力があるので、職権取消しは認められません。

#### ② 授益的行政行為

授益的行政行為については、相手方の信頼保護の観点から、行政行為によって利益を受ける者の不正行為がかかわっている場合か、または相手方の既得の利益を上回る公益上の必要が認められる場合にのみ、職権取消しが認められると解されています（通説）。

補足　侵害的行政行為の場合
相手方の権利・利益を侵害する侵害的行政行為については、効力が失われても相手方に不利益は生じませんから、原則として職権取消しに制限はありません。

## 2 行政行為の撤回

### (1) 撤回とは

行政行為の撤回とは、当初は瑕疵なく成立した行政行為につき、その後の事情の変化によりその効力を維持することが公益に反する状態となった場合に、その行政行為の効力を将来に向かって失わせることをいいます。

撤回については、個別法に根拠規定が置かれているものも多くあります。しかし、行政庁は法律を適法に執行すべき義務を負っているので、事後的に違法状態が生じた場合にはそれを除去することも行政庁の役割だといえることから、法律に明文の根拠がない場合でも、撤回をすることができると解されています。

下級行政庁の行政行為について、上級行政庁が撤回することは認められないのが原則です。撤回は事情の変化に応じてなされる新たな行政行為なので処分庁のみの権限と解すべきであり、また、上級行政庁による撤回を認めると、上級行政庁が処分庁の権限を代執行するのと変わらないこととなり、法律による権限分配の点で問題が生ずるからです。



### (2) 撤回の制限

授益的行政行為については、相手方の信頼保護の観点から、行政行為によって利益を受けた者に帰責事由がある場合、その者が同意している場合、または撤回によって私人の被る不利益を考慮しても、なお公益上の必要性が認められる場合にのみ撤回が認められます。これを撤回権制限の法理といいます。

撤回によって相手方が被る不利益を考慮しても、なおそれを撤回すべき公益上の必要性が高い場合には、法令上の根拠がなくても、行政庁はその権限において行政行為を撤回することができる（実子あっせん事件、最判昭63.6.17）。

侵害的行政行為の場合

侵害的行政行為については撤回をしても相手方に不利益は生じませんから、職権取消しと同様、原則として撤回に制限はありません。

第2章 SECTION 5

行政行為

# 行政行為の取消し・撤回

## 実践 問題 62 基本レベル

| 頻出度 | 地上★ | 国家一般職★ | 特別区★★ |
|---|---|---|---|
| | 国税·財務·労基★ | 国家総合職★ | |

**問 行政行為の取消しに関する記述として、妥当なのはどれか。（東京都2006）**

1：行政行為の取消しは、瑕疵ある行政行為に対して法律による行政の原理の回復を図る行為であり、法律による特別の根拠が必要であると解されている。

2：行政行為を行った行政庁は、当該行政行為に瑕疵があるとき、違法の場合には職権で取り消すことができるが、不当なものにとどまる場合については、職権では取り消すことはできないと解されている。

3：行政行為の取消しは、いったん成立した行政行為について、その後の事情の変化により当該行政行為の効力を消滅させるものであるため、原則として、取消しの効果は、将来に向かってのみ生じると解されている。

4：侵害的行政行為の取消しは、原則として、当該行政行為の相手方に対する行政手続法上の聴聞手続を経なければならないと解されている。

5：授益的行政行為の取消しには、法治主義の要請と行政行為の相手方の信頼保護という２つの利益を比較考量することが必要な場合があるため、一定の制限が課されると解されている。

直前復習

| チェック欄 | | |
|---|---|---|
| 1回目 | 2回目 | 3回目 |
| | | |

## 実践 問題 62 の解説

〈行政行為の取消し〉



**1 ×** 行政行為の取消しによって適法性の回復あるいは合目的性の回復が図られることになるから、学説は、行政行為の取消しには法律による特別の根拠は必要でないとする点で一致している。

**2 ×** 違法または不当な行政行為をあわせて「瑕疵ある行政行為」というが、行政行為が違法ではなく不当なものにとどまる場合は、裁判で救済することはできない。しかし、行政行為を行った行政庁が自ら取り消すこと（職権取消し）は、不当な行政行為についても認められている。

**3 ×** 行政行為の取消しは、行政行為に当初から瑕疵があったことを前提とするので、取消しの効果は遡及するというのが一般的である。ただし、授益的行政行為の場合には、相手方の既得の利益を保護する必要があることから、例外的に、将来に向かってのみ取消しの効果が生ずるものとする余地がある。

**4 ×** 行政手続法の聴聞手続が保障される理由は、不利益処分を行う際に相手方に弁明の機会を与えて十分その主張と立証を尽くさせ、行政庁が相手方の自由と財産を違法に侵害することがないようにするためである。一方、相手方の権利・利益を侵害する侵害的行政行為の取消しには、相手方に不利益が生じる危険性はないことから、原則として「不利益処分」（行政手続法２条４号）にあたらず、聴聞手続を経る必要はないとされている。

**5 ○** 行政行為の取消しは、法律による行政の原理の回復であるので、行政庁としては当然取消しをすべきとも思える。しかし、授益的行政行為がなされた場合、行政庁が後になって当該行政行為を取り消すと、相手方である私人の行政に対する信頼を裏切ることになる。現代社会における私人の行政への依存性を考慮すると、行政行為の相手方である私人の信頼を保護すべき場合があることは、認められなければならない。したがって、授益的行政行為の取消しにあたっては、法治主義の要請と行政行為の相手方の信頼保護という２つの利益を比較衡量することが必要な場合があるため、取消しには一定の制限が課されると解されている。

**正答 5**

第2章 SECTION 5 行政行為

# 行政行為の取消し・撤回

## 実践 問題 63 基本レベル

頻出度 地上★ 国家一般職★ 特別区★★ 国税·財務·労基★ 国家総合職★

**問 行政法学上の行政行為の撤回に関する記述として、判例、通説に照らして、妥当なのはどれか。** **(特別区2014)**

1：最高裁判所の判例では、都有行政財産である土地について建物所有を目的とし期間の定めなくされた使用許可が当該行政財産本来の用途又は目的上の必要に基づき将来に向って取り消されたとき、使用権者は、特別の事情のない限り、当該取消による土地使用権喪失についての補償を求めることはできないとした。

2：最高裁判所の判例では、優生保護法による指定を受けた医師が指定の撤回により被る不利益を考慮してもなおそれを撤回すべき公益上の必要性が高いと認められる場合であったとしても、法令上その撤回について直接明文の規定がなければ、行政庁は当該指定を撤回することはできないとした。

3：行政行為を行った処分庁の上級行政庁は、処分庁を指揮監督する権限を有しているので、法律に特段の定めがなくても、処分庁の行った行政行為を当然に撤回することができる。

4：行政行為の撤回は、その理由が行政庁の責めに帰すべき事由によって生じたときは、相手方の利益を保護する必要があるため、いかなる場合であっても、当該行政行為の効力をその成立時に遡って失わせる。

5：行政行為の撤回とは、行政行為が当初から違法又は不当であったと判明したときに、そのことを理由に行政庁が当該行政行為の効力を消滅させることをいう。

チェック欄

| 1回目 | 2回目 | 3回目 |
|---|---|---|
| | | |

## 実践 問題 63 の解説



〈行政行為の撤回〉

**1 ○** 授益的行政行為が公益上の理由で撤回されると、相手方は権利・利益を奪われることになる。こうして生じた損失を補償する必要があるかが問題となるが、判例は、使用権そのものの補償を原則として認めていない。すなわち、「都有行政財産につき期間の定めなくされた使用許可が行政財産本来の用途または目的上の必要を生じたときはその時点において原則として消滅すべきものであり、また、権利自体に右のような制約が内在して付与されているものとみるのが相当である」（最判昭49.2.5）として、使用権者に対する損失補償は不要であるとしている。

**2 ×** 実子あっせん事件において判例（最判昭63.6.17）は、指定医師の指定の撤回により被る不利益を考慮してもなおそれを撤回すべき公益上の必要性が高いと認められる場合には、法令上その撤回について直接明文の規定がなくても撤回できるとしている。したがって、法令上その撤回について直接明文の規定がなければ、当該指定を撤回することはできないとする本肢は妥当でない。

**3 ×** 行政行為の撤回は、事情の変化によって行政行為の効力を存続させることが適当でない新たな事由が発生した場合に、行政庁が行う積極的な行政介入措置であって、元の行政行為とは別の新たな行政行為である。したがって、法律に特段の定めがない限り、上級行政庁は撤回権を有しない。処分庁のみが撤回できるのである。

**4 ×** 行政行為の撤回は、適法な行政行為の成立後、後発的事情の変化によってその効力を存続させることが適当でない新たな事由が発生したために、将来に向かってその効力を失わせるものである。撤回の原因が行政庁の責めに帰すべき事由によって生じた場合も同様であり、遡及効はない。

**5 ×** 行政行為の撤回は、適法な行政行為の成立後、後発的事情の変化によってその効力を存続させることが適当でない新たな事由が発生したことを根拠に行われるものである。本肢は、成立当初の瑕疵を根拠に行われる行政行為の取消しに関する記述である。

**正答 1**

第2章 SECTION 5 行政行為

# 行政行為の取消し・撤回

## 実践 問題 64 基本レベル

頻出度 地上★ 国家一般職★ 特別区★★ 国税·財務·労基★ 国家総合職★

**問 行政法学上の行政行為の撤回に関する記述として、妥当なのはどれか。**

（特別区2009）

1：行政行為の撤回とは、有効に成立した行政行為の効力を、行政行為の成立当初の違法性又は不当性を理由として行政庁が失わせることをいい、交通違反を理由とする運転免許の取消しは行政行為の撤回ではなく、職権取消である。

2：侵害的行政行為の場合に比較すると、授益的行政行為については、相手方の利益又は信頼の保護のため原行為の存続に対する要請がより強く働くため、授益的行政行為の撤回には、必ず法律に撤回を許容する明文の規定が必要である。

3：行政行為の撤回の権限を有するのは、行政行為を行った行政庁であり、指揮監督権を有する上級行政庁であっても撤回はできない。

4：行政行為の撤回は、職権取消と同様に、その概念上遡及効を有し、行政行為の効力をその成立時に遡って消滅させる。

5：授益的行政行為の撤回を行うについては、行政手続法に定める不利益処分の手続が適用されることはない。

直前復習

チェック欄

| 1回目 | 2回目 | 3回目 |
|---|---|---|
| | | |

## 実践 問題 64 の解説

〈行政行為の撤回〉



**1 ×** 行政行為の成立当初の違法性または不当性を理由として行政庁が効力を失わせるのは、行政行為の職権取消しである。また、交通違反を理由とする運転免許の取消しは、道路交通法の条文上は「取消」となっているが、当初は瑕疵なく成立した運転免許の効果を交通違反を理由に事後的に失わせるものであるから、行為の性質は職権取消しではなく、撤回である。

**2 ×** 授益的行政行為の場合、これを撤回すれば授益的行政行為が消えることとなるので、侵害的行政行為に比較して原行為の存続に対する要請がより強く働くのはそのとおりである。ただし、①撤回の必要が相手方の責に帰すべき事由によって生じた場合、②撤回について相手方の同意がある場合、③相手方の被る不利益を考慮してもなお当該行為を撤回すべき公益上の必要性が高いと認められる場合は、授益的行政行為であっても撤回することができる。そして、この場合、法律に撤回を許容する明文の規定は必要ないと解されている。

**3 ○** 撤回は、行政行為成立後の事情の変化によって公益上その効力を存続させることができない新たな事由が発生した場合に改めて処分をし直すものである。このように、撤回は新たな行政行為としての意味を有するので、当該行政行為を行う権限を有している処分庁のみができ、法律の根拠がない限り監督上級行政庁が行うことはできない。

**4 ×** 取消しの効果は成立時に遡り最初からその行為がなかったものとされるのに対して、撤回の効果は、成立当初には瑕疵がない以上、将来に向かってのみ生じることとなる。

**5 ×** 行政庁が不利益処分をしようとする場合、不利益処分の名あて人に対して、原則として、聴聞または弁明の機会の付与といった意見陳述のための手続をとらなければならない（行政手続法13条１項）。授益的行政行為の撤回は、処分の名あて人にとって不利益な処分であり、しかもそれは行政行為により形成された法律関係を一方的判断で消滅させるという不利益の程度の強いものである（同法２条４号本文）。したがって、行政手続法に定める不利益処分の手続は、授益的行政行為の撤回にも適用されると解されている。

**正答 3**

第2章 SECTION 5 行政行為

# 行政行為の取消し・撤回

## 実践 問題 65 基本レベル

頻出度 地上★ 国家一般職★ 特別区★ 国税·財務·労基★ 国家総合職★

**問 行政行為の撤回に関するア～オの記述のうち、妥当なもののみを全て挙げているのはどれか。ただし、争いのあるものは判例の見解による。（財務2016）**

ア：撤回は、それ自体が新たな侵害的行政行為となる可能性もあるため、法律の根拠がなければ、撤回をすることはできない。

イ：撤回は、既存の法律関係の消滅が前提となるから、公務員の免職処分など法律関係を形成させない行政行為については、これを撤回する余地はない。

ウ：撤回は、後発的事情を理由に行われるものであるが、職権による取消しと同様に、行政行為の効力をその成立時に遡って失わせる遡及効が認められる。

エ：撤回は、行政行為を行った行政庁のみが権限を持つものであり、当該行政庁の上級行政庁は、撤回の権限を有しない。

オ：行政財産である土地の使用許可が公益上の必要に基づき撤回された場合、当該使用許可に基づく使用権は借地権に類似するものであるから、それが期間の定めのないものであっても、原則として損失補償を要する。

1：ア、イ
2：イ、エ
3：ウ、エ
4：ア、ウ、オ
5：イ、エ、オ

## 実践 問題 65 の解説

〈行政行為の撤回〉

**ア×** 行政行為の撤回は、後発的事情により行政行為の効力を存続させることが適切でなくなった場合に、行政行為の公益適合性を回復（社会的に有害な行為を排除）するために行われる。また、行政行為の撤回権は、それ自体行政庁の処分権限に含まれている。したがって、行政行為の撤回は法律の根拠なくして行うことができると解されている。

**イ○** 撤回は、既存の法律関係の消滅が前提とされることから、行政行為のうち、法律関係を形成させないものについては撤回の問題は生ずる余地がない。本記述のような公務員の免職処分については、すでに勤務関係が消滅していることから、それを撤回する余地はないので、本記述は妥当である。

**ウ×** 撤回とは、瑕疵なく成立した行政行為について、後発的事情により公益上その効力を存続させることが適切ではなくなった場合に、将来に向かってその効力を失わせる行為をいう。すなわち、行政行為の成立に瑕疵がない以上、遡及効を認める理論的根拠がないのである。

**エ○** 撤回は、公益実現のための新たな行政行為であり、当該行政行為を行った行政庁のみが行うことができ、処分庁の上級庁は法律に特別の規定がない限りこれを行うことはできない。したがって、本記述は妥当である。

**オ×** 判例は、都有行政財産たる土地につき使用許可によって与えられた使用権は、それが期間の定めのない場合であれば、当該行政財産本来の用途または目的上の必要を生じたときはその時点において原則として消滅すべきものであり、また、権利自体に上記のような制約が内在しているものとして付与されているものとみるのが相当であるから、特別の事情のない限り、使用権についての補償は不要であるとしている（最判昭49.2.5）。

以上より、妥当なものは、イ、エであり、肢２が正解となる。

**正答 2**

第2章 SECTION 5 行政行為

# 行政行為の取消し・撤回

## 実践 問題 66 応用レベル

頻出度 地上★ 国家一般職★ 特別区★ 国税·財務·労基★ 国家総合職★

**問 行政行為の取消し及び撤回に関するア～オの記述のうち、妥当なもののみをすべて挙げているのはどれか。** (国Ⅰ2005)

ア：国民金融公庫（注）が恩給受給者に対する恩給担保貸付に際して国から払渡金を受領した後、国により当該恩給受給者に係る恩給裁定が取り消された場合、国は、国民金融公庫に対し、当該払渡金につき、不当利得返還請求をすることができるとするのが判例である。

イ：旧農地調整法に基づく農地賃貸借契約の更新拒絶について県知事の許可が与えられれば、それによって直ちに申請者だけが特定の利益を受けるのではなく、利害の反する賃貸借の両当事者を拘束する法律関係が形成されるため、たとえ申請者側に詐欺等の不正行為があったことが顕著であったとしても、処分をした行政庁もその処分に拘束されて取消しを行うことはできないとするのが判例である。

ウ：行政行為の取消し及び撤回の効果は遡及するのが一般的である。

エ：旧優生保護法に基づく医師会による指定医師の指定の撤回によって、当該指定の相手方の被る不利益を考慮しても、なおそれを撤回すべき公益上の必要性が高いと認められる場合には、法令上その撤回について直接明文の規定がなくとも、医師会は、その権限において当該指定を撤回することができるとするのが判例である。

オ：行政財産である土地について、建物所有を目的として期間の定めなくされた使用許可が当該行政財産本来の用途又は目的上の必要に基づき将来に向かって取り消されたときは、使用権者は、特別の事情のない限り、当該取消しによる土地使用権喪失についての補償を求めることはできないとするのが判例である。

1：ア、イ
2：ア、エ
3：イ、ウ
4：ウ、オ
5：エ、オ

（注）国民金融公庫は、現在の日本政策金融公庫である。

## 実践 問題 66 の解説

〈行政行為の取消しと撤回〉



**ア×** 判例は、恩給受給者に対し一定要件のもとに恩給担保貸付をすることを義務付けられ、恩給局長がなす恩給裁定の有効性につき自ら審査しえず、恩給裁定を有効なものと信頼して扱わざるをえない公庫が、恩給担保の設定をし、国から恩給給付金を受領して貸付金の弁済に充当してから長期間経過した後になって恩給裁定が取り消された場合において、当該取消の効果を国が公庫に対して主張し、不当利得返還請求をすることは許されないとしている（最判平6.2.8）。

**イ×** 判例は、行政庁がその権限に基づいて農地賃貸借契約の更新拒絶の許可を与えれば、それにより直ちに申請者のみが特定の利益を受けることとなるわけではなく、利害の相反する賃貸借両当事者を拘束する法律関係が形成されるものであるから、申請者側に詐欺などの不正行為があったことが顕著でない限り、申請書に不実記載などの瑕疵があったとしても、処分をした行政庁は当該処分に拘束され、処分後に取り消すことはできなくなるとしている（最判昭28.9.4）。

**ウ×** 一般に、行政行為の取消しには遡及効があるが、撤回には遡及効はないと解されている。

**エ○** 判例は、指定医師の指定の撤回によって当該医師の被る不利益を考慮してもなおそれを撤回すべき公益上の必要性が高いと認められる場合には、法令上その撤回について直接明文上の規定がなくとも、指定医師の指定の権限を付与されている医師会は、その権限において当該医師に対する指定を撤回できる、としている（実子あっせん事件、最判昭63.6.17）。

**オ○** 判例は、都有行政財産たる土地につき使用許可によって与えられた使用権は、それが期間の定めのない場合であれば、当該行政財産本来の用途または目的上の必要を生じたときはその時点において原則として消滅すべきものであり、また、権利自体に上記のような制約が内在しているものとして付与されているものとみるのが相当であるから、特別の事情のない限り、使用権についての補償は不要であるとしている（最判昭49.2.5）。

以上より、妥当なものはエ、オであり、肢５が正解となる。

**正答 5**

# 行政行為の附款

## 必修問題 セクションテーマを代表する問題に挑戦！

**行政行為には、さまざまな条件が付加されることがあります。これを附款といいます。この附款について勉強します。**

**問** 行政法学上の行政行為の附款に関する記述として、通説に照らして、妥当なのはどれか。 （特別区2006）

1：条件とは、行政行為の効果を将来発生することの確実な事実にかからせる附款であり、条件には、その事実の発生によって、行政行為の効果が生じる停止条件とそれが消滅する解除条件とがある。

2：負担とは、相手方に特別の義務を命じる附款であり、負担を履行しなくても、本体たる行政行為の効力が当然に失われることはない。

3：法律効果の一部除外とは、行政行為をするに当たって、撤回する権利を行政庁に留保する附款である。

4：行政行為の附款は、法律留保の原則により、法律が認めている場合に限り付すことができる。

5：行政行為の附款は、行政行為の効果を制限するために付加される意思表示であるから、附款が違法で本体の行政行為と可分の場合であっても、附款のみの取消しの訴えを提起することはできない。



### Guidance ガイダンス

**附款の種類**

- 条件……行政行為の効果の発生・消滅を、将来発生不確実な事実にかからせること
- 期限……行政行為の効果の発生・消滅を、将来発生確実な事実にかからせること
- 負担……行政行為の相手方に特別な義務を課すこと
- 撤回権の留保……特定の事由が発生した場合に行政行為を撤回できる権利を留保すること
- 法律効果の一部除外……主たる意思表示に付加して法令が一般にその行為に課した効果の一部の発生を除外すること

| 頻出度 | 地上★　国家一般職★　特別区★★<br>国税·財務·労基★　国家総合職★ |
|---|---|

## 必修問題の解説

| チェック欄 | | |
|---|---|---|
| 1回目 | 2回目 | 3回目 |
| | | |

〈行政行為の附款〉

**1 ×** 条件とは、行政行為の効力の発生、消滅を将来の発生不確実な事実にかからせる附款である。将来発生することの確実な事実にかからせる附款は、期限である。なお、停止条件と解除条件についての本肢の説明は正しい。

**2 ○** 負担は、主たる意思表示に付随して、相手方に特別の義務を命じる意思表示である。義務の不履行の場合、別の行政行為により、当該行政行為を撤回したり、その他相手方に不利益を課したりすることはあるが、義務の不履行によって当然にその行為の効力が消滅することはない。

**3 ×** 法律効果の一部除外とは、主たる意思表示に付加して、法令が一般にその行為に課した効果の一部の発生を除外する意思表示をいう。法律効果の一部除外は、法律が認める効果を行政庁の意思により排除するものであるため、法律の根拠なくして付すことはできない。行政行為をするにあたって、撤回する権利を行政庁に留保する附款は、撤回権の留保という。

**4 ×** 附款は、法律行為的行政行為のうち、法律が附款を付すことができる旨を明示している場合に付される。また、行政行為の内容の決定について行政庁に裁量権が認められている場合にも付すことができると解されている。

**5 ×** 瑕疵ある附款は取り消しうべきものとなるが、附款だけの取消しを求めることができるかどうかは、附款と本体たる行政行為が可分か不可分かによって判断すべきと解されている。附款がなければ当該行政行為がなされなかったであろうことが客観的にいえるような場合は、当該附款だけでなく行政行為全体が瑕疵を帯びるものとされ、附款のみの取消訴訟は許されないが、附款と本体たる行政行為が可分である場合には、附款だけの取消しを求めることができる。

**正答 2**

**附款の具体例**

条件……道路工事完成を条件とする路線バス事業免許
期限……自動車運転免許の有効期限は5年間
負担……自動車運転免許における眼鏡着用義務

第2章 SECTION 6 行政行為

# 行政行為の附款

## 1 行政行為の附款とは

行政行為の附款とは、本体たる行政行為の効果を一部制限し、または特殊な義務を加えるために、行政行為に法律で規定された事項以外の内容を付加する従たる意思表示をいいます。

## 2 附款の種類

### (1) 条件

条件とは、行政行為の効果の発生・消滅を、将来発生することが不確実な事実にかからせる附款をいいます。

条件には、停止条件（行政行為の効果が事実の発生により生ずるもの）と解除条件（行政行為の効果が事実の発生により消滅するもの）とがあります。

### (2) 期限

期限とは、行政行為の効果の発生・消滅を、将来発生することが確実な事実にかからせる附款をいいます。

期限には、始期（行政行為の効果が事実の発生により生ずるもの）と終期（行政行為の効果が事実の発生により消滅するもの）とがあります。

### (3) 負担

負担とは、本体たる行政行為とは別に、相手方に特別な義務を命ずる附款をいいます。

負担は、条件とは異なり行政行為の効果を左右するものではなく、これに付随して一定の義務を課すものです。したがって、行政行為の相手方が負担によって命じられた義務を履行していなくても、行政行為の効力自体は発生します。負担の不履行は、処分の撤回の理由となることがありうるにすぎません。

### (4) 撤回権の留保

撤回権の留保とは、特定の事由が発生した場合には行政庁が行政行為を撤回しうる権利を留保する附款をいいます。

ただし、撤回権の留保が付せられていても、それだけで直ちに撤回が許されるわけではなく、実際に撤回をするには公益上の必要性がなければならないと解されています。

### (5) 法律効果の一部除外

学説によっては、附款の類型として法律効果の一部除外を挙げるものがあります。法律効果の一部除外とは、行政行為に際して、法令が一般に付与している効果の一部を発生させないこととする附款をいいます。

法律効果の一部除外は、法律が認めている効果を行政庁の意思により排除するものなので、法律の根拠がなければ付することはできません。



## 3 附款の限界

行政行為に、無限定に附款を付すことは認められません。附款を付すことができるのは、法律が附款を付しうる旨を明文で定めている場合か、または附款を付すことについて行政庁に裁量権が認められる場合です。

さらに、法の目的と無関係の附款を付すことはできません。また、附款で義務を課す場合には、目的達成のため必要最小限のものでなければならないという比例原則が働きます。

## 4 附款の瑕疵

行政行為本体は適法であるが附款に違法がある場合、附款のみの取消しを求めることができるかどうかが問題となります。

附款のみの取消しは、附款が本体たる行政行為と可分の場合にのみ認められます。附款が本体たる行政行為と不可分の場合には認められません。この場合には、私人は附款と本体たる行政行為とを一体としてその取消訴訟を提起し、それが認められれば、附款と本体たる行政行為とがともに消滅することになります。

第2章 SECTION 6 行政行為

# 行政行為の附款

## 実践 問題 67 基本レベル

頻出度 地上★ 国家一般職★ 特別区★★ 国税·財務·労基★ 国家総合職★

**問 行政法学上の行政行為の附款に関する記述として、通説に照らして、妥当なのはどれか。** (特別区2022)

1：条件とは、行政行為の効力の発生、消滅を発生不確実な事実にかからしめる附款をいい、条件の成就により効果が発生する解除条件と、条件の成就により効果が消滅する停止条件に区別することができる。

2：期限とは、行政行為の効力の発生、消滅を発生確実な事実にかからしめる附款をいい、到来することは確実であるが、いつ到来するか確定していない不確定期限を付すことはできない。

3：負担とは、法令に規定されている義務以外の義務を付加する附款をいい、負担に対する違反は、本体たる行政行為の効力に直接関係するものではなく、また、不作為義務に係る負担を付すことはできない。

4：附款は、法律が付すことができる旨を明示している場合に付すことができるが、公益上の必要がある場合には、当該法律の目的以外の目的で附款を付すことができる。

5：附款なしでは行政行為がなされなかったであろうと客観的に解され、附款が行政行為本体と不可分一体の関係にある場合は、当該附款だけでなく行政行為全体が瑕疵を帯びるため、附款だけの取消訴訟は許されない。

直前復習

| チェック欄 | | |
|---|---|---|
| 1回目 | 2回目 | 3回目 |
| | | |

## 実践 問題 67 の解説

〈行政行為の附款〉

**1 ×** 解除条件と停止条件の説明が逆であるので、本肢は妥当でない。条件とは、行政行為の効力の発生・消滅を発生不確実な事実にかからしめる附款をいう。条件成就により効果が発生するものを停止条件といい、条件成就により効果が消滅するものを解除条件という。

**2 ×** 期限とは、行政行為の効力の発生・消滅を発生が確実な事実にかからしめる附款をいう。期限には、いつ到来するのかが確定している確定期限だけでなく、いつ到来するのかが確定していない不確定期限も認められているので、本肢は妥当でない。

**3 ×** 不作為義務にかかる負担を付すこともできるので、本肢は妥当でない。負担とは、法令により課される義務とは別に特定の義務を課す附款をいう。条件（肢１の解説参照）と異なり、負担の履行は、本体たる行政行為の効力発生の条件ではない。また、負担に違反しても行政行為の効果が当然に失われるわけではない。したがって、本体たる行政行為に直接関係するものではないといえる。不作為義務にかかる負担の例として、デモ行進を許可する際のジクザク行進の禁止が挙げられる。

**4 ×** 附款を付すことができるのは、原則として、法律が付することができる旨を明示している場合のほか、行政行為の内容につき行政庁に裁量権が与えられている場合である。しかし、無制限に付すことができるわけではなく、①本体たる行政行為の目的を逸脱しておらず（目的拘束の法理）、②相手方に課す義務が行政目的の達成にとって必要最小限度のものであること（比例原則）が求められる。したがって、公益上の必要がある場合でも、上記の制約がなくなるわけではないので、本体たる行政行為について定める法律の目的以外の目的で附款を付すことはできない。

**5 ○** 瑕疵ある附款は、原則として取り消しうるものとなるが、附款だけの取消しを求めることができるかについて、通説は、附款と行政行為本体が可分であるか、不可分一体であるかによって判断すべきであるとしている。すなわち、附款が可分である場合は、附款だけの取消訴訟を提起することができるが、本肢のように附款が不可分一体である場合は、附款だけの取消訴訟を提起することは許されないということになる。

**正答 5**

行政行為

# 行政行為の附款

## 実践 問題 68 基本レベル

| 頻出度 | 地上★ | 国家一般職★ | 特別区★★ |
|---|---|---|---|
| | 国税·財務·労基★ | 国家総合職★ | |

**問 行政行為の附款に関する次の記述のうち、妥当なのはどれか。** (国Ⅰ1996)

1：法律行為の一部除外は、法律が認める効果を行政庁の意思で排除するものであるから法律にそのことを認める明文の根拠がなければ付すことはできない。

2：負担とは、行政行為の主たる内容に付随して、相手方に義務を付加する附款のことをいうが、この場合の義務とは、作為義務をいい、不作為の義務は含まれない。

3：行政庁に裁量の認められない行政行為であっても、法律により行政庁が必要な附款を付しうることが定められている場合があり、これを法定附款という。

4：相手方に義務を課する附款が条件であるか、負担であるかの解釈をめぐっては、義務の履行の確保に重きをおく見地に立てば負担、相手方の権利保護に重きをおく見地に立てば条件と解されることとなる。

5：善良の風俗の保護などを目的とする風俗営業等の規制及び業務の適正化等に関する法律の適用にあたり、都市景観の見地から、キャバレーなどの色彩を指定する附款を付することは、同法の目的の達成を損なうものでない限り許される。

チェック欄

| 1回目 | 2回目 | 3回目 |
|---|---|---|
| | | |

## 実践 問題 68 の解説

〈行政行為の附款〉



**1 ○** 法律効果の一部除外は、法律が認める効果を行政庁の意思により排除しようとする附款であるので、法律の明文の根拠がない限り、これを付すことは認められない。

**2 ×** 負担として課される義務は、作為義務に限らず、不作為義務であってもよい。たとえば、デモ行進の許可に際して、蛇行しないよう求める場合などは、不作為義務を課す負担である。

**3 ×** 法定附款とは、直接法律によって定まっている行政行為の効果の制限をいい、たとえば狩猟免許が法定期間を有するというようなものがこれにあたる。これに対し、法律により行政庁が必要な附款を付しうることが定められているような場合（「行政庁は、規定の趣旨にかんがみて必要あると認めるときは許可に必要な条件［講学上の附款］を付すことができる」などと規定される。公衆浴場法２条４項など）は、行政庁による効果の制限であって、法定附款とはいわない。

**4 ×** 課された義務が条件か負担かの解釈は義務の不履行のもたらす法的効果という観点から区別が可能である。しかし、義務の不履行がどのような法的効果をもたらすかが、必ずしも法令の規定上明確でない場合もある。そのような場合は本肢のように、解釈によりどのような法的効果をもたらすのが妥当かを検討し、負担か条件かを決定する必要がある。そして、義務の履行の確保に重きを置く場合は、義務の不履行の場合に行政行為の効果自体を失わせる必要があるので条件と解し、相手方の権利保護を重視すると、相手方の行政行為によって取得した地位に直接の影響を与えない負担と解することになる。

**5 ×** 附款を付すことができる場合であっても、法目的と関係のない附款を付すことはできない（目的拘束の法理）。本肢の附款は法律の目的と異なる目的のために付されるものであるので、風営法の目的を損なわないものであっても許されない。

**正答 1**

# 行政行為の附款

## 実践 問題 69 基本レベル

| 頻出度 | 地上★ | 国家一般職★ | 特別区★★ |
|---|---|---|---|
| | 国税·財務·労基★ | | 国家総合職★ |

**問 行政法学上の行政行為の附款に関する記述として、妥当なのはどれか。**

**(特別区2011)**

1：条件は、行政行為の効力の発生、消滅を発生不確実な事実にかからしめる附款で、成就により効果が生ずる停止条件と成就により効果が失われる解除条件がある。

2：期限は、行政行為の効力の発生、消滅を発生確実な事実にかからしめる附款で、到来時期が不確定な期限を付すことはできない。

3：負担は、行政処分に付加して特別の義務を課すもので、定められた義務を履行しなかった場合、行政処分の効力は当然に失われる。

4：附款は相手方に不利益を与えるものであるので、無制限に許されるものではなく、法律が附款を付すことができる旨を明示している場合のみに付すことができる。

5：附款に瑕疵があり、その附款がそれほど重要ではなく行政行為の本体と可分である場合でも、附款だけの取消しを求めることはできない。

チェック欄

| 1回目 | 2回目 | 3回目 |
| --- | --- | --- |
| | | |

## 実践 問題 69 の解説

〈行政行為の附款〉

**1 ○** 条件とは、行政行為の効力の発生を将来の成否未定の事実にかからしめる意思表示をいう。その事実の発生によって行政行為の効力が生じるものを停止条件、効力が消滅するものを解除条件という。たとえば道路工事が完成したら路線バスの事業を認めるという場合の、道路工事の完成が停止条件、指定期間内に運輸を開始しなければ路線バスの事業を失効させるという場合の、指定期間内の運輸の開始が解除条件である。

**2 ×** 期限には、始期（行政行為の効果が事実の発生により生じるもの）や終期（行政行為の効果が事実の発生により消滅するもの）が定まったもののほか、到来時期が確定的でないものにも付することができる（積雪10cmになったら通行止めなど）。

**3 ×** 負担とは、本体たる行政行為とは別に、相手方に特別な義務を命ずる附款をいう。負担は、条件とは異なり行政行為の効果を左右するものではなく、これに付随して一定の義務を課すものである。したがって、行政行為の相手方が負担によって命じられた義務を履行していなくても行政行為の効力自体は発生する。負担の不履行は、処分の撤回の理由となることがありうるにすぎない。具体例として、道路占用許可に付随する占用料の納付命令等が挙げられる。

**4 ×** 附款を付すことが認められるのは、法律が附款を付しうる旨を明文で定めている場合か、または附款を付すことについて行政庁に裁量権が認められる場合である。もっとも、法の目的と無関係の附款を付すことはできない。たとえば道路占用許可は、公共の安全・秩序維持の目的でなされるものなので、道路占有料の納付を命ずる附款を、財政収入を目的として付すことは認められない。また、附款で義務を付す場合には、目的達成のため必要最小限のものでなければならないという比例原則が働く。

**5 ×** 附款が本体たる行政行為と不可分の場合には附款のみの取消しは認められず、この場合、私人は附款と本体とを一体としてその取消訴訟を提起し、それが認められると、附款と本体とがともに消滅することになる。しかし、附款が本体の行政行為から分離可能であれば、附款だけを対象に取消訴訟を提起できる。

**正答 1**

第2章 SECTION 6 行政行為

# 行政行為の附款

## 実践 問題 70 応用レベル

| 頻出度 | 地上★ | 国家一般職★ | 特別区★ |
|---|---|---|---|
| | 国税・財務・労基★ | 国家総合職★ | |

**問 行政行為の附款に関する次のうち、妥当なのはどれか。** （国Ⅰ2000）

1：行政行為に附款を付すことは、法令により明文で認めている場合のほか、法令に明文の規定がない場合であっても、その行政行為が行政庁の裁量に属するものであれば、行政行為の根拠となる法律の趣旨にかかわらず、常に許される。

2：行政行為の附款の一つである負担は、行政行為の主たる内容に付随して、相手方に作為、不作為、給付又は受忍を命ずるものであるが、負担が履行されるまでは、行政行為の効果が不確定の状態におかれ、負担の不履行によって当然にその効果が消滅する。

3：都市計画事業として広場設定事業の決定されている土地の上に建築許可をするに当たり、広場設定事業施行の際には無償で建築物の撤去を命じ得る旨の条件を付した場合において、広場設定事業の実施に伴い当該建築物の除却を要するに至ることが明らかであり、かつ、許可の申請者らの無償撤去の承諾があったという事実関係の下では、当該条件は、都市計画上の事業の実施上やむを得ない制限であるとするのが判例である。

4：行政行為の附款に瑕疵がある場合で、その附款が行政行為をなすに当たっての重要な要素となっている場合、すなわち、附款がなかったならば行政行為をなさなかったであろうと認められるべき場合であっても、行政行為の附款のみの取消訴訟が許されると解するのが通説である。

5：行政行為の撤回は、侵害的行政行為については原則自由であるが、授益的行政行為については法律上の根拠が必要であり、このことは、授益的行政行為の附款として撤回権の留保条項を付す場合にも同様であるとするのが判例である。

直前復習

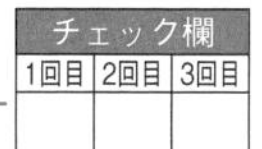


## 実践 問題 70 の解説

〈行政行為の附款〉

**1 ×** 行政行為に附款を付すことは、法令により明文で認められている場合のほか、法令に明文の規定がない場合であっても法律の趣旨が附款を付すことを許している場合には、許される。逆にいえば、行政行為が行政庁の裁量に属するものであっても行政行為の根拠となる法律の趣旨に反する場合には附款を付すことは許されない。

**2 ×** 行政行為の附款の１つである負担とは、行政行為の本体に付加して相手方に対しこれに伴う特別の義務の履行を命じるものをいう。負担に対する違反は行政行為の効力に直接関係するものではない。負担が履行されるまで行政行為の効果が不確定の状態に置かれるのは停止条件である。

**3 ○** 本肢事案において、判例は、本肢の述べるとおり当該条件は都市計画上の事業の実施上やむをえない制限であるとしている（最大判昭33.4.9)。

**4 ×** 通説は、その附款がなければ本体たる行政行為がなされなかったであろうことが客観的にいえるような場合に、附款と本体は不可分一体のものとなり、附款のみの取消訴訟は許されなくなると解している。逆に、附款が本体と可分である場合は、附款のみの取消訴訟が許されることとなる。

**5 ×** 行政行為の撤回とは、瑕疵なく成立した行政行為について、その後の事情の変化によりその効力を維持することが妥当でないと判断される場合に、当該行政行為の効力を消滅させることをいう。撤回は、行政行為の公益適合性から要請されるものであるので、撤回を行うのに特別の法律の根拠は必要ではないと解されている。

**正答 3**

# 行政行為総合

**必修問題** セクションテーマを代表する問題に挑戦！

**最後に行政行為のまとめをしましょう。**

**問** 行政行為に関するア～オの記述のうち、妥当なもののみをすべて挙げているのはどれか。ただし、争いのあるものは判例の見解による。
（国税・労基2008）

ア：当然無効の行政行為であっても、取消訴訟の排他的管轄に服し、取消訴訟を経て取り消されるまでは有効とされる。

イ：法人税の更正処分において附記理由が不備であった場合について、後日の当該処分に対する審査請求に係る裁決においてその処分の具体的根拠が明らかにされた場合には、当該附記理由不備の瑕疵は治癒されたこととなる。

ウ：行政庁は行政行為を行う際に、行政行為を正当化し得る事実と法的根拠の全部を完全に調査し説明する義務を負うから、行政行為に瑕疵があって違法ないし無効である場合は、これを別の行政行為とみたときは、瑕疵がなく、かつ、目的、手続、内容においても適法要件を満たしていると認められるときであっても、これを当該別の行政行為とみたてて有効なものと扱うことはおよそ認められない。

エ：法令違反行為を行った指定医師の指定を撤回することによって当該医師の被る不利益を考慮しても、なおそれを撤回すべき公益上の必要性が高いと認められる場合には、法令上その撤回について直接の明文の規定がなくとも、当該医師の指定を行った医師会は、その権限において、当該医師に係る指定を撤回することができる。

オ：行政財産である土地について期間の定めなくして行われた使用許可が、当該行政財産の本来の用途又は目的上の必要により撤回された場合には、使用権者は当該撤回により被る損失について、当然にその補償を求めることができる。

1：ア
2：イ
3：エ
4：イ、ウ
5：エ、オ

直前復習

頻出度 地上★ 国家一般職★ 特別区★ 国税·財務·労基★★★ 国家総合職★

チェック欄 1回目 2回目 3回目

〈行政行為総合〉



**ア×** 重大かつ明白な瑕疵のある無効な行政行為は、何人も取消訴訟を経ることなく、その効力を否定することができる。取消訴訟の排他的管轄は、行政行為の効果に対し利害関係を有する多数人の違法判断のばらつきを排除するため、行政行為の瑕疵の有無の判断を権限ある機関に統一的に行わせる必要があるとの考え方に基づく。よって、無効な行政行為については、違法判断のばらつきはなく、取消訴訟の排他的管轄に服させる必要はない。

**イ×** 判例は、審査裁決によって初めて具体的な処分根拠を知らされたのでは、更正処分の相手方はそれ以前の審査手続において十分な不服理由を主張することができないという不利益を免れないので、更正処分における付記理由不備の瑕疵は、後日これに対する審査裁決において処分の具体的根拠が明らかにされたとしても、それにより治癒されないとした（最判昭47.12.5）。

**ウ×** ある行政行為に瑕疵があり、本来ならば違法であるが、その行政行為を別の行政行為とみれば瑕疵がない場合に、別の行政行為とみて有効なものとして扱うことが認められる場合がある。これを違法行為の転換という。

**エ○** 判例は、医師会が指定医師の指定をした後に、医師が法秩序遵守等の面において指定医師としての適格性を欠くことが明らかとなり、当該医師に対する指定を存続させることが公益に適合しない状態が生じた場合、指定医師の指定の撤回によって当該医師の被る不利益を考慮してもなおそれを撤回すべき公益上の必要性が高いと認められるから、指定医師の指定の権限を付与されている医師会は、法令上その撤回について直接明文上の規定がなくとも、その権限において当該医師に対する指定を撤回することができるとした（実子あっせん事件、最判昭63.6.17）。

**オ×** 判例は、都有行政財産たる土地につき使用許可によって与えられた使用権は、それが期間の定めのない場合であれば、当該行政財産本来の用途または目的上の必要を生じたときはその時点において原則として消滅すべきものであり、また、権利自体にこのような制約が内在しているものとして付与されているものとみるべきであるとし、当該行政財産にそうした必要が生じたときに使用権が消滅することを余儀なくされるのは、使用権自体に内在する前記のような制約に由来するものということができるから、使用権についての補償は原則として不要であるとした（最判昭49.2.5）。

以上より、妥当なものはエであり、肢3が正解となる。

**正答 3**

# 行政行為
# 行政行為総合

## 実践 問題 71 基本レベル

頻出度　地上★　国家一般職★　特別区★　国税·財務·労基★★★　国家総合職★

**問 行政行為に関する次の記述のうち、妥当なのはどれか。** (国Ⅰ1996)

1：行政行為は、行政機関が公権力の行使として対外的に、具体的な規律を加える行為をいい、国会や裁判所は、本来、立法行為あるいは司法行為を行う機関であるから、これらの機関が行う行為が行政行為とされることはない。

2：行政行為は、外部に対して直接の法的効果を生ずる行為でなくてはならず、特殊法人である鉄道建設公団が作成した、新幹線建設工事計画に対する運輸大臣の認可は、上級庁の下級庁に対する監督行為と同視され、行政行為にはあたらないとするのが判例である。

3：行政行為は法的効果を伴う行為であり、法的効果を生じない単なる報告、通知、教示などは含まれないから、関税定率法に基づいて税関長がする輸入禁制品該当の通知は、単なる事実行為であって、行政行為にはあたらないとするのが判例である。

4：行政行為は、特定の国民の権利義務を具体的に形成しまたは確定する行為であるため、名宛人の特定が必要であり、国民の権利義務を一般的・抽象的に決定する行政立法や、不特定・多数人に対してなされる行為などは、行政行為にあたらない。

5：行政行為は、公権的行為、すなわち、公権力の行使として一方的に命令し、確定し、規律する行為であり、当事者間の合意を要件とする契約行為や相手方の同意を要件とする行為は、行政行為にあたらない。

※大臣名は出題当時のままである。

チェック欄

| 1回目 | 2回目 | 3回目 |
|---|---|---|
| | | |

## 実践 問題 71 の解説

〈行政行為総合〉



**1** × 国会や裁判所のような立法機関、司法機関であっても、その各所属の職員の任免に関する場合には、行政庁に準ずべきものとなる。したがって、かかる場合に国会や裁判所が行う行為は、行政行為となりうる。

**2** ○ 判例は、旧日本鉄道建設公団の新幹線建設工事計画に対して運輸大臣（現国土交通大臣）が行った認可は行政機関相互の行為と同視すべきものであり、行政行為として外部に対する効力を有するものではないとした（成田新幹線事件、最判昭53.12.8）。なぜなら、日本鉄道建設公団は、実質的には一種の政府関係機関と称すべきもので、機能的には運輸大臣の下部組織を構成しており、運輸大臣が日本鉄道建設公団に対してなした本件認可は、監督手段としての承認の性質を有するからである。

**3** × 判例は、関税定率法21条３項（現関税法69条の11第３項）の規定による税関長の通知は、当該輸入申告にかかる貨物が輸入禁制品に該当すると認めるのに相当の理由があるとする旨の税関長の判断の結果を表明するものであり、いわゆる観念の通知であるものの、もともと法律の規定に準拠してされたものであり、かつ、これにより申告にかかる貨物を適法に輸入することができなくなるという法律上の効果を及ぼすものであるから、行政庁の処分にあたる、とした（最判昭54.12.25）。

**4** × 行政行為は個別具体的な法的規律をする行為である。したがって、行政立法のように一般的・抽象的性質を有する行政活動は、行政行為には該当しない。また、行政行為は個別具体的な特定の私人を名あて人とするのを原則とするが、なかには、不特定多数者に向けられるものもある。たとえば、道路供用開始処分によって不特定多数の人々の道路通行が可能になるなどである。この道路供用開始行為は、不特定多数の人々に対する具体的処分であり、行政行為である（このような行政行為を、一般処分という）。

**5** × 行政行為は、行政庁の一方的判断で国民の権利義務を決定するものであるから、契約や合同行為といった、国民と行政庁が協議し両者の合意によって権利義務について取り決めるものは、行政行為に該当しない。しかし、行政行為は一方的行為としてのみ用いられるわけではない。たとえば、営業免許においては、私人の側の申請が先行し、それに対して免許という行為がなされる。したがって、双方行為においても、行政行為は存在する。これは講学上「同意を要する行政行為」とよばれている。

**正答 2**

# 行政行為総合

実践 問題 72 基本レベル

| 頻出度 | 地上★ 国家一般職★ 特別区★ 国税·財務·労基★★★ 国家総合職★ |
|---|---|

**問** **行政行為に関するア～オの記述のうち、妥当なもののみをすべて挙げているのはどれか。** **（国税・労基2011）**

ア：国家賠償請求訴訟において、公務員の行った行政行為の違法性を主張するに当たっては、公定力を排除するため、国家賠償請求訴訟に先立ち、当該行政行為についての取消訴訟又は無効確認訴訟を提起し、当該行政行為の違法性を確定しておく必要があるとするのが判例である。

イ：関連する行政行為が段階的に連続してなされる場合、先行する行政行為の違法性は後続の行政行為に承継されるため、課税処分に引き続き滞納処分がなされた場合、当該滞納処分の取消訴訟において、当該課税処分の違法性を主張することができるとするのが判例である。

ウ：取消訴訟の排他的管轄に服することのない無効事由たる瑕疵を有する行政行為であっても、出訴期間等の訴訟要件を満たす場合は、これについての取消訴訟を提起することができる。

エ：一定の期間を経過すると、私人の側から行政行為の効力を裁判上争うことができなくなる効力を不可争力という。不可争力を認めるかどうかは、争えなくなる期間をどの程度にするかという点も含め、立法政策上の問題である。

オ：行政行為の附款は、行政の弾力的な対応を必要とする場面で用いられることがある。例えば、風俗営業等の規制及び業務の適正化等に関する法律に基づく風俗営業の許可をするに当たっては、良好な住環境の維持・都市景観の観点から、附款により、キャバレーやゲームセンターなどのネオンの色彩を指定することができる。

1：ア、イ
2：ア、オ
3：イ、ウ
4：ウ、エ
5：エ、オ

チェック欄

| 1回目 | 2回目 | 3回目 |
| --- | --- | --- |
| | | |

## 実践 問題 72 の解説

〈行政行為総合〉



**ア×** 判例は、行政処分が違法であることを理由として国家賠償請求をする際、あらかじめ当該行政処分について取消しまたは無効確認の判決を得る必要はないとする（最判昭36.4.21）。違法な行政行為により損害を被った者が賠償を受け取ることは、行政行為の効力とは無関係であるため、公定力によって妨げられない。

**イ×** いわゆる違法性の承継の問題について通説は、原則として違法性の承継は認められないとする。後行行為の取消訴訟において違法性の承継が認められて先行行為が違法であることを理由に後行行為が取り消されると、結果として先行行為の効果も否定されることになるため、行政上の法律関係の早期確定ができなくなるからである。実際、課税処分に引き続き滞納処分がなされた場合に、滞納処分の取消訴訟において課税処分の違法性を主張することができないとした下級審判決（鳥取地判昭26.2.28）はあるが、逆に違法性を主張することができるとする判例はない。

**ウ○** 無効な行政行為とは、瑕疵が重大かつ明白な行政行為をいう。無効な行政行為については公定力などいかなる法的効力も認められないため、取消訴訟を経なくてもそれを無視することができる。しかし、無効な行政行為も瑕疵ある行政行為であるので、取消訴訟の訴訟要件を充たしていれば、無効な行政行為の取消訴訟を提起することができる。

**エ○** 不可争力は60日間など比較的短期間で生じるものであるため、時効などの一般的な法理論から導くことができない。このため不可争力を認めるかどうかは、争えなくなる期間をどの程度にするかという点を含めて、立法政策上の問題である。したがって、不可争力を認めるためには法律上の根拠が必要となる。

**オ×** 附款は、行政行為の目的をよりきめ細かに達成するために付されるものである。したがって、附款は法律の目的の実現に資するものでなければならず、法律の目的と別の目的で附款を付すことはできない（目的拘束の法理）。本記述にあるような、風俗営業等の規制及び業務の適正化等に関する法律に基づく風俗営業の許可をするにあたって、良好な住環境の維持・都市景観の観点から、附款により、キャバレーやゲームセンターなどのネオンの色彩を指定することは、法律の目的とは別の目的で附款を付すことになるので許されない。

以上より、妥当なものはウ、エであり、肢４が正解となる。

**正答 4**

# 第2章 SECTION 7 行政行為 行政行為総合

## 実践 問題 73 基本レベル

頻出度 地上★ 国家一般職★ 特別区★ 国税･財務･労基★★★ 国家総合職★

**問 行政行為に関するア～オの記述のうち、判例に照らし、妥当なもののみをすべて挙げているのはどれか。**（国税・労基2010）

**ア**：外国人の在留期間の更新の判断については、更新事由の有無の判断が法務大臣の裁量に任せられており、その判断が全く事実の基礎を欠き又は社会通念上著しく妥当性を欠くことが明らかである場合に限り、裁量権の範囲をこえ又はその濫用があったものとして違法となる。

**イ**：児童遊園の設置の認可処分が、児童遊園の周囲の一定範囲では個室付浴場の営業が許されていない状況において、私人による個室付浴場の営業の規制を主たる動機、目的として行われたものであるとしても、それが住民の生活環境を保全するためである場合は、行政権の濫用には該当せず、違法性はない。

**ウ**：裁決庁が行う裁決は、実質的に見れば法律上の争訟を裁判するものであっても、行政機関がするのであるから、行政処分に属し、裁決庁は、当該裁決を不当又は違法なものであると認めるときは、自らこれを取り消すことができる。

**エ**：法令が毒物及び劇物の輸入業等の登録の許否を専ら設備に関する基準に適合するか否かにかからしめており、毒物及び劇物がどのような用途の製品に使われるかについては直接規制の対象としていない場合であっても、輸入しようとする劇物を使用した製品において、その用途によっては人体に対する危害が生ずる危険性が予測されるときは、当該危険性を理由に輸入業の登録を拒否することができる。

**オ**：課税処分に課税要件の根幹に関する内容上の過誤が存在し、徴税行政の安定とその円滑な運営の要請を斟酌してもなお、不服申立期間の徒過による不可争的効果の発生を理由として被課税者に当該処分による不利益を甘受させることが著しく不当と認められる場合には、当該処分は当然無効となる。

1：ア、イ
2：ア、オ
3：イ、ウ
4：ウ、エ
5：エ、オ

| チェック欄 | | |
|---|---|---|
| 1回目 | 2回目 | 3回目 |
| | | |

## 実践 問題 73 の解説

〈行政行為総合〉



**ア○** 判例は、外国人の在留期間の更新の判断について、出入国管理行政における政策的判断の必要性、出入国管理令の規定の仕方などから、更新事由の有無の判断については法務大臣に広い裁量が認められ、その判断がまったく事実の基礎を欠きまたは社会通念上著しく妥当性を欠くことが明らかである場合に限り、裁量権の範囲を超えまたはその濫用があったものとして違法となるとしている（マクリーン事件、最大判昭53.10.4）。

**イ×** 行政行為を授権する法律の目的とは関係ない目的で行政権を行使することは、実質的には法律による授権なしに行政権を行使することにあたるから、許されない。判例は、個室付浴場の営業を阻止することのみを目的として児童福祉法に基づいて児童遊園の設置認可処分をしたことは行政権の著しい濫用に相当するものとして違法であるとして、営業者を無罪とした（余目町個室付浴場刑事事件、最判昭53.6.16）。

**ウ×** 裁決庁が行う裁決は、行政不服審査法に基づく争訟裁断的行政行為である。このような行政行為には、行政行為をした行政庁自ら取消しをすることができないという不可変更力が生じる。裁決庁自らが裁決を変更しうるとすると、争訟の終局的解決が図れず、法的安定性を害するからである。

**エ×** 法律による行政の原理のうち、侵害留保原則から、国民の自由を制限する規制的行政活動に対しては法律の授権を要する。このため判例は、本記述と同様の事案で、法律が直接規制の対象としていない事由で輸入業を規制することは許されないとした（ストロングライフ事件、最判昭56.2.26）。

**オ○** 瑕疵ある行政行為のうち、瑕疵の程度が著しいものは権限ある国家機関による取消しを待たずに無効となる。違法の程度が取り消しうるべき程度か、無効となるかは、違法性が重大かつ明白であるかどうかで判断するのが原則である。明白性が要求されるのは、行政行為の適法性を信頼して行動する第三者の信頼保護のためである。もっとも、判例は、親族が借金の担保とし、あるいは執行逃れのために、勝手に所有する土地を被課税者の登記としたため行政庁が被課税者に課税した事案で、本記述のように述べ、課税処分については、課税庁と被課税者との間でのみ効力が生じるものであるから、明白性は無効の要件としては不要であるとした（最判昭48.4.26）。

以上より、妥当なものはア、オであり、肢2が正解となる。

**正答 2**

第2章 SECTION 7 行政行為

# 行政行為総合

## 実践 問題 74 基本レベル

頻出度 地上★ 国家一般職★ 特別区★ 国税·財務·労基★★★ 国家総合職★

**問 行政行為（行政処分）に関するア～オの記述のうち、判例に照らし、妥当なもののみをすべて挙げているのはどれか。（国Ⅰ2011）**

ア：村農地委員会（当時）の定めた農地買収計画に対する訴願について県農地委員会（当時）が行う裁決は、法律上の争訟を裁判するものであるが、実質的にみればその本質は行政処分であり、他の一般の行政処分と同様、裁決庁は、職権によりこれを取り消すことができる。

イ：国民年金の給付を受ける権利は、受給権者の請求に基づき社会保険庁長官（当時）が裁定するものとされているが、この裁定は、画一公平な処理により無用の紛争を防止することを趣旨とするものにすぎず、同長官による裁定を受けて初めて年金の支給が可能になる旨を明らかにしたものと解釈することはできない。

ウ：異議の決定、訴願の裁決等は、一定の争訟手続に従い、当事者を手続に関与せしめて紛争の終局的解決を図ることを目的とするものであるから、それが確定すると、当事者がこれを争うことができなくなるのはもとより、行政庁も、特別の規定がない限り、これを取り消し又は変更し得ない拘束を受けるに至る。

エ：行政処分は、たとえ重大かつ明白な違法がある場合であっても、取消権限のある者によって適法に取り消されない限りに完全にその効力を有する。

オ：市町村長が住民基本台帳法第７条に基づき住民票に同条各号に掲げる事項を記載する行為は、公の権威をもってこれらの事項を証明し、公の証拠力を与えるいわゆる公証行為である。

1：ア、エ
2：ア、オ
3：イ、ウ
4：イ、エ
5：ウ、オ

直前復習

チェック欄

| 1回目 | 2回目 | 3回目 |
| --- | --- | --- |
| | | |

## 実践 問題 74 の解説

〈行政行為総合〉



**ア×** 判例は、本件において県農地委員会は、本件訴訟の被告が村農地委員会のした裁定を不服とした訴願につき訴願棄却の裁決をしながら、さらに本件訴訟の被告の申し出によって再議の結果、先に棄却した被告の訴願における主張を相当と認め、訴願棄却の裁決を取り消したうえ改めて訴願の趣旨を容認するとの裁決を行ったが、これについて本件判決は、訴願裁決庁がいったんなした訴願裁決を自ら取り消すことは原則として許されないと判示し、訴願の趣旨を容認する裁決を違法と認定している（最判昭30.12.26）。

**イ×** 判例は、国民年金法16条は、国民年金の給付を受ける権利は、受給権者の請求に基づき、社会保険庁長官（現在は厚生労働大臣）が裁定するものとしているが、これは、画一公平な処理により無用の紛争を防止し、給付の法的確実性を担保するため、その権利の発生要件の存否や金額等につき同長官が後見的に確認するのが相当であるとの見地から、基本権たる受給権について、同長官による裁定を受けて初めて年金の支給が可能となる旨を明らかにしたものであるとする（最判平7.11.7）。

**ウ○** 判例は、裁決は、他の一般行政処分とは異なり、特別の規定がない限り、原判決のいうように裁決庁自らにおいて取り消すことはできないとした（最判昭29.1.21）。

**エ×** 行政処分に重大かつ明白な違法がある場合には、取消権限のある者による取消しを待つまでもなく、当然に無効である。したがって、本記述は妥当でない。

**オ○** 判例は、市町村長が住民基本台帳法７条に基づき住民票に同条各号に掲げる事項を記載する行為は、公の権威をもって住民の居住関係に関するこれらの事項を証明し、それに公の証明力を与えるいわゆる公証行為であるとする（非嫡出子住民票続柄記載事件、最判平11.1.21）。

以上より、妥当なものはウ、オであり、肢５が正解となる。

**正答 5**

第2章 SECTION 7 行政行為

# 行政行為総合

## 実践 問題 75 応用レベル

頻出度 地上★ 国家一般職★ 特別区★ 国税·財務·労基★ 国家総合職★

**問 行政行為に関する次の記述のうち、妥当なのはどれか。** (国Ⅰ1989)

1：行政行為が書面によって表示された場合において、行政庁の真意と表示された内容が一致していないときは、民法の意思表示に関する規定の適用がなく、その真意に従って効力が生ずるとするのが判例である。

2：講学上の「認可」は、事実としての行為が適法に行われるための要件であり、認可を得ずして認可を要する行為を行ったときは、その行為は違法であるが、当然にその行為が無効とされるのではない。これに対し、講学上の「特許」は、法律行為の効力要件であり、これを要する法律行為を特許を得ずして行ったときは、その行為は原則として無効とされるのが通説である。

3：講学上の「許可」とは、法令または行政行為によって課されている一般的な禁止を特定の場合に解除する行為のことであり、許可を要する行為を許可を得ずして行ったときは、その行為は当然無効である。

4：行政行為には公定力があるから、明白かつ重大な瑕疵のある行政行為であっても直ちに無効とされるのではなく、正当な権限を有する機関によって無効を確認されるまでは一応適法性の推定を受け、有効なものとして通用するとするのが通説である。

5：行政行為が違法であることを理由にして国家賠償法上の損害賠償請求をなすには、あらかじめ当該行政行為について、取消しまたは無効確認の判決を受けていなければならないものではないとするのが判例である。

## 実践 問題 75 の解説

〈行政行為総合〉



**1 ×** 行政行為は、表示行為によって成立するものであり、行政行為が書面によって表示されたときは、書面の作成によって行政行為が成立し、書面の到達によってその効力が生じる。その際、表示行為が当該行政機関の内部的意思決定と相違していても、表示行為が正当な権限を有する者によりなされたものである限り、表示されているとおりの行政行為があったものとするのが判例である（最判昭29.9.28）。

**2 ×** 本肢前半は「認可」ではなく「許可」についての記述である。また、本肢後半も「特許」ではなく、「認可」についての記述である。

**3 ×** 許可を必要とする行為を許可を得ずに行ったときでも、その行為は当然に無効とされるものではない。

**4 ×** 違法な行政行為であっても、国民各自がこれを無効と判断して無視すると、行政の実効性を損なうこととなって、妥当でない。そこで、たとえ違法な行政行為であったとしても、権限ある機関によって取り消されない限り、有効なものとして国民を拘束する効力が認められている。これを公定力という。しかし、瑕疵が重大かつ明白なものについてまで公定力を認め、無効の確認を得ない限り救済を求めることができないのでは、きわめて不合理である。そこで、違法性が重大かつ明白な場合には、公定力は認められず、このような行政行為は直ちに無効であると解されている。

**5 ○** 判例は、行政行為が違法であることを理由として国家賠償の請求をする場合には、当該行政行為の取消判決や無効確認判決をあらかじめ得ることを必要とするものではないとする（最判昭36.4.21）。その理由は、国家賠償請求の本質が、国家の違法な行為によって現実に生じた損害に対しその補填を求めるところにあり、行政行為の法効果を否定することを目的とするものではないから、国家賠償請求と抗告訴訟との間には次元の違いがあると解されることによる。また、国家賠償請求訴訟で行政行為の違法が認められたとしても、行政行為の効力は否定されるわけではなく、行政行為を前提とした事実関係が覆されることがないことにもよる。

**正答 5**

# 第2章 行政行為

章末CHECK ? Question

Q1 行政行為には、法律行為のみならず、事実行為も含まれる。

Q2 食品衛生法上の飲食店の営業許可は、講学上の許可にあたる。

Q3 違法な行政行為であっても有効なものとして扱われるのは、行政行為は国家権力の発動であるので、適法であるとの推定が働くからである。

Q4 違法な行政行為によって生じた損害について国家賠償請求をする場合、あらかじめ処分の取消判決を得ておくことは必要でない。

Q5 無効の行政行為には公定力は認められないが、不可争力は認められる。

Q6 行政行為の不可変更力は、あらゆる行政行為について認められる。

Q7 羈束裁量行為については、行政庁の裁量の余地は一切認められない。

Q8 行政行為をするにあたってどのような手続を選択するのかについて、行政庁の裁量が認められる場合がある。

Q9 行政行為に際して特定の個人を合理的な理由なく差別的に取り扱った場合、裁量権の逸脱・濫用として違法となることがある。

Q10 行政行為の附款のうち、行政行為の効果の発生・消滅を、将来発生することが確実な事実にかからせるものを、条件という。

Q11 行政行為に付された負担を相手方が履行しなかったとしても、行政行為の効果の発生は認められる。

Q12 行政行為に附款として撤回権の留保を付した場合、行政庁は行政行為を任意に撤回することができる。

Q13 法律の目的と無関係な目的で付された附款は、違法とされる。

Q14 本体たる行政行為と附款が不可分な場合には、附款のみの取消訴訟を提起することはできない。

Q15 裁判所は、不当な行政行為を取り消すことができる。

Q16 行政行為が無効であるとは、判例によれば、違法性が重大であり、かつそれが外観上一見して明白であることをいう。

Q17 ある違法な行政行為について、他の行政行為として扱うことにより、その効力を維持することを、瑕疵の治癒という。

Q18 行政行為の取消しとは、行政行為の効力を将来に向かって失わせることをいう。

Q19 行政行為の職権取消しには、法律の明文の根拠は必要ない。

Q20 行政行為の撤回には、法律の明文の根拠は必要ない。

**A1** × 行政行為とは、①行政庁が、②その一方的判断によって、③私人の権利義務その他の法的地位を、④具体的に決する、⑤法的行為をいう。したがって、事実行為（何も効果が発生しない行為）は行政行為には含まれない。

**A2** ○ 許可とは、本来は人の自由に属する事柄について法令などによって全面的に禁止したうえで、一定の場合にその禁止を解除するものをいう。飲食店の営業許可は、許可の典型例である。

**A3** × 公定力を適法性の推定で説明することはできないと解されている。

**A4** ○ 国家賠償請求は処分の効力とは無関係なので、公定力は及ばない。

**A5** × 無効な行政行為には、公定力も不可争力も認められない。

**A6** × 不可変更力は、不服申立てに対する裁決・決定のような争訟裁断行為についてのみ認められる。

**A7** × 裁量の余地が認められないのは、羈束行為であって羈束裁量行為ではない。羈束裁量行為は、裁判所の審査が及ぶ裁量行為である。

**A8** ○ 本問のとおりである。行政手続法10条、13条などを参照。

**A9** ○ 平等原則違反がある場合、裁量権の逸脱・濫用となりうる。

**A10** × 条件ではなく、期限である。

**A11** ○ 本問のとおりである。

**A12** × 撤回権の留保がある場合でも、公益上の必要性など合理的な理由がなければ撤回をすることはできないものとされる。

**A13** ○ 本問のとおりである。

**A14** ○ これに対して可分である場合は、附款のみの取消訴訟が可能。

**A15** × 裁判所の審査は違法性についてのみ及び、不当性には及ばない。

**A16** ○ 本問のとおりである。

**A17** × 瑕疵の治癒ではなく、違法行為の転換である。

**A18** × 行政行為の取消しとは、行政行為の効力を、成立当初に遡って失わせることをいう。将来的に効力を失わせるのは、撤回である。

**A19** ○ 本問のとおりである。

**A20** ○ 本問のとおりである。

memo

# 第3章 行政上の強制手段

SECTION

① 行政強制
② 行政罰
③ 行政上の強制手段総合

# 第3章 行政上の強制手段

## 出題傾向の分析と対策

| 試験名 | 地上 | | | 国家一般職 | | | 特別区 | | | 国税・財務・労基 | | | 国家総合職 | | |
|---|---|---|---|---|---|---|---|---|---|---|---|---|---|---|---|
| 年度 | 16-18 | 19-21 | 22-24 | 16-18 | 19-21 | 22-24 | 16-18 | 19-21 | 22-24 | 16-18 | 19-21 | 22-24 | 16-18 | 19-21 | 22-24 |
| 出題数 / セクション | 2 | 4 | 3 | | 1 | 1 | 1 | 1 | 1 | 1 | 1 | 1 | 2 | 1 | 3 |
| 行政強制 | ★★ | ★★★ | ★ | | ★ | | ★ | ★ | ★ | ★ | ★ | | ★ | | |
| 行政罰 | | | ★ | | | | | | | | | | ★ | | |
| 行政上の強制手段総合 | | ★ | ★ | | | ★ | | | | | | ★ | | ★ | ★★★ |

（注）１つの問題において複数の分野が出題されることがあるため、星の数の合計と出題数とが一致しないことがあります。

行政上の強制手段は、比較的よく問われます。特に行政代執行は重要です。

### 地方上級

よく出題されています。最近では行政強制について問われています。この分野について過去問を繰り返し解いて基本的な知識を身につけるようにしてください。

### 国家一般職

たまに出題されます。最近では行政強制と行政上の強制手段全般について問われています。難易度も比較的高いですので、行政強制についての過去問を繰り返し解いて知識を身につけるようにしてください。

### 特別区

３年に１度くらいの頻度で出題されています。最近では行政罰、即時強制、行政代執行について問われています。なかでも即時強制がよく出題されていることに注意しましょう。問われている知識は基本的なものばかりですので、過去問を繰り返し解いて基本的な知識を身につけるようにしてください。

### 国税専門官・財務専門官・労働基準監督官

たまに出題されます。万全を期したい人は、過去問を解いて基本的な知識を身につけておいてください。

### 国家総合職

よく出題されています。近年では具体的な事例ごとにどのような行政上の強制手段をとれるか（あるいはとれないか）というような応用的な問題が出されています。行政罰を含めた行政上の強制手段全体を問う問題が多いですので、行政上の強制手段について満遍なく勉強するようにしてください。



## Advice アドバイス 学習と対策

行政強制について問われることが多いですので、各強制手段の内容を理解するようにしましょう。特に行政代執行は重要な制度ですので、しっかり勉強するようにしてください。

国家総合職を受験する人は行政罰についてもしっかり勉強しておいてください。

行政上の強制手段
# 行政強制

## 必修問題　セクションテーマを代表する問題に挑戦！

**行政庁は、裁判所の手を借りることなく、自ら行政目的を実現するために実力を行使することができます。その１つが代執行です。**

**問　行政代執行法に規定する代執行に関する記述として、妥当なのはどれか。**　　（特別区2020）

1：代執行のために現場に派遣される執行責任者は、その者が執行責任者たる本人であることを示すべき証票を携帯し、要求がなくとも、これを呈示しなければならない。

2：代執行は、他人が代わってなすことができる行為である代替的作為義務に限られず、不作為義務も対象となり、行政庁は第三者をしてこれをなさしめることができる。

3：行政庁は、国税滞納処分の例により、代執行に要した費用を徴収することができ、その代執行に要した費用については、国税及び地方税に次ぐ順位の先取特権を有する。

4：法律に基づき行政庁により命ぜられた行為について義務者がこれを履行しない場合において、他の手段によってその履行を確保することが困難であるとき、又はその不履行を放置することが著しく公益に反すると認められるときは、当該行政庁は、自ら義務者のなすべき行為をなすことができる。

5：代執行をなすには、あらかじめ文書での戒告の手続を経て、代執行令書をもって義務者に通知しなければならないが、非常の場合又は危険切迫の場合において、急速な実施について緊急の必要があれば、いかなるときも、行政庁は、文書での戒告の手続を経ないで代執行をすることができる。

**Guidance ガイダンス**

**代執行の要件**

・代替的作為義務の不履行
・他の手段による義務の履行の確保が困難
・義務の不履行を放置することが著しく公益に反する

直前復習

頻出度 地上★★ 国家一般職★★ 特別区★★★ 国税·財務·労基★ 国家総合職★★

# 必修問題の解説

チェック欄 1回目 2回目 3回目

〈行政代執行〉

**1 ×** 執行責任者は、要求がなくとも、証票を呈示しなければならないと述べる本肢は、行政代執行法の規定と異なるので、妥当でない。代執行のために現場に派遣される執行責任者は、その者が執行責任者たる本人であることを示すべき証票を携帯し、要求があるときは、いつでもこれを呈示しなければならない（行政代執行法４条。以下は同法の条文）。あらかじめ代執行令書により執行責任者が義務者に通知されているので（３条２項）、要求がなければ証票を呈示する必要はない。

**2 ×** 不作為義務は代執行の対象とはならないので、本肢は妥当でない。代執行の対象は、法律（条例を含む）または法律に基づき行政庁により命ぜられた代替的作為義務に限定されている（２条）。不作為義務には代替性がないので、代執行のしようがないのである。

**3 ○** 本肢は６条１項・２項の規定のとおりであり、妥当である。代執行に要した費用は、国税滞納処分の例により、これを徴収することができる（６条１項）。そして、代執行に要した費用については、行政庁は、国税および地方税に次ぐ順位の先取特権を有する（６条２項）。

**4 ×** 本肢の「又は」という接続詞が誤りであり、妥当でない。他の手段による履行確保が困難であるときと、不履行の放置が著しく公益に反すると認められるときのいずれかの要件を満たすだけでは代執行を行うことはできない。代執行をなすには、他の手段によってその履行を確保することが困難であり、「かつ」その不履行を放置することが著しく公益に反すると認められるとき、という両方の要件を満たす必要がある（２条）。

**5 ×** 「いかなるときも」、文書での戒告の手続を経ないで代執行をすることができるわけではないので、本肢は妥当でない。代執行をなすには、義務者に、①あらかじめ文書による戒告の手続を経て、②代執行令書で通知する（３条１項・２項）。ただし、非常の場合または危険切迫の場合において、当該行為の急速な実施について緊急の必要があり、上記①②の手続をとる暇がないときは、その手続を経ないで代執行をすることができる（３条３項）。したがって、上記①②の手続をとる暇があるときは、①②の手続を行わなければならない。

**正答 3**

# 第3章 SECTION 1 行政上の強制手段
# 行政強制

## 1 行政上の強制執行とは

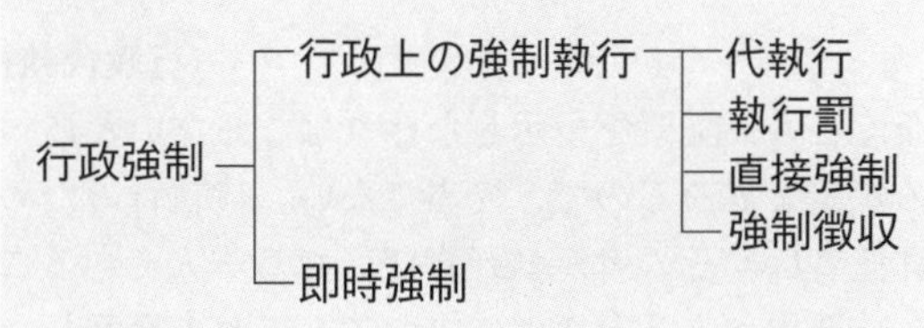


行政庁が行う自力執行の手段を総称して、行政上の強制執行とよんでいます。

行政上の強制執行をするためには、行政上の義務を課す根拠法とは別に、行政上の強制執行自体について定めた根拠法が必要とされます。

## 2 代執行

### (1) 代執行とは

代執行とは、行政上の義務のうち他人が代わってなすことのできる義務（代替的作為義務）の不履行について、行政庁が自らこれを履行し、または第三者にこれを履行させ、履行に要した費用を義務者から徴収する制度です。代執行の要件や手続については、行政代執行法が定めています。

### (2) 代執行の要件

代執行は、代替的作為義務の履行がない場合に、他の手段によっては義務の履行を確保することが困難であり、かつ、その不履行を放置することが著しく公益に反すると認められるときに限って、行うことができます（行政代執行法２条）。

### (3) 代執行の手続

まず義務の履行期限を明示して文書で戒告し、期限までに履行がない場合には、代執行令書により代執行の時期、責任者、費用の概算を通知したうえで、代執行を行います（行政代執行法３条）。

代執行に要した費用については、実際に要した額および納付日を定め、義務者に対し文書をもって納付を命じます（行政代執行法５条）。

代執行に要した費用を相手方が納付しない場合、国税徴収法の規定に基づいて徴収することができます（行政代執行法６条１項）。

## 3 執行罰

執行罰とは、行政上の義務の不履行がある場合に、一定期限を定めて一定額の過料を科すことを予告し、また実際にこれを科して、その心理的圧迫により行政上の義務履行を確保する制度です。

ただし、現行法上、執行罰を認める法律はたった1つ、砂防法に規定があるだけです。



## 4 直接強制

直接強制とは、行政上の義務の不履行があった場合に、直接に義務者の身体・財産に対し実力を加え、義務履行があったのと同様の状態を実現する制度です。即効性があり行政上の義務の履行確保に強力な力を発揮しますが、人権侵害の危険も大きいため、現行法上は、個別の法律でわずかに認められているにすぎません。

## 5 行政上の強制徴収

行政上の強制徴収とは、私人が行政上の金銭給付義務を履行しない場合に、行政機関が義務者の財産に実力を加え、義務履行があったのと同様の状態を実現する制度です。個々の法律で強制徴収の手続について「国税徴収法の滞納処分の例による」と規定される例が多く、実質的には、国税徴収法が強制徴収に関する一般法として機能しています。

**ミニ知識** 義務の履行確保手段である行政上の強制執行について、根拠規定を条例で定めることはできません（行政代執行法1条参照）。

## 6 即時強制

即時強制（即時執行）とは、あらかじめ義務を課す時間的余裕がない場合などに、行政機関が直接国民の身体・財産に実力を加えることによって、行政上必要な状態を作り出す作用をいいます。

直接国民の身体・財産に実力を加える点では直接強制と同じですが、**義務を賦課する行為をしないで行われる点が異なります**。国民の身体・財産に対して直接実力を行使するものであるため、**即時強制を行うには法律の根拠が必要**です。

**ミニ知識** 義務履行確保手段と異なり、即時強制の根拠規定は条例でも定められます。

行政上の強制手段
# 行政強制

## 実践 問題 76 基本レベル

| 頻出度 | 地上★★ | 国家一般職★★ | 特別区★★★ |
|---|---|---|---|
| | 国税･財務･労基★ | 国家総合職★★ | |

問 行政代執行法に規定する代執行に関する記述として、妥当なのはどれか。

(特別区2024)

1：行政庁は、義務者が文書による戒告を受けて、指定の期限までにその義務を履行しないときは、代執行令書をもって、代執行をなすべき時期及び代執行のために派遣する執行責任者の氏名を義務者に通知しなければならないが、代執行に要する費用の概算による見積額を義務者に通知する必要はない。

2：代執行のために現場に派遣される執行責任者は、その者が執行責任者たる本人であることを示すべき証票を携帯し、要求がなくとも、これを呈示しなければならない。

3：法律により直接に命じられ、又は法律に基づき行政庁により命じられた非代替的作為義務を義務者が履行しない場合において、他の手段によってその履行を確保することが困難なときは、当該行政庁は第三者をしてその履行をさせることができる。

4：行政庁は、非常の場合又は危険切迫の場合において、代執行の急速な実施について緊急の必要があり、文書による戒告と代執行令書による通知の手続をとる暇がないときは、その手続を経ないで代執行をすることができる。

5：代執行に要した費用は、国税滞納処分の例により、これを徴収することができるが、当該費用については、行政庁は、国税及び地方税に優先して、先取特権を有する。

直前復習

チェック欄

| 1回目 | 2回目 | 3回目 |
| --- | --- | --- |
| | | |

## 実践 問題 76 の解説



〈行政代執行〉

**1 ×** 行政庁は、義務者が文書による戒告を受けて、指定の期限までにその義務を履行しないときは、代執行令書をもって、代執行をなすべき時期、代執行のために派遣する執行責任者の氏名および代執行に要する費用の概算による見積額を義務者に通知しなければならない（行政代執行法３条２項。以下は同法の条文）。したがって、代執行をなすべき時期および執行責任者の氏名だけを通知するのでは足りない。

**2 ×** 代執行のために現場に派遣される執行責任者は、その者が執行責任者たる本人であることを示すべき証票を携帯し、要求があるときは、いつでもこれを呈示しなければならない（４条）。したがって、要求がないときは証票を呈示する義務はない。執行責任者の氏名は、あらかじめ代執行令書によって通知されているからである。

**3 ×** 法律により直接に命ぜられ、または法律に基づき行政庁により命ぜられた行為（他人が代わってなすことのできる行為に限る）について義務者がこれを履行しない場合、当該行政庁は、自ら義務者のなすべき行為をなし、または第三者にその履行をさせることができる（２条１項）。したがって、代執行を行うことができるのは代替的作為義務に限られる。

**4 ○** 代執行をなすには、相当の履行期限を定め、その期限までに履行がなされないときは、代執行をなすべき旨を、あらかじめ文書で戒告しなければならず（３条１項）、さらに、代執行令書をもって代執行をなすべき時期、執行責任者および費用の見積額の通知を行う（同条２項、肢１の解説参照）のが原則である。しかし、本肢のような緊急時については、その手続を経ないで代執行をすることが認められている（同条３項）。

**5 ×** 代執行に要した費用は、国税滞納処分の例により、これを徴収することができる（６条１項）。この場合、行政庁は、国税および地方税に次ぐ順位の先取特権を有する（同条２項）。したがって、代執行に要した費用は国税および地方税に劣後するので、本肢は妥当でない。

**正答 4**

# 第3章 SECTION 1 行政上の強制手段 行政強制

## 実践 問題 77 基本レベル

| 頻出度 | 地上★★ 国家一般職★★ 特別区★★★ 国税·財務·労基★ 国家総合職★★ |
|---|---|

**問** 行政上の義務履行確保に関するア～エの記述のうち、妥当なもののみを全て挙げているのはどれか。 (国家総合職2016)

ア：行政上の強制執行は、侵害留保の原則からすれば、法律の根拠が必要となるところ、私人に義務を課す権限は、当該義務の履行を強制する権限を含まないことから、行政上の義務の履行を強制するには、別途そのための法律の根拠が必要である。

イ：農業共済組合が組合員に対して有する保険料債権等の徴収方法について、当該組合に租税に準ずる簡易迅速な行政上の強制徴収の手段が与えられていたとしても、当該組合は、かかる行政上の強制徴収の手続によることなく、一般私法上の債権と同様に民事上の強制執行の手段により債権の実現を図ることができるとするのが判例である。

ウ：地方公共団体たる水道事業者が私人に当該地方公共団体の指導要綱を順守させるため行政指導を継続する必要がある場合には、水道法第15条第１項にいう「正当の理由」があるといえるため、そのことのみを理由として給水契約の締結を拒否することも許されるとするのが判例である。

エ：行政代執行法第１条の「行政上の義務の履行確保に関しては、別に法律で定めるものを除いては、この法律の定めるところによる。」との規定から、執行罰及び直接強制について、条例で根拠規定を設けることはできない。

1：ア、イ
2：ア、エ
3：イ、ウ
4：イ、エ
5：ウ、エ

（参考）水道法
（給水義務）
第15条　水道事業者は、事業計画に定める給水区域内の需要者から給水契約の申込みを受けたときは、正当の理由がなければ、これを拒んではならない。
（第２項以下略）

| チェック欄 | | |
|---|---|---|
| 1回目 | 2回目 | 3回目 |
| | | |

## 実践 問題 77 の解説

〈行政上の義務履行確保〉

**ア○** 戦前においては、義務を課す規定に国民が従わない場合は、執行に関する規定を要さず当該義務規定に基づいて履行の強制をすることができるとされ、これを「行政行為の執行力」と表現していた。しかし、戦後になりそれまでの人権軽視の行政執行が問題視され、義務を課す行政行為とは別に、義務の履行を強制するためにはそのための根拠規定が必要となると解されるようになった。したがって、今日では私人に義務を課す権限と、義務の履行を強制する権限の双方に法律の根拠が必要であると解されている。

**イ×** 判例は、農業共済組合が組合員に対して有する保険料債権等の徴収方法につき、法律上特に独自の強制徴収の手段を与えられながら、この手段によることなく、一般私法上の債権と同様、強制執行の手段により債権の実現を図ることは、立法の趣旨に反し、許されないとした（バイパス理論、最大判昭41.2.23）。したがって、民事上の強制執行によって債権の実現を図ることができるとする本記述は妥当でない。

**ウ×** 市の宅地開発指導要綱に基づく行政指導に従わない建設業者のした給水契約の申込みを、市長が拒んだことが水道法15条１項の「正当の理由」がある拒否に該当するかが問題となった事案において判例は、マンションの建設事業主が、指導要綱に基づく行政指導には従わない意思を明確に表明した場合には、水道法上給水契約の締結を義務付けられている水道事業者としては、たとえ指導要綱を事業主に順守させるため行政指導を継続する必要があったとしても、これを理由として事業主らとの給水契約の締結を留保することは許されないとして、市長による給水契約の申込拒否は正当の理由がなかったと判示した（武蔵野マンション刑事事件、最決平元.11.8）。

**エ○** 行政代執行法１条の「法律」に条例が含まれるかが問題となるが、通説は、行政代執行法２条において、法律に条例が含まれると言及されていることとの対比において､同法１条の法律に条例は含まれないとする。したがって、行政上の執行罰および直接強制について、条例で根拠規定を設けることはできない。

以上より、妥当なものはア、エであり、肢２が正解となる。

**正答 2**

行政上の強制手段
# 行政強制

## 実践 問題 78 基本レベル

頻出度 地上★★ 国家一般職★★ 特別区★★★ 国税·財務·労基★ 国家総合職★★

問 行政法学上の執行罰又は直接強制に関する記述として、通説に照らして、妥当なのはどれか。 (特別区2018)

1：執行罰は、地方公共団体においては、条例を根拠規範とすることができるが、直接強制は、条例を根拠規範とすることができない。

2：執行罰は、代替的作為義務又は非代替的作為義務の不履行に対して適用することはできるが、不作為義務の不履行に対して適用することはできない。

3：執行罰は、義務を履行しない者に対し過料を課す旨を通告することで義務者に心理的圧迫を与え、義務を履行させる強制執行制度であるが、当該義務が履行されるまで反復して課すことはできない。

4：直接強制は、義務者の身体又は財産に対し、直接に実力を加え、義務が履行された状態を実現させる強制執行制度であり、個別法で特に定められた場合にのみ認められる。

5：直接強制は、義務を課した行政が自ら義務を強制執行するものであり、自力救済を禁止された国民には認められていない特別な手段であるため、直接強制を許容する一般法として行政代執行法が制定されている。

| チェック欄 | | |
|---|---|---|
| 1回目 | 2回目 | 3回目 |
| | | |

## 実践 問題 78 の解説

〈執行罰・直接強制〉

**1 ×** 執行罰も条例を根拠規範とすることはできないので、本肢は妥当でない。行政上の義務の履行確保を定めた行政代執行法１条の「法律」に条例が含まれるかにつき、通説は、同法２条第１かっこ書において法律に条例が含まれると言及されていることとの対比において、行政代執行法１条の法律に条例は含まれないとする。そして、直接強制も執行罰も義務履行確保の手段の１つである。そのため、執行罰についても、直接強制と同様に、条例を根拠規範とすることはできない。

**2 ×** 執行罰は不作為義務にも適用できるので、本肢は妥当でない。執行罰は、本来、非代替的作為義務だけでなく、代替的作為義務や不作為義務の不履行に対しても認められる。なお、代替的作為義務に対しては代執行が可能であり、執行罰よりも実効性がある。したがって、執行罰は、代執行の対象外である、非代替的作為義務および不作為義務の履行確保について適用されうる。

**3 ×** 執行罰は反復して課すことが可能なので、本肢は妥当でない。執行罰は、行政罰と異なり、過去の違反に対する制裁ではないから、繰り返して課しても憲法39条の禁止する二重処罰にはあたらず、履行があるまで反復して課すことができる。

**4 ○** 直接強制の説明として適切であり、本肢は妥当である。戦前は、行政上の強制執行に関する一般法として行政執行法が存在していたが、戦後に廃止された。そして、直接強制は人権侵害の危険が高く、戦前、行政によって濫用されたという苦い経験を踏まえ、新たな一般法を作らなかった。そのため、直接強制は個別法に定めがなければすることができない。

**5 ×** 行政代執行法は直接強制を許容する一般法ではないので、本肢は妥当でない。直接強制は、義務を課した行政自ら義務を強制執行するものであり、私人間で禁止されている自力救済を認めるものである。そのため、本肢前半は妥当である。もっとも、肢４解説のとおり、直接強制をするには個別法の根拠が必要である。したがって、行政代執行法は、代執行についての一般法であり、直接強制の一般法ではない。

**正答 4**

実践 問題 79 基本レベル

| 頻出度 | 地上★★ | 国家一般職★★ | 特別区★★★ |
|---|---|---|---|
| | 国税・財務・労基★ | 国家総合職★★ | |

**問 行政法学上の即時強制に関する記述として、妥当なのはどれか。**

（特別区2011）

1：最高裁判所の判例では、川崎民商事件において、即時強制は、緊迫した状況において展開される緊急措置であり、令状主義を機械的に適用するのは困難なので、その手続における一切の強制は、当然に憲法に規定する令状主義の保障の枠外にあるとした。

2：即時強制は、執行機関の裁量に委ねられ、その要件、内容の認定や実力行使の程度、態様、方法を選択する場合、法規の趣旨目的を厳格に解釈し、相手方の人権侵害を最小限にとどめるよう配慮しなければならないが、比例原則は適用されない。

3：身柄の収容や物の領置などの即時強制が実施され、継続して不利益状態におかれている者は、行政不服申立て又は取消訴訟によって不利益状態の排除を求めることができる。

4：行政上の強制執行の定めは法律の専権事項であり、条例で強制執行の権限を創設することはできないので、即時強制の根拠を条例で定めることは、緊急避難的な措置であっても許されない。

5：即時強制は、義務者の身体又は財産に直接実力を加え、義務の履行を確保する手続であり、即効的に義務を実現することができるが、その反面、人権侵害の危険が大きい。

チェック欄

| 1回目 | 2回目 | 3回目 |
| --- | --- | --- |
| | | |

## 実践 問題 79 の解説

〈即時強制〉

**1 ×** 即時強制は、緊迫した状況において相手方に義務を課す暇がない場合に行われる。このため、即時強制に対しては原則として令状主義が適用されないとされる。しかし、即時強制に対しても令状主義を適用する余地があり、実際警察官職務執行法３条による保護が24時間を超える場合には、簡易裁判所の裁判官の許可状を必要としている（同法３条３項）。判例も、行政手続が刑事責任追及を目的とするものでないとの理由のみで、行政手続における一切の強制が当然に憲法35条１項による保障の枠外にあると判断することは相当ではないとは述べたものの（川崎民商事件、最大判昭47.11.22）、すべての即時強制が令状主義の枠外にあるとは述べていない。

**2 ×** 即時強制は、義務を前提とする行政上の強制執行以上に権利侵害の危険が高いので、身体に実力を行使する際は、比例原則により、行政目的を達成するうえで必要最小限の実力行使にとどめることが求められる。

**3 ○** 破壊消防のように即時に完成してしまう即時強制の救済手段としては、取消訴訟が機能しない。しかしながら、感染症患者の強制入院などのように、継続的性質を有する即時強制については、その取消しによる身柄解放など、権利救済の余地が残されていることから、取消訴訟が意味を有する。

**4 ×** 行政上の義務履行確保としての行政上の強制執行については法律によらなければならない（行政代執行法１条・２条参照）。もっとも、即時強制は行政上の強制執行（義務者が行政上の義務の履行をしないときに、権利者たる行政主体が、自らの手で、義務履行の実現を図る制度）ではないため、条例によることも可能である。

**5 ×** 即時強制は義務の不履行を前提とせずに行われるものであるので、義務の実現とは無関係である。

**正答 3**

行政上の強制手段

# 行政強制

## 実践 問題 80 基本レベル

頻出度 地上★★　国家一般職★★　特別区★★★
国税·財務·労基★　国家総合職★★

問 行政上の義務履行確保に関するア～オの記述のうち、妥当なもののみを全て挙げているのはどれか。（国家一般職2019）

ア：直接強制は、行政上の義務者の身体又は財産に直接強制力を行使して義務の履行があった状態を実現するものであり、その性質上、法令の根拠が必要であるが、条例は住民の代表機関である議会によって制定されたものであるから、条例を根拠として直接強制を行うことができると一般に解されている。

イ：執行罰は、行政上の義務者に一定額の過料を課すことを通告して間接的に義務の履行を促し、なお義務を履行しない場合にこれを強制的に徴収するものであるが、相手方が義務を履行するまで反復して執行罰を課すことは、二重処罰を禁止した憲法の趣旨に照らし、許されない。

ウ：農業共済組合が、法律上特に独自の強制徴収の手段を与えられながら、この手段によることなく、一般私法上の債権と同様、訴えを提起し、民事執行の手段によって債権の実現を図ることは、当該法律の立法趣旨に反し、公共性の強い農業共済組合の権能行使の適正を欠くものとして、許されないとするのが判例である。

エ：行政代執行をなし得るのは、原則として代替的作為義務であるが、非代替的作為義務であっても、他の手段によって履行を確保することが困難であり、かつ、不履行を放置することが著しく公益に反すると認められるときは、例外的に行政代執行をなし得ることが行政代執行法上定められている。

オ：行政代執行のために現場に派遣される執行責任者は、その者が執行責任者本人であることを示すべき証票を携帯し、要求があるときは、いつでもこれを呈示しなければならない。

1：ア、イ
2：ア、ウ
3：イ、エ
4：ウ、オ
5：エ、オ

直前復習

## 実践 問題 80 の解説

〈行政上の義務履行確保〉

**ア×** 行政上の強制執行の１つである直接強制を行うには、法律の留保原則から法令の根拠が必要となる。そこで、条例を根拠に、直接強制をすることができるか問題となるが、この点、行政代執行法の規定が手掛かりになる。行政上の義務履行確保の根拠規定である同法１条は「別に法律で定めるものを除いては、この法律の定めるところによる」とし、「条例」を置いていない。これに対して、代替的作為義務の発生根拠である同法２条の「法律」については「…条例を含む」（かっこ書）と規定し、あえて「条例」を意識している。これらを対照すると、行政上の義務履行確保の根拠規定である１条の「法律」に条例は含まれないとの解釈が導かれる。これが一般的な理解である。したがって、条例を根拠として直接強制を行うことはできず、条例を根拠として行いうると述べる本記述は妥当でない。

**イ×** 執行罰は、行政上の義務を履行させるために行われる行政上の強制執行の１つであり、過去の行政上の義務違反に対して科される行政罰ではない。すなわち、執行罰は制裁ではないのだから、執行罰を反復して課すことは、二重処罰を禁止した憲法39条後段に違反しないと解されている。ゆえに、反復して課すことは許されないと述べる本記述は妥当でない。

**ウ○** 本記述は、判例（最判昭41.2.23）の示したいわゆる「バイパス理論」を具体的かつ正確に述べており、妥当である。

**エ×** 行政代執行法２条は、行政代執行をなしうる行為について、「法律…により直接に命ぜられ、又は法律に基き行政庁により命ぜられた行為（他人が代つてなすことのできる行為に限る。）」と規定し、他人が代わってなすことができない非代替的作為義務については規定がない。それゆえ、行政代執行の対象は代替的作為義務に限られる。したがって、非代替的作為義務については行政代執行をなしえないので、本記述は妥当でない。

**オ○** 行政代執行法４条は、行政代執行の現場で執行責任者が負うべき①証票携帯義務、②要求があるときの証票呈示義務を規定している。本記述は、これらの義務を正確に述べており、妥当である。

以上より、妥当なものはウ、オであり、肢４が正解となる。

**正答 4**

## 行政上の強制手段

# 行政罰

## セクションテーマを代表する問題に挑戦！

**行政上の義務違反に対しては、罰則が科されることがあります。**

問 行政罰に関する記述として、妥当なのはどれか。　（東京都2003）

1：行政上の義務違反に対し制裁として科せられる罰を行政罰といい、行政罰には、行政刑罰と行政上の秩序罰とがあり、行政刑罰を科せられる義務違反を法定犯、行政上の秩序罰を科せられる義務違反を行政犯とよぶ。

2：行政刑罰は、刑法に刑名のある刑罰を科するもので、処罰の対象は自然人のみとされ、法人の義務違反の場合には、法人の業務に関して違反行為をしたその代表者、使用人その他の従業者が罰せられる。

3：行政刑罰は、原則として刑事訴訟法の手続により裁判所において科せられるが、通告処分手続が定められている場合は、通告処分の内容を履行することなく、通告処分そのものに対して、不服申立て及び取消訴訟が可能である。

4：行政上の秩序罰は、原則として非訟事件手続法の手続により裁判所において科せられるが、行政処分として行政上の秩序罰を科する場合は、この処分に対して、不服申立て及び取消訴訟が可能である。

5：最高裁判所は、行政刑罰と行政上の秩序罰とは、目的、要件及び実現の手続を異にするが、二者択一の関係にあるので、両者を併科することは憲法が禁止する二重処罰に当たると判示した。

直前復習

Guidance ガイダンス

**行政罰**

・行政刑罰
　違反者に刑罰を科す
・秩序罰
　違反者に過料を科す

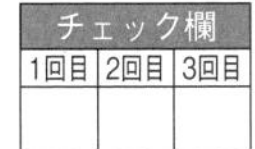


## 必修問題の解説

〈行政罰〉

**1 ×** 行政上の義務違反に対し制裁として科せられる罰を行政罰といい、行政罰には、行政刑罰と行政上の秩序罰とがある。そして、行政刑罰を科せられる義務違反を、法定犯ないし行政犯とよぶ。しかし、行政上の秩序罰は過料という制裁を科すのであって刑法上の刑罰ではない。したがって、行政上の秩序罰を科せられる義務違反は「犯罪」ではないので、行政犯とはよばないのである。

**2 ×** 行政刑罰は、行政上の義務違反に対して主として取締りの見地から科されるものであって、通常の刑事罰とは法律上若干異なった扱いがなされることがある。たとえば、違反行為者だけでなくその使用者や事業主にも科刑され（両罰規定）、その場合には法人も事業主として処罰されることがある。

**3 ×** 通告処分の内容を履行することなく、通告処分そのものに対して、不服申立ておよび取消訴訟が可能であるか否かにつき、判例は、通告処分などに対して不服がある場合には、処分に対する不服申立てや取消訴訟を提起するのではなく、刑事手続で無罪を主張すべきであるとしている（最判昭57.7.15）。

**4 ○** 行政上の秩序罰は、刑法上の刑罰ではない。したがって、刑法総則や刑事訴訟法の適用はなく、原則として、非訟事件手続法の手続により裁判所において科される。そして、行政処分として行政上の秩序罰を科す場合は、この処分に対して不服申立ておよび取消訴訟が可能である。

**5 ×** 判例は、行政刑罰と行政上の秩序罰とは、目的、要件および実現の手続を異にすることから、必ずしも二者択一の関係になく、両者を併科することは憲法39条後段が禁止する二重処罰にあたらないとしている（最判昭39.6.5）。

**正答 4**

第3章 SECTION 2 行政上の強制手段

# 行政罰

## 1 行政罰とは

行政罰とは、行政上の義務違反に対して科される制裁をいいます。行政罰には、行政刑罰と、秩序罰たる過料があります。

執行罰は将来の履行を確保するための手段ですが、行政罰は過去の義務違反に対する制裁です。

## 2 行政刑罰

行政刑罰とは、行政上の義務に違反した者に対して刑罰（刑法９条）を科す行政罰をいいます。

行政刑罰は刑罰であるので、科刑手続には原則として刑事訴訟法が適用されますが、個別法で特別の手続が定められる場合もあります。

判例チェック　行政刑罰に故意犯処罰の原則（刑法38条１項）などの刑法総則の適用があるかについては、適用否定説と適用肯定説がありますが、肯定説が有力です。

## 3 秩序罰

秩序罰とは、行政上の秩序に障害を与えるおそれのある義務違反に対して科される過料をいいます。過料は、刑罰ではないので、刑法、刑事訴訟法は適用されません。

秩序罰たる過料は、地方自治体の条例・規則で科すこともできます（地方自治法14条３項・15条２項など）。

法律違反に対する過料は、地方裁判所の非訟事件手続によって科します（非訟事件手続法119～122条）。不服のある者は、その手続の中でこれを主張することになります。

これに対して、条例・規則に基づく過料は、地方公共団体の長が行政行為の形式で科します（地方自治法149条３号・255条の３）。行政行為の形式で科されるので、不服のある者は、不服申立て、取消訴訟の提起などによって争うことができます。

行政刑罰と秩序罰はともに義務違反に対する制裁として科されるものですが、判例は、制度上明確に区別されているとして、両者を併科することを認めています（最判昭39.6.5）。

私人が条例・規則に基づく過料を納付しない場合は、地方税滞納処分の例により強制徴収されます（地方自治法231条の３第３項）。

memo

行政上の強制手段
# 行政罰

## 実践 問題 81 基本レベル

| 頻出度 | 地上★ | 国家一般職★ | 特別区★★ |
|---|---|---|---|
| | 国税·財務·労基★ | 国家総合職★ | |

**問 行政罰には行政刑罰と過料がある。これらに関する次の記述のうち、妥当なのはどれか。 (地上1995)**

1：行政刑罰は、刑事訴訟によらず行政処分手続によって科されるので、それに不服がある者は、その処分の取消訴訟によって争うことになる。

2：過料は、行政上の秩序罰であり、刑罰ではなく、行政処分手続によって科されるので、それに不服がある者は、その処分の取消訴訟によって争うことになる。

3：過料は、刑事訴訟法に基づいて科されるので、それに不服がある者は、刑事訴訟においてその適否を争うことになる。

4：行政刑罰も過料も、すべて刑事罰と同様に、刑事訴訟法に基づいて科されるので、それに不服がある者は、刑事訴訟においてその適否を争うことになる。

5：地方公共団体の条例・規則違反に対する過料は、行政処分手続によって科されるので、それに不服がある者は、その処分の取消訴訟によって争うことになる。

| チェック欄 | | |
|---|---|---|
| 1回目 | 2回目 | 3回目 |
| | | |

## 実践 問題 81 の解説

〈行政罰〉

**1 ×** 行政刑罰とは、行政上の義務違反に対して、刑法に刑名のある刑罰が科されるものである。行政刑罰も刑罰であるので、その手続は通常の刑事罰の場合と同様に刑事訴訟法の定めるところにより行われるのが原則である。したがって、行政刑罰に不服のある者は、刑事訴訟においてそれを争うことになる。なお、行政刑罰の処罰手続の例外として、国税通則法157条および関税法146条に基づく通告処分制度や道路交通法上の交通反則金の制度がある。これらについて、判例は、通知ないし通告に反し金員を納付しない場合に刑事手続に移行することを理由として、それら通告処分などに対して不服がある場合においても、処分の取消訴訟ではなく、刑事手続で無罪を主張すべきとしている（最判昭57.7.15）。

**2 ×** 過料とは、行政上の秩序に障害を及ぼす危険があるような軽微な違反行為に対して、秩序罰として科されるものをいう。過料には、国の法律違反に対する秩序罰として科されるものと、地方公共団体の条例・規則違反に対して科されるものとがある（地方自治法14条３項・15条２項）。地方公共団体の条例・規則違反に対して科されるものの場合は、地方公共団体の長が行政行為の形式で科し（同法149条３号）、納付しないときには、地方税の滞納処分の例により強制徴収される（同法231条の３第３項）ものである。したがって、それに不服のある者は、処分の取消訴訟によって争うことになる。一方、国の法律違反に対する秩序罰として科されるものの場合には、非訟事件手続法の定めに従って裁判所によって科されるものである。したがって、不服のある場合には、同法の定めにより、即時抗告によって争うことになる。

**3 ×** 肢２の解説参照。

**4 ×** 行政刑罰については、肢１の解説参照。過料については、肢２の解説参照。

**5 ○** 肢２の解説参照。

**正答 5**

行政上の強制手段
# 行政罰

## 実践 問題 82 基本レベル

頻出度 地上★ 国家一般職★ 特別区★★ 国税·財務·労基★ 国家総合職★

**問 行政法学上の行政罰に関する記述として、妥当なのはどれか。**

**(特別区2013改題)**

1：行政罰は行政刑罰と行政上の秩序罰との２種類に分けられ、行政刑罰として罰金、拘留、科料、没収を科すことはできるが、拘禁刑を科すことはできない。

2：行政刑罰は、反社会的・反道義的性質の行為に対して、行為者の道義責任の追及のため又は社会的悪性の矯正のために科されるものである。

3：行政刑罰は、刑事罰とは異なり、違反行為者だけでなく、その使用者や事業主にも科刑されることがある。

4：行政上の秩序罰には刑法総則が適用され、裁判所が刑事訴訟法の手続に従って科刑する。

5：行政上の秩序罰は、行政上の義務が履行されない場合に、一定の期限を示して過料を科すことを予告することで義務者に心理的圧迫を加え、その履行を将来に対して間接的に強制するものである。

直前復習

チェック欄

| 1回目 | 2回目 | 3回目 |
|---|---|---|
| | | |

## 実践 問題 82 の解説

〈行政罰〉

**1 ×** 行政刑罰とは、行政上の義務違反に対する制裁として科される刑法上の刑罰をいう。行政刑罰は、刑法以外の法律に規定された犯罪に刑法９条に刑名のある刑を科す制裁であるから、拘禁刑（2025年６月から。以下同様）も科すことができる。たとえば、道路交通法は、酒酔い運転に対して５年以下の拘禁刑または100万円以下の罰金に処すると定めている（同法117条の２）。

**2 ×** 行政刑罰は、行政上の義務違反に対して、主として取締りの見地から、法令の遵守を強要するためのいわば見せしめとして科されるものである。通常の刑罰のように、行為者の道義責任追及のためまたは社会的悪性の矯正のために科されるものではない。たとえば無免許での酒類販売に対する刑罰（酒税法56条）は、酒類販売という行為が反社会的であるから科されるのではなく、無免許という形式的な行政法の不遵守に対する制裁として科される。

**3 ○** 行政刑罰は、違反行為者だけでなくその使用者や事業者にも科刑されることがある（両罰規定）。この場合に法人も事業主として処罰されることは、行政刑罰が通常の刑事罰とは異なる特色である。

**4 ×** 行政上の秩序罰とは、行政上の秩序維持のために違反者に制裁として金銭的負担（過料）を科すものである。法令に基づく過料は、非訟事件手続法の定めに従って裁判所がこれを科する。秩序罰は刑法上の罰ではないので、刑法総則の適用はなく、刑事訴訟法の手続に従う必要もない。

**5 ×** 本肢は、秩序罰ではなく執行罰についての記述である。執行罰とは、行政上の義務の不履行がある場合に、一定期限を定めて一定額の過料を科すことを予告し、また実際にこれを科して、その心理的圧迫により行政上の義務履行を確保する制度のことである。執行罰は、過去の義務違反に対する制裁ではなく、将来の義務の履行を促す点で、行政上の秩序罰と異なる。執行罰はその効果について賛否両論があり、現在は積極的に適用されていない。現在個別法で執行罰を認めているのは砂防法36条だけである。

**正答 3**

実践 問題 83 基本レベル

| 頻出度 | 地上★ | 国家一般職★ | 特別区★★ |
|---|---|---|---|
| | 国税·財務·労基★ | 国家総合職★ | |

問 行政上の行政刑罰について、次の１～５から妥当なのを選べ。 (地上1999)

1：行政刑罰は、義務の履行を強制することができるいわゆる強制執行権に基づいて科せられる。

2：行政刑罰には、原則として刑法総則が適用され、行政刑罰を科す手続は、裁判所が、刑事訴訟法の定めに従って行う。

3：行政刑罰は、当該義務が履行されるまで繰り返し科すことができる。

4：行政刑罰は、公務員の懲戒罰などと重ねて科せられることはない。

5：行政刑罰は、義務違反者の道義的責任の追及を目的とするものであり、行政上の義務違反の取締りを目的とするものではない。

チェック欄

| 1回目 | 2回目 | 3回目 |
| --- | --- | --- |
| | | |

## 実践 問題 83 の解説

〈行政刑罰〉

**1 ×** 行政刑罰は、行政上の義務違反に対し、行政主体の一般的統治権に基づいて、刑法に定めのある刑罰を科す制裁のことである。行政刑罰は、私人が行政上の義務を履行しない場合に、行政目的を達成するために実力をもって義務を履行させ、履行のあったのと同様の状態を実現することのできる権限である強制執行権とは性質を異にする。

**2 ○** 行政刑罰については刑法が適用され、行政刑罰を科す手続は、裁判所が、刑事訴訟法の定めに従って行うものとされている。

**3 ×** 行政刑罰についても、刑事手続上の人権保障に関する憲法31条以下の規定が適用され、同一の犯罪事実に対する二重処罰を禁じた憲法39条後段も適用される。したがって、義務違反に対しては、刑罰は1回科されるのみであり、当該義務が履行されるまで繰り返し科されることはない。

**4 ×** 公務員に対する懲戒処分（懲戒罰）は、公務員の任命権者が、国または公共団体の職員の職務上の義務違反などに対し、公務員関係の秩序維持を目的として科す制裁と捉えることができる。そこで、当該行為が行政刑罰をも科せられうる行為であった場合に、これを懲戒罰と重ねて科しうるかが問題となる。この点、懲戒罰の目的が公務員の内部関係の秩序維持であることから、行政刑罰を重ねて科すことは妨げられないと解されている。

**5 ×** 行政刑罰の目的は行政上の義務違反の取締りであり、犯罪行為者の道義的責任追及を目的とする刑法上の刑罰とは、目的の点で明確に異なっている。

**正答 2**

## 第3章 SECTION 2 行政上の強制手段 行政罰

### 実践 問題 84 基本レベル

| 頻出度 | 地上★ 国家一般職★ 特別区★★ 国税·財務·労基★ 国家総合職★ |
|---|---|

**問** 行政罰に関するア〜オの記述のうち、妥当なもののみを全て挙げているのはどれか。 (国家総合職2016)

ア：行政刑罰は、行政上の義務違反に対する制裁であるが、刑法に刑名のある罰を科すものであるから、原則として刑事訴訟法の適用がある。しかし、道路交通法上の罪に対して特別の手続を定める交通事件即決裁判手続法のように、定型的かつ大量的に発生する行政犯について、刑法上の刑罰とは異なる処理をするための行政手続上の仕組みが設けられることがある。

イ：関税法に基づく犯則者に対する通告は、同法上「処分」という名称が用いられ、かつ、通告に定める追徴金に相当する金額の納付を強制する法的効果を有するため、抗告訴訟の対象となる行政処分に当たるが、道路交通法に基づく反則金の納付の通告は、反則行為の不成立等は本来刑事手続における審判対象として予定されているため、抗告訴訟の対象にならないとするのが判例である。

ウ：行政上の秩序罰は、刑罰ではないため、刑事訴訟法は適用されない。法律に基づく過料については、他の法令に別段の定めがある場合を除き、非訟事件手続法に基づき裁判所により科されるが、普通地方公共団体の条例又は規則に基づく過料については、普通地方公共団体の長が行政処分により納付を命ずる。

エ：普通地方公共団体の長が過料の処分をしようとする場合は、過料の処分を受ける者に対し、あらかじめその旨を告知するとともに、弁明の機会を与えなければならないが、普通地方公共団体の長がした過料の処分は、行政不服審査法の適用除外とされており、当該普通地方公共団体の長に対して審査請求をすることはできない。

オ：道路交通法に基づき、駐車違反をした車両の使用者に科される放置違反金は、都道府県公安委員会の納付命令によって科される行政上の秩序罰である。

1：ア、エ
2：ウ、オ
3：ア、イ、エ
4：イ、ウ、オ
5：ア、イ、ウ、オ

チェック欄

| 1回目 | 2回目 | 3回目 |
| --- | --- | --- |
| | | |

## 実践 問題 84 の解説

〈行政罰〉

**ア×** 交通事件即決裁判手続法は、交通に関する刑事事件の迅速化を目的として50万円以下の罰金刑を科す被告に対する即決裁判手続を可能にする（交通事件即決裁判手続法３条）。同法は刑事訴訟法の特別法であり、行政手続上の仕組みではない。したがって、交通事件即決裁判手続法が行政手続上の仕組みであると述べる本記述は妥当でない。

**イ×** 判例は、関税法138条（現146条）に基づく通告処分について、通告に定める納付を強制するものではないとして、行政事件訴訟法上の処分性を否定している（最判昭47.4.20）。したがって、関税法に基づく犯則者に対する通告が行政処分にあたるとする本記述前半が妥当でない。もっとも、道路交通法に基づく反則金の納付の通告に関する本記述後半は妥当である。

**ウ○** 秩序罰は、刑法上の刑罰でないことから刑事訴訟法は適用されず、国の法律違反に対する秩序罰については法律に別段の定めがある場合を除き、過料に処せられるべき者の住所地の地方裁判所における裁判を経て、検察官の命令をもって執行される（非訟事件手続法119条以下）。また、地方公共団体の条例や規則違反については、地方公共団体の長がこれを科し、納付しないときは地方税の滞納処分の例により強制徴収することができる（地方自治法231条の３）。

**エ×** 本記述前半にある弁明の機会の付与（地方自治法255条の３）の規定は、行政手続法が条例・規則に根拠を有する処分に適用されない（同法３条３項）ことから、過料の処分に対する事前手続を保障する趣旨で制定されている。そして、普通地方公共団体の長がした過料の処分を行政不服審査法の適用除外とする条項は存在せず、当該過料の処分に不服のある者は、原則どおり行政不服審査法４条以下の規定に基づいて審査請求をすることができる。

**オ○** 行政上の秩序罰とは、行政上の秩序に障害を与える危険がある義務違反に対して科される金銭的制裁である。そして、放置違反金は、道路交通法上の違法駐車と認められる放置車両に対して、都道府県公安委員会が当該車両の使用者に納付を命ずることができる行政上の秩序罰である（道路交通法51条の４）。

以上より、妥当なものはウ、オであり、肢２が正解となる。

**正答 2**

行政上の強制手段

# 行政上の強制手段総合

必修問題 セクションテーマを代表する問題に挑戦！

行政上の強制手段をまとめて復習しましょう。

問 行政強制に関する記述として、妥当なのはどれか。（特別区2007）

1：代執行とは、代替的作為義務の不履行があり、他の手段によっては、その履行を確保することが困難である場合に、義務者のなすべき行為を行政庁自らがなすことをいうが、行政庁はその費用を義務者から徴収することはできない。

2：直接強制とは、行政上の義務を義務者が履行しない場合に、行政庁が義務者の身体又は財産に直接実力を加え、義務を履行されたのと同一の状態を実現することをいい、個別法に根拠がある場合のみ認められる。

3：行政上の強制徴収とは、行政上の金銭給付義務が履行されない場合に、行政庁が一定の期限を示して過料を予告することで義務者に心理的圧迫を加え、その履行を将来に対して間接的に強制することをいう。

4：執行罰とは、過去の義務違反に対し、行政庁が義務者の財産に実力を加えて、義務が履行されたのと同一の状態を実現することをいい、反復して科すことができる。

5：行政上の即時強制は、国民の身体又は財産に対する重大な侵害行為であるので、行政庁があらかじめ国民に対して行政上の義務を命じていなければ、行うことはできない。

直前復習

Guidance ガイダンス

**行政上の強制手段（行政強制）**

代執行………代替的作為義務を行政庁自ら行い、または第三者に行わせること→費用は義務者から徴収できる

執行罰………過料の予告により間接的に義務の履行を強制

直接強制……義務者の身体または財産に実力を加えて義務を実現

強制徴収……金銭給付義務を強制的手段により実現

即時強制……義務を課さずに国民の身体または財産に実力を加えることで行政目的を実現

| 頻出度 | 地上★★　国家一般職★★　特別区★<br>国税·財務·労基★　国家総合職★★ |
|---|---|

| チェック欄 | | |
|---|---|---|
| 1回目 | 2回目 | 3回目 |
| | | |

## 必修問題の解説

〈行政上の強制手段総合〉

**1 ×** 代執行とは、他人が代わって履行することのできる作為義務（代替的作為義務）が履行されない場合に、当該行政庁が自ら義務者のなすべき行為をし、または第三者にこれをさせて、その費用を義務者から徴収する行政上の強制執行手段をいう（行政代執行法２条）。そして、代執行に要した費用については、国税徴収法の規定に基づき、義務者より徴収される（同法６条１項）。

**2 ○** 直接強制とは、行政上の義務の不履行に際して、直接義務者の身体または財産に実力を加え、義務の履行があったのと同一の状態を実現する行政上の強制執行手段で、代執行以外のものをいう。直接強制は、義務者に対する最も単純かつ直接的な実力行使であることから、その実効性は高いものの、人権侵害の危険も大きい。そのため、現行法上、直接強制に関する一般法は存在せず、個別法に根拠規定がある場合のみ認められる手段とされる。

**3 ×** 行政上の強制徴収とは、私人が国または地方公共団体に対して負う行政上の金銭給付義務を任意に履行しない場合に、行政庁が強制的な手段によって、その義務が履行されたのと同様の状態を実現する行政上の強制執行手段をいう。本肢の「行政庁が一定の期限を示して過料を予告することで義務者に心理的圧迫を加え、その履行を将来に対して間接的に強制すること」との内容は、執行罰の定義である。

**4 ×** 執行罰とは、義務の不履行に対し、行政庁が過料を予告することで義務者に心理的圧迫を加え、その履行を間接的に強制する強制執行手段をいう（肢３解説参照）。義務が履行されたのと同一の状態を実現するものではない。なお、執行罰たる過料は刑罰ではないので、反復して科すことが認められる。

**5 ×** 即時強制とは、あらかじめ義務を命じる余裕のない場合、または事柄の性質上義務を命じる方法では目的を達しがたい場合に、直接国民の身体または財産に実力を加え、行政上必要な状態を実現する行政強制手段をいう。緊急事態への対応の必要から、あらかじめ国民に対し行政上の義務を命ずることなく行う点に特徴がある。国民に対して義務を課したうえで実力を加えるのは、直接強制である。

**正答 2**

行政上の強制手段

# 行政上の強制手段総合

## 1 行政調査とは

行政調査とは、行政機関が行う、行政目的達成のための情報収集活動をいいます。

| 任意調査 | 相手方の任意の協力を前提とするもの |
|---|---|
| 強制調査 | 相手方の抵抗を実力で排除しうるもの |
| 間接強制を伴う調査 | 実効性が刑罰などで担保されたもの |

間接強制を伴う調査に協力しない場合、罰則を科せられます。

## 2 法律の根拠の要否

任意調査には、法律（作用法）の根拠は不要ですが、相手方の同意が必要です。これに対して、強制調査、間接強制を伴う調査には、法律の根拠が必要です。

判例

《川崎民商事件》最大判昭47.11.22

【事案】川崎民主商工会員の確定申告に疑いを抱いた川崎税務署が、帳簿書類を令状なしに調査しようとしたため、質問検査に憲法上の令状主義の保障が及ばないことが違憲となるかが争われた事案

【判旨】憲法上の令状主義の規定（憲法35条１項）は、主として刑事責任追及の手続における強制に関する規定であるところ、その手続が刑事責任の追及を目的とするものでないという理由だけで、当該手続におけるすべての強制がこの規定の保障の枠外にあるということはできない。ただし、本件検査は刑事責任追及作用を有するものとはいえないため、憲法に違反しない。

行政調査は事柄の性質上、事前に告知しておいたのでは目的を達することができないので、法律は抜き打ち的に調査することを認めています。そのことから行政調査は、従来は即時強制の一態様と説明されてきましたが、行政調査と即時強制はその目的および緊急性など異なるところが多いため、現在では行政調査を即時強制とは別個独立の制度と捉えるようになっています。

## 3 行政上の強制徴収と民事上の強制執行との関係

国・公共団体が有する金銭債権について、法律により行政上の強制徴収が認められている場合に、民事上の強制執行を行うことができるかが問題となります。判例は、行政庁の強制徴収手段が認められている金銭債権について、民事上の強制執行を行うことは認められないとしました（バイパス理論、最大判昭41.2.23）。

判例

《バイパス理論》最大判昭41.2.23

【事案】滞納された農業共済組合の共済掛金については、農業災害補償法により、行政上の強制徴収が認められている。この共済掛金債権について民事上の強制執行を行うことができるかが争われた。

【判旨】農業共済組合が、法律上独自の強制徴収の手段を与えられながら、この手段によることなく、一般私法上の債権と同様、訴えを提起し、民事上の強制執行の手段によって共済掛金債権の実現を図ることは、公共性の強い農業共済組合の権能行使の適正を欠くものとして、許されない。

# 行政上の強制手段総合

**実践 問題 85** 基本レベル

| 頻出度 | 地上★★　国家一般職★★　特別区★<br>国税･財務･労基★　国家総合職★★ |
|---|---|

**問** 行政法学上の行政強制に関する記述として、判例、通説に照らして、妥当なのはどれか。 (特別区2015)

1：直接強制とは、目前急迫の必要があって義務を命じる暇がない場合、行政機関が相手方の義務の不履行を前提とすることなく、直接、国民の身体や財産に実力を加え、行政上必要な状態を作り出す作用をいう。

2：即時強制とは、義務者が義務を履行しない場合、義務者の身体や財産に実力を加え、義務の内容を実現する作用をいうが、苛酷な人権侵害を伴うおそれが強いため、例外的に最小限、個別法に特別の定めが置かれている。

3：行政代執行とは、義務者が代替的作為義務を履行しない場合、他の手段によってその履行を確保することが困難であるとき、行政庁自らが義務者の義務を履行できるとするものであるが、代執行に要した費用を義務者から徴収することはできない。

4：最高裁判所の判例では、漁港管理者である町が当該漁港の区域内の水域に不法に設置されたヨット係留杭を強制撤去したのは、行政代執行法上適法と認めることができないものであるので、この撤去に要した費用の支出は、緊急の事態に対処するためのやむを得ない措置であるとしても違法であるとした。

5：最高裁判所の判例では、農業共済組合が組合員に対して有する農作物共済掛金の債権について、行政上の強制徴収の手段を与えられながら、強制徴収の手段によることなく、一般私法上の債権と同様に訴えを提起し、民事訴訟法上の強制執行の手段によって実現を図ることは許されないとした。

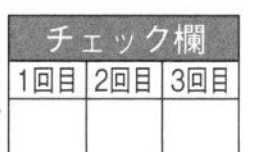


## 実践 問題 85 の解説

〈行政上の強制手段総合〉

**1 ×** 本肢は、即時強制に関する記述であり、妥当でない。直接強制は、行政上の強制執行の１つであるから、行政上の義務の不履行を前提とするものであり、この点で、当該義務の不履行を前提としない即時強制と異なる。

**2 ×** 本肢は、直接強制に関する記述であり、妥当でない。即時強制は、国民に対する行政上の義務賦課行為を前提とするものではない。もっとも、国民の身体、財産に向けられた公権力の行使であるから、法律の根拠が必要であり、警察官による保護（警察官職務執行法３条）、感染症患者の強制入院（感染症予防法19条３項）など現在では各個別法に規定されている。

**3 ×** 行政代執行法上、代執行に要した費用の徴収については、実際に要した額および納期日を定め、義務者に対し文書で納付を命じ（同法５条）、義務者が納付しないと、国税滞納処分の例により、これを徴収することができると規定しているところ（同法６条）、代執行に要した費用を義務者から徴収できないとする本肢は妥当でない。

**4 ×** 本肢は、ヨット係留杭の強制撤去に要した費用の支出は違法とする点で、妥当でない。地方公共団体の長が、漁港内にヨット係留施設として設置された鉄杭を条例の根拠なくして強制撤去したことが違法であるとして、住民訴訟を提起された事案につき、判例は、行政代執行法に基づく代執行としての適法性を肯定する余地はないが、緊急の事態に対処するためにとられたやむをえない措置であり、民法720条の法意に照らして、撤去に要した費用の支出を違法とすることはできないとした（最判平3.3.8）。

**5 ○** いわゆるバイパス理論を述べる本肢は判例のとおりであり、妥当である。すなわち、農業共済組合が組合員に対して有する保険料債権等の徴収方法につき、法が特別の取扱いを認めているのは、租税に準ずる簡易迅速な行政上の強制徴収の手段によることが適切かつ妥当であるからとし、法律上特に独自の強制徴収の手段を与えられながら、この手段によることなく、一般私法上の債権と同様、強制執行の手段により債権の実現を図ることは、立法の趣旨に反し、許されないとした（最大判昭41.2.23）。

**正答 5**

# 行政上の強制手段総合

## 実践 問題 86 基本レベル

| 頻出度 | 地上★★ 国家一般職★★ 特別区★ 国税·財務·労基★ 国家総合職★★ |
|---|---|

**問 行政上の義務履行確保に関するア～エの記述のうち、妥当なもののみを全て挙げているのはどれか。 (国家総合職2013)**

ア：農業共済組合が組合員に対して有する保険料債権等の徴収方法について、判例は、租税に準ずる簡易迅速な行政上の強制徴収の手段が与えられているにもかかわらず、一般私法上の債権と同様に民事上の強制執行の手段により債権の実現を図ることは、公共性の強い農業共済組合の権能行使の適正を欠くものとして許されないとしている。

イ：法人税法に基づく追徴税（当時）と罰金の併科について、判例は、追徴税は、納税義務違反の発生を防止し、納税の実を挙げる趣旨に出た行政上の措置であり、刑罰として、これを課す趣旨でないことは明らかであるとして、憲法第39条に反するものではないとしている。

ウ：行政刑罰、行政上の秩序罰及び執行罰については、いずれも過去の行政上の義務違反に対する制裁という点では同じであるが、行政刑罰は刑法上の刑罰を科すものであるのに対し、行政上の秩序罰及び執行罰は刑法上の刑罰以外の制裁を行うものであり、過料の名称を付されるのが一般である。

エ：即時強制については、行政代執行法第１条が「行政上の義務の履行確保に関しては、別に法律で定めるものを除いては、この法律の定めるところによる。」と規定していることから、条例により根拠規定を設けることはできないが、直接強制については、条例により根拠規定を設けることができると一般に解されている。

1：ア、イ
2：ア、ウ
3：ア、エ
4：イ、ウ
5：ウ、エ

（参考）日本国憲法
第39条　何人も、実行の時に適法であつた行為又は既に無罪とされた行為については、刑事上の責任を問はれない。又、同一の犯罪について、重ねて刑事上の責任を問はれない。

直前復習

チェック欄

| 1回目 | 2回目 | 3回目 |
| --- | --- | --- |
| | | |

## 実践 問題 86 の解説

〈行政上の強制手段総合〉

**ア○** 判例は、保険料債権等につき、租税に準ずる簡易迅速な行政上の強制徴収の手段が与えられているにもかかわらず、一般私法上の債権と同様に民事上の強制執行の手段により債権の実現を図ることは、当該債権の実現には行政上の強制徴収手段によらしめることが最も適切かつ妥当であるとした立法の趣旨に反し、許されないとした（バイパス理論、最大判昭41.2.23）。

**イ○** 判例は、追徴税は過少申告･不申告による納税義務違反の発生を防止し、もって納税の実を挙げんとする趣旨に出た行政上の措置であり、刑罰とは性質の異なるものであることを理由に、刑罰と追徴税とを併科しても憲法39条に違反しないとした（最大判昭33.4.30）。

**ウ×** 行政刑罰とは、行政上の義務違反に対し、刑法に定めのある刑罰（拘禁刑、罰金、拘留、科料）を科すものをいう。秩序罰とは、行政上の秩序を維持するための罰として、行政法規違反に過料を科すものをいう。これに対して、執行罰は、期限を示して、不作為義務、または他人が代わってすることができない作為義務（非代替的作為義務）を課し、その履行確保のために、履行がない場合に義務者に一定の過料（金銭の支払い）を科すことを予告しておく作用をいう。行政刑罰および秩序罰は、行政法上の義務違反に対する制裁という点は同じであるが、執行罰は、あくまでも将来に向けて義務の実現を図る制度であり、過去の義務違反に対する制裁という意味はない。

**エ×** 行政代執行法１条は、行政上の義務の履行確保に関しては、別に法律で定めるものを除いては、行政代執行法の定めるところによると規定している。そこで、この法律に条例が含まれるかが問題となる。通説は、行政代執行法２条において、法律に条例が含まれると言及されていることとの対比において、同法１条の法律に条例は含まれないとする。したがって、条例で、行政上の義務履行確保手段を定めることができない。よって、直接強制についても、条例により根拠規定を設けることはできない。しかし、即時強制は、行政上の義務履行確保手段ではないので、行政代執行法１条の射程外にあるから、条例により即時強制の根拠規定を設けることができる。

以上より、妥当なものはア、イであり、肢１が正解となる。

**正答 1**

第3章 SECTION 3 行政上の強制手段

# 行政上の強制手段総合

## 実践 問題 87 基本レベル

| 頻出度 | 地上★★ 国家一般職★★ 特別区★ 国税·財務·労基★ 国家総合職★★ |
|---|---|

**問 行政上の義務履行確保に関するア～オの記述のうち、妥当なもののみを全て挙げているのはどれか。** （財務2022改題）

ア：行政代執行の手続として、履行義務について相当の期限を定め、期限までにその義務が履行されない場合に代執行が行われる旨を戒告した上で、義務者がなお義務を履行しないときに代執行令書により代執行をなすべき時期等を通知する必要があるが、これらの戒告や通知は取消訴訟の対象となると一般に解されている。

イ：直接強制は、緊急の場合や義務を命ずることによっては目的を達成しがたい場合に、相手方の義務の存在を前提とすることなく、行政機関が直接に身体又は財産に対して実力を行使することにより、行政上望ましい状態を実現する制度である。

ウ：執行罰は、義務を履行しない義務者に対して過料を課す旨を通知することで心理的圧迫を与え、義務を履行させる制度であり、一般法として行政代執行法の適用を受ける。また、砂防法をはじめ執行罰を認める個別法が数多く存在する。

エ：執行罰は、代替的作為義務又は非代替的作為義務の不履行に対して適用することはできるが、不作為義務の不履行に対して適用することはできない。

オ：行政刑罰は、刑法以外の法律に規定された犯罪に科される制裁であるが、拘禁刑や罰金など刑法に刑名のある罰を科すものであるから、原則として刑事訴訟法の規定の適用がある。

1：ア、エ
2：ア、オ
3：イ、ウ
4：イ、オ
5：エ、オ

| チェック欄 | | |
|---|---|---|
| 1回目 | 2回目 | 3回目 |
| | | |

## 実践 問題 87 の解説

〈行政上の強制手段総合〉

**ア○** 行政庁が代執行を実施するには、本記述のように、戒告（行政代執行法3条1項）、代執行令書による通知（同条2項）という手続を踏む必要がある。戒告や代執行令書による通知は、代執行に着手しうるという具体的法効果が生じるし、また、実施されようとしている代執行手続が要件を充足していないなど違法なものである場合に義務者を救済する必要があることから、これらに処分性を認め、取消訴訟の対象となるとされている（大阪高決昭40.10.5、東京地判昭48.9.10）。

**イ×** 直接強制とは、義務者の身体または財産に対し直接有形力を行使して、義務の実現を図ることをいうので、相手方の義務の存在を前提とする。本記述は「相手方の義務の存在を前提とすることなく」と述べているが、これは直接強制ではなく、即時強制の説明なので妥当でない。

**ウ×** 執行罰とは、一定の期間を定め、その期間内に義務を履行しないときには一定額の過料に処するということを前もって予告して、その予告により心理的圧迫を加えることで、間接的に義務の履行を強制する手段である。執行罰は、行政代執行法1条の「行政上の義務の履行確保」にあたるが、行政代執行法は代執行だけを対象とする法律なので、執行罰の一般法とはならない。また、現在、執行罰についての規定として存在するのは、砂防法36条のみである。

**エ×** 執行罰は、理論上、代替的作為義務または非代替的作為義務の不履行に対して適用することだけでなく、不作為義務の不履行に対して適用することも可能であるので、本記述は妥当でない。

**オ○** 行政刑罰には刑事訴訟法の規定が適用されるので、本記述は妥当である。行政刑罰とは、行政上の義務違反に対して刑法に定めのある刑罰（刑法9条）を科すものをいう。行政刑罰は、刑法以外の法律に規定された犯罪であるが、刑法に刑名のある罰を科すものであるから、その手続については、原則として刑事訴訟法が適用される。

以上より、妥当なものはア、オであり、肢2が正解となる。

**正答 2**

# 行政上の強制手段総合

## 実践 問題 88 基本レベル

| 頻出度 | 地上★★ | 国家一般職★★ | 特別区★ |
|---|---|---|---|
| | 国税・財務・労基★ | 国家総合職★★ | |

**問** **行政上の義務の履行確保に関するア～オの記述のうち、妥当なもののみを全て挙げているのはどれか。ただし、争いのあるものは判例の見解による。**

**（国家一般職2015）**

ア：行政刑罰は、刑法以外の法律に規定された犯罪であるが、刑法に刑名のある罰を科すものであるから、原則として刑事訴訟法の規定の適用がある。

イ：行政刑罰と行政上の秩序罰を併科することは、二重処罰を禁止した憲法第39条に違反する。

ウ：執行罰について、相手方が義務を履行するまでこれを反復して科すことは、二重処罰を禁止した憲法第39条に違反する。

エ：直接強制は、法律を根拠規範としなければならず、条例を根拠規範とすることはできない。

オ：地方公共団体の条例・規則違反に対する過料は、非訟事件手続法の規定により、他の法令に別段の定めがある場合を除いて、過料に処せられるべき者の住所地の地方裁判所によって科されることになる。

1：ア、ウ
2：ア、エ
3：イ、エ
4：イ、オ
5：ウ、オ

チェック欄

| 1回目 | 2回目 | 3回目 |
|---|---|---|
| | | |

## 実践 問題 88 の解説

〈行政上の強制手段総合〉

**ア○** 行政罰には、刑法上の刑罰を科す行政刑罰（拘禁刑、科料など、刑法９条参照）と、これ以外の制裁を科す秩序罰（過料）とがある。行政刑罰も、刑法に刑名のある刑罰である以上、刑法総則の適用があり（刑法８条）、科刑手続は刑事訴訟法の定めによるのが原則である。

**イ×** 刑罰と秩序罰との併科ができるかにつき、判例は、訴訟手続上の秩序を維持するために秩序違反行為に対して科される秩序罰としての過料と、刑事司法に協力しない行為に対して通常の刑事訴訟手続により科せられる刑罰としての罰金、拘留とで、両者は目的、要件および実現の手続を異にし、必ずしも二者択一の関係にないから、併科を妨げないとしている（最判昭39.6.5）。したがって、両者の併科は、憲法39条に違反しない。

**ウ×** 執行罰を反復して課すことは、一事不再理ないし二重処罰の禁止（憲法39条後段）に反しないかが問題となるが、執行罰は、将来にわたって義務の履行を確保するための手段の１つであり、制裁ではない。したがって、義務の実現という目的を達成するために、繰り返し課すことができ、憲法39条に反しない。

**エ○** 行政代執行法１条は、「行政上の義務の履行確保に関しては、別に法律で定めるものを除いては、この法律の定めるところによる。」と規定している。他方、同法２条において、「法律」と「条例」とを区別して規定している。このことから、義務履行確保手段の１つである直接強制を条例で定めることは許されないと解されている。したがって、本記述は、直接強制の説明として適切であり、妥当である。

**オ×** 地方公共団体の条例・規則違反に対して科される過料については、地方自治法が適用され、非訟事件手続法の適用はない。すなわち、地方公共団体の長が、あらかじめ弁明の機会を与えたうえで、行政行為の形式で科すこととされているのであり（地方自治法255条の３）、被処分者の住所地の地方裁判所によって科されるのではない。

以上より、妥当なものはア、エであり、肢２が正解となる。

**正答 2**

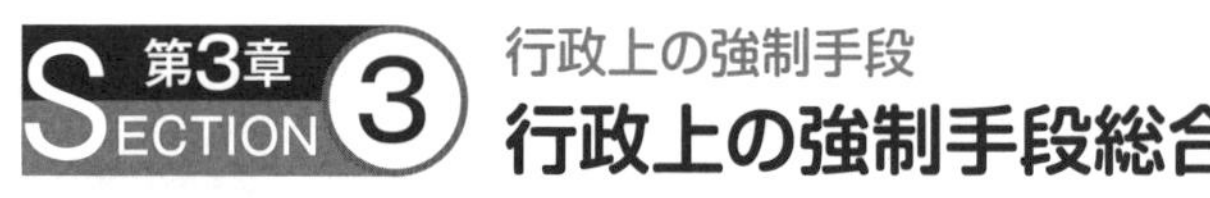

# 第3章 SECTION 3 行政上の強制手段
# 行政上の強制手段総合

## 実践 問題 89 応用レベル

| 頻出度 | 地上★ | 国家一般職★ | 特別区★ |
|---|---|---|---|
| | 国税・財務・労基★ | 国家総合職★★ | |

問 行政上の義務履行確保に関するア～オの記述のうち、妥当なもののみを全て挙げているのはどれか。　(国家総合職2012)

ア：法令に基づき行政庁が建築工事の中止命令を行い、義務者がこれを履行しない場合、当該行政庁は、行政代執行法に基づく代執行をすることはできない。他方、こうした場合、国や地方公共団体が中止命令の名宛人に対し建築工事を続行してはならない旨の裁判を求める訴えを提起し、民事執行によってその実現を図ることはできるとするのが判例である。

イ：国の金銭債権に係る行政上の強制徴収の手段として、国税滞納処分があるが、国税以外の金銭債権についても、個別の法律により、国税滞納処分の例により徴収することができるとされているものがある。他方、こうした行政上の強制徴収の根拠規定が設けられていない金銭債権については、国は、訴訟手続により履行を請求するなどすることとなるが、国が提起した訴訟であって、財産権の主体として自己の財産上の権利利益の保護救済を求めるような場合には、裁判所法第３条第１項にいう「法律上の争訟」に当たるとするのが判例である。

ウ：執行罰は、相手方が行政上の義務を履行するまで反復して科しても二重処罰を禁止した憲法第39条違反の問題を生じず、また、代替的作為義務、非代替的作為義務及び不作為義務のいずれの義務の履行確保の手段としても活用することができるという特徴を有しており、現在数多くの法律において執行罰の規定が設けられている。

エ：行政代執行法第１条において「行政上の義務の履行確保に関しては、別に法律で定めるものを除いては、この法律の定めるところによる。」と規定されていることから、条例において直接強制や即時強制の規定を設けることはできない。

オ：行政上の秩序罰としての過料については、法律違反に対する過料の規定を法律中に、条例違反に対する過料の規定を条例中に、普通地方公共団体の規則違反に対する過料の規定を規則中に、それぞれ設けることができ、これらの過料はいずれも、非訟事件手続法に基づき、裁判所によって科される。

1：イ
2：ア、オ
3：イ、エ
4：イ、エ、オ
5：ウ、エ、オ

チェック欄

| 1回目 | 2回目 | 3回目 |
| --- | --- | --- |
| | | |

## 実践 問題 89 の解説

〈行政上の強制手段総合〉

**ア×** 判例は、国または地方公共団体がもっぱら行政権の主体として国民に対して行政上の義務の履行を求める訴訟は、法規の適用の適正ないし一般公益の保護を目的とするものであって、自己の権利利益の保護救済を目的とするものということはできないから、法律上の争訟として当然に裁判所の審判の対象となるものではなく、法律に特別の規定がある場合に限り、提起することが許されるとして、地方公共団体が提起した工事続行禁止請求訴訟を不適法とした（最判平14.7.9）。

**イ○** 行政上の強制徴収については、一般法は存在せず、個別の法律で国税徴収法に規定する滞納処分の例によるとしているものが多数ある（地方税法48条１項、行政代執行法６条１項など）。行政上の強制徴収の根拠規定が設けられていない金銭債権については、行政主体が私法上の権限に基づいて債務の履行を確保するために民事訴訟法上の手続をとりうることについては、学説・判例上争いがない。

**ウ×** 執行罰は、不作為義務、非代替的作為義務の不履行に対しても課すことができ、また、繰り返し科しても二重処罰の禁止に反しない。もっとも、現在個別法において執行罰を認めているのは砂防法36条だけである。その理由は、戦後、不作為義務等の履行確保の方法として刑事罰が広く取り入れられるようになったため、執行罰による抑止効果が薄いことが挙げられている。

**エ×** 行政代執行法１条が「行政上の義務の履行確保に関しては、別に法律で定めるものを除いては、この法律の定めるところによる」と規定しているため、直接強制を条例で定めることはできない。これに対して、即時強制については、条例による創設も可能である。

**オ×** 行政上の秩序罰は、刑罰ではないため、法律のみならず、条例、規則によっても科すことができる。その手続については、国の法律違反に対する秩序罰については、非訟事件手続法に基づいて地方裁判所において科せられ、地方公共団体の条例、規則違反に対しては、地方自治法に基づき、長がこれを科し、納付しないときは地方税の滞納処分の例による。

以上より、妥当なものはイであり、肢１が正解となる。

**正答 1**

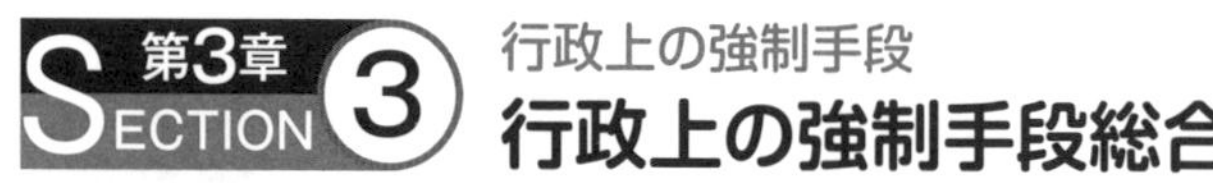

第3章 SECTION 3 行政上の強制手段

# 行政上の強制手段総合

## 実践 問題 90 応用レベル

頻出度 地上★ 国家一般職★ 特別区★ 国税·財務·労基★ 国家総合職★★

**問 行政調査に関するア～オの記述のうち、判例に照らし、妥当なもののみをすべて挙げているのはどれか。（国Ⅰ2011）**

ア：新東京国際空港の安全確保に関する緊急措置法（当時）第3条第3項に基づく立入り等は、同条第1項に基づく使用禁止命令が既に発せられている工作物についてその命令の履行を確保するために必要な限度においてのみ認められるものであり、その立入りの必要性は高いこと、立入りには職員の身分証明書の携帯及び提示が要求されていること、立入り等の権限は犯罪捜査のために認められたものと解釈してはならないと規定され、刑事責任追及のための資料収集に直接結び付くものではないこと、強制の程度、態様が直接的物理的なものではないことを総合判断すれば、裁判官の発する令状を要しないとしても憲法第35条の法意に反するものとはいえない。

イ：憲法第38条第1項の規定による供述拒否権の保障は、国税犯則取締法上の犯則嫌疑者に対する質問調査の手続にも及ぶが、当該規定による保障の及ぶ手続について供述拒否権の告知を要するものとすべきかどうかは、その手続の趣旨・目的等により決められるべき立法政策の問題と解されるから、同法上の犯則嫌疑者に対する質問調査の手続につき、同法に供述拒否権告知の規定がなく、また、犯則嫌疑者に対しあらかじめ供述拒否権の告知がされなかったからといって、その質問調査の手続が憲法第38条第1項に違反するものとはいえない。

ウ：警察官による自動車の一斉検問は、警察法第2条第1項が「交通の取締」を警察の責務として定めていることに照らすと、交通の安全及び交通秩序の維持などに必要であって、一般的に許容されるべきものであるから、それが強制力を伴い、任意手段によらないものであっても、その態様において自動車の利用者の自由を不当に制約するとはいえない場合は、適法と解すべきである。

エ：法人税法が規定する質問又は検査の権限は、犯罪の証拠資料を取得収集し、保全するためなど、犯則事件の調査あるいは捜査のための手段として行使することは許されないところ、当該質問又は検査の権限の行使に当たって、取得収集される証拠資料が後に犯則事件の証拠として利用されることが想定できた場合には、当該質問又は検査の権限が犯則事件の調査あるいは捜査のための手段として行使されたと評価することができ、当該権限の行使は違法である。

直前復習

オ：犯則事件の調査においては刑事訴訟手続に準じて直接強制を行うことが可能であり、犯則事件の調査によって収集された資料を基礎に行政処分を行うことを認めると、実質的に行政調査における調査方法の制約を潜脱することになるから、収税官吏が犯則嫌疑者に対し（旧）国税犯則取締法に基づく調査を行った場合に、課税庁が当該調査により収集された資料を同人に対する課税処分及び青色申告承認の取消処分を行うために利用することは許されない。

1：ア、イ
2：ア、エ
3：イ、オ
4：ウ、エ
5：ウ、オ

# 行政上の強制手段総合

## 実践 問題 90 の解説

チェック欄 1回目 2回目 3回目

〈行政調査〉

**ア○** 判例は、成田新法３条３項（当時）に基づく立入り等は、同条１項に基づく使用禁止命令がすでに発せられている工作物についてその命令の履行を確保するために必要な限度においてのみ認められるものであり、その立入りの必要性が高いこと、刑事責任追及のための資料収集に直接結びつくものでないこと、強制の程度、態様が直接的物理的なものでないことを総合判断すれば、裁判官の発する令状を要しないとしても憲法35条に反しないとした（成田新法事件、最大判平4.7.1）。

**イ○** 判例は、国税犯則事件の調査手続は、その手続自体捜査手続と類似しているばかりでなく、調査対象となる犯則事件は法所定の告発により被疑事件となって刑事手続に移行し、告発前の調査手続において得られた資料も捜査および訴追の証拠資料として利用されることが予定されているので、(旧)国税犯則取締法上の収税官吏による犯則嫌疑者に対する質問には憲法38条１項の供述拒否権の保障が及ぶが、具体的に供述拒否権を事前告知する必要があるか否かについては立法政策の問題であるので、供述拒否権の告知をしていなくとも同条項に反するものではないとした（最判昭59.3.27）。

**ウ×** 判例は、警察官が、自動車検問を実施し、運転者などに対して必要な事項についての質問などをすることは、それが相手方の任意の協力を求める形で行われ、自動車の利用者の自由を不当に制約することにならない方法、態様で行われる限り適法であるとした（最決昭55.9.22）。

**エ×** 判例は、法人税法による質問または検査の権限の行使にあたって、取得収集される証拠資料が後に犯則事件の証拠として利用されることが想定できたとしても、そのことによって直ちに、上記質問または検査の権限が犯則事件の調査あるいは捜査のための手段として行使されたことにならないとした（最決平16.1.20）。

**オ×** 判例は、犯則調査終了後において税務署長が、犯則調査によって得た資料を入手し、これを用いて税務調査を行い、重加算税賦課決定処分、青色申告承認取消処分を行うことは許されるとした（最判昭63.3.31）。

以上より、妥当なものはア、イであり、肢１が正解となる。

**正答 1**

memo

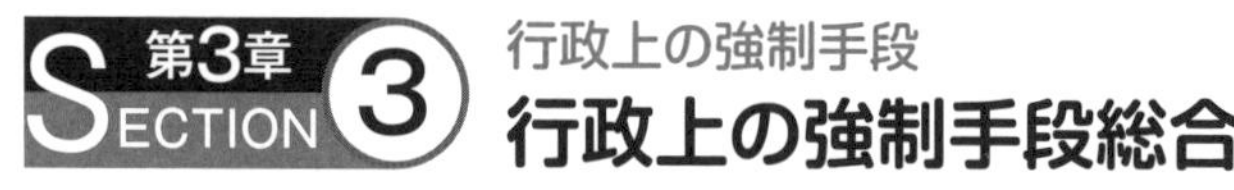

# 第3章 SECTION 3 行政上の強制手段 行政上の強制手段総合

## 実践 問題 91 応用レベル

頻出度 地上★ 国家一般職★ 特別区★ 国税·財務·労基★ 国家総合職★★

**問 行政上の義務履行確保等に関するア～エの記述のうち、妥当なもののみを全て挙げているのはどれか。** (国家一般職2022)

ア：行政代執行法に基づき代執行をなし得るのは、他人が代わってなすことのできる代替的作為義務が履行されない場合のほか、営業停止や製造禁止といった不作為義務が履行されない場合も含まれる。

イ：法人税法が定めていた追徴税（当時）は、単に過少申告・不申告による納税義務違反の事実があれば、同法所定のやむを得ない事由のない限り、当該納税義務違反の法人に対し課せられるものであり、これによって、過少申告・不申告による納税義務違反の発生を防止し、もって納税の実を挙げようとする趣旨に出た行政上の措置と解すべきであるから、同法の定める追徴税と罰金とを併科することは、憲法第39条に違反しないとするのが判例である。

ウ：即時強制とは、相手方の義務の存在を前提とせずに、行政機関が人又は物に対して実力を行使する事実行為をいう。即時強制は、緊急の危険から私人を保護することや、公共の秩序や民衆に危険が及ぶことを防止することを目的としており、その実施の判断は行政機関の裁量に委ねられる必要があるため、原則として即時強制を実施するための根拠規定は不要である。

エ：国税徴収法は、国税債権の徴収に関わる手続を定めているが、同法に定められている厳格な手続は、国税債権以外の行政上の金銭債権の徴収にも広く適用されるべき一般的手続である。このため、国税債権以外の行政上の金銭債権の徴収に当たり、国税徴収法の定める徴収手続を適用する場合には、個別の法律において国税徴収法の定める徴収手続を適用するための明文の規定は不要である。

1：イ
2：ア、イ
3：ア、ウ
4：イ、エ
5：ウ、エ

| チェック欄 | | |
|---|---|---|
| 1回目 | 2回目 | 3回目 |
| | | |

## 実践 問題 91 の解説

〈行政上の義務履行確保等〉

**ア×** 不作為義務が履行されない場合には代執行をすることができないので、本記述は妥当でない。行政代執行法に基づく代執行の対象は、他人が代わってなすことのできる義務（代替的作為義務）に限られる（同法2条）。しかし、不作為義務には代替性がない。したがって、営業停止や製造禁止といった不作為義務が履行されない場合には、代執行をすることはできない。

**イ○** 法人税法に基づく追徴税（加算税の前身）と罰金の併科が二重処罰の禁止（憲法39条）に反するかが問題となった事案につき、判例は、旧法人税法に定められている刑罰は、脱税者の不正行為の反社会性ないし反道徳性に着目し、これに対する制裁として科されるものであるのに対し、追徴税は過少申告・不申告による納税義務違反の発生を防止し、納税の実を挙げようとする趣旨に出た行政上の措置であり、両者は性質の異なるものであることを理由に、両者を併科しても憲法39条に違反しないとしている（最大判昭33.4.30）。

**ウ×** 即時強制を実施するには根拠規定が必要となるので、本記述は妥当でない。即時強制の意義は、本記述のとおりである。しかし、即時強制は、国民の身体または財産に実力を加えるものであるから、人権侵害の危険が大きく、これを実施するには当然に法律の根拠が必要となる。

**エ×** 国税徴収法上の手続は、行政上の金銭債権徴収に適用される一般的手続ではなく、また、同法を適用する場合、個別の法律において明文の規定を要するので、本記述は妥当でない。国税徴収法は、国税収入を確保することを目的とする法律である。そのため、国税徴収法の定める強制徴収は、文字どおり国税の徴収にだけ用いられるのが原則である。行政上の金銭債権の徴収であるからといって当然に国税徴収法によることはできず、同法の徴収手続を適用する場合には、個別の法律で同法の徴収手続を準用する旨の規定が必要である。

以上より、妥当なものはイであり、肢1が正解となる。

**正答 1**

# 第3章 行政上の強制手段

章末 CHECK　? Question

| | |
|---|---|
| Q1 | 行政上の強制執行をするためには、義務を賦課する根拠法とは別に、強制執行についても法律の根拠が必要である。 |
| Q2 | 営業停止命令に私人が従わない場合、行政代執行により営業停止がなされたのと同様の効果を得ることができる。 |
| Q3 | 行政代執行は、他の手段によって容易に義務の履行を確保することができる場合には、することができない。 |
| Q4 | 代執行が行われるのは私人が義務を履行しない場合であるから、代執行の前に義務の履行期限を定める必要はなく、代執行を行うことのできる義務の不履行があれば直ちに代執行をすることができる。 |
| Q5 | 代執行に要した費用を相手方が納付しない場合には、国税滞納処分の例によって徴収することができる。 |
| Q6 | 執行罰とは、科料を科すことを予告し、または実際に課すことで、その心理的圧迫によって行政上の義務履行を確保する制度である。 |
| Q7 | 執行罰は、義務者が義務を履行するまで、何度でも繰り返して課すことができる。 |
| Q8 | 行政代執行法は、直接強制の要件・手続についても規定している。 |
| Q9 | 直接強制の根拠規定を、条例によって定めることもできる。 |
| Q10 | 現行法上、行政上の強制徴収の手続について定めた一般法はない。 |
| Q11 | 即時強制は、私人に対して義務を課すと同時にその義務を強制的に実現するものである。 |
| Q12 | 行政罰は、過去の義務違反に対する制裁として科されるものであり、行政刑罰と秩序罰たる過料とがある。 |
| Q13 | 行政刑罰は刑罰の一種であるから、特別の規定がない限り、刑事訴訟法の定める手続に従って科される。 |
| Q14 | 秩序罰たる過料には、刑法総則の規定が適用される。 |
| Q15 | 法律に基づく秩序罰に対して不服のある者は、取消訴訟を提起して争うことができる。 |
| Q16 | 行政刑罰と秩序罰はともに義務違反に対する制裁として科されるものであるが、判例によれば、両者は併科することができる。 |
| Q17 | 行政調査は、任意調査、強制調査、間接強制を伴う調査に分けられ、すべて法律の根拠に基づいて行わなければならない。 |
| Q18 | 行政調査の手続における強制についても、当然に憲法35条の令状主義の規定による保障が及ばないというわけではない。 |

**A1** ○ 強制執行は、私人の身体や財産に新たな侵害を加えるものであるため、独自の根拠法が必要である。

**A2** × 行政代執行をすることができるのは、代替的作為義務の不履行の場合に限られる（行政代執行法２条）。営業停止義務は他人がなすことのできない不作為義務なので、代執行によることはできない。

**A3** ○ 代執行は、他の手段によっては義務の履行を確保することが困難であり、かつ、その不履行を放置することが著しく公益に反すると認められるときに限って、行うことができる（行政代執行法２条）。

**A4** × 代執行を行うには、原則として、相当の期限を定め、その期限までに履行がなされないときには代執行をなすべき旨を、あらかじめ文書で戒告しなければならない（行政代執行法３条１項）。

**A5** ○ 行政代執行法６条１項が、本問のように規定している。

**A6** ×「科料」ではなく、「過料」が正しい。「科料」は刑罰である（刑法９条参照）が、執行罰は刑罰ではない。

**A7** ○ 執行罰は制裁ではなく、義務の履行を確保するための手段である。したがって、義務が履行されない限り何度でも課すことができる。

**A8** × 直接強制について定めた一般法は、現行法には存在しない。

**A9** × 行政代執行法は、代執行以外の行政上の強制執行については法律の根拠を要するものとしているが、この「法律」には条例は含まれないものと解されている（同法１条参照）。

**A10** ○ ただし、個々の法律で「国税徴収法の滞納処分の例による」と規定していることが多く、実質的には、国税徴収法が強制徴収に関する一般法として機能している。

**A11** × 即時強制は、相手方に対して義務を課す行為を先行させず、直ちに身体・財産に対する強制を行うものである。

**A12** ○ 本問のとおりである。

**A13** ○ 本問のとおりである。

**A14** × 秩序罰たる過料は刑罰ではないので、刑法の適用はない。

**A15** × 法律に基づく秩序罰は非訟事件手続法の規定により裁判所によって科されるので、不服はその手続の中で主張することになる。

**A16** ○ 判例は、両者は目的、要件および実現の手続を異にし、必ずしも二者択一の関係にあるものではないとして、併科を認めている（最判昭39.6.5）。

**A17** × 任意調査については、相手方の同意を得て行う非権力的作用であるから、法律の根拠は要しないと解されている。

**A18** ○ 川崎民商事件（最大判昭47.11.22）の判示と同旨。

memo

# 第4章

# その他の行政の活動形式

SECTION

① 行政計画
② 行政契約
③ 行政指導

# 第4章 その他の行政の活動形式

## 出題傾向の分析と対策

| 試験名 | 地上 | | | 国家一般職 | | | 特別区 | | | 国税・財務・労基 | | | 国家総合職 | | |
|---|---|---|---|---|---|---|---|---|---|---|---|---|---|---|---|
| 年度 | 16-18 | 19-21 | 22-24 | 16-18 | 19-21 | 22-24 | 16-18 | 19-21 | 22-24 | 16-18 | 19-21 | 22-24 | 16-18 | 19-21 | 22-24 |
| 出題数<br>セクション | 1 | 2 | | 1 | 2 | | 1 | 1 | 1 | 2 | 2 | 2 | 2 | 1 | 2 |
| 行政計画 | ★ | | | | | | ★ | | ★ | | ★ | | | | ★ |
| 行政契約 | | ★ | | | ★ | | | ★ | | | | ★ | ★ | ★ | |
| 行政指導 | | ★ | | ★ | ★ | | | | | ★★ | ★ | ★ | ★ | | ★ |

（注）１つの問題において複数の分野が出題されることがあるため、星の数の合計と出題数とが一致しないことがあります。

この分野はほとんどの試験種で比較的よく出題されますが、特別区ではあまり出題されていません。

### 地方上級

近年は、３年に１度くらいの頻度で出題されています。特に行政指導についてよく問われていますので、行政指導に関する過去問を繰り返し解いて、行政指導に関する知識を身につけてください。

### 国家一般職

３年に１度くらいの頻度で出題されています。万全を期したい人は、過去問を解いて基本的な知識を身につけておいてください。

### 特別区

あまり出題されていません。問われている内容は基本的なものです。万全を期したい人は、過去問を解いて基本的な知識を身につけておいてください。

### 国税専門官・財務専門官・労働基準監督官

最近よく出題されています。特に近年は、行政指導について出題されていますので、行政指導に関する過去問を繰り返し解いて知識を身につけてください。

### 国家総合職

２年に１度くらいの頻度で出題されています。最近は行政計画、行政契約、行政指導のどれもがよく出題されていますので、満遍なく勉強するようにしてください。また、かなり細かい知識まで問われますので、過去問を繰り返し解いてしっかりと知識を身につけるようにしてください。



## Advice アドバイス 学習と対策

この分野では行政指導がよく出題されます。行政指導の特徴や、行政指導に関する行政手続法の規定の内容を学習するようにしましょう。

行政計画については、行政事件訴訟法の処分性に関する問題の中でもよく問われますので、行政計画に関する判例の内容は、しっかりと理解するようにしてください。

行政契約については、民法上の契約との違いを理解するようにしてください。

# その他の行政の活動形式
# 行政計画

**必修問題** セクションテーマを代表する問題に挑戦！

**行政があらかじめ目標を立て、その実現のための手段を定めることがあります。これを行政計画といいます。**

問 行政法学上の行政計画に関する記述として、判例、通説に照らして妥当なのはどれか。 (特別区2009)

1：行政計画とは、行政機関が定立する計画であって、一定の行政目標を設定しその実現のための手段・方策の総合的調整を図るものであり、法的拘束力の有無により拘束的計画と非拘束的計画とに分類でき、非拘束的計画の例としては、都市計画や土地区画整理事業計画がある。

2：行政計画の策定には、意見書の提出、公聴会や審議会の開催などの手続が要請されるが、これらの計画策定の一般的な手続は、行政手続法に定められている。

3：行政計画は、行政機関、他の行政主体、国民に対し、誘導・説得という作用力を持ち、行政の計画的遂行を保障するものであるため、その策定にはすべて法律の根拠が必要である。

4：最高裁判所の判例では、地方公共団体による工場誘致政策の変更は適法であるが、それが誘致企業の信頼を不当に破壊する場合には、当該措置は企業との関係では相対的に違法となるとし、地方公共団体は不法行為責任を免れないものとした。

5：最高裁判所の判例では、都市再開発法に基づく第二種市街地再開発事業の事業計画の決定は、施行地区内の土地の所有者の法的地位に直接的な影響を及ぼすものであっても、抗告訴訟の対象となる行政処分には当たらないとした。

直前復習

**Guidance ガイダンス**

**拘束的計画………法律の根拠必要**
**非拘束的計画……法律の根拠不要**

**処分性あり**

土地改良事業計画、第二種市街地再開発事業計画
土地区画整理事業計画

**処分性なし**

用途地域の指定

| 頻出度 | 地上★ | 国家一般職★ | 特別区★ |
| --- | --- | --- | --- |
| | 国税·財務·労基★ | 国家総合職★★ | |

| チェック欄 | | |
| --- | --- | --- |
| 1回目 | 2回目 | 3回目 |
| | | |

〈行政計画〉

**1 ×** 都市計画は、私人の土地利用について規制効果を持つため、拘束的計画の代表例である。なお、判例は、土地区画整理事業計画が一定の範囲内で建築物の新築などに関する規制効果があるとしている（最大判平20.9.10）。それゆえ、判例は、土地区画整理事業計画を拘束的計画として捉えているものと理解される。

**2 ×** 行政計画を策定する際に、その計画案を一定期間公告し、関係者の縦覧（行政上の書類を私人が自由に見ること）に供することにより、行政計画の内容を私人に明らかにする計画の公告・縦覧が手続として定められている場合、計画に対し不服のある者による意見書の提出を同時に認めるのが通例である。ただし、行政手続法には、計画策定手続の規定は設けられていない（同法１条１項参照）。

**3 ×** 私人に対する法的拘束力のある拘束的計画には法律の根拠が必要である一方、私人に対する法的拘束力のない非拘束的計画には法律の根拠が必要でない。

**4 ○** 本肢の事例につき判例は、地方公共団体が工場誘致政策を決定した場合でも、政策が社会情勢の変動等に伴って変更されることがあることは当然であるが、施策の変更により当事者が社会観念上看過することのできない積極的損害を被る場合に、地方公共団体において損害を補償するなどの代償的措置を講じないことは、それがやむをえない客観的事情によるのでない限り、当事者間に形成された信頼関係を不当に破壊するものとして違法性を帯び、地方公共団体の不法行為責任を生じさせるとした（最判昭56.1.27）。

**5 ×** 本肢の事例につき判例は、第二種市街地再開発事業計画の決定・公告は、公告の日から土地収用における事業認定と同様の効果を有し、計画が公示されると、施行区域内の土地の所有者などは、対償の支払いを受けるか建築施設の部分の譲受け希望の申請をするかの選択をしなければならないとされ、所有者などの法的地位に直接的な影響が及ぶので、公告された当該計画には、処分性が認められるとした（阿倍野再開発事業判決、最判平4.11.26）。

**正答 4**

その他の行政の活動形式

# 行政計画

## 1 行政計画とは

行政が行政活動の目標を設定し、そのための手段を総合的に提示する作用またはその設定・提示されたものを行政計画といいます。行政計画は、私人に対して法的拘束力がある拘束的計画と、法的拘束力のない非拘束的計画に分けられます。

一般に非拘束的計画の策定には法律の根拠は不要ですが、拘束的計画の策定には法律の根拠が必要とされています。

## 2 計画策定手続の民主化

計画内容の合理化・適正化を図るため、計画策定手続に民主的統制を及ぼす方策が重要となっています（公聴会や縦覧、意見書の提出等、パブリック・インボルブメント［国民参加のこと］等）。

## 3 行政計画と損害賠償

行政計画の変更は、原則として許容されます。もっとも、一定の要件のもとでは、計画が維持されると信頼した私人の利益保護の必要性が生じます。

この点について、計画の中止・変更によって損害を被った私人が、その賠償を求めることができるかどうかが争われた判例があります。

**判例**

《工場誘致施策の変更と損害賠償》最判昭56.1.27

【事案】ある企業が、村議会が工場誘致を決議したことに基づき、用地買収、機械設備の発注や工場予定地の工事などを完了したが、その後、新村長に工場誘致を拒否されたため、損害賠償を求めた事案

【判旨】行政が、行政計画を変更・中止すること自体は、違法ではない。しかし、計画に伴い行政と私人との間に信頼関係が生じたと認められる場合には、代償的措置を講ずることなく施策を変更することは、それがやむをえない客観的事情によるのでない限り、当事者間の信頼関係を不当に破壊するものとして違法性を帯びる。

**判例チェック**

行政計画の処分性

《否定した例》

・用途地域の指定

《肯定した例》

・土地改良事業計画

・第二種市街地再開発事業計画

・土地区画整理事業計画

# memo

# 第4章 SECTION 1 その他の行政の活動形式 行政計画

## 実践 問題 92 基本レベル

頻出度 地上★ 国家一般職★ 特別区★ 国税・財務・労基★ 国家総合職★★

**問 行政計画に関するア～エの記述のうち、妥当なもののみを全て挙げているのはどれか。** （財務・労基2021）

ア：行政計画とは、行政権が一定の公の目的のために目標を設定し、その目標を達成するための手段を総合的に提示するものであり、私人の行為を規制するような外部効果を有するか否かにかかわらず、その策定については法律の根拠を必要としない。

イ：行政計画の策定は多数の国民の権利利益に対して多様かつ長期的な影響を与えることから、行政手続法は、行政計画の策定に際し、公聴会の開催その他の適当な方法により利害関係者の意見を聴く機会を設ける努力義務を行政庁に課している。

ウ：都市計画区域内において工業地域を指定する決定は、当該地域内の土地所有者等に建築基準法上新たな制約を課し、その限度で一定の法状態の変動を生ぜしめるものであることは否定できないが、その効果は、新たに当該制約を課する法令が制定された場合と同様の当該地域内の不特定多数の者に対する一般的抽象的なものにすぎず、抗告訴訟の対象となる処分には当たらないとするのが判例である。

エ：地方公共団体が、一定内容の継続的な施策を決定し、特定の者に対し当該施策に適合する特定内容の活動を促す個別的具体的な勧誘等を行い、当該者が当該施策の相当長期にわたる存続を信頼して投資した後に当該施策を変更した場合、これにより当該者がその活動を妨げられ、社会観念上看過することのできない程度の積極的損害を被ることとなるときは、補償等の措置を講ずることなく当該施策を変更した地方公共団体は、それがやむを得ない客観的事情によるのでない限り、当該者に対する不法行為責任を負うとするのが判例である。

1：ア、イ
2：ア、ウ
3：ア、エ
4：イ、エ
5：ウ、エ

チェック欄

| 1回目 | 2回目 | 3回目 |
| --- | --- | --- |
| | | |

## 実践 問題 92 の解説

〈行政計画〉

**ア×** 侵害留保説の立場からは、私人の行為を規制するような外部効果を有する行政計画については法律の根拠が必要となるので、本記述は妥当でない。侵害留保説は、行政権が自らの判断で法律と関係なしに自由に活動できることを前提としつつ、自由主義の見地から、権力的侵害行政につき根拠規範たる法律の根拠を要求する。行政計画にはさまざまな効果を持つものがあるので、侵害留保説の立場からは、少なくとも、私人の行為を規制するような外部効果を有する行政計画については法律の根拠が必要となる。

**イ×** 行政手続法は、計画策定手続に関する規定を置いていないので、本記述は妥当でない。将来の検討課題とされている（同法１条１項参照）。

**ウ○** 都市計画区域内において工業地域を指定する決定について、判例は、当該地域内の土地所有者等に建築基準法上新たな制約を課し、その限度で一定の法状態の変動を生じさせるものであることは否定できないが、このような効果は、新たに当該制約を課する法令が制定された場合と同様の当該地域内の不特定多数の者に対する一般的抽象的なものにすぎず、このような効果を生ずるということだけから直ちに当該地域内の個人に対する具体的な処分があったものとすることはできないとしている（最判昭57.4.22）。

**エ○** 工場誘致施策を変更した地方公共団体の責任について、判例は、①社会情勢の変化により施策の変更があることは当然としつつ、②地方公共団体が一定内容の継続的な施策を定めるにとどまらず、特定の者に対して当該施策に適合する特定内容の活動をすることを促す個別的・具体的な勧告ないし勧誘を伴うものであり、かつ、その活動が相当長期にわたる当該施策の継続を前提として初めてこれに投入する資金または労力に相応する効果を生じうる性質のものである場合には、密接な交渉を持つに至った当事者間の関係を規律すべき信義衡平の原則に照らし、その施策の変更にあたってはかかる信頼に対して法的保護が与えられなければならないとし、③当該施策の変更により、相手方が社会観念上看過することのできない程度の積極的損害を被る場合に、損害の補償などの代償的措置を講ずることなく施策を変更することは、やむをえない客観的事情によるのでない限り、地方公共団体の不法行為責任を生じさせるとしている（最判昭56.1.27）。

以上より、妥当なものはウ、エであり、肢５が正解となる。

**正答 5**

# 行政計画

## 実践 問題 93 基本レベル

| 頻出度 | 地上★ | 国家一般職★ | 特別区★ |
|---|---|---|---|
| | 国税·財務·労基★ | 国家総合職★★ | |

**問 行政計画に関する次の記述のうち、妥当なのはどれか。** （国Ⅰ2011）

1：都市再開発法に基づく第二種市街地再開発事業の事業計画の決定・公告は、施行地区内の土地所有者等の法的地位に直接的な影響を及ぼすものではないが、その後に権利変換処分等の具体的処分を当然に予定するものであるから、当該計画の決定・公告の段階において、これを対象とした取消訴訟を認めることに合理性があるとするのが判例である。

2：都市計画法上の都市施設の区域は、当該都市施設が適切な規模で必要な位置に配置されたものとなるような合理性をもって定められるべきものであり、民有地に代えて公有地を利用することができるときは、そのことも当該合理性を判断する一つの考慮要素となり得るとするのが判例である。

3：都市計画法上の都市施設に関する都市計画の決定又は変更の内容の適否についての司法審査を行うに当たっては、当該決定又は変更が裁量権の行使としてされたことを前提とするのではなく、それらの内容が社会通念に照らし著しく妥当性を欠くものと認められるか否かという観点から審査を行うことが相当であるとするのが判例である。

4：平成17年の改正後の行政手続法では、行政機関が都市計画案を作成しようとする場合に、計画策定手続として、公聴会の開催等の住民の意見を反映させるために必要な措置を講ずるべきことが定められている。

5：法律の留保に関する侵害留保原則に立つならば、私人の行為を規制する法的効果を有さない事実行為にとどまる行政計画であっても、その計画に指針的効果が認められる場合には、法律の根拠が必要となる。

チェック欄

| 1回目 | 2回目 | 3回目 |
| --- | --- | --- |
| | | |

## 実践 問題 93 の解説

〈行政計画〉

**1 ×** 判例は、都市再開発法に基づく第二種市街地再開発事業計画の決定は、その公告の日から、土地収用法上の事業認定と同一の法律効果を生じるものであるから、当該事業計画の決定は、施行地区内の土地の所有者らの法的地位に直接的な影響を及ぼすものであって、抗告訴訟の対象となる行政処分にあたるとしている（阿倍野再開発事業判決、最判平4.11.26）。

**2 ○** 判例は、都市施設は、適切な規模で必要な位置に配置することにより、円滑な都市活動を確保し、良好な都市環境を維持するように定められなければならないから、都市施設の区域は、当該施設が適切な規模で必要な位置に配置されたものとなるような合理性をもって定められるべきものであり、この場合において、民有地に代えて公有地を利用することができるときには、そのこともその合理性を判断する１つの考慮要素となりうるとした（林試の森公園事件、最判平18.9.4）。

**3 ×** 判例は、裁判所が都市施設に関する都市計画の決定または変更の内容の適否についての司法審査を行うにあたっては、当該決定または変更が裁量権の行使としてなされたことを前提として、その基盤とされた重要な事実に誤認があること等により重要な事実の基礎を欠くこととなる場合、または、事実に対する評価が明らかに合理性を欠くこと、判断の過程において考慮すべき事情を考慮しないこと等によりその内容が社会通念に照らし著しく合理性を欠くものと認められる場合に限り、裁量権の範囲を逸脱しまたはこれを濫用したものとして違法となるとすべきものであるとした（小田急線高架化訴訟［本案］、最判平18.11.2）。

**4 ×** 行政手続法は、平成17年改正後においても、現在に至るまで、計画策定手続に関する規定は置かず、将来の検討課題としている。

**5 ×** 侵害留保原則は、行政が権力的に私人の自由と財産を侵害する行政作用に法律の根拠を要するとの建前である。同説は、行政が自らの判断で法律と関係なしに自由に活動できることを前提としつつ、自由主義の見地から、権力的侵害行政につき法律の根拠を要求する見解である。この点、行政計画には、さまざまな効果を持つものがあり、侵害留保原則によれば、権力的に人の権利・自由を侵害する効果の認められる計画については法律の根拠は必要となるが、そうでない計画については、たとえ指針的効果が認められるものであっても、法律の根拠は必要ない。

**正答 2**

その他の行政の活動形式

# 行政計画

## 実践 問題 94 基本レベル

| 頻出度 | 地上★ | 国家一般職★ | 特別区★ |
|---|---|---|---|
| | 国税·財務·労基★ | 国家総合職★★ | |

**問 行政法学上の行政計画に関する記述として、判例、通説に照らして、妥当なのはどれか。** (特別区2016)

1：行政計画とは、行政権が一定の目的のために目標を設定し、その目標を達成するための手段を総合的に提示するものであり、私人に対して法的拘束力を持つか否かにかかわらず、法律の根拠を必要としない。

2：行政計画の策定において、計画策定権者に対して広範囲な裁量が認められるため、手続的統制が重要になることから、公聴会の開催や意見書の提出などの計画策定手続は、個別の法律のみならず行政手続法にも規定されている。

3：最高裁判所の判例では、地方公共団体の工場誘致施策について、施策の変更があることは当然であるから、損害を補償するなどの代償的措置を講ずることなく施策を変更しても、当事者間に形成された信頼関係を不当に破壊するものとはいえず、地方公共団体に不法行為責任は一切生じないとした。

4：最高裁判所の判例では、西遠広域都市計画事業上島駅周辺土地区画整理事業の事業計画の決定は、施行地区内の宅地所有者等の法的地位に変動をもたらすものであって、抗告訴訟の対象とするに足りる法的効果を有し、行政庁の処分その他公権力の行使に当たる行為と解するのが相当であるとした。

5：最高裁判所の判例では、都市計画区域内で工業地域を指定する決定は、その決定が告示されて効力を生ずると、当該地域内の土地所有者等に新たな制約を課し、その限度で一定の法状態の変動を生ぜしめるものであるから、一般的抽象的なものとはいえず、抗告訴訟の対象となる処分にあたるとした。

## 実践 問題 94 の解説

〈行政計画〉

**1** × 行政計画は、国民に対して法的拘束力を持つ拘束的計画と、法的に国民を何ら拘束しない非拘束的計画に分類することができる。侵害留保原則から、拘束的計画の策定にあたっては法律の根拠が必要であるとされる。したがって、行政計画が私人に対して法的拘束力を持つか否かにかかわらず、法律の根拠を必要としないとする本肢は妥当でない。

**2** × 行政手続法は、その規律する範囲を、処分、行政指導、届出に関する手続、命令等を定める手続の４つに限定しており（同法１条１項）、行政計画の策定手続については規定が存在しない。したがって、計画策定手続に関する規定が行政手続法にも規定されているとする本肢は妥当でない。

**3** × 判例は、地方公共団体は原則として当該施策の決定に拘束されないので施策の変更自体は違法とはならないが、当該施策の決定を信頼し行動してきた者が、施策の変更により社会観念上看過できない程度の積極的損害を被る場合、地方公共団体が当該損害の補償などの代償的措置を講ずることなく施策を変更することは、それがやむをえない客観的事情によるのでない限り、当事者間に形成された信頼関係を不当に破壊するものとして、地方公共団体の不法行為責任が生じるとした（最判昭56.1.27）。したがって、施策の変更が当事者間に形成された信頼を不当に破壊するものとはいえないとして不法行為責任を否定する本肢は妥当でない。

**4** ○ 判例は、土地区画整理事業計画の決定は、施行地区内の宅地所有者等の法的地位に変動をもたらし、抗告訴訟の対象とするに足りる法的効果を有するものということができるので、行政事件訴訟法３条２項にいう行政庁の処分その他公権力の行使にあたるとし、かつての「青写真判決」（最大判昭41.2.23）を変更した（最大判平20.9.10）。

**5** × 判例は、都市計画法に基づく都市計画としての工業地域指定の決定は、地域内の土地所有者等に建築基準法上新たな制約を課し、その限度で一定の法状態の変動を生じさせるものであるが、かかる効果は、あたかも新たに法令が制定された場合と同様の当該地域内の不特定多数の者に対する一般的抽象的なものにすぎず、直ちにその地域内の個人に対する具体的な権利侵害を伴う処分があったとはいえないとし、抗告訴訟の対象となる処分にあたらないとした（最判昭57.4.22）。

**正答 4**

# 第4章 SECTION 1 その他の行政の活動形式 行政計画

## 実践 問題 95 基本レベル

| 頻出度 | 地上★ | 国家一般職★ | 特別区★ |
|---|---|---|---|
| | 国税·財務·労基★ | 国家総合職★ | |

**問 行政法学上の行政計画に関する記述として、妥当なのはどれか。**

（特別区2023）

1：行政計画は、目標を設定し、その目標を達成するための手段を総合的に提示する条件プログラムである。

2：行政計画の策定には、必ず法律の根拠が必要であり、根拠法に計画の目標や策定の際に考慮すべき要素が規定される。

3：法的拘束力を持つ行政計画を拘束的計画といい、例として、土地区画整理法に基づく土地区画整理事業計画がある。

4：最高裁判所の判例では、都市計画区域内において工業地域を指定する決定は、当該地域内の土地所有者等に建築基準法上新たな制約を課すものであり、直ちに当該地域内の個人に対する具体的な権利侵害を伴う処分があったものとして、抗告訴訟の対象となるとした。

5：最高裁判所の判例では、都市計画法の基準に従って都市施設の規模、配置等に関する事項を定めるに当たっては、当該都市施設に関する諸般の事情を総合的に考慮して判断することが不可欠であるが、これを決定する行政庁の広範な裁量に委ねられるものではないとした。

## 実践 問題 95 の解説

〈行政計画〉

**1 ×** 行政計画とは、行政権が一定の公の目的のために目標を設定し、その目標を達成するための手段を総合的に提示するものである。ただし、その形式は要件・効果（Aという要件を満たすならばBという法的効果を生じる）を明示した条件プログラムというよりも、目標と達成手段をオープンにして、さらにその他考慮事項も明示するようにする**目標プログラム**という特徴がある。

**2 ×** 行政計画は、行政主体の内部行為としての側面があることから、**原則として法律の根拠を必要としない**。ただ、私人の行為を規制するような外部効果を有する拘束的計画（肢３の解説参照）については、法律の根拠が必要とされる。

**3 ○** 行政計画にはさまざまな分類があるが、「ある計画が私人に対して法的拘束力を有するか否か」によって分類すると、拘束的計画・非拘束的計画に分けることができる。拘束的計画の代表例としては、土地区画整理法における土地区画整理事業計画や、都市計画法における市街化区域・市街化調整区域の区分（都市計画法７条）が挙げられる。

**4 ×** 都市計画区域内において工業地域（用途地域）を指定する行為につき、判例は、当該地域内の土地所有者等に新たな制約を課し、その限度で一定の法状態の変動を生じさせるものではあるが、**このような効果は当該地域内の不特定多数の者に対する一般的抽象的なものにすぎず、このような効果があるというだけで直ちに個人に対する具体的な権利侵害を伴う処分があったとして抗告訴訟を肯定することはできない**としている（最判昭57.4.22）。

**5 ×** 判例は、都市計画法の基準に従って都市施設の規模、配置等に関する事項を定めるにあたっては、**当該都市施設に関する諸般の事情を総合的に考慮したうえで、政策的、技術的な見地から判断することが不可欠であり、このような判断はこれを決定する行政庁の広範な裁量に委ねられている**、として計画策定権者に広範な裁量を認めている（**小田急線高架化訴訟本案判決**、最判平18.11.2）。

**正答 3**

# その他の行政の活動形式
# 行政契約

必修問題 セクションテーマを代表する問題に挑戦！

**行政は行政行為だけでなく、契約によって行政目的を実現しようとすることがあります。**

問 行政上の契約に関する次の記述のうち、妥当なのはどれか。

（国Ⅰ1990）

1：行政行為を行うには法律の根拠が必要であるから、行政庁が契約という手法を行政手段として用いることができるのは、法律に明文の規定がある場合に限定される。

2：給付行政上の契約については民法の契約に関する定めが適用されるから、契約上の給付内容を画一的にする必要はなく、契約の相手方は各人の希望に応じて給付内容を自由に変容しうる。

3：契約という行政手段が用いられるのは給付行政のような非権力的行政の領域に限られ、取締行政のような権力的行政の分野には用いられることはない。

4：行政上の契約の目的が国民の日常の生活に必要不可欠な物資やサービスの給付である場合、その行政上の契約は、受給者側に不正があるときやその他の正当事由がある場合以外は、解除されえない。

5：行政上の契約は行政行為の一形態であるため、その契約の違反に対しては行政上の強制執行の手段を用いることによって契約上の義務の履行を強制しうる。

Guidance ガイダンス

**行政契約の特徴**

・原則として法律の根拠は不要
・契約自由の原則は妥当する
　→平等原則、比例原則などにより修正される
・公権力を創出することはできない
　→立入検査権の創設などはできない

直前復習

頻出度 地上★ 国家一般職★ 特別区★ 国税·財務·労基★ 国家総合職★

## 必修問題の解説

〈行政契約〉

**1 ×** 行政行為を行うには、法律の根拠が必要である。しかし、行政契約は行政行為ではない。学説（侵害留保説、権力留保説）は、一般に行政契約の締結について法律の根拠は不要と解している。なぜなら、行政契約は相手方と対等な関係で締結する非権力的な行為形式であり、契約の相手方も自発的に一定の義務を負う以上、その者の権利・自由が侵害されるものではないからである。

**2 ×** 行政契約は、一方で行政主体が私人と同等の立場に立って締結するものであるが、他方で公益を代表する行政主体が当事者であることから、制定法上さまざまな形で私法に対する例外が定められている。たとえば給付行政上の行政契約は、平等原則に基づく公正な取扱いが要請されることから、行政上の給付の条件は、法律などの、一般的な規範の形式で定められている。それゆえ、国民各個の希望によって給付の内容が個別的に変容される余地はほとんどない。

**3 ×** 取締行政（規制行政）は、性質上、国民の権利自由を制約する作用であるから、行政行為が主な活動形式である。しかし、取締行政の分野だからといって、行政契約がまったく利用されていないわけではない。実際に多用されてきたのが、公害防止協定である。公害防止協定とは、地方公共団体が公害発生源となるおそれのある事業者と個別的に協議し、事業者に各種の公害防止措置を約束させる旨の文書による合意をいう。協定方式にはいくつかのメリット（不十分な立法の補完、地域特性などを加味した個別的な規制、技術進歩への迅速な対応など）があるので、公害防止法制が一応整備された今日でも、公害防止協定は採用されている。

**4 ○** 行政契約は、行政主体が行政目的を達成するために締結する契約だから、その性質からくる特別な規律に服する。特に、国民の生活に必需的なサービスについては、行政側は正当な理由なく契約の締結を拒むことはできず（水道法15条参照）、また、契約を解除するについても特別の正当化事由を必要とする（解除の制限）と一般に解されている。

**5 ×** 行政契約は行政行為ではなく、あくまでも契約だから、相手方の契約上の義務の履行を確保するためには民事訴訟あるいは公法上の当事者訴訟によらなければならず、行政上の強制手段を利用することはできない。

**正答 4**

第4章 SECTION 2 その他の行政の活動形式

# 行政契約

## 1 行政契約とは

一定の行政目的を実現するため、行政主体と私人の間で（または行政主体相互間で）、双方の自由意思の合致により権利義務関係を形成する行為を行政契約といいます。

補足

行政契約の具体例として、①物品の納入契約、②補助金の交付契約、③公共施設の利用契約などがあります。

## 2 行政契約の規制

### (1) 法律の根拠の要否

行政契約は、契約当事者間の意思表示の合致によって権利義務を生じさせるので、原則として法律の根拠は不要です。

### (2) その他の規制

行政契約も行政活動の１つなので、契約自由の原則は妥当するものの、平等原則、比例原則などの法の一般原則や、法律の優位の原則に服するものとされています。特に、給付行政における行政契約は、公共性の見地から、国民の生存権確保という行政の責務を契約の方法で果たすものなので、さまざまな規制が加わることになります。たとえば、水道などの、大量になされる生活必需サービスの供給契約については、平等原則が適用され、契約内容などに関し、特定人を合理的理由なく差別することはできません。また、法律の法規創造力の原則から、契約により公権力を創り出すことは認められないため、公害防止協定の内容として、行政庁に実力行使による立入検査権を認める旨を定めることは、許されません。

判例チェック

マンション建設にあたり、指導要綱に従わない業者には水道供給契約を拒否すると定めたことに基づいて行われた市長の水道供給契約拒否について争われた事案において、業者が指導要綱に基づく行政契約には従わない意思を明確に表明し、マンションの購入者も入居にあたり給水を必要としていた時期における給水契約の締結を留保した市長の行為は、正当の理由なく給水契約を拒んだ行為にあたるから、水道法15条１項に違反すると判示しました（武蔵野マンション刑事事件、最決平元.11.8）。

## 3 救済

私法上の契約の場合、民事訴訟が紛争解決手段となります。他方、公法上の行政契約の場合、行政事件訴訟法上の実質的当事者訴訟（同法４条後段）が紛争解決手段となります。

memo

第4章 SECTION 2 その他の行政の活動形式

# 行政契約

## 実践 問題 96 基本レベル

| 頻出度 | 地上★ | 国家一般職★ | 特別区★ |
|---|---|---|---|
| | 国税·財務·労基★ | 国家総合職★★ | |

問 行政契約に関する次の記述のうち、妥当なのはどれか。 （国家総合職2021）

1：水道事業者は、給水区域内の需要者から給水契約の申込みを受けたときは、水道法上、正当の理由があればこれを拒むことができるが、水道が国民にとって欠くことのできないものであることからすると、給水契約の申込みをみだりに拒否することは許されないから、水道事業者が水需給のひっ迫を理由として給水契約の締結を拒んだとしても、当該拒否に正当の理由があると認められることはないとするのが判例である。

2：普通地方公共団体が、土地開発公社との間で締結した土地の先行取得の委託契約に基づく義務の履行として、当該土地開発公社が取得した当該土地を買い取る売買契約を締結した場合には、仮に当該委託契約の締結が違法なものであったとしても、そのことによって当該委託契約が私法上当然に無効になるわけではないから、当該売買契約の締結を財務会計法規上の義務に違反する違法なものと評価することはできないとするのが判例である。

3：行政契約には、建築協定など、当事者間で協定を結び、行政庁から認可を受けることにより、協定の当事者以外の第三者に対しても効果を持つことが認められるものがあり、この効果を第三者効というが、現行法制上、第三者効が認められる協定の契約主体は私人に限られており、行政主体が契約当事者となり、第三者効が認められる協定の例はない。

4：知事が、廃棄物の処理及び清掃に関する法律に基づいて、産業廃棄物の処分を業として行おうとする者に対してする許可は、処分業者に対し、許可が効力を有する限り事業や処理施設の使用を継続すべき義務を課すものであるから、処分業者が、公害防止協定において、協定の相手方である町に対し、その事業や処理施設を将来廃止する旨を約束することは、知事に許可権限を付与した同法に抵触し、処分業者自身の自由な判断で行うことはできないとするのが判例である。

5：公権力の行使に当たる事務は公的主体が行うべきであると伝統的に解されてきたが、駐車違反の対応業務における放置車両の確認と標章の取付けに関する事務については、私人の権利を制限し又は義務を課すものではなく、公権力の行使には当たらないという整理の下で、都道府県公安委員会の登録を受けた法人に委託することが道路交通法上認められている。

| チェック欄 | | |
|---|---|---|
| 1回目 | 2回目 | 3回目 |
| | | |

## 実践 問題 96 の解説

〈行政契約〉

**1 ×** 判例は、水道が国民にとって欠くことのできないものであることから、市町村は給水契約の申込みに対して応ずべき義務があるが、水が限られた資源であることを考慮すれば、給水義務は絶対的なものということはできず、給水契約の申込みが適正かつ合理的な供給計画によっては対応することができないものである場合には、水道法15条１項にいう「正当の理由」があるものとして、これを拒むことが許されるとした（最判平11.1.21）。

**2 ×** 判例は、市が土地開発公社との間で、土地の先行取得の委託契約を締結し、これに基づき公社が取得した土地の買取りのために売買契約を締結した場合において、当該委託契約が違法であれば私法上も無効となり、これに基づく当該売買契約も違法なものとなるとした（最判平20.1.18）。

**3 ×** 現行法制上、行政主体が契約当事者となる協定で第三者効が認められる例として、地方公共団体が保全調整池所有者と締結した管理協定が、当該協定の公告後に、当該調整池の所有者となった者に対しても効力が及ぶというものがある（特定都市河川浸水被害対策法52条）。したがって、行政主体が契約当事者となり、第三者効が認められる協定の例はないと述べる本肢は、妥当でない。

**4 ×** 判例は、知事の許可により、処分業者に許可が効力を有する限り事業や処理施設の使用を継続すべき義務を課すものではないことは明らかであり、また、廃棄物処理法には、事業の継続義務を課す条文は存在せず、事業の廃止、処理施設の廃止については、知事に届出をするだけで足りる旨の規定があることから、処分業者が、公害防止協定において、協定の相手方に対し、その事業や処理施設を将来廃止する旨を約束することは、処分業者の自由な判断で行えるとしている（最判平21.7.10）。

**5 ○** 行政改革の一環として増加傾向にある事務の民間委託について、公権力の行使にあたる事務は公的主体が行うべきと考えられていることから、権力的業務を民間に委託することができるかが問題となる。本肢の例では、道路交通法上、駐車違反の対応業務における放置車両の確認と標章の取付けに関する事務は事実行為にとどまり、公権力の行使にはあたらないという考えのもとで、当該事務については都道府県公安委員会の登録を受けた法人に委託できると規定されている（同法51条の８）。

**正答 5**

第4章 SECTION ② その他の行政の活動形式

# 行政契約

## 実践 問題 97 応用レベル

| 頻出度 | 地上★ | 国家一般職★ | 特別区★ |
|---|---|---|---|
| | 国税·財務·労基★ | 国家総合職★★ | |

問 行政契約に関する次の記述のうち、妥当なのはどれか。　（国家総合職2016）

1：行政活動を遂行するに当たって必要な物的手段の調達・整備は広く契約方式によって行われているが、国有財産及び公有財産の管理については、会計法、国有財産法、物品管理法及び地方自治法による規律があり、原則として民法の適用は排除されている。

2：普通地方公共団体が随意契約の制限に関する法令に違反して契約を締結した場合において、当該法令の規定が随意契約によることができる場合を列挙しているときは、当該列挙された事由のいずれにも該当しないのに随意契約の方法により締結された契約は明らかに違法であるから、当該契約は私法上も当然に無効であるとするのが判例である。

3：行政契約には、建築協定など、私人間で協定を結び、行政庁から認可を受けることにより、協定に関わらない第三者に対しても効力を持つことが認められるものがあり、これを第三者効というが、第三者効のある協定は、行政庁から認可を受けた私人間の協定に限られ、行政主体が契約当事者となる協定で第三者効が認められる例はない。

4：公権力の行使に当たる事務は公的主体が行うべきものとされ、権力的業務の民間委託はできないと考えられていたが、行財政改革及び規制改革の一環として、違法駐車の取締業務については、定型的かつ軽微な公権力の行使にすぎないとの考え方の下、都道府県公安委員会の許可を受けた法人に当該業務を委託することが道路交通法上認められている。

5：行政契約の手続的統制については、行政手続法の対象外とされており、行政契約締結手続全般について規定する法律も存在しないが、競争の導入による公共サービスの改革に関する法律（平成18年法律第51号）では、官民競争入札又は民間競争入札の手続を経て、公正性・透明性・公開性に配慮しながら契約によって公共サービスを民間事業者に委託するための仕組みを定めている。

チェック欄

| 1回目 | 2回目 | 3回目 |
|---|---|---|
| | | |

## 実践 問題 97 の解説

〈行政契約〉

**1 ×** 国有財産や公有財産の管理については、その適正を図るために会計法、国有財産法、物品管理法、地方自治法といった法律が制定されているが、これらは民法の特別法として位置づけられており、これらの特別法が適用されない場合は原則として民法の規定に服する。したがって、原則として民法の適用が排除されているとする本肢は妥当でない。

**2 ×** 列挙事由に制限する規定に反して締結された随意契約の効力について判例は、随意契約の締結に制限を加える法令の規定の趣旨を没却する結果となる特段の事情が認めらない限り、私法上当然に無効とはならないと判示している（最判昭62.5.19）。したがって、当該契約を私法上当然に無効とする本肢は妥当でない。

**3 ×** 私人間で協定を結び、行政庁から認可を受けることで第三者効が認められる例として、建築協定（建築基準法69条以下）などがある。そのほか、行政主体が契約当事者となる協定で第三者効が認められる例もあるので、本肢は妥当でない。その例として、地方公共団体が保全調整池所有者と締結した管理協定が、公告後に、当該調整池の所有者となった者に対しても効力が及ぶ（特定都市河川浸水被害対策法52条）というものがある。

**4 ×** 行政改革の一環として増加傾向にある事務の民間委託について、公権力の行使にあたる事務は公的主体が行うべきと考えられていることから、権力的業務を民間委託することは可能かが問題となるが、駐車違反の取締業務については、放置車両の確認と標章の取付けは事実行為にとどまり、公権力の行使にあたらないという考え方のもとで、当該事務については都道府県公安委員会の登録を受けた法人に委託できると規定されている（道路交通法51条の８）。したがって、違法駐車の取締業務について、現行法制は、定型的かつ軽微な公権力の行使にすぎないという考え方を採っていないので、その考え方を述べる本肢は妥当でない。

**5 ○** 行政手続法は、行政契約を規律の対象としていない（同法１条１項参照）。これに関連して、官民競争入札または民間競争入札の手続を規律する公共サービス改革法は、公正性・透明性・公開性に配慮しながら契約によって公共サービスを民間事業者に委託するための仕組みを定めており、今後の参考となると指摘されている。したがって、本肢は、公共サービス改革法の説明として適切であり、妥当である。

**正答 5**

第4章 SECTION 2 その他の行政の活動形式

# 行政契約

## 実践 問題 98 応用レベル

| 頻出度 | 地上★ | 国家一般職★ | 特別区★ |
|---|---|---|---|
| | 国税·財務·労基★ | 国家総合職★★ | |

**問 行政契約に関する次の記述のうち、妥当なのはどれか。** (財務2022)

1：行政契約は行政作用の一形式であるため、行政契約の一方当事者である私人は、契約に関して訴訟を提起する場合、他の行政の行為形式の場合と同様に、行政事件訴訟法に定める抗告訴訟によらなければならない。

2：行政契約は、当事者の意思の合致により成立するため、その内容が国民に義務を課すものや、国民の権利を制限するものであっても、法律の根拠を要しないと一般に解されており、契約の中で、契約違反に対する罰則を設けることや、地方公共団体の職員による強制力を伴う立入検査権について定めることも認められる。

3：行政契約は、契約や協定の当事者のみを拘束するのが原則であるが、建築基準法上の建築協定や、景観法上の景観協定のように、私人間で協定を締結し、行政庁から認可を受けることにより、協定の当事者以外の第三者に対しても効力を有するものがある。

4：水道事業者は、給水区域内の需要者から給水契約の申込みを受けたときは、正当の理由がなければこれを拒んではならず、マンション分譲業者からの給水契約の申込みに対し、水資源のひっ迫を理由にこれを拒むことができるのは、長期間の断水を余儀なくされるなど現実に深刻な水不足が顕在化した場合に限られ、近い将来に予見される事情を考慮することは許されないとするのが判例である。

5：廃棄物の処理及び清掃に関する法律には、処分業者による事業や処理施設の廃止については、知事に対する届出で足りる旨が規定されているものの、処分業者が、公害防止協定において、協定の相手方に対し、その事業や処理施設を将来廃止する旨を約束することは、処分業者自身の自由な判断で行えることではなく、その結果、同法に基づき処分業者が受けた知事の許可が効力を有する期間内に事業や処理施設が廃止されることがあったときは、知事の専権に属する許可権限を制約することになり、同法に抵触するとするのが判例である。

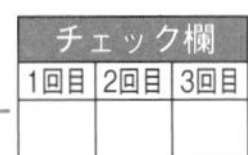


## 実践 問題 98 の解説

〈行政契約〉

**1 ×** 抗告訴訟を提起するためには、「行政庁の公権力の行使」といえなければならないが（行政事件訴訟法３条１項）、行政契約は当事者の合意によって成立するものであり、公権力性がない。したがって、行政契約に関して訴訟を提起する場合、抗告訴訟によることはできない。

**2 ×** 行政契約は当事者の意思の合致により成立するため、法律の根拠なくして締結しうる。しかし、相手方の合意があっても、契約の中で契約違反に対する罰則を設けることは、罪刑法定主義（憲法31条）に反するので許されない。また、職員の立入検査権などの公権力を創出することも法律による行政の原理から許されない。

**3 ○** 本肢は行政契約における第三者効を正しく述べており、妥当である。契約や協定は当事者のみを拘束するのが原則であるが、行政庁からの認可を受けることで、第三者効が認められる場合がある。たとえば、認可の公告のあった建築協定は、原則として、その公告のあった日以後において建築協定区域内の土地の所有者等となった者に対しても、その効力が及ぶ（建築基準法75条）。また、景観法86条にも同様の規定がある。

**4 ×** 判例は、近い将来に水不足が予見される地域であることも考慮しているので、本肢は妥当でない。判例は、近い将来において需要量が給水量を上回り水不足が生ずることが確実に予見されるという地域にあっては、需要の抑制策の一つとして、新たな給水申込のうち、需要量が特に大きく、住宅を供給する事業を営む者が住宅分譲目的でしたものについては、適正かつ合理的な給水計画によっては対応することができない「正当の理由」（水道法15条１項）があるとして、水道事業者のマンション業者に対する給水契約拒否を適法としている（最判平11.1.21）。

**5 ×** 判例は、処分業者が、公害防止協定において、協定の相手方に対し、その事業や処理施設を将来廃止する旨を約束することは、処分業者自身の自由な判断で行えることであり、その結果、許可が効力を有する期間内に事業や処理施設が廃止されることがあったとしても、同法に何ら抵触するものではないとしている（最判平21.7.10）。

**正答 3**

第4章
SECTION 2
その他の行政の活動形式
行政契約


## 実践 問題 99 応用レベル

| 頻出度 | 地上★ | 国家一般職★ | 特別区★ |
|---|---|---|---|
| | 国税·財務·労基★ | 国家総合職★ | |

**問 行政契約に関する次の記述のうち、妥当なのはどれか。 (国家一般職2019)**

1：随意契約によることができる場合として法令に列挙された事由のいずれにも該当しないのに随意契約の方法により締結された契約は、違法というべきことが明らかであり、私法上も当然に無効になるとするのが判例である。

2：給水契約は、水道事業者である行政主体が私人と対等の地位において締結する私法上の契約であることから、行政主体は、契約自由の原則に基づき、自らの宅地開発に関する指導要綱を遵守させるための手段として、水道事業者が有している給水の権限を用い、当該指導要綱に従わない建設会社らとの給水契約の締結を自由に拒むことができるとするのが判例である。

3：廃棄物の処理及び清掃に関する法律に基づく都道府県知事の許可を受けた処分業者が、公害防止協定において、協定の相手方に対し、その事業や処理施設を将来廃止する旨を約束することは、処分業者自身の自由な判断で行えることであり、その結果、許可が効力を有する期間内に事業や処理施設が廃止されることがあったとしても、同法に何ら抵触するものではないとするのが判例である。

4：指名競争入札を実施するに当たり、地方公共団体である村が、法令の趣旨に反する運用基準の下で形式的に村外業者に当たると判断した事業者を、そのことのみを理由として、他の条件いかんにかかわらず、およそ一切の工事につき指名せず指名競争入札に参加させない措置を採ったとしても、社会通念上著しく妥当性を欠くものとまではいえず、裁量権の逸脱又は濫用があったとはいえないとするのが判例である。

5：公共施設等を効率的かつ効果的に整備するとともに、国民に対する低廉かつ良好なサービスの提供を確保するため、行政機関は、公共施設等に係る建設、製造、改修、維持管理、運営などの事業を民間事業者に実施させることができるが、これらの事業を特定の事業者に一括して委ねることは認められておらず、各事業ごとに事業者を選定し、個別に契約を締結する必要がある。

チェック欄

| 1回目 | 2回目 | 3回目 |
| --- | --- | --- |
|  |  |  |

## 実践 問題 99 の解説

〈行政契約〉

**1 ×** 判例は、随意契約によることができる場合として地方自治法施行令167条の2第1項に列挙された事由のいずれにも該当しないのに随意契約の方法により締結された契約は、違法であることは明らかであるが、私法上当然に無効になるものではなく、当該契約の効力を無効としなければ随意契約の締結に制限を加える法令の規定の趣旨を没却する結果となる特段の事情が認められる場合に限り、私法上無効になるとしている（最判昭62.5.19）。すなわち、判例は、違法に締結された随意契約でも私法上当然に無効になるものではないと解しているので、本肢は妥当でない。

**2 ×** 判例は、マンションの事業主が市の宅地開発に関する指導要綱に基づく行政指導には従わない意思を明確に表明した場合には、水道事業者である行政主体としては、その事業主との給水契約の締結を拒むことは許されないとしている（最決平元.11.8）。したがって、本肢は妥当でない。

**3 ○** 本肢は、判例の見解を正確に述べており、妥当である（最判平21.7.10）。

**4 ×** 判例は、指名競争入札を実施するにあたり、村が、ある事業者を、法令の趣旨に反する運用基準のもとで、主たる営業所が村内にないなどの事情から形式的に村外業者にあたると判断し、そのことのみを理由に、他の条件いかんにかかわらず、およそ一切の工事につき指名せず指名競争入札に参加させない措置をとったことは、考慮すべき事項を十分考慮することなく、１つの考慮要素にとどまる村外業者であることのみを重視している点においてきわめて不合理であり、社会通念上著しく妥当性を欠くものといわざるを得ず、そのような措置に裁量権の逸脱・濫用があったということができるとしている（最判平18.10.26）。すなわち、判例は、裁量権の逸脱・濫用があったとしているので、本肢は妥当でない。

**5 ×** 行政機関は、公共施設等の建設、製造、改修、維持管理、運営などの事業をできる限り民間事業者に委ねるものとされる（民間資金等の活用による公共施設等の整備等の促進に関する法律３条１項）が、事業ごとに事業者を選定し、個別に契約を締結する必要がある旨の規定は存在しない。したがって、事業の効率化に資するのであれば、事業を特定の事業者に一括して委ねることも認められるので、本肢は妥当でない。

**正答 3**

# 行政契約

## 実践 問題 100 応用レベル

| 頻出度 | 地上★ | 国家一般職★ | 特別区★ |
|---|---|---|---|
| | 国税·財務·労基★ | 国家総合職★ | |

**問 行政上の契約に関するア～オの記述のうち、判例に照らし、妥当なもののみを全て挙げているのはどれか。ただし、以下に示す法令は、その事件当時のものである。** （国家総合職2012）

ア：廃棄物の処理及び清掃に関する法律における産業廃棄物処分業等の許可・処理施設の設置許可等を定める規定は、知事が、処分業者としての適格性や処理施設の要件該当性を判断し、同法の目的に沿うものとなるように適切に規制できるようにするために設けられたものであり、知事の許可は、処分業者に対し、許可が効力を有する限り事業や処理施設の使用を継続すべき義務を課すものであるから、処分業者が、公害防止協定において、協定の相手方に対し、その事業や処理施設を将来廃止する旨を約束することは、処分業者自身の自由な判断ではできない。

イ：普通地方公共団体が経営する簡易水道事業の施設は地方自治法第244条第１項所定の公の施設に該当するところ、同条第３項は、普通地方公共団体は住民が公の施設を利用することについて不当な差別的取扱いをしてはならない旨規定している。したがって、簡易水道事業給水条例の改正により基本料金が改定された場合において、条例の当該部分が地方自治法第244条第３項にいう不当な差別的取扱いに当たると解釈されるときには、当該部分は同項に違反するものとして無効である。

ウ：水が限られた資源であることを考慮すれば、水道事業を経営する市町村が正常な企業努力を尽くしてもなお水の供給に一定の限界があり得ることも否定することはできないのであって、市町村が給水契約の申込者に対して負う給水義務は絶対的なものということはできず、給水契約の申込みが適正かつ合理的な供給計画によっては対応することができないものである場合には、水道法第15条第１項にいう「正当の理由」があるものとして、これを拒むことが許される。

エ：地方自治法施行令第167条の２第１項第１号にいう「その性質又は目的が競争入札に適しないものをするとき」には、競争入札の方法によること自体が不可能又は著しく困難とはいえないが、不特定多数の者の参加を求め競争原理に基づいて契約の相手方を決定することが必ずしも適当ではなく、当該契約自体では多少とも価格の有利性を犠牲にする結果になるとしても、普通地方公共団体において当該契約の目的、内容に照らしそれに相応する資力、信用、技術、経験等を有する相手方を選定しその者との間で契約の締結をするという方法をとるのが当該契約の性質に照らし又はその目的を究極的に達成する上でより妥当であり、ひいては当該普通地方公共団体の利益の増進につながると合理的に判断される場合も該当する。

**オ**：普通地方公共団体による随意契約の制限に関する法令の規定は、普通地方公共団体が契約を締結しようとする場合の機会均等の理念に照らして公正であり、かつ、納税者の利益のために価格の有利性を確保するという趣旨で設けられたものである。したがって、普通地方公共団体が随意契約の制限に関する法令の規定に違反して契約を締結した場合、当該契約は、私法上も当然に無効である。



**1**：ア、ウ
**2**：イ、エ
**3**：ウ、オ
**4**：イ、ウ、エ
**5**：ア、イ、エ、オ

（参考）
地方自治法
（公の施設）
第244条　普通地方公共団体は、住民の福祉を増進する目的をもってその利用に供するための施設（これを公の施設という。）を設けるものとする。
（第２項略）
３　普通地方公共団体は、住民が公の施設を利用することについて、不当な差別的取扱いをしてはならない。

水道法
第15条　水道事業者は、事業計画に定める給水区域内の需要者から給水契約の申込みを受けたときは、正当の理由がなければ、これを拒んではならない。（以下略）

地方自治法施行令
第167条の２　地方自治法第234条第２項の規定により随意契約によることができる場合は、次に掲げる場合とする。
一　不動産の買入れ又は借入れ、普通地方公共団体が必要とする物品の製造、修理、加工又は納入に使用させるため必要な物品の売払いその他の契約でその性質又は目的が競争入札に適しないものをするとき。　　　（以下略）

第4章 SECTION 2 その他の行政の活動形式

# 行政契約

## 実践 問題 100 の解説

| チェック欄 | | |
|---|---|---|
| 1回目 | 2回目 | 3回目 |
| | | |

〈行政契約〉

**ア×** 本記述と同様の事案において、判例（最判平21.7.10）は、以下のように判示している。まず、廃棄物の処理及び清掃に関する法律（以下、「廃棄物処理法」という）における、処分業者の許可等を定める規定の趣旨については、知事が、処分業者としての適格性や処理施設の要件該当性を判断し、同法の目的に沿うものとなるように適切に規制できるようにするためとしている。しかし、廃棄物処理法が、知事の許可に裁量を認め、許可の取消し・事業の停止命令の権限を与えていること等にかんがみ、知事の許可が、処分業者に対し、許可が効力を有する限り事業や処理施設の使用を継続すべき義務を課すものではないことは明らかであるとしている。さらに、廃棄物処理法には、上記事業の継続義務を課す条文が存在しないこと、事業の廃止、処理施設の廃止については、知事に対する届出で足りる旨の規定があることから、処分業者が、公害防止協定において、協定の相手方に対し、その事業や処理施設を将来廃止する旨を約束することは、処分業者の自由な判断で行えるとした。したがって、合併前の地方公共団体との間で締結された公害防止協定における事業の期限条項が、合併後の地方公共団体との間でも法的拘束力を有するのである。

**イ○** 本記述と同様の判例（最判平18.7.14）は、住民ではない別荘所有者に対して、住民の3倍以上の水道基本料金を課す旨の条例の効力が争われた事件である。判旨は、地方公共団体の住民ではないが、その区域内に事務所、家屋敷などを有し、当該地方公共団体に地方税を納付する義務を負う者など、住民に準ずる地位にある者に対して、公の施設の利用について合理的な理由なく差別的取扱いをすることは、憲法14条1項が保障する法の下の平等の原則を具体化した地方自治法244条3項に違反するとして、当該条例の改定を無効とした。

**ウ○** 本記述と同様の判例（最判平11.1.21）は、水道法15条1項にいう「正当の理由」とは、水道事業者の正常な企業努力にもかかわらず給水契約の締結を拒まざるをえない理由を指すとして、市町村が負う給水義務は絶対的なものではないとした。また、近い将来において水不足が確実に予見される地域にあっては、需要の抑制策の1つとして、新たな給水申込みのうち、需要量が特に大きく、住宅を供給する事業を営む者が住宅分譲目的でしたものについては、適正かつ合理的な給水計画によっては対応することができない「正当の理由」があるものとして、マンション業者に対する給水契約拒否を適法とした。

**エ○** 地方公共団体が締結する契約については、相手方の機会均等や行政の公正性を確保するため、原則として一般競争入札が原則とされている（地方自治法234条2項）。随意契約が許容される場合について規定する地方自治法施行令167条の2第1項1号にいう「その性質又は目的が競争入札に適しないもの」の解釈が問題となった事案において、判例（最判昭62.3.20）は、本記述のように判示して、ごみ処理施設建設請負契約を随意契約によって締結したことを適法であるとした。当該事案では、ごみ処理施設が大規模かつ請負代金も高額にのぼるものであることに加え、請負業者における建設工事の遂行能力や施設稼動後の保守点検態勢が異なる点などが考慮された。

**オ×** 随意契約が許容される場合については、地方自治法施行令167条の2第1項に列挙されている。随意契約が限定的な場合にのみ許容される趣旨は、機会均等の確保、公正性の確保、納税者の利益のために価格の有利性を確保するためであり、本記述前半は妥当である。しかし、随意契約制限違反の契約における私法上の効力について、判例（最判昭62.5.19）は、「かかる違法な契約であっても私法上当然に無効になるものではなく、随意契約によることができる場合として前記令の規定の掲げる事由のいずれにも当たらないことが何人の目にも明らかである場合や契約の相手方において随意契約の方法による当該契約の締結が許されないことを知り又は知り得べかりし場合のように当該契約の効力を無効としなければ…前記法及び令の趣旨を没却する結果となる特段の事情が認められる場合に限り、私法上無効となるものと解する」と判示している。その根拠としては、地方自治法および同法施行令の規定は、もっぱら一般的抽象的な見地に立って契約の適正を図ることを目的としていること、契約の効力が無効とされると契約の相手方が不測の損害を被るおそれがあることが挙げられている。

以上より、妥当なものはイ、ウ、エであり、肢4が正解となる。

**正答 4**

その他の行政の活動形式
# 行政指導

必修問題
## セクションテーマを代表する問題に挑戦！

**行政はその目的を実現するために、国民に対して任意の協力を求めることがあります。これを行政指導といいます。**

問 行政指導に関するア～オの記述のうち、妥当なもののみを全て挙げているのはどれか。（国税・財務・労基2014）

ア：行政手続法は、行政指導の内容はあくまでも相手方の任意の協力によってのみ実現されるものであり、行政指導に携わる者は、その相手方が行政指導に従わなかったことを理由として、不利益な取扱いをしてはならない旨を定めている。

イ：行政手続法は、行政指導に携わる者は、その相手方に対し、書面で当該行政指導の趣旨、内容及び責任者を明確にしなければならない旨を定めており、口頭で行政指導を行うことは認められない。

ウ：行政手続法上、同一目的で複数の者に対し行政指導をしようとするときに行政機関が定めることとされている行政指導指針は、意見公募手続の対象となる「命令等」に含まれない。

エ：行政指導は事実行為であるが、行政目的達成のための手段として用いられているのであるから、法律による行政の原理との関係から、行政指導は、一般に法律の具体的根拠に基づく必要があるとするのが判例である。

オ：地方公共団体の機関が行う行政指導には、行政手続法の行政指導に関する章の規定は適用されないが、同法は、地方公共団体に対し、適用除外とされた手続について、同法の規定の趣旨にのっとり、行政運営における公正の確保と透明性の向上を図るため必要な措置を講ずるよう努めなければならないとしている。

1：ア、ウ
2：ア、オ
3：イ、エ
4：イ、オ
5：ウ、エ

直前復習

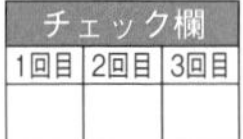

頻出度　地上★★　国家一般職★★　特別区★
国税·財務·労基★★　国家総合職★★

チェック欄 1回目 2回目 3回目

## 必修問題の解説

〈行政指導〉

**ア○** 行政指導の一般原則を宣明する行政手続法32条は、１項で、行政機関の任務または所掌事務の範囲を逸脱してはならないことと、相手方の任意の協力によってのみ実現されるものであること、また、２項で、不服従を理由とする不利益取扱いの禁止を定めている。したがって、本記述は妥当である。

**イ×** 行政指導の方式を規定する行政手続法35条１項は、行政指導に携わる者に、その相手方に対して、当該行政指導の趣旨（目的と必要性）、内容、責任者を明確に示すことを義務付けているが、その方式として、「書面」で行うことを義務付けてはいない。すなわち、本法は、行政指導を口頭で行うことができることを前提として、口頭でされた行政指導に対し、その相手方から前記の事項を記載した書面の交付を求められたときに、当該事項が記載された書面の交付を義務付けているのである（同条３項）。

**ウ×** 行政手続法は、原則として、命令等を制定する前に意見公募手続の実施を義務付けている（同法39条１項）。ここに意見公募手続の対象となる「命令等」とは、内閣または行政機関が定める、①法律に基づく命令または規則、②審査基準、③処分基準、④行政指導指針である（同法２条８号）。したがって、行政指導指針は意見公募手続の対象となる「命令等」に含まれる。

**エ×** 行政指導は、非権力的な事実行為であり、私人に対し法的強制力を有するものではないから、法律の根拠は不要であるとするのが判例である（最判昭59.2.24）。

**オ○** 行政手続法は、国の行政を直接の対象とするところ、地方公共団体の行う行政作用に対しては、その自主性ないし自立性を尊重するため、同法の適用は除外されるのが原則であるが（同法３条３項参照）、同法46条に努力規定を置き、地方公共団体に行政手続条例の制定ならびに改正を促している。そして、現在、ほとんどの普通地方公共団体で行政手続条例が制定されている。

以上より、妥当なものはア、オであり、肢２が正解となる。

**正答 2**

第4章 SECTION 3 その他の行政の活動形式

# 行政指導

## 1 行政指導とは

### (1) 意味

行政庁が、行政目的を実現するために、非権力的手段で国民に働きかけ、その自発的な協力を要請する行為をいいます（通説）。

行政指導は、あくまでも国民に非権力的に働きかけてその任意の協力を要請する行為にすぎないため、国民は、行政指導に従わされることも、法的に拘束されることもありません。

| 行政指導 | 行政手続法では、「行政機関がその任務又は所掌事務の範囲内において一定の行政目的を実現するため特定の者に一定の作為又は不作為を求める指導、勧告、助言その他の行為であって処分に該当しないものをいう」（同法２条６号）と定義されています。 |
|---|---|

行政指導は、相手方の任意の協力を得て行う非権力的・事実行為であることから、法律の根拠は不要とされています。

### (2) 分類

| 規制的行政指導 | 相手方たる私企業などの活動を規制する目的で行うもの | ex 居住環境の維持を目的とする指導、病院の開設に対する指導 |
|---|---|---|
| 助成的行政指導 | 私人に対して知識や情報を提供し、その活動を助けるもの | ex 農家への技術的・経営的助言、妊産婦の福祉・保健に関する指導 |
| 調整的行政指導 | 私人間の紛争を解決するために行うもの | ex マンションの建築主と周辺住民の紛争解決のために行う指導 |

## 2 行政指導に対する法的コントロール

### (1) 一般原則（行政手続法32条）

行政指導に携わる者は、当該行政機関の任務または所掌事務の範囲を逸脱してはならないこと、および行政指導の内容があくまでも相手方の任意の協力によってのみ実現されるものであることに、留意しなければなりません（１項）。

指導に携わる者は、相手方が指導に従わなかったことを理由として、相手方に対し不利益な取扱いをしてはなりません（２項）。

### (2) 申請に関連する行政指導（同法33条）

行政指導に携わる者は、申請の取下げまたは内容の変更を求める行政指導で、申請者が当該行政指導に従う意思のない旨を表明した場合には、当該行政指導を継続することなどにより、申請者の権利を妨げるようなことをしてはなりません。

**判例** 判例は、マンション建築確認の申請者に対し、近隣住民との紛争を解決するよう指導したことを理由に、建築確認を留保した事案につき、建築主が、確認処分を留保されたままでの行政指導にはもはや協力できないとの意思を真摯かつ明確に表明し、当該確認に対し直ちに応答すべきことを求めていると認められるようなときには、特段の事情が存在しない限り、確認処分を留保することは違法であるとしています（品川マンション事件、最判昭60.7.16）。

### (3) 許認可に関連する行政指導（同法34条）

許認可などをする権限、許認可などに基づく処分をする権限を有する行政機関が、当該権限を行使することができない場合または行使する意思がない場合には、行政指導に携わる者は、当該権限を行使しうる旨をことさらに示すことで、相手方に当該行政指導に従うことを余儀なくさせるようなことをしてはなりません。

### (4) 行政指導の方式（同法35条）

指導に携わる者は、相手方に対し、当該行政指導の趣旨および内容ならびに責任者を明確に示す必要があります（１項）。

### (5) 複数の者を対象とする行政指導（同法36条）

同一の行政目的を実現するために、一定の条件に該当する複数の者に対し行政指導をしようとするときは、行政機関は、あらかじめ事案に応じ、これらの行政指導に共通してその内容となる事項（行政指導指針）を定め、かつ、行政上特別の支障がない限り、これを公表する必要があります。

## 3 救済

### (1) 取消訴訟

私人への任意の協力要請にすぎず、それによって法律効果が発生するものではない行政指導は、取消訴訟の対象となる行政庁の「処分」にあたらないことから（行政手続法２条６号）、行政指導に対して不服があっても、原則として取消訴訟を提起することはできません（病院開設中止勧告の例外あり）。

### (2) 損害賠償

違法な行政指導により損害を被った場合には、国家賠償法１条１項に基づく損害賠償請求が認められます（判例・通説）。

# 行政指導

## 実践 問題 101 基本レベル

頻出度 地上★★ 国家一般職★★ 特別区★ 国税·財務·労基★★ 国家総合職★★

問 行政指導に関する次の記述のうち、妥当なのはどれか。 (国家総合職2020)

1：行政指導が口頭でされた場合において、その相手方から当該行政指導の趣旨及び内容並びに責任者について記載した書面の交付を求められたときは、当該行政指導に携わる者は、当該行政指導が、相手方に対しその場において完了する行為を求めるものや、既に文書又は電磁的記録によりその相手方に通知されている事項と同一の内容を求めるものであっても、行政上特別の支障がない限り、これを交付しなければならない。

2：同一の行政目的を実現するため一定の条件に該当する複数の者に対し行政指導をしようとするときは、行政機関は、あらかじめ、事案に応じ、行政指導指針を定め、かつ、行政上特別の支障がない限り、これを公表するよう努めなければならない。

3：法令に違反する行為の是正を求める行政指導（その根拠となる規定が法律に置かれているものに限る。）の相手方は、当該行政指導が当該法律に規定する要件に適合しないと思料するときは、当該行政指導がその相手方について弁明その他意見陳述のための手続を経てされたものであるか否かにかかわらず、当該行政指導をした行政機関に申し出て、当該行政指導の中止その他必要な措置をとることを求めることができる。

4：何人も、法令に違反する事実がある場合に、その是正のためにされるべき行政指導（その根拠となる規定が法律に置かれているものに限る。）がされていないと思料するときは、当該行政指導の権限を有する行政機関に申し出て、当該行政指導をすることを求めることができるが、この申出は行政手続法上の「申請」に当たるため、当該申出を受けた行政機関は、調査義務だけでなく、申出人に対して当該行政指導を行ったか否かについての通知義務も負う。

5：行政指導について、行政手続法は、一般原則として行政指導の内容が相手方の任意の協力によってのみ実現されるものであることを定め、申請に関連する行政指導については、行政指導に携わる者は、申請者が行政指導に従う意思がない旨を表明したにもかかわらず当該行政指導を継続すること等により申請者の権利の行使を妨げるようなことをしてはならないと定めている。

直前復習

チェック欄

| 1回目 | 2回目 | 3回目 |
| --- | --- | --- |
| | | |

## 実践 問題 101 の解説

〈行政指導〉

**1** × 行政指導が口頭でされた場合において、相手方から当該行政指導の趣旨・内容・責任者について記載した書面の交付を求められたときは、行政指導に携わる者は、原則として、相手方に対して当該書面を交付しなければならない（行政手続法35条3項）。ただし、①その場において完了する行為を求めるものや、②すでに文書または電磁的記録によりその相手方に通知されている事項と同一の内容を求めるものについては、これを交付する義務はない（同法同条4項各号）。したがって、本肢は妥当でない。

**2** × 行政手続法36条は、「同一の行政目的を実現するため一定の条件に該当する複数の者に対し行政指導をしようとするときは、行政機関は、あらかじめ、事案に応じ、行政指導指針を定め、かつ、行政上特別の支障がない限り、これを公表しなければならない」と規定し、法的義務を課している。したがって、行政指導指針の公表を努力義務と述べる本肢は妥当でない。

**3** × 法令に違反する行為の是正を求める行政指導の相手方は、当該行政指導をした行政機関に申し出て、当該行政指導の中止その他必要な措置をとることを求めることができる。ただし、当該行政指導がその相手方について弁明その他意見陳述のための手続を経てされたものであるときは、当該措置をとることを求めることはできない（行政手続法36条の2第1項）。

**4** × 処分等の求めを「申請」にあたると述べる本肢は、行政手続法36条の3第3項の解釈を誤るものであり、妥当でない。本肢前半は行政手続法36条の3第1項の規定のとおりであり、妥当である。しかし、申出を受けた行政側の対応を規定する同条3項は、「当該行政庁又は行政機関は、第1項の規定による申出があったときは、必要な調査を行い、その結果に基づき必要があると認めるときは、当該処分又は行政指導をしなければならない」とするのみで、行政指導を行った否かについて通知義務を課していない。本条の趣旨は、行政庁の職権による調査の端緒を得るため、何人も申出を可能としたものであるが、申出人に対して通知義務を課しておらず、処分や行政指導を求める申請権を付与したものではないと解されている。

**5** ○ 本肢は、行政指導の一般原則を規定する行政手続法32条1項の内容、および申請に関連する行政指導を規定する同法33条の内容を正確に述べており、妥当である。

**正答 5**

# 行政指導

## 実践 問題 102 基本レベル

| 頻出度 | 地上★★ | 国家一般職★★ | 特別区★ |
|---|---|---|---|
| | 国税·財務·労基★★ | 国家総合職★★ | |

**問** 行政指導に関する次の記述のうち、判例に照らし、妥当なのはどれか。

（国家一般職2021）

1：行政指導は、相手方に対する直接の強制力を有するものではないが、相手方にその意に反して従うことを要請するものであり、私人の権利や利益を侵害するものであるから、法律の具体的根拠に基づいて行われなければならない。

2：地方公共団体が継続的な施策を決定した後に社会情勢の変動等により当該施策が変更された場合、当該決定が特定の者に対し特定内容の活動を促す勧告・勧誘を伴い、その活動が相当長期にわたる当該施策の継続を前提としてはじめてこれに投入する資金等に相応する効果を生じ得る性質のものであるなどの事情があったとしても、その者との間に当該施策の維持を内容とする契約が締結されていないときは、地方公共団体の不法行為責任は生じない。

3：水道法上、水道事業者である市は、給水契約の申込みを受けた場合、正当の理由がなければこれを拒むことができないが、申込者が行政指導に従わない意思を明確に表明しているときは、正当の理由が存在するとして、給水契約の締結を拒むことができる。

4：市が行政指導として教育施設の充実に充てるためにマンションを建築する事業主に対して寄付金の納付を求めることは、その寄付金の納付が強制にわたるなど事業主の任意性を損なうものであっても、その目的が市民の生活環境を乱開発から守ることにある場合には、行政指導の限界を超えるものではなく、違法とはいえない。

5：地方公共団体が、地域の生活環境の維持、向上を図るため、建築主に対し、建築物の建築計画につき一定の譲歩・協力を求める行政指導を行った場合において、建築主が、建築主事に対し、建築確認処分を留保されたままでは行政指導に協力できないという意思を真摯かつ明確に表明し、建築確認申請に対し直ちに応答すべきことを求めたときは、特段の事情が存在しない限り、それ以後の、当該行政指導が行われていることのみを理由とする建築確認処分の留保は違法となる。

チェック欄

| 1回目 | 2回目 | 3回目 |
| --- | --- | --- |
| | | |

## 実践 問題 102 の解説

〈行政指導〉

**1 ×** 行政指導は、相手方の任意の協力を要請する非権力的な事実行為であり、相手方の意思に反してその権利や利益を侵害するものではない。したがって、法律の根拠は不要であると解されている。

**2 ×** 判例は、工場誘致施策の変更により、相手方が社会観念上看過することのできない程度の積極的損害を被る場合に、損害の補償などの代償的措置を講ずることなく施策を変更することは、やむをえない客観的事情によらない限り違法性を帯び、地方公共団体の不法行為責任を生じさせるとしている（最判昭56.1.27）。したがって、その者との間に当該施策の維持を内容とする契約が締結されていないときは、地方公共団体の不法行為責任は生じないと述べる本肢は妥当でない。

**3 ×** 判例は、給水契約を締結して給水することが公序良俗違反を助長するような事情がないにもかかわらず、市の行政指導（宅地開発指導要綱）を遵守させるための圧力手段として、当該行政指導に従わないマンション建設業者らとの給水契約を拒んだ場合には、水道法15条１項の「正当の理由」は認められないとしている（武蔵野マンション刑事事件、最決平元.11.8）。

**4 ×** 市が宅地開発指導要綱に基づいてマンション建築業者に教育施設負担金の納付を求める行為について、判例は、「法が認めておらずしかもそれが実施された場合にはマンション建築の目的の達成が事実上不可能となる水道の給水契約の締結の拒否等の制裁措置を背景として」、マンション建設業者に「教育施設負担金の納付を事実上強制しようとしたもの」といえ、「本来任意に寄付金の納付を求めるべき行政指導の限度を超えるものであり、違法である」としている（武蔵野マンション民事事件、最判平5.2.18）。

**5 ○** 判例は、地方公共団体が、地域の生活環境の維持・向上を図るために、建築主に対し、当該建築物の建築計画につき一定の譲歩・協力を求める行政指導を行った場合において、建築主が建築主事に対し、確認処分を留保されたままでの行政指導にはもはや協力できない意思を真摯かつ明確に表明し、当該確認申請に対し直ちに応答すべきことを求めているものと認められるときには、特段の事情が認められない限り、それ以後の行政指導を理由とする確認処分の留保は違法となるとしている（品川マンション事件、最判昭60.7.16）。

**正答 5**

# 行政指導

## 実践 問題 103 基本レベル

| 頻出度 | 地上★★ | 国家一般職★★ | 特別区★ |
|---|---|---|---|
| | 国税·財務·労基★★ | 国家総合職★★ | |

**問** 行政指導に関するア～オの記述のうち、妥当なもののみを挙げているのはどれか。 (財務2023)

ア：行政指導は、その果たす機能により、規制的行政指導、助成的行政指導及び調整的行政指導に分類されるが、規制的行政指導には行政処分と同様に法律の根拠が必要であると一般に解されている。

イ：地方公共団体が、建築主に対し、建築物の建築計画につき一定の譲歩・協力を求める行政指導を行った場合において、建築主が、建築主事に対し、建築確認処分を留保されたままでは行政指導に協力できない旨の意思を真摯かつ明確に表明し、建築確認申請に対し直ちに応答することを求めたときは、特段の事情がない限り、それ以後の行政指導を理由とする建築確認処分の留保は違法となるとするのが判例である。

ウ：行政指導に携わる者は、その相手方に対し、当該行政指導の趣旨及び内容並びに責任者を明確に示さなければならない。また、行政指導が口頭で行われた場合に、これらの事項を記載した書面の交付を相手方から求められたときは、行政上特別の支障がない限り、これを交付しなければならない。

エ：行政指導に携わる者は、公益上必要があると認められる場合には、その相手方が行政指導に従わなかったことを理由として、不利益な取扱いをすることができる。

オ：法令に違反する事実がある場合において、その是正のためにされるべき行政指導がされていないと思料するときは、当該行政指導の根拠となる規定が法律に置かれているか否かにかかわらず、当該行政指導をする権限を有する行政機関に対し、何人もその旨を申し出て当該行政指導をすることを求めることができる。

1：ア、イ
2：ア、エ
3：イ、ウ
4：ウ、オ
5：エ、オ

チェック欄

| 1回目 | 2回目 | 3回目 |
| --- | --- | --- |
| | | |

## 実践 問題 103 の解説

〈行政指導〉

**ア×** 行政指導は、規制的行政指導、助成的行政指導および調整的行政指導に分類される。したがって、本記述前半は正しい。しかし、行政指導は非権力的行為であり、根拠規範としての法律の根拠は不要であると解されている。したがって、規制的行政指導であっても法律の根拠は必要とされない。

**イ○** 判例は、建築確認申請に対して、建築計画につき一定の譲歩・協力を求める行政指導を行い、一定期間建築主事が確認処分を留保して、行政指導の結果に期待することをもって、直ちに違法な措置であるとまではいえないとし、建築確認の留保自体は認めるものの、本記述のような申請者の権利行使を不当に妨げる行政指導を理由とする建築確認の留保は違法であるとしている（品川マンション事件、最判昭60.7.16）。

**ウ○** 行政指導に携わる者は、その相手方に対して、当該行政指導の趣旨および内容ならびに責任者を明確に示さなければならない（行政手続法35条１項）。そして、行政指導が口頭でされた場合において、その相手方から当該行政指導の趣旨・内容・責任者等を記載した書面の交付を求められたときは、当該行政指導に携わる者は、行政上特別の支障がない限り、これを交付しなければならない（同条３項）。

**エ×** 行政指導は、相手方私人の任意の協力によってのみ実現されるものでなければならない（行政手続法32条１項）。その任意性を確保するために、行政指導に携わる者は、相手方が行政指導に従わなかったことを理由として、不利益な取扱いをしてはならない（同条２項）。

**オ×** 行政指導の根拠となる規定が法律に置かれているか否かにかかわらず、行政指導をすることを求めることができると述べる本記述は、行政手続法の規定と異なるので妥当でない。何人も、法令違反の事実がある場合に、その是正のためにされるべき処分または行政指導（根拠規定が法律に置かれているものに限る）がされていないと思料するときは、当該権限のある行政庁または行政機関に対し、一定の事項を記載した申出書を提出して、その是正のための処分または行政指導をすることを求めることができる（行政手続法36条の３）。

以上より、妥当なものはイ、ウであり、肢３が正解となる。

**正答 3**

第4章 SECTION 3 その他の行政の活動形式

# 行政指導

## 実践 問題 104 応用レベル

| 頻出度 | 地上★ | 国家一般職★★ | 特別区★ |
|---|---|---|---|
| | 国税·財務·労基★ | 国家総合職★★ | |

**問 行政指導に関する次の記述のうち、妥当なのはどれか。　(国家一般職2013)**

1：租税法規に適合する課税処分については、税務官庁が納税者に対し信頼の対象となる公的見解を表示し、納税者がその表示を信頼しその信頼に基づいて行動したところ、その後、その表示に反する課税処分が行われ、そのために納税者が経済的不利益を受けることになった場合、その表示を信頼しその信頼に基づいて行動したことについて納税者の責めに帰すべき事由がないときでも、法律による行政の原理が貫かれるべきであるから、信義則の法理の適用によりその処分が違法として取り消されることはないとするのが判例である。

2：行政指導は、法律の根拠は必要ないから、行政機関がその任務又は所掌事務の範囲を逸脱せずに行い、かつ、その内容があくまでも相手方の任意の協力によって実現されるものであれば、制定法の趣旨又は目的に抵触するようなものであっても、違法とはならない。

3：水道法上、給水契約の締結を義務付けられている水道事業者としての市は、既に、マンションの建設事業主が、市が定めた宅地開発指導要綱に基づく行政指導には従わない意思を明確に表明し、マンションの購入者も、入居に当たり給水を現実に必要としていた場合であっても、その指導要綱を事業主に遵守させるため行政指導を継続する必要があったときには、これを理由として事業主らとの給水契約の締結を留保することが許されるとするのが判例である。

4：行政手続法上、行政庁は、申請がその事務所に到達したとき、申請書の記載事項に不備があるなど法令に定められた申請の形式上の要件に適合しない申請について、申請者の便宜を図るため、申請者に申請の補正を求め、又は申請により求められた許認可等を拒否することなしに、要件に適合するまで申請しないよう行政指導をすることができ、また、申請者が行政指導に従う意思がない旨を表明した場合でも、申請書を受理せず返戻することが認められている。

5：建築主が、建築確認申請に係る建築物の建築計画をめぐって生じた付近住民との紛争につき、地方公共団体の行政指導に応じて住民と協議を始めた場合でも、その後、建築主事に対し、申請に対する処分を留保されたままでの行政指導には協力できないとの意思を真摯かつ明確に表明して申請に対し直ちに応答すべきことを求めたときは、行政指導に対する建築主の不協力が社会通念上正義の観念に反するものといえるような特段の事情が存在しない限り、行政指導が行われているとの理由だけで建築主事が申請に対する処分を留保することは、違法であるとするのが判例である。

チェック欄

| 1回目 | 2回目 | 3回目 |
|---|---|---|
| | | |

## 実践 問題 104 の解説

〈行政指導〉

**1 ×** 判例は、租税法規に適合する課税処分について、法の一般原理である信義則の法理の適用により、当該課税処分を違法なものとして取り消すことができる場合があるとしても、法律による行政の原理なかんずく租税法律主義の原則が貫かれるべき租税法律関係においては、当該法理の適用については慎重でなければならず、租税法規の適用における納税者間の平等、公平という要請を犠牲にしてもなお当該課税処分にかかる課税を免れしめて納税者の信頼を保護しなければ正義に反するといえるような特別の事情が存する場合に、初めて当該法理の適用の是非を考えるべきものであるとした（最判昭62.10.30）。つまり、判例は、課税処分にかかる課税を免れしめて納税者の信頼を保護することによって得られる利益が、租税法規における納税者間の平等・公平という要請を犠牲にすることによって失われる利益に優越する場合には、信義則の法理の適用により課税処分が違法として取り消される場合があることを認めた。

**2 ×** 行政指導とは、「行政機関がその任務又は所掌事務の範囲内において一定の行政目的を実現するため特定の者に一定の作為又は不作為を求める指導、勧告、助言その他の行為であって処分に該当しないもの」をいう（行政手続法２条６号）。行政指導について根拠規範が必要かについて、学説は一致していないが、通説・判例は、法律の根拠は不要であるとの前提に立っている。たとえば、建築確認において建築主に対して、建築物の建築計画につき一定の譲歩・協力を求める行政指導について、判例は、法律の具体的根拠を要求することなく適法とした（品川マンション事件、最判昭60.7.16）。しかし、制定法の趣旨や目的に抵触する行政指導は違法となる。たとえば、石油業法に直接の根拠を持たない価格に関する行政指導について、判例は、これを必要とする事情がある場合に、これに対処するため社会通念上相当と認められる方法によって行われ、独占禁止法の究極の目的に実質的に抵触しないものである限り、これを違法とすべき理由はないとした（最判昭59.2.24）。

**3 ×** 判例は、マンションの建設事業主が、指導要綱に基づく行政指導には従わない意思を明確に表明し、マンションの購入者も、入居にあたり給水を現実に必要としていた場合には、水道法上給水契約の締結を義務付けられている水道事業者としては、たとえ指導要綱を事業主に順守させるため行政指導を継続する必要があったとしても、これを理由として事業主らとの給水契約の締結を留保することは許されないとした（武蔵野マンション刑事事件、最決平元.11.8）。

**4 ×** 判例は、市水道局給水課長が、建物の給水装置新設工事申込みの受理を事実上拒絶し、申込書を返戻した措置について、当該措置は、本件申込みの受理を最終的に拒否する旨の意思表示をしたものではなく、申込者に対し、本件建物につき存する建築基準法違反の状態を是正して建築確認を受けたうえ申込みをするよう一応の勧告をしたものにすぎないとして、当該措置は給水装置工事申込みの受理を違法に拒否したものではないとした（最判昭56.7.16）。しかし、判例は、マンションの建設事業主が、指導要綱に基づく行政指導には従わない意思を明確に表明した場合には、水道法上給水契約の締結を義務付けられている水道事業者としては、たとえ指導要綱を事業主に順守させるため行政指導を継続する必要があったとしても、これを理由として事業主らとの給水契約の締結を留保することは許されないとして、市長による給水契約の申込書の返戻を違法とした（武蔵野マンション刑事事件、最決平元.11.8）。

**5 ○** 判例は、建築確認処分の留保は、建築主の任意の協力・服従のもとに行政指導が行われていることに基づく事実上の措置にとどまるものであるから、建築主において自己の申請に対する確認処分を留保されたままでの行政指導には応じられないとの意思を明確に表明している場合には、かかる建築主の明示の意思に反してその受忍を強いることは許されない筋合のものであるといわなければならず、建築主が行政指導に不協力・不服従の意思を表明している場合には、当該建築主が受ける不利益と行政指導の目的とする公益上の必要性とを比較衡量して、行政指導に対する建築主の不協力が社会通念上正義の観念に反するものといえるような特段の事情が存在しない限り、行政指導が行われているとの理由だけで確認処分を留保することは、違法であるとした（品川マンション事件、最判昭60.7.16）。

**正答 5**

memo

第4章

# その他の行政の活動形式

## 章末 CHECK　? Question

**Q1** 行政計画は私人に与える影響が大きいことから、すべての行政計画について法律の根拠が必要とされる。

**Q2** 社会情勢の変動に伴う行政計画の変更がありうることは当然なので、それによって行政機関が私人に対して損害賠償責任を負うことはない。

**Q3** 行政契約は、行政主体と私人が、双方の自由意思の合致により権利義務を形成する行為であるので、法律の根拠は原則として不要である。

**Q4** 行政契約は契約であり、契約には契約自由の原則が働くから、平等原則や比例原則などの法の一般原則による制限を受けない。

**Q5** 行政契約は、給付行政におけるものがほとんどであり、規制行政においては、契約方式をとることはないのが現状である。

**Q6** 行政契約において、契約上の義務を私人が履行しない場合には強制執行を行うものとする旨の条項を定めることは、許されない。

**Q7** 行政指導は一般に行政庁の処分に該当するとされている。

**Q8** 行政指導は国民の自発的協力を要請する行為にすぎないため、国民は行政指導に法的に拘束されない。

**Q9** 行政指導は相手方に対し行政指導の趣旨や内容などを示して行わなければならないため、それらを書面にしたものを必ず相手方に交付して行う必要がある。

**Q10** 違法な行政指導に対して、私人は取消訴訟を提起することができるが、国家賠償請求訴訟を提起することはできない。

**Q11** 行政指導は、国民に対する活動の規制を目的として行われるものに限らない。

**Q12** 判例は、違法な行政指導に従ってヤミカルテルを締結した者につき、独占禁止法違反の罪が成立するとしている。

**Q13** 行政指導が仮に違法であるとしても、行政指導は直接の法的効果を持つものではなく、事実行為にすぎないのであるから、常に処分性を認めないのが判例である。

A1 × 拘束的計画については、国民に対する法的拘束力があるので法律の根拠を要する。しかし、非拘束的計画には一般に法律の根拠は不要とされる。

A2 × 計画に伴って私人との間に信頼関係が生じている場合に、代替措置を講ずることなく計画を変更することは、信頼関係を不当に破壊するものとして不法行為責任を生じさせる、とした判例がある（最判昭56.1.27）。

A3 ○ 侵害留保説および権力留保説に従うと行政契約の締結は私人の側の任意的な意思によって行われる非権力的な作用であるから、原則として法律の根拠は必要ではない。

A4 × 行政契約も行政活動の一種なので、契約自由の原則は妥当するものの、平等原則や比例原則などの法の一般原則による制限を受ける。

A5 × 公害発生源となるおそれのある事業者と地方自治体との間で締結される公害防止協定など、規制行政においても行政契約が用いられることがある。

A6 ○ 行政契約によって公権力を創り出すことは認められない。

A7 × 行政指導は私人に対して任意の協力を求めるものにすぎないから、一般的には行政庁の処分には該当しない。

A8 ○ 行政指導は私人に任意の協力を求めるものにすぎず、したがって法的拘束力は認められない。

A9 × 行政指導は、口頭で行うこともできる。なお、相手方から当該行政指導の趣旨、内容、責任者を記載した書面の交付を求められたときは、行政上特別の支障がない限り、原則としてこれを交付しなければならないものとされている（行政手続法35条３項）。

A10 × 原則として取消訴訟を提起することはできないが、国家賠償法１条１項の「公権力の行使」には行政指導も含まれると解されており、したがって国家賠償請求訴訟の提起は可能である。

A11 ○ 規制的行政指導のほか、助成的行政指導、調整的行政指導もある。

A12 ○ 判例は、本問のとおり解している（最判昭57.3.9）。

A13 × 判例は、原則として本問のとおりに解しているが、例外的に処分性を認める（最判平17.7.15）。

memo

# 第5章

# 行政手続・情報公開

SECTION

# 第5章 行政手続・情報公開

## 出題傾向の分析と対策

| 試験名 | 地上 | | | 国家一般職 | | | 特別区 | | | 国税・財務・労基 | | | 国家総合職 | | |
|---|---|---|---|---|---|---|---|---|---|---|---|---|---|---|---|
| 年度 | 16-18 | 19-21 | 22-24 | 16-18 | 19-21 | 22-24 | 16-18 | 19-21 | 22-24 | 16-18 | 19-21 | 22-24 | 16-18 | 19-21 | 22-24 |
| 出題数 / セクション | 5 | 4 | 3 | 2 | 2 | 2 | 2 | 1 | 2 | 1 | 3 | 3 | 3 | 4 | 3 |
| 行政手続 | ★★★ | ★★ | ★★★ | ★ | ★ | ★ | ★★ | ★ | ★ | ★ | ★★ | ★★★ | ★ | ★★★ | ★★ |
| 情報公開 | ★★ | ★★ | | ★ | ★ | ★ | | | ★ | | ★ | | ★★ | ★ | ★ |

（注）１つの問題において複数の分野が出題されることがあるため、星の数の合計と出題数とが一致しないことがあります。

この分野では、特に情報公開法についてよく出題されますので、しっかり学習するようにしてください。

**地方上級**

よく出題されています。最近では行政手続法の意見公募手続、聴聞手続、情報公開法について問われています。特に行政手続法の基本的な内容を問う問題がよく出題されていますので、行政手続に関する過去問を繰り返し解いて、行政手続法に関する知識を身につけるようにしてください。

**国家一般職**

２年に１度くらいの頻度で出題されています。また、近年では行政手続法全般の内容を問う傾向がみられます。行政手続・情報公開のいずれもよく出題されていますので、しっかり過去問を解いてそれらに関する知識を身につけるようにしてください。

**特別区**

あまり出題されていませんでしたが、近年、出題が目立つようになりました。万全を期したい人は、過去問を解いて基本的な知識を身につけておいてください。

### 国税専門官・財務専門官・労働基準監督官

　最近よく出題されています。特に行政手続法の基本的な内容を問う問題がよく出題されていますので、行政手続に関する過去問を繰り返し解いて、行政手続法に関する知識を身につけるようにしてください。

### 国家総合職

　最近よく出題されています。特に情報公開法が高い頻度で出題されています。情報公開法の細かな知識を問う問題も出題されますので、一度は情報公開法全体に目を通しておくとよいでしょう。



## Advice アドバイス 学習と対策

　行政手続については、行政手続法の内容についてよく問われます。特に申請に対する処分に関する手続と不利益処分に関する手続についてはよく問われていますので、しっかり学習するようにしてください。

　情報公開については、情報公開法の規定内容について問われます。国家総合職以外は基本的なことしか問われていませんので、過去問を繰り返し解くことで情報公開法の基本的な内容を理解するようにしてください。

第5章 1 SECTION

## 行政手続・情報公開
# 行政手続

**必修問題** **セクションテーマを代表する問題に挑戦！**

**違法・不当な行政活動が行われることを事前に防ぐほうが、国民の利益となります。このため、行政手続法が定められています。**

問 行政手続に関する次の記述のうち、妥当なのはどれか。

（国税・労基2005改題）

1：行政庁は、申請により求められた許認可等をするかどうかを判断するための審査基準を定める際には、当該許認可等の性質に照らしてできる限り具体的に定めなければならないが、審査基準をあらかじめ公表する必要はない。

2：行政庁は、申請に対する処分であって、申請者以外の者の利害を考慮すべきことが当該法令において許認可等の要件とされているものを行う場合には、必ず公聴会を開催しなければならない。

3：聴聞は、行政庁が指名する職員その他政令で定める者が主宰し、当該聴聞の当事者、参加人又は参加人以外の関係者は、主宰者となることができない。

4：弁明の機会の付与手続は、書面主義が採られており、不利益処分の名宛人となる当事者が、弁明書、証拠書類等を提出することによって防御権を行使することになるが、聴聞手続と同じように当事者には文書閲覧権が認められている。

5：弁明の機会の付与手続を経てなされた不利益処分は、処分の名宛人となる当事者が意見陳述をした上で決められた処分であるため、当事者は行政不服審査法による審査請求をすることはできない。

直前復習

Guidance ガイダンス

**申請に対する処分の手続の特徴**

・審査基準の設定・公表義務
・拒否処分の理由提示義務

**不利益処分の手続の特徴**

・処分基準の設定・公表努力義務
・意見陳述手続
　聴聞……不利益が大きい場合
　弁明……不利益が小さい場合

頻出度 地上★★★ 国家一般職★★★ 特別区★ 国税・財務・労基★★★ 国家総合職★★

〈行政手続〉

**1 ×** 行政庁は、申請により求められた許認可等をするかどうかを判断するための審査基準を定める際には、当該許認可の性質に照らしてできる限り具体的に定めなければならない（行政手続法５条２項）。また、行政庁は、特別の支障があるときを除き、適当な方法によって、審査基準を公にしておかなければならない（同条３項）。

**2 ×** 申請に対する処分であって、申請者以外の者の利害を考慮すべきことが当該法令において許認可等の要件とされている場合には、行政庁は適当な方法により公聴会の開催等、申請者以外の者の意見を聴く機会を設けるよう努めなければならない（行政手続法10条）。これはあくまで努力義務である。

**3 ○** 聴聞は、行政庁が指名する職員その他政令で定めるものが主宰する（行政手続法19条１項）。聴聞の当事者または参加人（同条２項１号）、参加人以外の関係人（同条項６号）は聴聞を主宰することができない。

**4 ×** 弁明の機会の付与の方式について、弁明は、行政庁が口頭ですることを認めたときを除き、書面（弁明書）を提出してするものとされ、また、証拠書類等を提出することができるとされている（行政手続法29条１項・２項）。しかし、聴聞と異なり、弁明の機会の付与手続では、当事者に文書閲覧請求権は認められていない。

**5 ×** 2014（平成26）年改正前行政手続法27条２項は、「聴聞を経てされた不利益処分については、当事者及び参加人は、行政不服審査法による異議申立てをすることができない」と規定していたが、同年改正された行政不服審査法との整合上、当該規定は削除された。したがって、行政手続法上、意見陳述のための手続を経てされた不利益処分について不服申立てを制限する規定は存在しない。

**正答 3**

# 行政手続・情報公開
# 行政手続

## 1 行政手続の意義

行政手続とは、行政が活動するにあたってとるべき手続をいいます。

従来、行政活動については、事後的な救済を求める以外に国民の関与は予定されていませんでした。しかし、事後的救済のみでは、行政活動の適法性を担保する手段として不十分です。そこで判例・学説は、行政の違法・不当な活動を防止するため、解釈によって事前の手続の適正を確保しようと努めてきました。そこで唱えられた適正手続とは、おおむね以下のようなものです。

| ①処分基準の設定・公表 |
|---|
| 処分をするに際して、あらかじめ基準を設定し、公表しておく |
| **②告知・聴聞** |
| 処分前に、相手方に処分内容および理由を告知し、相手方を聴聞して言い分を聴く |
| **③文書の閲覧** |
| 聴聞に際して、相手方に行政側が保有する当該事案についての文書等を閲覧させる |
| **④理由の提示** |
| 処分をするに際して、その理由を処分の相手方に提示する |

**判例**

《個人タクシー事件》(最判昭46.10.28)
【事案】個人タクシー免許の拒否処分に対して、処分手続の不適正が争われた事件
【判旨】行政庁は、事実の認定につき行政庁の独断を疑うことが客観的にもっともと認められるような、不公正な手続をとってはならない。行政庁は、抽象的な基準を定めたにすぎない道路運送法の免許基準を具体化した審査基準を設定し、これを公正かつ合理的に運用すべきである。その基準を適用するうえで必要な事項については、申請人にその主張と証拠提出の機会を与えなければならない。

**判例チェック**

判例は、憲法31条以下に規定された適正手続の保障は、直接には刑事手続に関するものだが、行政手続についてもすべてがその保障の枠外にあるとするべきではない、として、行政手続にも憲法31条以下の手続保障が及ぶ場合がありうることを認めています(成田新法事件、最大判平4.7.1など)。

## 2 行政手続法総説

※以下の条文は、特に断りのない限り、行政手続法の条文です。

### (1) 行政手続法の適用対象

行政手続法の対象となる行政作用は、①**処分**(申請に対する処分・不利益処分)、②**行政指導**、③**届出**、④**命令等の制定**とされています。

行政計画の策定、行政契約の締結などは行政手続法の適用対象ではありません（同法１条１項参照）。

### (2) 適用除外

行政手続法の対象となる行政作用であっても、同法の適用が除外される場合があります。以下には、重要なものを挙げておきます。

| ①本来の行政権の行使といえないもの・独自の手続体系が存在するもの（３条１項）<br>ア　国会・議会の議決によって行われる処分<br>イ　裁判所・裁判官の裁判によって行われる処分<br>ウ　学校において、教育の目的を達成するため学生に対して行われる処分および行政指導<br>エ　刑務所において、収容の目的を達成するために行われる処分および行政指導 |
|---|
| ②地方公共団体の機関の行う処分・行政指導など（３条３項）<br>ア　地方公共団体の機関が行う処分で、条例または規則を根拠とするもの<br>イ　地方公共団体の機関が行う行政指導 |
| ③国の機関などに対してなされる処分・行政指導など（４条１項） |

地方公共団体の機関が行う処分でも、法律の規定に基づいて行われるものは、行政手続法の適用対象となります。

地方公共団体の行政活動のうち行政手続法の適用がないものについても、行政運営における公正と透明性を確保する必要があることは変わりがないので、地方公共団体については、行政手続法の趣旨に沿った必要な措置をとる努力義務が課されています（46条）。実際には、ほとんどの地方公共団体は行政手続条例を有しています。

## 3 申請に対する処分の手続

| 申請 | 法令に基づき、行政庁の許可、認可、免許など、自己に対して何らかの利益を付与するような処分を求める行為（２条３号） |
|---|---|

### (1) 審査基準の設定（５条）

行政庁は、申請により求められた許認可などをするか否かを判断するのに必要な審査基準をできる限り具体的に定める義務を負い、かつ、行政上特別の支障があるときを除き、それを公にしておかなければなりません。

申請に対する審査基準の設定・公表は、行政庁の法的義務とされています。

# 行政手続

## (2) 標準処理期間（6条）

行政庁は、申請がその事務所に到達してから当該申請に対する処分を行うまでに通常必要とされる標準的期間（**標準処理期間**）を定めるよう努めなければなりません。

標準処理期間を設定した場合には、それを公にしておく法的義務を負います。

標準処理期間の設定は努力義務ですが、設定すると、それを公表する法的義務を負います。

## (3) 申請に対する応答義務（7条）

行政庁は、申請が事務所に到達した場合には、遅滞なく審査を開始しなければなりません。そして、形式上の要件を充たさない申請については、申請者に補正を求めるか、または求められた許認可などを拒否しなければなりません。

## (4) 理由の提示（8条）

行政庁は、申請により求められた許認可などを拒否する処分を行う場合には、申請者に対し、原則として**処分と同時に、その拒否処分の理由を提示しなければなりません**。

《旅券発給拒否事件》（最判昭60.1.22）
【事案】一般旅券発給申請に対する拒否処分に付された理由が適用条文を示したのみだったため、これが理由付記として十分かが争われた事案
【判旨】申請拒否処分に理由付記を求める趣旨は行政庁の判断の慎重さ・合理性を担保して恣意を抑制すること、相手方に処分理由を知らせて不服申立ての便宜を与えることにあるから、付記すべき理由は、いかなる事実関係に基づきいかなる法規を適用して拒否されたかを、申請者が了知しうるものでなければならず、単に根拠規定を示すのみでは不十分である。

補足

公聴会の開催など（10条）
行政庁は、申請者以外の者の利害を考慮すべきことが法令において許認可の要件とされる場合には、必要に応じて公聴会を開催するなど、申請者以外の者の意見を聴く機会を設けるように努めなければなりません。

## (5) 情報の提供（9条）

行政庁は、申請者の求めに応じ、審査の進行状況、および申請に対する処分の時期の見通しを示すように努めなければなりません。

# 解答かくしシート

## 4 不利益処分の手続

### (1) 不利益処分とは

不利益処分とは、行政庁が、法令に基づき、特定人を名あて人（相手方）として、直接に義務を課し、または権利を制限する処分をいいます（２条４号）。

申請拒否処分は、不利益処分ではありません（２条４号ロ）。

### (2) 処分基準（12条）

行政庁は、不利益処分をするかどうか、またはどのような不利益処分をするかについて、判断するために必要とされる処分基準を定め、かつ、これを公にしておく努力義務を負います。

処分基準は、不利益処分の性質に照らしてできる限り具体的なものとしなければなりません。

### (3) 意見陳述のための手続（13条）

#### ① 聴聞手続

聴聞は、次の場合に行われます（13条１項１号）。

ア　許認可などを取り消す不利益処分をしようとするとき

イ　アのほか、名あて人の資格・地位を直接に剥奪する不利益処分をしようとするとき

ウ　法人に対して役員の解任等を命ずる不利益処分をしようとするとき

エ　その他、行政庁が相当と認めるとき

#### ② 弁明の機会の付与手続

聴聞手続を必要としない不利益処分を行う場合の手続です（13条１項２号）。弁明書という書面の提出により行うのが原則です（29条～31条）。

### (4) 聴聞手続の概要（15条以下）

#### ① 書面による通知（15条１項）

聴聞を行う場合、聴聞期日までに相当の期間をおいて、不利益処分の当事者に対し、予定される不利益処分の内容・根拠法令の条項、原因となる事実、聴聞の期日・場所などを書面で通知しなければなりません。

#### ② 文書閲覧請求権（18条）

当事者・参加人は、聴聞の通知があった時から聴聞終結時まで、行政庁に対して資料の閲覧を請求することができます。

#### ③ 審理の方式（20条）

審理は、原則非公開です。最初に、主宰者が行政庁の職員に予定される不利益処分の内容、根拠法令、原因事実を説明させます。当事者・参加人は、聴聞期日において意見を述べ、主宰者の許可を得て行政庁職員に質問をすることができます。

#### ④ 調書・報告書（24条）

主宰者は、聴聞の審理経過を記載した調書と主宰者の意見を記載した報告書を作成し、行政庁に提出しなければなりません。

行政庁は、聴聞を経て不利益処分の決定をするにあたっては、聴聞主宰者が提出した調書の内容および報告書に記載された主宰者の意見を十分に参酌しなければなりません（26条）。

### (5) 理由の提示（14条）

行政庁は、不利益処分をする場合には、名あて人に対して、原則として処分と同時に、当該不利益処分の理由を提示しなければなりません。

当該不利益処分を書面で行う場合、理由提示も書面で行わなければなりません（14条３項）。

## 5 届出

「届出」とは、行政庁に対し一定の事項の通知をする行為（申請に該当するものを除く）であって、法令により直接に当該通知が義務付けられているものをいいます（２条７号）。

届出書の記載事項に不備がなく、必要書類の添付などが法令に定められた届出の形式的要件に適合している場合は、届出が法令により提出先とされている機関の事務所に到達したときに、届出をすべき手続上の義務が履行されたものとされます(37条)。これは、行政機関が届出を不受理とするなどの不合理な取扱いを排除する趣旨から設けられました。

## 6 命令等を定める手続

### (1) 適用対象

行政手続法が適用される「命令等」とは、内閣または行政機関が定める、①法律に基づく命令・規則、②申請に基づく処分の審査基準、③不利益処分の処分基準、④行政指導指針の４種類です（２条８号）。

### (2) 意見公募手続（38条～45条）

命令等を定めようとする場合、原則として、行政機関は、命令等の案とこれに関連する資料とをあらかじめ公示し、意見の提出先と30日以上の意見提出期間を定めて、広く一般の意見を求めなければなりません。

意見公募手続を実施した場合には、行政機関は意見提出期間内に提出された意見を十分に考慮しなければならず、また、当該命令の公布と同時期に、提出された意見（意見がない場合は、その旨）、意見を考慮した結果およびその理由を公示しなければならないものとされています。

## 7 行政手続法の新しい制度

### (1) 行政指導の中止等の求め（36条の２）

法令に違反する行為の是正を求める行政指導の相手方は、当該行政指導が法律の要件に適合しないと思料するときは、その中止等を求めることができるようになりました。これは、法律に基づく行政指導を受けた国民が、当該行政指導が法律の要件に適合しないと思料する場合に、行政に再考を求める制度です。

### (2) 処分等の求め（36条の３）

何人も、法令違反の事実がある場合で、その是正のためにされるべき処分または行政指導がされていないと思料するときは、その是正のための処分等を求めることができるようになりました。この制度は、国民が法律違反をしている事実を発見した場合に、行政に対し適正な権限行使を促すための法律上の手続を定めたものです。

第5章 SECTION 1 行政手続・情報公開

# 行政手続

## 実践 問題 105 基本レベル

| 頻出度 | 地上★★★ 国家一般職★★★ 特別区★ 国税·財務·労基★★★ 国家総合職★★ |
|---|---|

**問** 行政手続法に関するア～オの記述のうち、妥当なもののみをすべて挙げているのはどれか。 (国Ⅱ2011)

ア：不利益処分に関する基準については、できる限り具体的な基準を定め、これを公表することが行政庁の義務とされているが、申請に対する処分に関する基準については、その策定・公表は行政庁の努力義務にとどめられている。

イ：不利益処分をする行政庁は、処分をする前に処分予定者の意見を聴かなければならず、許認可の取消しなど重大な不利益処分をする場合は「弁明の機会の付与」を、それ以外の不利益処分をする場合は「聴聞」を経ることとされている。

ウ：行政指導に携わる者は、その相手方に対して、当該行政指導の趣旨や内容、責任者を明確に示さなければならないこととされている。

エ：行政庁は、事務所に到達した申請が、申請書に必要な書類が添付されていないなど、申請の形式上の要件に適合しないものであるときは、申請を受理せず、申請書を申請者に返戻することとされている。

オ：行政手続法は、申請拒否処分に付記すべき理由の程度については規定していないが、例えば、旅券法が求める一般旅券発給拒否通知書に付記すべき理由としては、いかなる事実関係に基づきいかなる法規を適用したのかを、申請者が記載自体から了知し得るものである必要があるとするのが判例である。

1：ア、イ
2：ア、エ
3：イ、ウ
4：ウ、オ
5：エ、オ

直前復習

チェック欄

| 1回目 | 2回目 | 3回目 |
|---|---|---|
| | | |

## 実践 問題 105 の解説

〈行政手続〉

**ア×** 不利益処分については、処分基準を定め、かつ、これを公にしておくよう努めなければならないと定められている（行政手続法12条1項）。つまり、不利益処分の場合、基準を定め公表することは努力義務としている。これに対して、申請に対する処分に関する審査基準については、基準の策定および公表ともに義務とされている（行政手続法5条1項・3項）。

**イ×** 不利益処分において、行政庁は、当該不利益処分の名あて人（被処分予定者）に対して意見陳述のための手続をとらなければならない（行政手続法13条1項柱書）。また、許認可等の取消しなどの場合には、聴聞手続をしなければならないが（同法13条1項1号イ参照）、重大な不利益処分をする場合以外には、弁明の機会の付与で足りる（同法13条1項2号）。

**ウ○** 行政手続法35条1項では、行政指導に携わる者は、その相手方に対して、当該行政指導の趣旨および内容ならびに責任者を明確に示さなければならないと定められている。

**エ×** 行政庁は、事務所に到達した申請が、形式上の要件に適合しないときは、補正を求めるか、申請の拒否をしなければならない（行政手続法7条）。かつて、行政庁が行政指導に従わない申請者に対して、申請を受理せずに申請書を返戻するという運用が行われることがあった。このような運用を防ぐために、現在の行政手続法では、申請が事務所に到達することにより、行政庁に申請を審査し応答する義務が生じることを明確にした。

**オ○** 行政手続法上、申請拒否処分に付記すべき理由の程度について明文規定がないため（行政手続法8条1項参照）、その理由はどの程度記載すればよいかが問題となる。判例は、理由付記の程度について、いかなる事実関係に基づきいかなる法規を適用して一般旅券の発給が拒否されたかを、申請者においてその記載自体から了知しうるものでなければならず、単に根拠規定を示すだけでは不十分であるとした（旅券発給拒否事件、最判昭60.1.22）。

以上より、妥当なものはウ、オであり、肢4が正解となる。

**正答 4**

第5章 SECTION 1 行政手続・情報公開

# 行政手続

## 実践 問題 106 基本レベル

| 頻出度 | |
|---|---|
| 地上★★★　国家一般職★★★　特別区★ | |
| 国税·財務·労基★★★　国家総合職★★ | |

問 行政手続法上の申請に対する処分に関するア～オの記述のうち、妥当なもののみを全て挙げているのはどれか。（国税・財務・労基2020）

ア：行政庁は、申請がその事務所に到達してから当該申請に対する処分をするまでに通常要すべき標準的な期間を定めなければならない。

イ：行政庁は、行政上特別の支障があるときを除き、法令により申請の提出先とされている機関の事務所における備付けその他の適当な方法により審査基準を公にしておかなければならない。

ウ：行政庁は、申請により求められた許認可等を拒否する処分をする場合は、原則として、申請者に対し、同時に、当該処分の理由を示さなければならない。

エ：行政庁は、申請書に必要な書類が添付されていないなど、法令に定められた形式上の要件に適合しない申請については、申請者に対し、当該申請の受理を拒否しなければならない。

オ：行政庁は、申請に対する処分であって、申請者以外の者の利害を考慮すべきことが当該法令において許認可等の要件とされているものを行う場合には、公聴会の開催その他の適当な方法により当該申請者以外の者の意見を聴く機会を設けなければならない。

1：ア、イ
2：ア、エ
3：イ、ウ
4：ウ、オ
5：エ、オ

チェック欄

| 1回目 | 2回目 | 3回目 |
|---|---|---|
| | | |

## 実践 問題 106 の解説

〈行政手続法上の申請〉

**ア×** 標準処理期間を「定めなければならない」と法的義務を述べる本記述は、行政手続法の規定と異なるので妥当でない。行政庁は、申請がその事務所に到達してから当該申請に対する処分を行うまでに通常必要とされる標準的な期間を定めるよう努めなければならない（標準処理期間、行政手続法６条前段）。これは努力義務であり、法的義務ではない。

**イ○** 本記述は審査基準を公表する法的義務を述べるものであり、妥当である。行政庁は、申請により求められた許認可等をするかどうかをその法令の定めに従って判断するために必要とされる基準（審査基準、行政手続法２条８号ロ）を定め、行政上特別の支障があるときを除き、法令により申請の提出先とされている機関の事務所における備付けその他の適当な方法により審査基準を公にしておかなければならない（同法５条１項・３項）。すなわち、審査基準の設定・公表いずれも法的義務である。

**ウ○** 申請拒否処分をする場合、処分と同時に理由を示さなければならない（行政手続法８条１項）。したがって、本記述は妥当である。理由の提示を義務付けた趣旨は、行政庁の判断の慎重と公正・妥当を担保してその恣意を抑制するとともに（恣意抑制機能）、拒否の理由を申請者に知らせることによって不服申立てに便宜を与えるためである（争訟便宜機能）。

**エ×** 行政庁は、法令に定められた形式上の要件に適合しない申請については、速やかに、申請者に対し相当の期間を定めて当該申請の補正を求めるか、当該申請により求められた許認可等を拒否しなければならない（行政手続法７条）。旧来の行政実務においては、申請に不備がある場合、受理の拒否・返戻という不当な取扱いが横行していた。このことに対する反省から、同法は「受理」という概念を否定した。したがって、当該申請の受理を拒否することはできず、「拒否しなければならない」と述べる本記述は妥当でない。あくまでも、拒否できるのは申請により求められた許認可等である。一般的には「不許可処分」という形式で行われている。

**オ×** 行政庁が公聴会の開催等により申請者以外の者の意見を聴く機会を設けるのは、努力義務にとどまる（行政手続法10条）。したがって、「意見を聴く機会を設けなければならない」と法的義務を述べる本記述は妥当でない。

以上より、妥当なものはイ、ウであり、肢３が正解となる。

**正答 3**

第5章 SECTION 1 行政手続・情報公開

# 行政手続

## 実践 問題 107 基本レベル

| 頻出度 | 地上★★★　国家一般職★★★　特別区★<br>国税·財務·労基★★★　国家総合職★★ |
|---|---|

問 行政手続に関する次の記述のうち、妥当なのはどれか。

（国税・財務・労基2015）

1：申請により求められた許認可等を行政庁が拒否する処分をする際に求められる理由付記の程度については、単に処分の根拠規定を示すだけでは、当該規定の適用の基礎となった事実関係をも当然知り得るような場合は別として、不十分であるとするのが判例である。

2：不利益処分とは、行政庁が法令に基づき、特定の者を名宛人として、直接にこれに義務を課し、又はその権利を制限する処分をいい、申請を拒否する処分は不利益処分に含まれる。

3：不利益処分をするに当たっては、行政庁は、必ず処分基準を定め、かつ、これを公にしなければならない。

4：申請に対して拒否処分をする場合において、行政手続法は、申請者に対し、聴聞や弁明の機会を与えなければならないとしている。

5：行政指導とは、行政機関がその任務又は所掌事務の範囲内において一定の行政目的を実現するため特定の者に一定の作為又は不作為を求める指導、勧告、助言その他の行為であって、処分に該当するものをいう。

チェック欄

| 1回目 | 2回目 | 3回目 |
|---|---|---|
| | | |

## 実践 問題 107 の解説

〈行政手続〉

**1 ○** 一般旅券発給拒否処分における理由付記の程度が争われた事案について、判例は、いかなる事実関係に基づきいかなる法規を適用して一般旅券の発給が拒否されたかを、申請者においてその記載自体から了知しうるものでなければならず、単に発給拒否の根拠規定を示すだけでは、それによって当該規定の適用の基礎となった事実関係をも当然知りうるような場合を別として、旅券法の要求する理由付記として十分でないと判示した（最判昭60.1.22）。

**2 ×** 不利益処分とは、「行政庁が、法令に基づき、特定の者を名あて人として、直接に、これに義務を課し、又はその権利を制限する処分」（行政手続法2条4号柱書本文）をいう。もっとも、同号ロにより、申請を拒否する処分は不利益処分から除かれている。

**3 ×** 行政手続法12条1項は、「行政庁は、処分基準を定め、かつ、これを公にしておくよう努めなければならない」と規定する。したがって、処分基準の設定・公表は、法的義務ではなく、努力義務である。ちなみに、努力義務とされた理由としては、画一的な基準を設定することが技術的に困難であること、公表によって脱法的行為を助長することが挙げられる。

**4 ×** 行政手続法13条1項は、不利益処分をしようとする場合において、当該不利益処分の名あて人となるべき者に対し、聴聞（同項1号）や弁明の機会の付与（同項2号）の手続をとらなければならないと規定する。もっとも、申請を拒否する処分は不利益処分から除かれているので（肢2参照）、このような手続を与える必要はない。

**5 ×** 行政指導の意義につき、行政手続法2条6号は、「行政機関がその任務又は所掌事務の範囲内において一定の行政目的を実現するため特定の者に一定の作為又は不作為を求める指導、勧告、助言その他の行為であって処分に該当しないもの」をいうと規定する。すなわち、行政指導には、処分に該当するものは含まれない。

**正答 1**

# 行政手続

## 実践 問題 108 基本レベル

| 頻出度 | 地上★★★ | 国家一般職★★★ | 特別区★ |
|---|---|---|---|
| | 国税·財務·労基★★★ | 国家総合職★★ | |

**問 申請に対する処分の手続に関するア～オの記述のうち、妥当なもののみを全て挙げているのはどれか。** (財務2018)

ア：行政庁は、許認可等の判断に必要な審査基準を定め、行政上特別の支障があるときを除き、これを公にしておくことを義務付けられるが、「公にしておく」とは、申請者や一般国民からの求めがあれば自由に閲覧できる状態にしておくだけでは足りず、行政庁が積極的に周知させることが必要である。

イ：行政庁は、申請が事務所に到達してから処分をするまでに通常要すべき標準的な期間を設定し、これを公にするよう努めなければならない。

ウ：行政庁は、申請により求められた許認可等を拒否する処分をする場合は、原則として、申請者に対して、同時に、その処分の理由を示さなければならず、その処分を書面でするときは、理由の提示も書面によらなければならない。

エ：処分の理由の提示は、処分の根拠規定を示すことが必要であるが、いかなる事実関係につきどの条項が適用されたのかを申請者が知り得るような理由の提示までは必要とされないとするのが判例である。

オ：行政庁は、申請者の求めがあったときは、その申請に係る審査の進行状況及びその申請に対する処分の時期の見通しを書面で示さなければならない。

1：イ
2：ウ
3：ア、ウ
4：ア、エ
5：ウ、オ

チェック欄

| 1回目 | 2回目 | 3回目 |
| --- | --- | --- |
| | | |

## 実践 問題 108 の解説

〈行政手続〉

**ア×** 行政庁は、審査基準を定め（行政手続法５条１項）、行政上特別の支障があるときを除き、法令により申請の提出先とされている機関の事務所における備付けその他の適当な方法により審査基準を公にしておくべき義務を負う（同条３項）。しかし、同条項の「公に」とは、「秘密にしない」という趣旨であり、申請者などからの求めがあれば自由に閲覧できるようにすることを意味すると解されている。したがって、本記述後半のような積極的に周知させることまでは不要である。

**イ×** 標準処理期間を公にすることを努力義務とする本記述は、妥当でない。行政庁は、申請がその事務所に到達してから当該申請に対する処分をするまでに通常要すべき標準的な期間（標準処理期間）を定めるよう努めなければならないが、標準処理期間を定めた場合には、これを公にしなければならない（行政手続法６条）。すなわち、標準処理期間の設定自体は努力義務であるが、それを公にすることは法的義務である。

**ウ○** 本記述は、行政手続法８条１項本文・２項のとおりであり、妥当である。

**エ×** 理由の提示の程度につき、認定事実に対する法適用までは不要であると述べる本記述は、妥当でない。申請拒否処分の際になされる理由の提示（行政手続法８条）の程度が問題となった旅券発給拒否事件において判例は、旅券法に基づく一般旅券の発給拒否通知書に付記すべき理由としては、いかなる事実関係に基づきいかなる法規を適用して拒否されたかを、その記載自体から了知しうるものでなければならず、単に発給拒否の根拠規定を示すだけでは十分でないとした（最判昭60.1.22）。

**オ×** 行政手続法９条１項は、行政庁は、申請者の求めに応じ、当該申請に係る審査の進行状況および当該申請に対する処分の時期の見通しを示すよう努めなければならないと規定し、情報の提供を努力義務にとどめている。したがって、情報の提供を法的義務とする本記述は、妥当でない。

以上より、妥当なものはウであり、肢２が正解となる。

**正答 2**

## 実践 問題 109 基本レベル

頻出度 地上★★★ 国家一般職★★★ 特別区★ 国税·財務·労基★★★ 国家総合職★★

問 行政手続法に関するア〜オの記述のうち、妥当なもののみを挙げているのはどれか。 (国家一般職2024)

ア：行政手続法は、行政手続に関する一般法であり、行政運営における公正の確保と透明性の向上を図り、もって国民の権利利益の保護に資することを目的とするものである。

イ：行政手続法は、同法第３条により同法の規定の適用が除外される場合を除いて、全ての処分、行政指導及び届出に関する手続並びに命令等を定める手続に適用され、他の法律に特別の定めを置いて行政手続法の適用を除外することはできない。

ウ：行政手続法は、行政庁が不利益処分をしようとする場合における処分の名宛人の意見陳述のための手続として、聴聞と弁明の機会の付与の二つを規定しており、許認可等を取り消す不利益処分をしようとするときは、原則としていずれも行わなければならない旨を規定している。

エ：行政手続法は、行政機関が命令等を定めようとする場合には、命令等で定めようとする内容を示す案及びこれに関連する資料をあらかじめ公示し、意見の提出先及び意見の提出のための期間を定めて広く一般の意見を求めるよう努める旨を規定している。

オ：行政庁は、不利益処分をする場合には、その名宛人に対し、同時に、当該不利益処分の理由を示さなければならない。ただし、当該理由を示さないで処分をすべき差し迫った必要がある場合は、この限りでない。

1：ア、イ
2：ア、オ
3：イ、ウ
4：ウ、エ
5：エ、オ

チェック欄

| 1回目 | 2回目 | 3回目 |
|---|---|---|
| | | |

## 実践 問題 109 の解説

〈行政手続〉

**ア○** 本記述は行政手続法の目的を正確に述べており、妥当である。すなわち、行政手続法の目的は、処分、行政指導および届出に関する手続ならびに命令等を定める手続に関し、共通する事項を定めることによって、行政運営における公正の確保と透明性の向上を図り、もって国民の権利利益の保護に資することにある（行政手続法１条１項。以下、法令名がなければ同法の条文）。

**イ×** 他の法律に特別の定めを置いて行政手続法の適用を除外することができるので、本記述は妥当でない。１条２項は、処分、行政指導、届出に関する手続、命令等を定める手続に関し行政手続法に規定する事項について、他の法律に特別の定めがある場合は、その定めるところによると規定している。実際に、道路交通法では、運転免許を長期間停止する不利益処分を行う手続において、行政手続法の規定による意見陳述のための手続の区分（記述ウの解説参照）にかかわらず「聴聞を行わなければならない」とし、行政手続法と異なる規定を設けている（道路交通法104条の２）。

**ウ×** 不利益処分をしようとする場合には、不利益処分の名あて人となるべき者について、意見陳述のための手続をとらなければならない（13条１項）。その手続は聴聞を原則とし、聴聞がとられる不利益処分以外の不利益処分に対して、弁明の機会の付与が行われる（同項１号・２号）。したがって、聴聞と弁明の機会の付与をいずれも行わなければならないわけではない。

**エ×** 命令等制定機関は、命令等を定めようとする場合には、当該命令等の案およびこれに関連する資料をあらかじめ公示し、意見の提出先および意見提出期間を定めて広く一般の意見を求めなければならない（39条１項）。したがって、意見公募手続は、努力義務ではなく法的義務である。

**オ○** 行政庁は、不利益処分をする場合には、その名あて人に対し、同時に、当該不利益処分の理由を示さなければならない。ただし、当該理由を示さないで処分をすべき差し迫った必要がある場合は、この限りでない（14条１項）。したがって、本記述は妥当である。この規定の趣旨は、行政庁の判断の慎重と合理性を担保してその恣意を抑制するとともに、処分の理由を名あて人に知らせて不服申立てに便宜を与えるためにある（最判平23.6.7）。

以上より、妥当なものはア、オであり、肢２が正解となる。

**正答 2**

第5章
SECTION 1
行政手続・情報公開
行政手続


## 実践 問題 110 基本レベル

| 頻出度 | 地上★★★　国家一般職★★★　特別区★<br>国税·財務·労基★★★　国家総合職★★ |
|---|---|

**問 行政手続に関するア～エの記述のうち、判例に照らし、妥当なもののみを全て挙げているのはどれか。　(国家総合職2021)**

ア：不利益処分においてどの程度の理由を提示するべきかについては、当該処分の根拠法令の規定内容、当該処分の性質及び内容、当該処分の原因となる事実関係の内容等を総合考慮してこれを決定すべきであるが、その策定・公表が努力義務にとどまる当該処分に係る処分基準の存否及び内容並びに公表の有無については、考慮する必要はない。

イ：更正処分の通知書に付記された理由に不備の瑕疵がある場合、その瑕疵は、たとえ後日これに対する審査裁決において処分の具体的根拠が明らかにされたとしても、それにより治癒されるものではない。

ウ：行政処分において理由の提示が求められている場合における理由の提示の程度は、特段の理由のない限り、いかなる事実関係に基づきいかなる法規を適用して当該処分がされたのかを、処分の相手方においてその提示内容自体から了知し得るものでなければならず、単に抽象的に処分の根拠規定を示すだけでは、それによって当該規定の適用の原因となった具体的事実関係をも当然に知り得るような例外の場合を除いては、法令の要求する理由の提示として十分でない。

エ：法令が行政処分に理由の提示を求めているのは、処分庁の判断の慎重と合理性を担保してその恣意を抑制するとともに、処分の理由を相手方に知らせて不服の申立てに便宜を与える趣旨に出たものであり、その提示を欠く場合には処分自体の取消しを免れない。

1：ア、イ
2：イ、エ
3：ウ、エ
4：ア、イ、ウ
5：イ、ウ、エ

チェック欄

| 1回目 | 2回目 | 3回目 |
| --- | --- | --- |
| | | |

## 実践 問題 110 の解説

〈行政手続〉

**ア×** 一級建築士免許取消事件（最判平23.6.7）において判例は、「不利益処分をする場合にどの程度の理由を提示すべきかどうかは、当該処分の根拠法令の規定内容、当該処分に係る処分基準の存否及び内容並びに公表の有無、当該処分の性質及び内容、当該処分の原因となる事実関係の内容等を総合考慮してこれを決定すべきである」とし、「一級建築士に対する懲戒処分に際して同時に示されるべき理由としては、処分の原因となる事実及び処分の根拠法条に加えて、本件処分基準の適用関係まで必要である」としている。すなわち、不利益処分においてどの程度の理由を提示すべきかについては、当該処分にかかる処分基準の策定・公表が努力義務にとどまるものでも、処分基準の存否・内容・公表の有無について考慮する必要がある。

**イ○** 判例は、更正処分の通知書に付記された理由に不備の瑕疵がある場合、後日これに対する審査裁決において処分の具体的根拠が明らかにされたとしても、それにより治癒されるものではないとしている（最判昭47.12.5）。

**ウ○** 旅券発給拒否事件（最判昭60.1.22）において判例は、理由の提示の程度について、「いかなる事実関係に基づきいかなる法規を適用して一般旅券の発給が拒否されたかを、申請者においてその記載自体から了知しうるものでなければならず、単に発給拒否の根拠規定を示すだけでは、それによって当該規定の適用の基礎となった事実関係をも当然知りうるような場合を別として、旅券法の要求する理由付記として十分でないといわなければならない」としている。

**エ○** 本記述と同様の事案において判例は、一般に、法令が行政処分に理由を付記すべきものとしているのは、処分庁の判断の慎重・合理性を担保してその恣意を抑制するとともに、処分の理由を相手方に知らせて不服申立てに便宜を与える趣旨であるから、その記載を欠く場合には処分自体の取消しを免れないとしている（最判昭38.5.31）。

以上より、妥当なものはイ、ウ、エであり、肢5が正解となる。

**正答 5**

# 第5章 SECTION 1 行政手続・情報公開 行政手続

## 実践 問題 111 基本レベル

| 頻出度 | 地上★★★ 国家一般職★★★ 特別区★<br>国税·財務·労基★★★ 国家総合職★★ |
|---|---|

**問** 行政手続法に関するア～オの記述のうち、妥当なもののみを全て挙げているのはどれか。（国家総合職2019）

ア：行政不服審査法においては、審査庁に、審査請求書の記載事項に不備があるときであっても、原則として、これを直ちに却下せず、審査請求人に補正を命ずることを義務付けている。また、これと同様に、行政手続法においても、行政庁に、形式上の要件に適合しない申請であっても、これを直ちに拒否してはならず、速やかに申請者に補正を命ずることを義務付けている。

イ：聴聞手続では、聴聞の通知を受けた者は、聴聞の通知があったときから聴聞終結までの間、行政庁に対し、当該事案についてした調査の結果に係る調書その他の資料の閲覧を求めることができるが、この場合、行政庁は、第三者の利益を害するおそれがあるときその他正当な理由があるときは、その閲覧を拒むことができる。

ウ：不利益処分をしようとする場合の弁明の機会の付与においては、書面審査方式が採用されているから、不利益処分の名あて人となるべき者が口頭で弁明をする機会を付与されることはない。

エ：地方公共団体の機関がする処分のうち、その根拠となる規定が条例又は地方公共団体の執行機関の規則に置かれているものについては、行政手続法の申請に対する処分及び不利益処分に関する規定は適用されない。

オ：行政庁は、申請がその事務所に到達してから当該申請に対する処分をするまでに通常要すべき標準的な期間を定めるよう努めなければならない。ただし、法令により当該行政庁と異なる機関が当該申請の提出先とされている場合における当該申請が当該提出先とされている機関の事務所に到達してから当該行政庁の事務所に到達するまでに通常要すべき標準的な期間については、この限りでない。

1：ア、ウ
2：ア、エ
3：イ、エ
4：イ、オ
5：ウ、オ

| チェック欄 | | |
|---|---|---|
| 1回目 | 2回目 | 3回目 |
| | | |

## 実践 問題 111 の解説

〈行政手続〉

**ア×** 行政手続法（以下、法令名がなければ同法の条文）7条は、「法令に定められた申請の形式上の要件に適合しない申請については、速やかに、申請をした者に対し相当の期間を定めて当該申請の補正を求め、又は申請により求められた許認可等を拒否しなければならない。」と規定している。すなわち、行政庁は、形式上の要件に適合しない申請であっても、補正を求めずにこれを直ちに拒否することができる。したがって、これを直ちに拒否してはならず、速やかに申請者に補正を命ずることを義務付けていると述べる本記述は、妥当でない。なお、行政不服審査法においては、審査庁に、審査請求書の記載事項に不備がある場合、原則として、これを直ちに却下せず、相当の期間内に審査請求人に補正を命ずることを義務付けている（同法23条）。

**イ○** 本記述は、聴聞手続における当事者の防御権を保障する18条1項の規定のとおりであり、妥当である。なお、本記述中の「聴聞の通知を受けた者」とは、当事者のことである（16条1項かっこ書）。

**ウ×** 弁明の機会の付与は聴聞より簡易な手続であるところ、この手続は、弁明を記載した書面（弁明書）を提出して行うのが原則である。もっとも、行政庁が認めれば、弁明を口頭ですることもできる（29条1項）。したがって、これを認めない旨を述べる本記述は妥当でない。

**エ○** 行政手続法は、国の行政を直接の対象とする。地方公共団体の行政作用については、地方公共団体の自主性を尊重するとの観点から、本法は適用されないのが原則である。その現れの1つが3条3項である。同条同項は、地方公共団体の機関がする処分のうち、その根拠となる規定が条例または規則に置かれているものに限り、本法は適用されないとしている。

**オ×** 申請してから処分が出るまでの期間の目安である標準処理期間を規定する6条は、そのかっこ書で、法令により行政庁と異なる機関が申請の提出先とされている場合は、当該申請が当該提出先とされている機関の事務所に到達してから当該行政庁の事務所に到達するまでに通常要すべき標準的な期間についても定めるべき努力義務を規定している。したがって、これと反対の趣旨を述べる本記述は妥当でない。

以上より、妥当なものはイ、エであり、肢3が正解となる。

**正答 3**

第5章 SECTION 1 行政手続・情報公開

# 行政手続

## 実践 問題 112 基本レベル

| 頻出度 | 地上★★★　国家一般職★★★　特別区★<br>国税･財務･労基★★★　国家総合職★★ |
|---|---|

**問 行政手続法に関する次の記述のうち、妥当なのはどれか。（国家一般職2018）**

1：行政庁は、許認可等を取り消す不利益処分をしようとする場合、当事者以外の者であって当該不利益処分の根拠となる法令に照らし当該不利益処分につき利害関係を有するものと認められる者がいるときは、公聴会の開催により、その者の意見を聴く機会を設けるよう努めなければならない。

2：行政庁は、不利益処分をする場合には、その名宛人に対し、同時に、当該不利益処分の理由を示さなければならない。ただし、当該理由を示さないで処分をすべき差し迫った必要がある場合は、この限りでない。

3：不利益処分の名宛人となるべき者には、聴聞の通知があった時から聴聞が終結する時までの間、行政庁に対する当該不利益処分の原因となる事実を証する資料の閲覧及び複写の請求が認められており、当該請求がされた場合、行政庁は、正当な理由があるときでなければ、当該請求を拒むことはできない。

4：弁明の機会の付与は、聴聞と比較してより略式の手続であり、弁明の機会の付与を行う場合、行政庁は、不利益処分の名宛人となるべき者に対して、当該不利益処分の原因となる事実まで通知する必要はない。また、弁明は、原則として書面で行われる。

5：申請により求められた許認可等を拒否する処分は、申請に対する処分に当たると同時に不利益処分にも当たるため、当該拒否処分には、申請に対する処分に関する規定が適用されるほか、不利益処分に関する規定が準用される。

チェック欄

| 1回目 | 2回目 | 3回目 |
| --- | --- | --- |
| | | |

## 実践 問題 112 の解説

〈行政手続〉

**1 ×** 行政手続法上、不利益処分を行う場合において公聴会を開催する制度は存在しないので、本肢は妥当でない。行政庁が不利益処分をする場合、聴聞、弁明の機会の付与といった意見陳述のための手続を経る必要がある（行政手続法13条１項各号。以下は同法の条文）。もっとも、これらの手続には公聴会に関する規定は存在せず、行政庁に公聴会を開催する努力義務はない。なお、申請に対する処分手続に、公聴会開催の制度がある（10条）。

**2 ○** 行政庁が不利益処分をする場合、処分の名あて人に対し、同時に不利益処分の理由を示さなければならない（14条１項本文）。ただし、当該理由を示さないで処分をすべき差し迫った理由がある場合には、処分と同時でなくてもよい（同条項但書・２項）。したがって、本肢は、行政手続法14条１項のとおりなので妥当である。

**3 ×** 複写の請求を認める制度は存在せず、また、「第三者の利益を害するおそれがあるとき」も閲覧拒絶事由となるので、本肢は妥当でない。当事者等は、聴聞の通知があった時から聴聞が集結するまでの間、文書等閲覧請求権を有する（18条１項前段）。もっとも、同条項前段に複写の請求は規定されておらず、当事者等に文書等の複写請求権は認められない。そして、同条項後段は、行政庁は、「第三者の利益を害するおそれがあるときその他正当な理由があるとき」を閲覧拒絶事由とする。「その他」は並列関係を示すことから、行政庁は、正当な理由があるときのほか、第三者の利益を害するおそれがあるときも閲覧請求を拒否できる。

**4 ×** 弁明の機会の付与の際、名あて人に対し当該不利益処分の原因となる事実も通知しなければならない（30条２号）ので、本肢は妥当でない。なお、弁明は、口頭ですることを認めた場合以外は弁明書（書面）を提出して行う（29条１項）。

**5 ×** 申請により求められた許認可等を拒否する（申請拒否）処分は不利益処分にあたらず、当該処分に不利益処分の規定は準用されない（２条４号ロ）。したがって、申請拒否処分を不利益処分にあたるとし、不利益処分に関する規定が準用されると述べる本肢は妥当でない。

**正答 2**

## 第5章 SECTION 1 行政手続・情報公開 行政手続

### 実践 問題 113 基本レベル

| 頻出度 | 地上★★ 国家一般職★★ 特別区★ 国税･財務･労基★★ 国家総合職★ |
|---|---|

**問** **行政手続法に規定する意見公募手続等に関する記述として、妥当なのはどれか。** **(特別区2022)**

1：法律に基づく命令等を定めようとする場合には、当該命令等の案及びこれに関連する資料をあらかじめ公示して、広く一般の意見を求めなければならず、その公示は、官報に掲載して行わなければならない。

2：意見公募手続を実施して法律に基づく命令等を定める場合には、意見提出期間内に提出された当該命令等の案についての意見を考慮する義務はない。

3：法律に基づく命令等を定めようとする場合において、当該命令等が、他の行政機関が意見公募手続を実施して定めた命令等と実質的に同一のときは、意見公募手続を実施する義務はない。

4：意見公募手続を実施して法律に基づく命令等を定めた場合には、当該命令等の公布と同時期に、提出意見を公示しなければならず、当該提出意見に代えて、意見を要約したものを公示することはできない。

5：法律に基づく命令等を定めるに当たって意見公募手続を実施したにもかかわらず、当該命令等を定めないこととした場合、その旨を公示する必要はない。

| チェック欄 | | |
|---|---|---|
| 1回目 | 2回目 | 3回目 |
| | | |

## 実践 問題 113 の解説

〈意見公募手続〉

**1 ×** 官報に掲載する義務はないので、本肢は妥当でない。命令等制定機関は、命令等を定めようとする場合には、当該命令等の案およびこれに関連する資料をあらかじめ公示し、意見の提出先および意見提出期間を定めて広く一般の意見を求めなければならない（行政手続法39条1項。以下は同法の条文）。公示の方法としては、電子情報処理組織を使用する方法その他の情報通信技術を利用する方法（具体的には、電子政府の総合窓口＝e-Gov）により行うものとされている（45条1項）。

**2 ×** 命令等制定機関は、提出意見を考慮する義務を負うので、本肢は妥当でない。意見公募手続は、提出された意見を採用する義務を命令等制定機関に課すものではないが、提出された意見を真摯に考慮する義務はある。すなわち、命令等制定機関は、意見公募手続を実施して命令等を定める場合には、意見提出期間内に提出された当該命令等の案についての意見を十分に考慮しなければならない（42条）。

**3 ○** 他の行政機関が意見公募手続を実施して定めた命令等と実質的に同一の命令等を定めようとするときは、重複して意見を公募する意義に乏しいので、意見公募手続を実施する必要はない（39条4項5号）。たとえば、本省で意見公募手続を経て定めた通達に基づいて、地方支分部局の長が同一の内容の審査基準を定めようとする場合などがこれにあたる。

**4 ×** 命令等制定機関は、意見公募手続を実施して命令等を定めた場合には、当該命令等の公布と同時期に、①命令等の題名、②命令等の案の公示日、③提出意見、④提出意見を考慮した結果およびその理由を公示しなければならない（43条1項）。ただし、③の提出意見については、必要に応じ、提出意見に代えて、当該提出意見を整理または要約したものを公示することができる（同条2項）。したがって、本肢は妥当でない。

**5 ×** 命令等制定機関は、意見公募手続を実施したにもかかわらず命令等を定めないこととした場合には、その旨ならびに命令等の題名、命令等の案の公示日を速やかに公示しなければならない（43条4項）。したがって、命令等を定めないこととした場合でもその旨を公示する必要があるので、本肢は妥当でない。

**正答 3**

第5章
SECTION 1
行政手続・情報公開
行政手続


## 実践 問題 114 基本レベル

| 頻出度 | 地上★★ | 国家一般職★★ | 特別区★ |
|---|---|---|---|
| | 国税·財務·労基★★ | 国家総合職★ | |

**問 行政手続法が規定する行政指導に関する次の記述のうち、最も妥当なのはどれか。**（国家総合職2024）

1：行政指導指針は原則として意見公募手続をとって定めなければならないが、行政指導指針のうち、法令の規定により若しくは慣行として、又は命令等を定める機関の判断により公にされるもの以外のものについては、意見公募手続をとる必要はない。

2：地方公共団体の機関がする行政指導のうち、その根拠となる規定が条例又は規則に置かれているものについては、行政手続法の規定の適用はないが、その根拠となる規定が法律又は命令に置かれているものについては、行政手続法の規定が適用される。

3：許認可等をする権限又は許認可等に基づく処分をする権限を有する行政機関が、当該権限を行使することができ、かつそれを行使する意思がある場合においてする行政指導であっても、行政指導に携わる者は、当該権限を行使し得る旨を殊更に示すことにより相手方に当該行政指導に従うことを余儀なくさせるようなことをしてはならない旨が行政手続法に規定されている。

4：既に文書又は電磁的記録によりその相手方に通知されている事項と同一の内容を求める行政指導が口頭でされた場合であっても、その相手方から当該行政指導の趣旨及び内容並びに責任者を記載した書面の交付を求められたときは、当該行政指導に携わる者は、行政上特別の支障がない限り、これを交付しなければならない旨行政手続法に規定されている。

5：法令に違反する行為の是正を求める行政指導で、その根拠となる規定が法律に置かれているものの相手方は、当該行政指導がその相手方について弁明その他意見陳述のための手続を経てされたものであっても、当該行政指導が当該法律に規定する要件に適合しないと思料するときは、当該行政指導をした行政機関に対し、その旨を申し出て、当該行政指導の中止その他必要な措置をとることを求めることができる。

チェック欄

| 1回目 | 2回目 | 3回目 |
|---|---|---|
| | | |

## 実践 問題 114 の解説

〈行政指導〉

**1 ○** 行政指導指針（同一の行政目的を実現するため一定の条件に該当する複数の者に対し行政指導をしようとするときにこれらの行政指導に共通してその内容となるべき事項をいう）は、命令等の１つであり、意見公募手続を行うのが原則である（行政手続法２条８号ニ、38条以下。以下は同法の条文）。しかし、行政指導指針であっても、法令の規定によりもしくは慣行として、または命令等を定める機関の判断により公にされるもの以外のものについては同法第６章の規定（意見公募手続）は適用されない（３条２項６号）。

**2 ×** 地方公共団体の機関がする行政指導については、その根拠となる規定が法律または命令に置かれているものについても、行政手続法はまったく適用されない（３条３項）。したがって、本肢は妥当でない。

**3 ×** 許認可等をする権限または許認可等に基づく処分をする権限を有する行政機関が、当該権限を行使することができない場合または行使する意思がない場合においてする行政指導にあっては、行政指導に携わる者は、当該権限を行使しうる旨をことさらに示すことにより相手方に当該行政指導に従うことを余儀なくさせるようなことをしてはならないのであり（34条）、当該権限を行使することができ、かつ行使する意思がある場合においてする行政指導にあっては、本条の制限はない。

**4 ×** 行政指導が口頭でされた場合において、その相手方から当該行政指導の趣旨および内容ならびに責任者を記載した書面の交付を求められたときは、当該行政指導に携わる者は、その相手方に対し、行政上特別の支障がない限り、これを交付しなければならない（35条１項・３項）。ただし、すでに文書または電磁的記録によりその相手方に通知されている事項と同一の内容を求めるものであれば交付する義務はない（同条４項２号）。

**5 ×** 法令に違反する行為の是正を求める行政指導（その根拠となる規定が法律に置かれているものに限る）の相手方は、当該行政指導が当該法律に規定する要件に適合しないと思料するときは、当該行政指導をした行政機関に対し、当該行政指導の中止その他必要な措置をとることを求めることができる。ただし、当該行政指導がその相手方について弁明その他意見陳述のための手続を経てされたものであるときは、すでに手続的保障がなされているので、これらを求めることはできない（36条の２第１項）。

**正答 1**

# 行政手続・情報公開
# 情報公開

## 必修問題 セクションテーマを代表する問題に挑戦！

**国民の知る権利にこたえるため、情報を公開する制度が定められています。**

**問 行政機関の保有する情報の公開に関する法律（以下「情報公開法」という。）に関する次の記述のうち、妥当なのはどれか。**

**（国家一般職2020改題）**

---

1：行政機関の長は、開示請求に係る行政文書に不開示情報（行政機関等匿名加工情報など情報公開法で定められている情報を除く。）が記録されている場合であっても、公益上特に必要があると認めるときは、開示請求者に対し、当該行政文書を開示することができる。

2：開示請求に対し、当該開示請求に係る行政文書が存在しているか否かを答えるだけで、不開示情報を開示することとなるときは、行政機関の長は、当該行政文書の存否を明らかにしないで、当該開示請求を拒否することができ、その理由を提示する必要もない。

3：開示請求に係る行政文書の開示又は不開示の決定は、開示請求があった日から30日以内にしなければならないが、行政機関の長は、正当な理由があるときは、この期間を30日以内に限り延長することができる。この場合、事情のいかんにかかわらず、当該延長期間内に開示請求に係る全ての行政文書の開示又は不開示の決定を行わなければならない。

4：情報公開法は、行政文書の開示を請求する者に対しては、開示請求に係る手数料を徴収することとしているが、行政文書の開示を受ける者に対しては、情報公開制度の利用を促進する政策的配慮から、開示の実施に係る手数料を徴収してはならないこととしている。

5：情報公開法は、その対象機関に地方公共団体を含めていないが、全ての地方公共団体に対し、同法の趣旨にのっとり、その保有する情報の公開に関する条例の制定を義務付けている。

直前復習

### Guidance ガイダンス

**情報公開制度のポイント**

・開示請求権者……「何人も」
・不開示情報の扱い
　・裁量的開示……公益上必要と認められれば、開示できる
・存否応答拒否処分（グローマー拒否）
　文書の存否を答えるだけで、不開示情報を開示することになるとき、当該文書の存否を明らかにせず、開示請求を拒否できる。

チェック欄

| 1回目 | 2回目 | 3回目 |
| --- | --- | --- |
| | | |

## 必修問題の解説

〈情報公開法〉

**1 ○** 本肢は裁量的開示の説明として適切であり、妥当である。開示請求にかかる行政文書に、情報公開法５条各号に列挙された不開示情報が記録されている場合には、行政機関の長は、原則として当該行政文書を開示してはならない。しかし、本肢にあるように、公益上特に必要があると認めるときは、当該行政文書を開示することができる（裁量的開示、同法７条）。

**2 ×** 存否応答拒否処分にも理由を提示する必要があるので、本肢は妥当でない。行政文書の存否を明らかにしないで開示請求を拒否することを存否応答拒否処分という（情報公開法８条）。存否応答拒否処分は、行政手続法の「申請により求められた許認可等を拒否する処分」にあたるので、行政機関の長は、処分の時にその理由を示す必要がある（行政手続法８条１項本文）。

**3 ×** 事情のいかんにかかわらず、延長期間内にすべての行政文書の開示・不開示の決定を行わなければならない、と述べる本肢は妥当でない。開示・不開示の決定は、原則として、請求があった日から30日以内に行う必要があるが（情報公開法10条１項）、事務処理上の困難その他正当な理由があるときは30日以内に限り延長できる（同条２項）。しかし、開示請求にかかる文書が著しく大量であるため、開示請求があった日から60日以内にそのすべてについて開示決定等をすることで事務の遂行に著しい支障が生ずるおそれがある場合には、行政機関の長は、開示請求にかかる行政文書のうちの相当の部分につき当該期間内に開示決定等をし、残りの行政文書については相当の期間内に開示決定等をすれば足りる（同法11条）。

**4 ×** 開示を受ける者も開示の実施にかかる手数料を納付する義務があるので、本肢は妥当でない。開示請求をする者または行政文書の開示を受ける者は、実費の範囲内において政令で定める額の開示請求にかかる手数料または開示の実施にかかる手数料を納めなければならない（情報公開法16条）。

**5 ×** 地方公共団体に対して条例の制定を法的に義務付けていないので、本肢は妥当でない。地方公共団体は、情報公開法の対象となる「行政機関」（同法２条１項）には含まれない。もっとも、地方公共団体は、情報公開法の趣旨にのっとり、その保有する情報の公開に関し必要な施策を策定し、およびこれを実施するよう努める義務を負う（同法25条）。すなわち、本条は地方公共団体に努力義務を課している。

**正答 1**

第5章 SECTION 2 行政手続・情報公開

# 情報公開

## 1 情報公開法の適用対象

※以下の条文は、特に断りのない限り、情報公開法の条文です。

### (1) 対象となる機関

行政機関の保有する情報の公開に関する法律（以下、情報公開法という）の対象は、国の行政機関です（2条1項)。国会や裁判所、地方公共団体は、同法による開示請求の対象となりません。

内閣から独立した憲法上の機関である会計検査院も、国の行政機関として、情報公開法の対象機関とされています（同条項6号)。

### (2) 対象となる文書

情報公開法の対象となるのは、行政文書です。行政文書とは、行政機関の職員が職務上作成し、または取得した文書、図画および電磁的記録であって、当該行政機関の職員が組織的に用いるものとして、当該行政機関が保有しているものをいいます（2条2項)。

情報公開法では、決裁や供覧などの手続を経ていなくても、開示の対象となります。組織的に用いられているメモのようなものでも、行政文書に該当します。

## 2 開示請求権者

情報公開法は、「何人も」行政文書の開示を請求することができる、としています（3条)。これは、文字どおりだれにでも情報開示請求権を認めるものです。

法人や外国人、日本国内に居住していない者であっても、開示請求ができます。

## 3 行政機関の開示義務

開示請求があったときは、行政機関の長は原則として当該行政文書を開示しなければならないものとされています（5条)。

ただし、開示してはならない情報（不開示情報）が記録されている場合には、その文書を開示することはできません。

不開示情報については、表を見てください。

| |
|---|
| ① 個人情報（※1） |
| ② 法人の情報、個人の事業に関する情報（※2） |
| ③ 国の安全等に関する情報 |
| ④ 公共の安全と秩序の維持に関する情報 |
| ⑤ 行政機関の審議・検討・協議に関する情報（公開により審議等の中立性が損なわれるおそれがあるもの） |
| ⑥ 公開により行政機関の事務・事業の適正な遂行に支障を及ぼすおそれがある情報 |

※1 個人情報のうち、①法令上公開されている情報、②人の生命・健康・生活・財産を保護するために公にすることが必要な情報、③公務員の職務遂行に関する情報の一部は、不開示とする必要性が乏しいため、不開示情報から除外されています。

※2 法人の情報、個人の事業に関する情報のうち、人の生命・健康・生活・財産を保護するために公にすることが必要な情報は、不開示情報から除外されています。

## 4 不開示情報を含む場合の例外的措置

### (1) 部分開示（6条）

対象文書の一部に不開示情報が記録されている場合において、不開示情報の部分のみを容易に区分して除くことができるときには、行政機関の長は、不開示情報部分を除いた部分について開示しなければなりません。

### (2) 裁量的開示（7条）

行政機関の長は、不開示情報が記録されている場合であっても、公益上特に必要があると認められるときは、文書を開示することができます。

### (3) 存否応答拒否処分（8条）

開示請求に対し、対象文書が存在しているか否かを答えるだけで不開示情報を開示することになるときには、行政機関の長はその行政文書の存否を明らかにせずに、開示請求を拒否することができます（グローマー拒否）。

## 5 救済制度

### (1) 不服申立て

開示決定・不開示決定に対しては、不服申立てをすることができます。

開示決定・不開示決定について適法な不服申立てがなされた場合、審査を行う行政機関の長は、原則として、情報公開・個人情報保護審査会に諮問しなければならないとされています（19条）。

諮問を受けた情報公開・個人情報保護審査会は、諮問庁に対して開示請求にかかる行政文書の提示を求め、これを直接見て開示の適否を判断することができます。

また、この場合において、何人も提示された行政文書の開示を求めることができません（インカメラ審理）。

また、諮問庁に対して、行政文書に記録されている情報の内容を、審査会の指定する方法によって分類・整理した資料を作成し、提出するように求めることもできます（ボーンインデックスの作成要求権）。

情報公開・個人情報保護審査会は、審査の結果を答申として諮問庁の長に示します。答申を受けた諮問庁の長は、審査の結果を尊重しなければなりませんが、答申には法的拘束力はないので、答申と異なる判断をすることもできます。

### (2) 訴訟

行政訴訟により開示決定・不開示決定を争うこともできます。取消訴訟のほか、義務付け訴訟、差止訴訟を利用することが考えられます。

# memo

第5章 SECTION 2 行政手続・情報公開

# 情報公開

## 実践 問題 115 基本レベル

| 頻出度 | 地上★★ | 国家一般職★★ | 特別区★ |
|---|---|---|---|
| | 国税·財務·労基★ | 国家総合職★★★ | |

**問 行政機関の保有する情報の公開に関する法律に関する次の記述のうち妥当なのはどれか。（地上2021）**

1：本法で開示請求の対象とされるのは、行政機関が保有する文書であるため、磁気テープなどの電磁的記録は対象とならない。

2：本法は国民主権の理念にのっとり行政文書の開示請求権を定めるものであるから、開示請求権は日本国籍を持つ者のみに認められ、外国人には認められていない。

3：行政機関の長は、開示請求に係る行政文書に不開示情報が記録されていてそれを区分して除くことができない場合、公益上の必要性があっても、当該行政文書を開示してはならない。

4：本法による不開示決定は行政手続法にいう「申請に対する処分」に当たるので、行政手続法の規定により、不開示の理由を付さなければならない。

5：不開示決定について審査請求があった場合、当該審査請求に対する裁決をすべき行政機関の長は、情報公開・個人情報保護審査会に必ず諮問しなければならない。

| チェック欄 | | |
|---|---|---|
| 1回目 | 2回目 | 3回目 |
| | | |

## 実践 問題 115 の解説

〈情報公開法〉

**1 ×** 情報公開法（以下は肢4を除き同法の条文）において開示請求の対象となるのは、行政文書である（3条）。行政文書とは、行政機関の職員が職務上作成し、または取得した文書、図画および電磁的記録であって、当該行政機関の職員が組織的に用いるものとして、当該行政機関が保有しているものをいう（2条2項本文）。したがって、磁気テープなどの電磁的記録も行政文書にあたるため、開示請求の対象となる。

**2 ×** 何人も、この法律の定めるところにより、行政機関の長に対し、当該行政機関の保有する行政文書の開示を請求することができる（3条）。本条は、「何人も」としており、日本国籍を有する者に限定していない。したがって、外国人にも開示請求権が認められるため、本肢は妥当でない。

**3 ×** 公益上の理由による裁量的開示が認められることがあるので、本肢は妥当でない。行政機関の長は、不開示情報（行政機関等匿名加工情報などを除く）が記録されている部分を容易に区別して除くことができないときであっても、公益上特に必要があると認めるときは、開示請求者に対し、当該行政文書を開示することができる（裁量的開示、7条）。

**4 ○** まず、不開示決定に対しては審査請求や取消訴訟を提起しうるので、同決定は行政手続法上の「処分」にあたる（同法2条2号）。次に、同決定は、開示請求という申請に対する応答であるから、行政手続法第2章の「申請に対する処分」にあたる。そして、同法8条1項本文は、申請に対して拒否処分をする場合、申請者に対し、同時に、当該処分の理由を示すべき義務を定めている。したがって、不開示決定をする場合には、同項の規定により、不開示の理由を付さなければならない。

**5 ×** 不開示決定について審査請求があったときは、当該審査請求に対する裁決をすべき行政機関の長は、原則として情報公開・個人情報保護審査会に諮問しなければならないが、①審査請求が不適法であり、却下する場合、②裁決で、審査請求の全部を認容し、当該審査請求に係る行政文書の全部を開示することとする場合（当該行政文書の開示について反対意見書が提出されている場合を除く）には、例外的に諮問は不要となるので（19条1項）、本肢は妥当でない。

**正答 4**

第5章 SECTION 2 行政手続・情報公開

# 情報公開

## 実践 問題 116 基本レベル

| 頻出度 | 地上★★ 国家一般職★★ 特別区★ 国税･財務･労基★ 国家総合職★★★ |
|---|---|

**問 行政機関の保有する情報の公開に関する法律（以下「情報公開法」という。）に関するア～オの記述のうち、妥当なもののみを全て挙げているのはどれか。**

**（国家総合職2019）**

ア：国、独立行政法人等、地方公共団体、地方独立行政法人及び開示請求者以外の者（第三者）に関する情報が記録されている行政文書について、行政機関の長が開示決定をするに当たり、その第三者に意見書を提出する機会を付与した場合、その第三者が当該行政文書の開示に反対する意見書を提出したとしても、行政機関の長は、開示決定をすることができる。

イ：情報公開法は、個人に関する情報であって、当該情報に含まれる氏名、生年月日その他の記述等により特定の個人を識別することができるもの（他の情報と照合することにより、特定の個人を識別することができることとなるものを含む。）又は特定の個人を識別することはできなくても、公開することによってなお個人の権利利益を害するおそれがあるものを、原則として不開示としている。

ウ：情報公開法の対象となる行政機関は国の行政機関とされており、国会と裁判所は対象外である。また、会計検査院も、内閣から独立した立場にあるため、同法の適用対象とならないことが明文で規定されている。

エ：国の機関の内部又は相互間における審議、検討又は協議に関する情報で、公にすることによって率直な意見の交換又は意思決定の中立性が不当に損なわれるおそれがあるものは、不開示情報に該当するが、独立行政法人の内部又は相互間における同様の情報は、不開示情報には該当しない。

オ：情報公開法は、同法に基づく不開示決定の取消訴訟において、裁判所が、証拠調べとして開示請求の対象となっている行政文書を実際に見分して審理する、いわゆるインカメラ審理の手続を明文で規定している。

1：ア、イ
2：ア、オ
3：イ、エ
4：ウ、エ
5：ウ、オ

## 実践 問題 116 の解説

〈情報公開法〉

**ア○** 第三者のプライバシーや名誉に配慮するため、情報公開法（以下、法令名がなければ同法の条文）13条1項・2項は、第三者に意見書を提出する機会を付与している。しかし、第三者が開示に反対する意見書を提出した場合でも、当該意見は行政機関の長を法的に拘束しない。情報公開法上、開示・不開示の決定については行政機関の長の合理的な裁量に委ねられるのである。その現れの1つが、行政文書に不開示情報が記録されている場合でも裁量的開示を認める7条である。

**イ○** 個人に関する情報は不開示情報の1つであり、本記述は5条1号の規定どおりであり、妥当である。

**ウ×** 情報公開法上、開示請求の対象となるのは「行政機関」が保有する「行政文書」である。次に、「行政機関」の意義については2条1項各号で明記されているが、会計検査院は同項6号で規定されている。すなわち、会計検査院には、情報公開法が適用されることになる。したがって、これと反対の趣旨を述べる本記述は、妥当でない。

**エ×** 不開示情報である審議・検討情報に関する5条5号は、「国の機関、独立行政法人等、地方公共団体及び地方独立行政法人の内部又は相互間における審議、検討又は協議に関する情報」と規定し、独立行政法人をその対象としている。したがって、独立行政法人の内部または相互間における審議・検討または協議に関する情報は、不開示情報に該当するので、これと反対の趣旨を述べる本記述は、妥当でない。

**オ×** 情報公開法は、インカメラ審理の手続に関する規定を置いていないし、不開示決定の取消訴訟においてインカメラ審理の手続を規定する他の法律も存在しない。この点において本記述は妥当でない。また、判例も、情報公開訴訟において証拠調べとしてのインカメラ審理を行うことは、民事訴訟の基本原則に反するから、明文の規定がない限り許されないとしている（最決平21.1.15）。ちなみに、インカメラ審理の手続を規定しているのは、開示・不開示の決定に対する審査請求について適用される情報公開・個人情報保護審査会設置法である。

以上より、妥当なものはア、イであり、肢1が正解となる。

**正答 1**

# 情報公開

実践 問題 117 基本レベル

頻出度 地上★★ 国家一般職★★ 特別区★ 国税･財務･労基★ 国家総合職★★★

**問 行政機関の保有する情報の公開に関する法律（以下「情報公開法」という。）に関するア～オの記述のうち、妥当なもののみを全て挙げているのはどれか。**

**（財務2020）**

ア：情報公開法の対象となる国の機関について、内閣から独立した地位を有する会計検査院や国の防衛を所掌する防衛省はこれに含まれるが、国会や裁判所は含まれない。

イ：情報公開法は、何人も、同法の定めるところにより、行政機関の長に対し、その行政機関の保有する行政文書の開示を請求することができるとしており、我が国に在住する外国人はもとより、外国に在住する外国人であっても、行政文書の開示を請求することができる。

ウ：情報公開法の対象となる行政文書は、行政機関の職員が組織的に用いるものであって、決裁や供覧等の事案処理手続を経たものに限られるため、行政機関内部の意思決定が終了していない検討段階の文書については、開示請求の対象とはならない。

エ：開示決定等又は開示請求に係る不作為について審査請求があった場合、当該審査請求に対する裁決をすべき行政機関の長は、裁決で当該審査請求の全部を認容し、当該審査請求に係る行政文書の全部を開示することとするときであっても、必ず情報公開・個人情報保護審査会に諮問しなければならない。

オ：情報公開法は、審査請求前置主義を採用していることから、行政機関の長が行った開示決定等について、行政不服審査法による審査請求を行うことなく直ちに訴訟を提起することはできない。

1：ア、イ
2：ア、オ
3：イ、エ
4：ウ、エ
5：ウ、オ

直前復習

チェック欄

| 1回目 | 2回目 | 3回目 |
| --- | --- | --- |
| | | |

## 実践 問題 117 の解説

〈情報公開法〉

**ア○** 本記述は情報公開法上の「行政機関」を適切に述べており、妥当である。情報公開法の対象となる「行政機関」とは、国の行政機関を意味し、会計検査院（情報公開法２条１項６号）や防衛省（同項３号）が含まれる。これに対し、国会や裁判所は国の行政機関に該当しない。国会は立法権、裁判所は司法権をつかさどり、行政権の領域には含まれないからである。

**イ○** 本記述は開示請求権者を適切に述べており、妥当である。開示請求権者につき情報公開法３条は、「何人も」と規定するにとどめ限定を設けていない。よって、外国に在住する外国人であっても開示請求をすることができる。

**ウ×** 開示請求の対象となる行政文書には、行政機関内部の意思決定が終了していない検討段階の文書も含まれるので、本記述は妥当でない。行政文書の定義には、「当該行政機関の職員が組織的に用いるもの」、いわゆる組織共用文書であることが含まれている（情報公開法２条２項本文）。もっとも、決裁や供覧等の事案処理手続を経ていることは規定されておらず、これらの手続を経たことは組織共用文書の要件ではない。よって、検討段階の文書であっても組織共用文書として扱われ、開示請求の対象となる。

**エ×** 情報公開・個人情報保護審査会への諮問を要しない場合があるので、本記述は妥当でない。開示決定等または開示請求にかかる不作為について審査請求があった場合、原則として情報公開・個人情報保護審査会に諮問しなければならない（情報公開法19条１項柱書）。しかし、裁決で、審査請求の全部を認容し、当該審査請求にかかる行政文書の全部を開示することとする場合は、開示決定等に対する反対意見書が提出されている場合を除いて、諮問を要しない（同項２号）。

**オ×** 情報公開法は、審査請求前置主義を採用していないので、本記述は妥当でない。行政機関の長が行った開示決定等は「行政庁の処分」（行政事件訴訟法３条２項）にあたるので、取消訴訟の対象となる。ここで、情報公開法には審査請求の裁決を経なければ取消訴訟を提起できないという審査請求前置主義を定めた規定はない（行政事件訴訟法８条１項但書参照）。よって、処分に不服のある者は、審査請求を行うことなく直ちに取消訴訟を提起することができる（自由選択主義、行政事件訴訟法８条１項本文）。

以上より、妥当なものはア、イであり、肢１が正解となる。

**正答 1**

第5章
SECTION 2
行政手続・情報公開
情報公開


実践 問題 118 基本レベル

| 頻出度 | 地上★★ | 国家一般職★★ | 特別区★ |
|---|---|---|---|
| | 国税·財務·労基★ | 国家総合職★★★ | |

**問 行政機関の保有する情報の公開に関する法律（以下「情報公開法」という。）等に関する次の記述のうち、妥当なのはどれか。（国家総合職2018）**

1：行政機関の長は、行政文書に対する開示請求があったときは、不開示情報が記録されている場合を除き、開示請求者に当該行政文書を開示しなければならないとされているが、この不開示情報には個人のプライバシーに関する情報も含まれるから、職務遂行に係る公務員の氏名も原則として不開示として扱われている。

2：情報公開法の対象となる「行政文書」とは、行政機関の職員が職務上作成し、又は取得した文書等であって、当該行政機関の職員が組織的に用いるものとして、当該行政機関が保有しているものをいい、行政機関の意思決定に係る決裁文書や国会答弁資料、行政機関が作成する白書等がこれに該当する。

3：情報公開・個人情報保護審査会は、必要があると認めるときは、審査会に諮問を行った行政機関に、行政文書等又は保有個人情報の提示を求めることができるが、この求めを受けた行政機関は、行政上の支障等を勘案し、必要と認める場合にはこれを拒むことができる。

4：行政機関の長は、開示請求に対し、請求された行政文書が存在しない場合には不存在として回答することとなるが、開示請求に係る行政文書が存在しているか否かを答えるだけで不開示情報を開示することとなるときは、請求された行政文書が存在するかどうかや処分の理由を明らかにしないで開示請求を拒否することができる。

5：開示決定や不開示決定等について審査請求があったときには、審査請求を受けた行政機関の長は、原則として、情報公開・個人情報保護審査会にこれを諮問しなければならないが、行政機関の長は、諮問の結果、審査会から受けた答申と異なった裁決をすることもできる。

チェック欄

| 1回目 | 2回目 | 3回目 |
| --- | --- | --- |
| | | |

## 実践 問題 118 の解説

〈情報公開法〉

**1 ×** 情報公開法5条1号本文では、個人に関する情報を不開示情報としているが、同号但書において、公務員の職務の遂行にかかる情報のうち、公務員の職および職務遂行の内容にかかる部分は除外されている（同号ハ）。したがって、職務遂行にかかる公務員の氏名は不開示情報に該当せず、原則どおり開示される。

**2 ×** 行政機関が作成する官報、白書、新聞、雑誌、書籍その他不特定多数の者に販売することを目的として発行されているものは行政文書から除かれる（情報公開法2条2項1号）。これらのものは購入することで容易に入手できるので、開示請求の対象とする必要がないと考えられたからである。

**3 ×** 諮問した行政機関の長は、情報公開・個人情報保護審査会（以下、審査会という）から行政文書または保有個人情報の提示の求めがあったときは、これを拒んではならず、これには例外がない（情報公開・個人情報保護審査会設置法9条2項）。したがって、この求めを受けた行政機関は、行政上の支障等を勘案し、必要と認める場合には提示を拒むことができると述べる本肢は、妥当でない。

**4 ×** いわゆる存否応答拒否処分（グローマー拒否）の応答の仕方につき、処分の理由を明らかにしないで開示請求を拒否できると述べる本肢は、情報公開法の規定と異なるので、妥当でない。開示請求に対し、当該開示請求にかかる行政文書が存在しているか否かを答えるだけで不開示情報を開示することとなるときは、行政機関の長は、「当該行政文書の存否を明らかにしないで」当該開示請求を拒否することができる（情報公開法8条）。しかし、「処分の理由を明らかにしないで」とは規定していない。この場合、この存否応答拒否も拒否処分であるから、行政手続法8条1項により拒否処分の理由を明らかにしなければならない。

**5 ○** 行政機関の長から諮問を受けた審査会は必要な調査審議を終えた後、行政機関の長に対し答申を行う（情報公開・個人情報保護審査会設置法16条）。もっとも、審査会は諮問機関にすぎず、審査会の答申は行政機関の長を法的に拘束しない。審査会の答申において、行政機関の長を法的に拘束する実定法の規定が存在しないからである。したがって、行政機関の長は答申と異なった裁決をすることもできる。

**正答 5**

# 第5章 行政手続・情報公開

## 章末 CHECK　? Question

**Q1** 判例は、憲法31条の定める適正手続の保障は直接には刑事手続に関するものだとしながらも、行政手続にも適用されうることを認めている。

**Q2** 行政手続法は、行政計画の策定手続についても適用される。

**Q3** 地方公共団体の機関が行う処分については、行政手続法の規定は一切適用されない。

**Q4** 行政庁は、申請により求められた許認可などをするか否かを判断するのに必要な審査基準をあらかじめ設定し、公表しなければならない。

**Q5** 申請に対して、行政庁が何らの応答をしないことも許される。

**Q6** 申請に対する拒否処分を書面で行う場合には、理由提示も書面で行わなければならない。

**Q7** 不利益処分を行うかどうかの判断をするための処分基準は、あらかじめ定めていなくてもよい。

**Q8** 私人に与えた許可を取り消す場合には聴聞手続を行う必要があるが、許可を撤回する場合には、聴聞を行う必要は一切ない。

**Q9** 申請に対する処分の審査基準および不利益処分の処分基準を定める場合、行政機関は、原則として意見公募手続をとらなければならない。

**Q10** 情報公開法1条は、同法の目的として、国民主権の理念、国民の知る権利、政府の説明責任を明記している。

**Q11** 会計検査院は行政機関であるが、内閣から独立した機関であるため、情報公開法の対象機関ではない。

**Q12** 裁判所が作成した文書であっても、国の行政機関が保有しているときは、情報公開の対象となる行政文書にあたる。

**Q13** 情報公開は国民主権の理念に基づく制度であるから、外国人には情報公開法に基づく情報開示請求は認められない。

**Q14** 開示請求にかかる文書に不開示情報が記録されている場合でも、公益上の必要があるときは、行政機関の長はその文書を開示することができる。

**Q15** 行政文書の存否を答えるだけで不開示情報を開示することとなるときは、存否を明らかにせずに開示請求を拒否することができる。

**Q16** 不開示決定に対する適法な不服申立てがあったときは、裁決・決定をすべき行政機関の長は、原則として情報公開・個人情報保護審査会に諮問しなければならないが、審査会の答申に拘束されることはない。

**A1** ○ 判例は、憲法31条の定める法定手続の保障は、直接には刑事手続に関するものだが、行政手続について、そのすべてが当然に同条の保障の枠外にあるとすることは相当ではない、とした（成田新法事件、最大判平4.7.1）。

**A2** × 行政手続法の適用対象は、行政庁の処分、行政指導、届出および命令等の制定であり、行政計画の策定には適用されない。

**A3** × 地方公共団体の機関が行う処分で行政手続法の適用が排除されるのは、条例・規則に基づくもののみ。法律の規定に基づいて行われる処分については、行政手続法が適用される。

**A4** ○ 審査基準の設定・公表は、行政庁の法的義務である（行政手続法５条）。

**A5** × 行政庁には、申請に対する応答義務がある（行政手続法７条）。

**A6** ○ 行政手続法８条２項が、本問のように定めている。

**A7** ○ 処分基準の策定は努力義務とされている（行政手続法12条１項）。

**A8** × 許認可を取り消す不利益処分をしようとする場合、原則として聴聞手続が必要だが、この取消しには「撤回」も含むと解されている。

**A9** ○ 命令等を策定する場合に原則として意見公募手続を行うべきものとされている（行政手続法39条）が、この「命令等」には、審査基準、処分基準も含まれている（同法２条８号）。

**A10** × 国民主権の理念と政府の説明責任については明記されているが、国民の知る権利には言及していない。

**A11** × 会計検査院も対象機関とされている（情報公開法２条１項６号）。

**A12** ○ 行政機関の職員が職務上作成し、または取得した文書であれば、行政文書に該当する（情報公開法２条２項）。

**A13** × 情報公開法は、「何人も」情報開示請求をすることができるとしている（情報公開法３条）。

**A14** ○ 行政機関の長には、公益上の理由による裁量的開示が認められている（情報公開法７条）。

**A15** ○ 公務員試験で出題予定の特定の項目（「行政行為の附款」など）について問題文の開示を請求するような場合が、これにあたる。

**A16** ○ 情報公開・個人情報保護審査会の答申には、法的拘束力はない。

memo

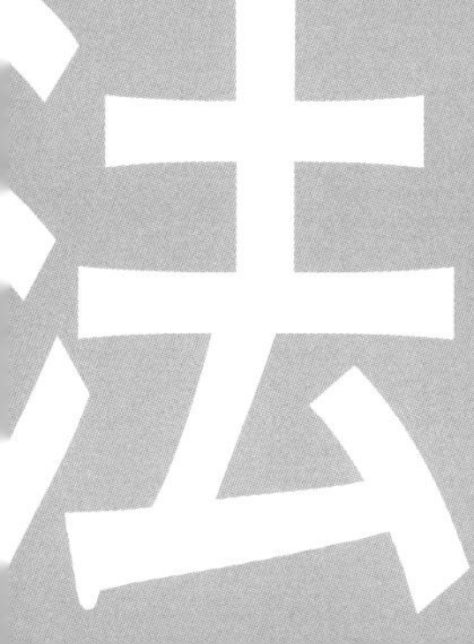

# 第4編
# 行政救済法

# 第1章 行政不服申立て

SECTION

① 行政不服審査法総説
② 教示

# 第1章 行政不服申立て

## 出題傾向の分析と対策

| 試験名 | 地上 | | | 国家一般職 | | | 特別区 | | | 国税・財務・労基 | | | 国家総合職 | | |
|---|---|---|---|---|---|---|---|---|---|---|---|---|---|---|---|
| 年度 | 16-18 | 19-21 | 22-24 | 16-18 | 19-21 | 22-24 | 16-18 | 19-21 | 22-24 | 16-18 | 19-21 | 22-24 | 16-18 | 19-21 | 22-24 |
| セクション＼出題数 | 3 | 1 | 2 | 2 | 2 | 1 | 1 | | 1 | 1 | 3 | 2 | 2 | 3 | 1 |
| 行政不服審査法総説 | ★★★ | ★ | ★★ | ★ | ★★ | | ★ | | ★ | ★ | ★★★ | ★★ | ★★ | ★★★ | ★ |
| 教示 | | | | ★ | | ★ | | | | | | | | | |

（注）１つの問題において複数の分野が出題されることがあるため、星の数の合計と出題数とが一致しないことがあります。

行政不服申立てについては、行政不服審査法の改正が予定されていたことにより、あまり出題されていませんでした。しかし、2014（平成26）年に改正法が成立したため、出題数が増えてきています。

### 地方上級

最近、行政争訟全体を問う問題の中で出題されています。今後も出題される可能性が高いですので、過去問を解いて基本的な知識を身につけるようにしてください。

### 国家一般職

最近、出題数が増えています。今後も出題される可能性が高いですので、過去問を解いて基本的な知識を身につけるようにしてください。

### 特別区

たまに出題されます。過去問を解いて基本的な知識を身につけるようにしてください。

### 国税専門官・財務専門官・労働基準監督官

最近、出題数が増えています。今後もこの傾向が続くことが予想されますので、過去問を解いて基本的な知識を身につけるようにしてください。

### 国家総合職

よく出題されています。今後も出題される可能性は高いと予想されます。過去問を解いて知識を身につけるようにしてください。

## Advice アドバイス 学習と対策

前述したような理由により、行政不服申立てについては今後出題される可能性が高くなると予想されます。過去問を解いて基本的な知識を身につけておくようにしてください。

行政不服申立て

# 行政不服審査法総説

直前復習

## 必修問題 セクションテーマを代表する問題に挑戦！

ここからは、行政活動に瑕疵がある場合の救済方法について勉強します。

**問** 行政不服審査法に規定する審査請求に関する記述として、妥当なのはどれか。（特別区2004改題）

1：審査請求は書面審理主義を採用しており、審査請求人の申立てがあった場合、申立人に口頭で意見を述べる機会を与えるかどうかは、審査庁の裁量にゆだねられている。

2：審査請求は、いかなる場合であっても、処分があったことを知った日の翌日から起算して３カ月以内にしなければならない。

3：審査請求が不適法であるが補正することができるものであるときは、審査庁はその補正を命じることができるが、その場合、当該補正箇所を補正する期間を定める必要はない。

4：処分があった日の翌日から起算して１年を経過したときは、審査請求をすることは一切できない。

5：審査請求人は、裁決があるまではいつでも審査請求を取り下げることができるが、その取下げは書面でしなければならない。

Guidance ガイダンス

**審査請求の手続**

○不服申立期間

・処分があったことを知った日の翌日から起算して３カ月以内

・処分があった日の翌日から起算して１年以内

○審査方法

・書面審査が原則

※請求人の申立てがあった場合には、口頭で意見を述べる機会を与えなければならない

○補正

審査請求が不適法で、かつ、その不備が補正できるものであるときは、審査庁は相当の期間を定めてその補正を命じなければならない

チェック欄 1回目 2回目 3回目

## 必修問題の解説

〈不服申立て〉

**1 ×** 審査請求は、原則として書面審理主義を採用しているが、審査請求人または参加人の申立てがあったときは、申立てをした者（申立人）に口頭で意見を陳述する機会を与えなければならない（口頭意見陳述、行政不服審査法31条１項)。したがって、審査庁の裁量にゆだねられているわけではないので、本肢は妥当でない。

**2 ×** 審査請求は、原則として処分があったことを知った日の翌日から起算して３カ月（再調査の請求を前置したときは当該再調査の請求の決定があったことを知った日の翌日から起算して１カ月）以内にしなければならない。ただし、正当な理由があるときは、当該期間が延長されるので（行政不服審査法18条１項)、「いかなる場合であっても」という点が妥当でない。

**3 ×** 審査請求が不適法であり、かつ、その不備が補正することができるものであるときは、審査庁は相当の期間を定め、その期間内に不備を補正すべきことを命じなくてはならない（行政不服審査法23条)。「補正する期間を定める必要はない。」という点が妥当でない。

**4 ×** 審査請求は、原則として、処分があった日の翌日から起算して１年以内にしなければならない（客観的審査請求期間、行政不服審査法18条２項本文)。ただし、当該期間内に審査請求を行わなかったことについて正当な理由がある場合には、例外的に期間経過後も審査請求を行うことが認められている（同条項但書)。したがって、「一切できない」と述べる点が妥当でない。

**5 ○** 審査請求人は、裁決があるまではいつでも審査請求を取り下げることができる（行政不服審査法27条１項)。ただし、口頭での取下げを認めると、後で取下げの有無に関して問題を生じるおそれがあるため、取下げは書面ですることが義務付けられている（同条２項)。

**正答 5**

第1章 SECTION 1 行政不服申立て

# 行政不服審査法総説

## 1 行政不服申立てとは

行政不服申立ては、行政庁の処分その他公権力の行使にあたる行為、またはその不作為に不服のある私人が、行政庁に不服を申し立てて当該行為の違法・不当を審査させ、その是正・排除を求める制度です。行政不服審査法が一般法としてこの制度全般を規律しています。

※以下の条文は、特に断りのない限り、行政不服審査法の条文です。

行政庁により私人の権利が侵害された場合には、訴訟を提起して争う方法と、不服申立てにより争う方法とがあります。いずれの方法を選ぶかは原則として争う側の自由ですし（自由選択主義、行政事件訴訟法８条１項本文）、両方を同時に行うことも可能です。

## 2 行政不服申立て制度の特徴

### (1) 長所

行政上の不服申立て（以下「不服申立て」）は、行政機関による救済制度ですから、訴訟手続と比べ、簡易・迅速な救済が可能です。

また、不服申立ては、行政監督の制度でもあるので、適法か違法かという問題だけでなく、さらに当・不当の問題についても判断することができます。

裁判所は、法適合性を審査する機関ですから、適法・違法の問題を審査することができるのみであり、適法であっても裁量権の行使が妥当でないかという当・不当の問題は審理できません。

### (2) 短所

行政不服申立ては、簡易迅速な救済が可能な反面、訴訟手続と比べて判断の慎重さという点で難があります。

## 3 行政不服申立ての種類

### (1) 審査請求

行政庁の処分または不作為につき、処分庁等（処分庁または不作為庁）に上級行政庁がある場合は、原則として処分庁等の最上級行政庁に（４条４号）、処分庁等に上級行政庁がない場合等は、処分庁等に対して行う不服申立てをいいます（同条１号）。審査請求に対する審査庁の判断は「裁決」です。

### (2) 再調査の請求

行政庁の処分につき、処分庁自身が審査請求よりも簡易な手続で、迅速に紛争を処理することを可能ならしめる例外的な不服申立てです（5条）。それゆえ、審理員による審理はなされず、行政不服審査会等への諮問手続もありません。この制度は、国税や関税など処分が大量に行われる行政作用において利用される手法とされています。再調査の請求は、処分庁以外の行政庁に対して審査請求ができる場合において、個別法が特に定めた場合に許容されます（5条1項）。再調査の請求に対する処分庁の判断は「決定」です（58条・59条）。

### (3) 再審査請求

審査請求の裁決に不服のある者が、さらにもう一段階の不服を申し立てる手続です。基本的に、審査請求と同じ手続構造が与えられています(66条)。再審査請求は、個別法が特に定めた場合にのみ行うことができますが（6条1項）、この場合に再審査請求をするか、取消訴訟を提起するかは原則として自由に選択できます。再審査請求に対する再審査庁の判断は「裁決」です。

〈審査請求〉

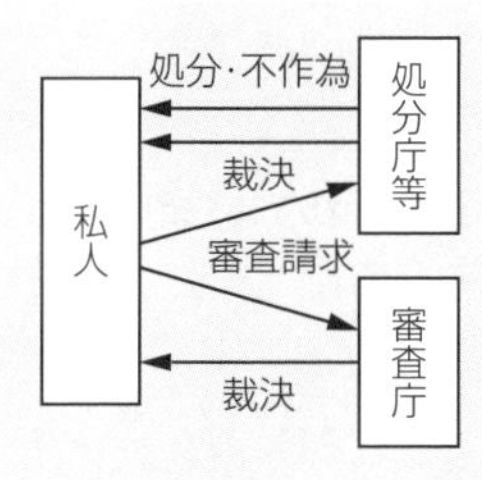


〈再調査の請求〉

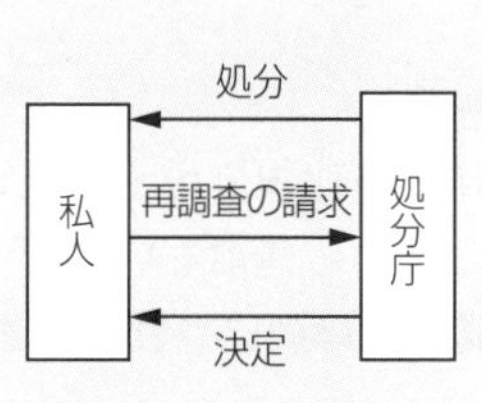


〈再審査請求〉

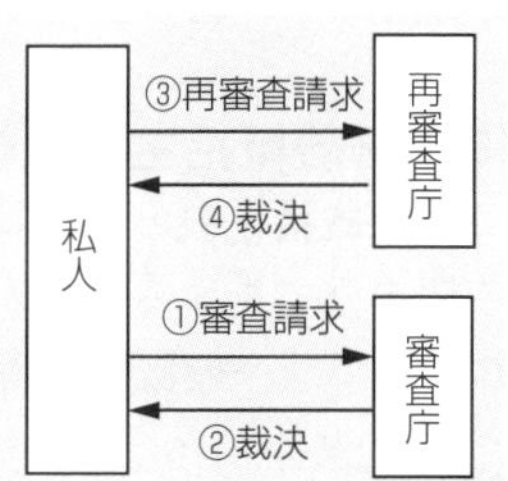


## 4 審査請求と再調査の請求との関係

### (1) 対象が処分である場合

再調査の請求をすることができる場合でも、審査請求と再調査の請求のいずれを利用するかは自由に選択できます（5条1項）。

### (2) 対象が不作為である場合

不作為に対する不服申立ては審査請求のみ行うことができ、再調査の請求はできません（3条・5条1項参照）。

# 行政不服審査法総説

## 5 行政不服申立ての要件

①対象が行政庁の処分または不作為であること
②当事者が不服申立資格および不服申立適格を備えていること
③申立てが権限ある行政庁に対してなされていること
④申立てが不服申立期間内（処分を対象とする場合に限る）になされていること
⑤申立てが方式を遵守していること

## 6 不服申立ての対象

行政不服申立ての対象となるのは、処分（行政庁の処分その他公権力の行使にあたる行為）および不作為です。

### (1) 処分（2条）

2条の「行政庁の処分」には、狭義の処分（行政行為）のほか、権力的継続的事実行為が含まれると解されています。

### (2) 不作為（3条）

不作為とは、行政庁が、法令に基づく申請に対して、相当な期間が経過したにもかかわらず、何らの処分をもしないことをいいます。

### (3) 一般概括主義（概括主義）

一般概括主義とは、特に法律で不服申立てできない旨が定められていない限り、不服申立てをすることができるとする建前をいいます（7条1項)。なお、改正法において「一般概括主義」の見出しは削除されています。

## 7 不服申立てを行うことができる者

### (1) 不服申立資格（当事者能力）

不服申立資格とは、自己の名において不服申立ての当事者となりうる一般的な資格のことです。

民法上の権利能力を有する者（自然人および法人）には不服申立資格が認められます。さらに、法人でない社団または財団でも、代表者または管理人の定めがあれば、不服申立資格が認められます（10条)。

### (2) 不服申立適格（当事者適格）

不服申立適格とは、個々の具体的事件において、当事者として不服申立てをなしうる個別的・具体的な資格のことです。

不服申立てをすることについて正当な利益を有する者にだけ、不服申立適格が認められることになります。

① 処分に対する不服申立適格

処分に対する不服申立ては、違法または不当な処分により、自己の権利もしくは法律上保護された利益を侵害されまたは必然的に侵害されるおそれのある者に限って、行うことができます（主婦連ジュース事件、最判昭53.3.14）。

> **判例**
> 《主婦連ジュース事件》最判昭53.3.14
> 【事件】公正取引委員会が認定した果汁飲料等の表示に関する公正競争規約に対し、主婦連合会らが、当該規約は飲料の成分を正しく表すものではなく、景表法に反するとして不服申立てをした事案
> 【判旨】景表法の目的とするところは公益の実現にあり、同法の規定により一般消費者が受ける利益は、同法の規定の目的である公益の保護の結果として生ずる反射的利益ないし事実上の利益であって、法律上保護された利益とはいえない。

② 不作為

不作為に対する不服申立ては、「法令に基づき行政庁に対して処分についての申請をした者」に限り、提起することができます（３条）。

## 8 審査請求期間

(1) 処分についての審査請求期間は、処分があったことを知った日の翌日から起算して３カ月（再調査の請求を前置したときは当該再調査の請求の決定があったことを知った日の翌日から起算して１カ月）以内、および処分があった日の翌日から起算して１年以内に提起しなければなりません。ただし、正当な理由があるときは、当該期間が猶予されます（18条１項・２項）。

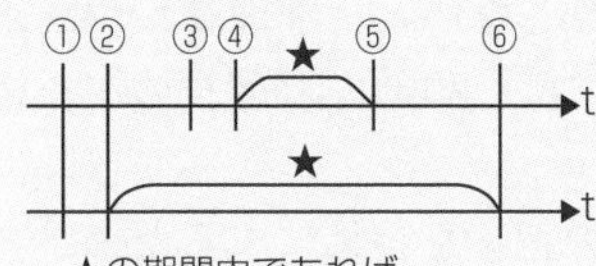


①：処分・再調査の請求についての決定があった日
②：その翌日
③：処分・再調査の請求についての決定があったことを知った日
④：その翌日
⑤：④から３カ月（再調査の請求を前置したときは１カ月）
⑥：②から１年

(2) これに対して、不作為に対する不服申立てには、事の性質上、不服申立期間の制限がありません。不作為の状態が長期間に及ぶほど違法・不当の程度が高まり、期間の経過により争えなくなるとすることは、妥当でないからです。

## 9 審査請求の方式

審査請求は、その論点を明確にし、かつその手続を慎重にするため、書面を提出して行います（**書面提出主義**、19条1項)。ただし、他の法律や条例で口頭による不服申立てが認められている場合には、口頭による不服申立ても許されています。

## 10 審理手続総説

不服申立てが提起されると、まず、不服申立適格や不服申立期間などの不服申立ての要件を充たしているか否かの審理がなされます（**要件審理**)。

要件を欠く不服申立てに対しては、相当の期間を定めて補正が命じられます（23条・61条・66条1項)。一方、要件を具備した申立てに対しては、不服申立人の主張に理由があるか否かの審理が行われます（**本案審理**)。

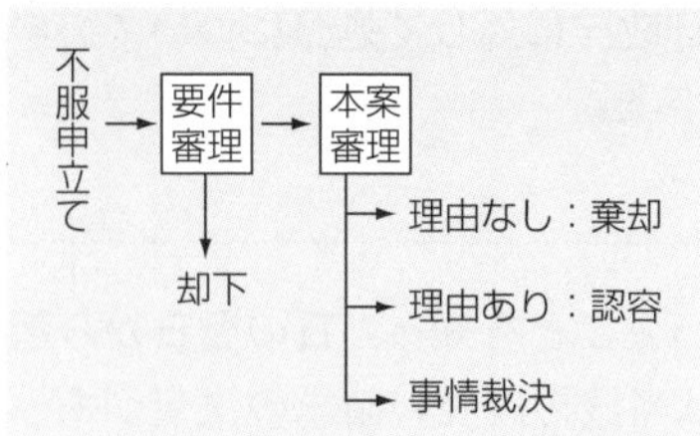


## 11 審理の方法

### (1) 審理員による審理手続

審理において、職員のうち処分または不作為に関与しない者（**審理員**）が請求人および処分庁等の主張を公正に審理します（9条1項・2項)。審理員の主な権限は以下のとおりです。

まず、審査請求人と処分庁の主張の明確さや争点の把握を容易にするため、**審理員の審理関係人に対する質問権**が認められています（36条)。次に、**争点・証拠の事前整理手続**（37条）を設け、審理員による事前の争点整理を可能としています。さらに、**執行停止すべき旨の意見書**（40条）や、**審査庁がすべき裁決に関する意見書**（審理員意見書）を審査庁に提出することが規定されています（42条)。

### (2) 標準審理期間の設定

審査請求人の権利利益の迅速な救済を図るとの趣旨により、審査庁となるべき行政庁に、審査請求が事務所に到達してから裁決をするまでの期間について、審理期間の目安となる標準審理期間を定めるよう努めるとともに、これを定めたときは公にすることとされています（16条）。

### (3) 審査請求人・参加人の権利

審査請求の審理では、書面審理（当事者の意見陳述や証拠調べを書面で行うとの建前）を原則としますが、審査請求人または参加人が、審理手続において適切な主張・立証を行えるようにするため、これらの者からの申立てがあったときは、申立てをした者（申立人）に意見陳述の機会を与えなければなりません（口頭意見陳述、31条1項）。また、申立人は、審理員の許可を得て、処分庁等に質問を発することができます（同条5項）。さらに、審理手続が終結するまでの間、広く証拠書類等の閲覧・写しの交付請求権（38条1項）などが認められています。

行政事件訴訟では、口頭審理主義が採用されています。

### (4) 職権主義

行政不服申立ては、行政庁による自らの処分の審査という形をとって行政の適正な運営を確保するという役割を有していることから、公益性を確保するため、判断者に強い権限を与えるのが適切と考えられ、職権主義が採用されています。

紛争解決手続を進めるにあたって、紛争当事者（訴訟でいえば原告・被告）に主導権を与える建前を当事者主義、紛争解決の最終判断を下す者（訴訟でいえば裁判所）に主導権を与える建前を職権主義といいます。

#### ① 職権証拠調べ

当事者の提出しない証拠を職権で収集し、それを判断資料とすることです。審査員は、職権で関係物件の提出を求めたり、参考人の陳述・鑑定を要求したり、検証を行うことができます（33条以下）。

#### ② 職権探知主義

当事者が主張しない事実についても職権で取り上げ、審理・判断することを認める建前です。

# 行政不服審査法総説

## 12 審理の進行

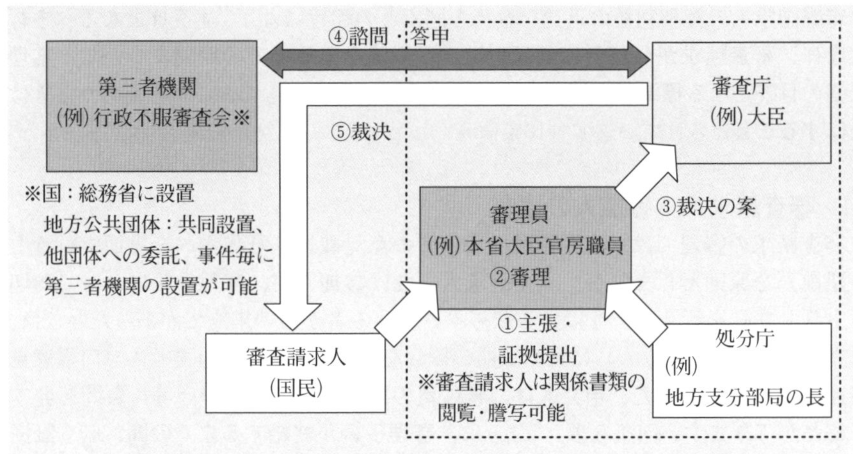


## 13 執行停止制度

### (1) 執行不停止の原則と執行停止制度

審査請求の提起は、原則として、処分の効力、処分の執行または手続の続行を妨げないとされています（25条１項）。しかし、執行停止が一切認められないとすれば、最終的に審査請求が認容されても、処分がすでに執行されてしまったことにより原状回復が難しくなる場合があります。そこで、審査請求が行われた場合に、例外的に処分の効力、処分の執行または手続の続行の停止その他の措置をとることが認められています（25条２項・３項・４項）。

### (2) 執行停止の種類

#### ① 任意的執行停止

(a) 審査庁が処分庁の上級庁または処分庁の場合（25条２項）

審査庁は、必要があると認める場合、審査請求人の申立てまたは職権により、処分の効力、処分の執行、手続の続行の全部または一部の停止その他の措置（原処分に代わる別の処分）をすることができます。

(b) 審査庁が処分庁の上級庁または処分庁のいずれでもない場合（25条３項）

審査庁は、必要があると認める場合、審査請求人の申立てにより、処分庁の意見を聴取したうえで、処分の効力、処分の執行、手続の続行の全部または一部の停止をすることができます。

審査庁が処分庁の上級庁または処分庁のいずれでもない場合、職権により執行停止をすることはできません。また、その他の措置（原処分に代わる別の処分）をとることもできません。審査庁は、処分庁に対する指揮監督権を有しないからです。

② 必要的執行停止

執行停止の申立てがあった場合で、重大な損害を避けるため緊急の必要があると認めるときは、公共の福祉に重大な影響を及ぼすおそれのあるとき、または本案について理由がないとみえるときを除いて、審査庁は執行停止をしなければなりません。

## 14 行政不服審査会等への諮問手続

### (1) 国の審査庁の行う裁決

裁決の公正性の向上を図るため、第三者機関として行政不服審査会（以下、「審査会」という）が審査庁の判断の妥当性をチェックします。審理員による審理手続が終結し、審理員意見書の提出を受けた審査庁は、原則として審査会に諮問し、判断の妥当性についてチェックを受けなければなりません（43条１項）。

審査会での手続は、簡易迅速な手続の確保の観点から、審理員意見書および事件記録の写しに基づく書面審理が中心となりますが、審査会には、審査請求人や審査庁等の審査関係人に対して主張書面や資料の提出を求めたり、参考人にその知っている事実を陳述させたり、または鑑定を求めたりするなど必要な調査をする権限が付与されています（74条）。一方、審査関係人には、口頭意見陳述権が付与されており（75条１項）、審査請求人または参加人は、審査会の許可を得て、補佐人とともに出頭することもできます（同条２項）。補佐人とは、専門的知識をもって審査請求人らを援助する者です。補佐人からの情報提供により審理の充実が期待されています。

審査会は、総務省に設置されます（67条１項）。９人の委員で構成され（68条１項）、任期は３年であり、再任されることができます（69条４項・５項）。

### (2) 地方公共団体に置かれる機関

地方公共団体では、執行機関の付属機関として、審査会に対応する機関が置かれます（81条１項）。ただし、不服申立ての状況等にかんがみ、この機関を置くことが不適当または困難であるときは、条例で、事件ごとに執行機関の付属機関を置くことができます（同条２項）。

行政不服申立て
# 行政不服審査法総説

## 15 行政不服申立てに対する裁決・決定

### (1) 却下裁決・却下決定

却下裁決・却下決定とは、不服申立てが、法定の要件を欠くため不適法である場合に、本案審理を拒否する裁決・決定をいいます（45条１項・58条１項・64条１項）。

### (2) 棄却裁決・棄却決定

棄却裁決・棄却決定とは、本案審理を行った結果、申立てに理由がないとして、不服申立てを退ける裁決・決定をいいます（45条２項・58条２項・64条２項）。

**〈事情裁決〉**

審査請求にかかる処分が違法または不当であっても（つまり、認容すべき場合であっても）、これを取消し、または撤廃することにより公益に著しい障害が生ずる場合には、審査請求人の受ける損害やその賠償、防止の程度および方法その他一切の事情を考慮したうえで、処分の取消しまたは撤廃が公共の福祉に適合しないと認めるときは、審査庁は、裁決で審査請求を棄却することができます（45条３項・64条４項）。

### (3) 認容裁決・認容決定

本案審理を行った結果、申立てに理由があるとして不服申立てを認める裁決・決定をいいます。

① 処分、事実行為に対する審査請求の認容裁決は、「処分を取り消す」「事実行為の撤廃を命ずる」「変更する」などの措置を伴います（46条１項、47条、59条１項）。

② 不作為に対する審査請求を認容する場合、裁決でその旨を宣言します。さらに、一定の処分をすべきものと認めるときは、審査庁が不作為庁の上級行政庁である場合は不作為庁に対して当該処分をすべき旨を命じ、審査庁が不作為庁である場合は、当該処分をすることが義務付けられます（49条３項）。

## 16 裁決の方式

裁決（決定）をするにあたっては、主文、事案の概要、審理関係人の主張の要旨、理由を記載し、審査庁が記名押印した裁決書によりしなければなりません（50条１項・60条１項・66条１項）。理由付記の程度としては、請求人の不服の事由に対応して、その結論に到達した過程を明らかにしなければならない、とするのが判例です（最判昭37.12.26）。

memo

# 行政不服申立て
# 行政不服審査法総説

## 実践 問題 119 基本レベル

| 頻出度 | |
|---|---|
| 地上★★★ 国家一般職★★ 特別区★ | |
| 国税·財務·労基★★ 国家総合職★★★ | |

**問** 行政不服審査法に規定する審査請求に関する記述として、妥当なのはどれか。

（特別区2017）

1：審査請求がされた行政庁は、審査庁に所属する職員のうちから審理手続を行う者である審理員を指名しなければならず、審査請求が不適法であって補正することができないことが明らかで、当該審査請求を却下する場合にも審理員を指名しなければならない。

2：審査庁となるべき行政庁には、審理員となるべき者の名簿の作成が義務付けられており、この名簿は、当該審査庁となるべき行政庁及び関係処分庁の事務所における備付けにより公にしておかなければならない。

3：審査請求をすることができる処分につき、処分庁が誤って審査請求をすべき行政庁でない行政庁を審査請求をすべき行政庁として教示した場合、その教示された行政庁に書面で審査請求がされたときは、当該行政庁は審査請求書を審査請求人に送付し、その旨を処分庁に通知しなければならない。

4：処分庁の上級行政庁又は処分庁である審査庁は、必要があると認める場合には、審査請求人の申立てにより執行停止をすることができるが、職権で執行停止をすることはできない。

5：審査請求人、参加人及び処分庁等並びに審理員は、簡易迅速かつ公正な審理の実現のため、審理において、相互に協力するとともに、審理手続の計画的な進行を図らなければならない。

直前復習

チェック欄

| 1回目 | 2回目 | 3回目 |
|---|---|---|
| | | |

## 実践 問題 119 の解説

〈審査請求〉

**1 ×** 審査請求がなされた場合、審査請求された行政庁は、審査庁に所属する職員のうちから、審理手続をする審理員を指名しなければならない（行政不服審査法9条1項本文）。しかし、同項但書の「24条の規定により当該審査請求を却下する場合」、すなわち、審査請求が不適法であり、補正（同法23条）がなされず、当該審査請求を却下する場合には審理員を指名する必要はない。

**2 ×** 審理員名簿の作成は努力義務なので、本肢は妥当でない（行政不服審査法17条前段）。もっとも、審理員名簿が作成されると、名簿を当該審査庁となるべき行政庁および関係処分庁の事務所における備付けその他適当な方法により公にしておかなければならない（同条後段）ので、本肢後半は正しく述べられている。

**3 ×** 審査請求書の送付先と通知の相手方が逆なので、本肢は妥当でない。審査請求すべき行政庁を誤って教示した場合において、審査請求人が教示された行政庁に書面で審査請求したときは、当該行政庁は、速やかに、審査請求書を処分庁または審査庁となるべき行政庁に送付し、かつ、その旨を審査請求人に通知しなければならない（行政不服審査法22条1項・2項）。そして、この送付により当該審査請求は、初めから適法にされたものと扱われることになり、審査請求人の権利救済が図られる（同条5項）。

**4 ×** 審査請求が開始されても、執行は停止しない（行政不服審査法25条1項）。そこで、審査請求人に対する権利侵害を防ぐため、一定の場合に執行停止が認められる。すなわち、処分庁の上級行政庁または処分庁である審査庁は、必要があると認める場合には、審査請求人の申立てによる場合、または、職権で執行停止をすることができるのである（同条2項）。

**5 ○** 同法28条は、審理関係人（審査請求人、参加人、処分庁等）や審理員に対して、本肢のような相互協力および審理の計画的進行についての義務を課している。したがって、本肢は妥当である。このような義務を課すのは、行政不服審査法が、審理員制度を導入し、審理関係人が審理員の主宰する審理手続において主張や証拠提出を行う仕組みを制度化したことから、このような仕組みのもとでは迅速な審理が要請されるからである。

**正答 5**

行政不服申立て
# 行政不服審査法総説

**実践 問題 120** 基本レベル

| 頻出度 | 地上★★★　国家一般職★★　特別区★<br>国税·財務·労基★★　国家総合職★★★ |
|---|---|

**問 行政不服審査法に関するア〜オの記述のうち、妥当なもののみを全て挙げているのはどれか。（財務2019）**

ア：審査請求をすることができる「処分」には、条例に基づく処分も含まれる。

イ：処分庁の上級行政庁又は処分庁である審査庁は、必要があると認める場合には、審査請求人の申立てにより執行停止をすることができるが、審査請求人の申立てを待たずに当該審査庁の職権で執行停止をすることはできない。

ウ：審査請求人又は参加人の申立てがあった場合には、審理員は、原則として、当該申立てをした者に口頭で審査請求に係る事件に関する意見を述べる機会を与えなければならない。

エ：行政庁の処分又は不作為につき、処分庁又は不作為庁以外の行政庁に対して審査請求をすることができる場合においても、当該処分又は不作為に不服のある者は、処分庁又は不作為庁に対して再調査の請求をすることができる。

オ：再審査請求に理由がない場合には、当該再審査請求は棄却される。また、審査請求を却下し、又は棄却した原裁決が違法又は不当である場合において、当該審査請求に係る処分が違法又は不当のいずれでもないときは、再審査庁は原裁決を取り消さなければならない。

1：ア、イ
2：ア、ウ
3：イ、エ
4：ウ、オ
5：エ、オ

| チェック欄 | | |
|---|---|---|
| 1回目 | 2回目 | 3回目 |
| | | |

## 実践 問題 120 の解説



〈不服申立て〉

**ア○** 行政不服審査法（以下、法令名がなければ同法の条文）は、審査請求をすることができる「処分」を「行政庁の処分その他公権力の行使に当たる行為」と定義している（1条2項・2条）。そして、7条は2条の規定の適用が除外される処分を列挙しているが、条例に基づく処分は除外されていない。また、4条本文かっこ書に、条例に基づく処分も審査請求できることを前提とした規定が存在する。したがって、審査請求をすることができる「処分」には、条例に基づく処分も含まれる。

**イ×** 処分庁の上級行政庁または処分庁である審査庁は職権で執行停止することもできるため、本記述は妥当でない（25条2項）。上級行政庁には処分庁に対する指揮監督権の一環として職権行使を認める必要があるし、処分庁は自ら行った処分に自己統制を及ぼしうるからである。

**ウ○** 本記述は、審査請求人・参加人の口頭意見陳述（31条1項本文）を正確に述べており、妥当である。

**エ×** 再調査の請求ができる場合は、①行政庁の処分につき、②処分庁以外の行政庁に対して審査請求をすることができる場合において、③法律に再調査の請求をすることができる旨の定めがあることである（5条1項本文）。したがって、再調査の請求の対象は行政庁の「処分」のみであり、行政庁の「不作為」についてはそれができないので、本記述は妥当でない。

**オ×** 「再審査請求が理由がない場合には、再審査庁は、裁決で、当該再審査請求を棄却する」(64条2項)。したがって、本記述前段は妥当である。しかし、審査請求を却下し、または棄却した原裁決が違法または不当である場合において、「当該審査請求に係る処分が違法又は不当のいずれでもないときは、再審査庁は、裁決で、当該再審査請求を棄却する」（同条3項)。なぜなら、審査請求を却下し、または棄却した裁決が違法または不当であることを理由にそれを取り消しても、当該裁決にかかる原処分に瑕疵がない以上、結局は原処分を取り消すことはできず、無駄に手続を長引かせることになるからである。したがって、原裁決を取り消さなければならないと述べる本記述後段が妥当でない。

以上より、妥当なものはア、ウであり、肢2が正解となる。

**正答 2**

行政不服申立て

# 行政不服審査法総説

## 実践 問題 121 基本レベル

| 頻出度 | 地上★★★ 国家一般職★★ 特別区★<br>国税・財務・労基★★ 国家総合職★★★ |
|---|---|

問 行政不服審査法に関するア～オの記述のうち、妥当なもののみを全て挙げているのはどれか。 （国家一般職2021）

ア：行政不服審査法は、行政庁の処分及びその不作為、行政立法、行政指導等について、特に除外されない限り、審査請求をすることができるとの一般概括主義を採っており、広く行政作用全般について審査請求を認めている。

イ：行政不服審査法は、審理員による審理手続を導入し、審理員が主張・証拠の整理等を含む審理を行い、審理員意見書を作成し、これを事件記録とともに審査庁に提出する仕組みを設けている。審理員には、審査請求の審理手続をより客観的で公正なものとするため、審査庁に所属していない職員が指名される。

ウ：審査請求の審理の遅延を防ぎ、審査請求人の権利利益の迅速な救済に資するため、審査庁となるべき行政庁は、審査請求がその事務所に到達してから当該審査請求に対する裁決をするまでに通常要すべき標準的な期間を必ず定め、これを事務所における備付けその他の適当な方法により公にしておかなければならない。

エ：審査請求の手続は、原則として書面によって行われるが、審査請求人又は参加人の申立てがあった場合、審理員は、原則として、その申立人に口頭で審査請求に係る事件に関する意見を述べる機会を与えなければならない。その際、申立人は、審理員の許可を得て、当該審査請求に係る事件に関し、処分庁等に対して、質問を発することができる。

オ：行政不服審査法は、審査請求手続において客観的かつ公正な判断が得られるよう、行政不服審査会を総務省に置き、審査請求の審理に関与する仕組みを設けている。行政不服審査会の委員は、審査会の権限に属する事項に関し公正な判断をすることができ、かつ、法律又は行政に関して優れた識見を有する者のうちから、両議院の同意を得て、総務大臣が任命する。

1：ア、ウ
2：ア、オ
3：イ、ウ
4：イ、エ
5：エ、オ

直前復習

| チェック欄 | | |
|---|---|---|
| 1回目 | 2回目 | 3回目 |
| | | |

## 実践 問題 121 の解説



〈不服申立て〉

**ア×** 行政不服審査法（以下は同法の条文）において審査請求の対象となるのは、行政庁の「処分」（２条）と「不作為」（３条）の２つしかない。本記述では一般概括主義（７条１項）が述べられているが、一般概括主義とは、「処分」および「不作為」に対しては、すべて審査請求できることを原則とし、例外的に法律で定められた事由についてのみ審査請求を認めない建前である。そもそも、行政立法や行政指導は、「処分」、「不作為」にはあたらないので、審査請求の対象とならないのである。

**イ×** 審査請求がなされると、審査庁は、審査庁に所属する職員のうち、原則として、処分・不作為に関する手続に関与し、または関与することとなる者以外の者の中から審理員を指名する（９条１項・２項）。したがって、審理員は審査庁に所属する職員の中から指名されるので、本記述は妥当でない。

**ウ×** 審査庁となるべき行政庁は、審査請求がその事務所に到達してから当該審査請求に対する裁決をするまでに通常要すべき標準的な期間を定めるよう努めるとともに、これを定めたときは、これを事務所における備付けその他の適当な方法により公にしておかなければならない（16条）。すなわち、標準審理期間の設定は努力義務にすぎないので、本記述は妥当でない。

**エ○** 審査請求は、その論点を明確にし、かつその手続を慎重にするため、書面によって行うのが原則であるが、審査請求人または参加人の申立てがあった場合には、審理員は、その申立人に口頭で審査請求に係る事件に関する意見を述べる機会を与えなければならない（口頭意見陳述、31条１項）。さらに、口頭意見陳述に際し、申立人は、審理員の許可を得て審査請求に係る事件に関し、処分庁等に対して質問を発することができる（同条５項）。

**オ○** 裁決の公正性の向上を図るため、審査庁の判断の妥当性をチェックする第三者機関として総務省に行政不服審査会が置かれている（67条１項）。行政不服審査会は９人の委員で組織されている（68条１項）。委員は、行政不服審査会の権限に属する事項に関し公正な判断をすることができ、かつ、法律または行政に関して優れた識見を有する者のうちから、両議院の同意を得て、総務大臣が任命する（69条１項）。

以上より、妥当なものはエ、オであり、肢５が正解となる。

**正答 5**

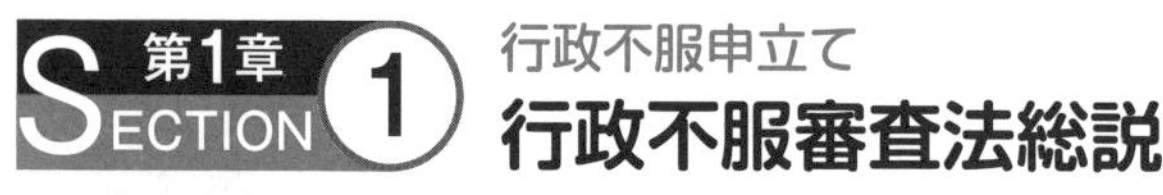


行政不服申立て

# 行政不服審査法総説

## 実践 問題 122 基本レベル

頻出度 地上★★★ 国家一般職★★ 特別区★ 国税･財務･労基★★ 国家総合職★★★

**問 行政不服審査法に関するア～オの記述のうち、妥当なもののみを全て挙げているのはどれか。** （財務・労基2022）

ア：行政不服審査法においては、不服申立ての対象を行政作用全般としており、同法又は他の法律で適用除外とされている場合に該当しない限り、不服申立てをすることができるとする概括主義が採用されている。

イ：処分についての審査請求は、正当な理由がある場合を除き、処分があったことを知った日の翌日から起算して３か月以内にしなければならない。また、処分があった日の翌日から起算して１年を経過した場合は、正当な理由がある場合でも、審査請求をすることはできない。

ウ：審査請求が可能な処分について教示をする際に、審査請求をすべき行政庁を誤って教示した場合、誤った教示に基づいて審査請求を受けた行政庁は、速やかに審査請求書を処分庁又は審査庁となるべき行政庁に送付し、その旨を審査請求人に通知しなければならない。

エ：処分についての審査請求の裁決には、却下、棄却、認容といった類型がある。審査請求が適法になされていない場合は、却下とされ、審査請求に理由があるかの審理は行われない。審査請求に理由があると認められる場合は、例外なく認容とされ、当該処分の取消し、変更のいずれかが行われる。

オ：審査請求は、処分の効力、処分の執行又は手続の続行を妨げないが、処分庁の上級行政庁又は処分庁である審査庁は、必要があると認める場合には、審査請求人の申立てにより又は職権で、処分の効力、処分の執行又は手続の続行の全部又は一部の停止その他の措置をとることができる。

1：ア、イ
2：ウ、オ
3：ア、イ、エ
4：イ、ウ、オ
5：ウ、エ、オ

| チェック欄 | | |
|---|---|---|
| 1回目 | 2回目 | 3回目 |
| | | |



## 実践 問題 122 の解説

〈不服申立て〉

**ア×** 行政不服審査法（以下は同法の条文）は、不服申立ての対象を「処分」（1条2項・2条）と「不作為」（3条）としており、行政作用全般とはしていない。もっとも、行政庁の処分または不作為であれば、同法または他の法律で適用除外とされている場合でない限り、不服申立てをすることができる（7条1項）。この建前が概括主義である。

**イ×** 原則として、①処分があったことを知った日の翌日から起算して3カ月、②処分があった日の翌日から起算して1年を経過したときは審査請求をすることはできない（18条1項本文・2項本文）が、いずれも但書において「正当な理由」があるときの例外を認めている。したがって、処分があった日の翌日から起算して1年を経過した場合でも、正当な理由があるときは審査請求をすることができるので、本記述は妥当でない。

**ウ○** 審査請求をすることができる処分につき、処分庁が審査請求をすべき行政庁を誤って教示し、その教示された行政庁に書面で審査請求がされたときは、当該行政庁は、速やかに、審査請求書を処分庁または審査庁となるべき行政庁に送付し、かつ、その旨を審査請求人に通知しなければならない（22条1項）。したがって、本記述は妥当である。

**エ×** 裁決には、却下（45条1項）、棄却（同条2項）、認容（46条1項）がある。処分が違法または不当であり審査請求に理由があるときは、原則として認容される（処分の全部・一部の取消し、または処分の変更が行われる）が、公の利益に著しい障害を生じる場合には棄却されうる（事情裁決、45条3項）。したがって、審査請求に理由があると認められる場合であっても、認容裁決ではなく、棄却裁決がなされることがある。

**オ○** 審査請求がなされても、処分の効力、処分の執行または手続の続行は妨げられない（執行不停止の原則、25条1項）。ただし、処分庁の上級行政庁または処分庁である審査庁は、必要があると認める場合、審査請求人の申立てによりまたは職権で、処分の効力、処分の執行または手続の続行の全部または一部の停止その他の措置（原処分に代わる別の処分）をとることができる（同条2項）。したがって、本記述は妥当である。

以上より、妥当なものはウ、オであり、肢2が正解となる。

**正答 2**

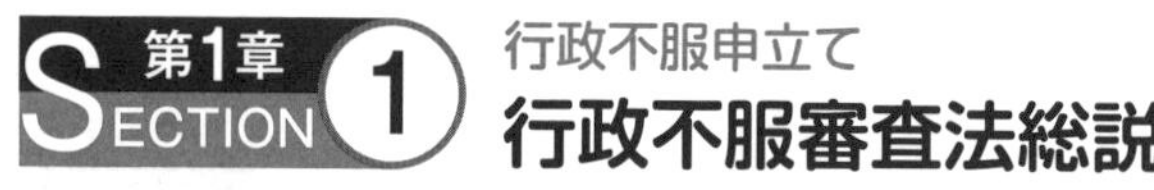

# 第1章 SECTION 1 行政不服申立て 行政不服審査法総説

## 実践 問題 123 基本レベル

頻出度 地上★★★ 国家一般職★★ 特別区★ 国税·財務·労基★★ 国家総合職★★★

**問 行政上の不服申立てに関するア～オの記述のうち、妥当なもののみを全て挙げているのはどれか。 (国家総合職2020)**

ア：行政不服審査法は、審査請求をすべき行政庁について、処分庁等（処分をした行政庁又は不作為に係る行政庁をいう。以下同じ。）に上級行政庁がある場合には、原則として、当該処分庁等の最上級行政庁としている。

イ：審査請求をすることができる処分につき、処分庁が誤って審査請求をすべき行政庁でない行政庁を審査請求をすべき行政庁として教示した場合において、その教示された行政庁に書面で審査請求がされたときは、当該行政庁は、速やかに、審査請求書を処分庁又は審査庁となるべき行政庁に送付し、かつ、その旨を審査請求人に通知しなければならない。

ウ：行政不服審査法は、独立行政法人が処分庁等となる処分又は不作為に係る審査請求について、原則として、当該独立行政法人を所管する上級行政庁である各省大臣に対して行うこととしている。

エ：処分庁等が、主任の大臣、宮内庁長官、外局として置かれる庁の長又は外局として置かれる委員会に置かれる庁の長である場合には、処分庁等に上級行政庁があるということができるが、当該処分庁等に審査請求をすることとされている。

オ：審査請求をすべき行政庁について、行政不服審査法に定めがあるほか、法律に特別の定めを置くことができるが、条例に特別の定めを置くことはできない。

1：ア、イ、エ
2：ア、ウ、エ
3：ア、ウ、オ
4：イ、ウ、オ
5：イ、エ、オ

チェック欄

| 1回目 | 2回目 | 3回目 |
|---|---|---|
| | | |



## 実践 問題 123 の解説

〈不服申立て〉

**ア○** どの行政庁に審査請求するかは、個別法（条例を含む）の定めに従って行うことになるが、その定めがない場合は、①処分庁等に上級行政庁がない場合や処分庁等自身が主任の大臣、宮内庁長官、外局として置かれる庁の長である場合は当該処分庁等に対して（行政不服審査法４条１号）、②処分庁等の上級行政庁が主任の大臣、宮内庁長官、外局として置かれる庁の長である場合には当該主任の大臣、当該宮内庁長官、当該外局として置かれる庁の長に対して（同条２号・３号）、③上記のいずれにも該当しない場合は最上級行政庁に対して行う（同条４号）。したがって、処分庁等に上級行政庁がある場合は、最上級行政庁に対する審査請求が原則となる。

**イ○** 本記述は行政不服審査法22条１項の規定を正確に述べているので、妥当である。なお、本記述の後の効果としては、審査請求書が審査庁となるべき行政庁に送付されると、初めから審査庁となるべき行政庁に審査請求がされたものとみなされることになる（同条５項）。

**ウ×** 行政不服審査法は独立行政法人に関する規定を置いていないし、独立行政法人に上級行政庁はないので、本記述は妥当でない。独立行政法人が処分庁等となる場合、個別法に規定がない限り、処分庁等である独立行政法人に審査請求をすることになる（行政不服審査法４条１号、記述ア解説参照）。

**エ○** 処分庁等が、主任の大臣、宮内庁長官、外局として置かれる庁の長、外局として置かれる委員会に置かれる庁の長である場合には、当該処分庁等に対して審査請求を行うこととされている（行政不服審査法４条１号、記述ア解説参照。なお、国家行政組織法３条２項参照）。

**オ×** 審査請求をすべき行政庁について、条例に特別の定めを置くことができるので、本記述は妥当でない。審査請求をすべき行政庁について行政不服審査法４条柱書は、「法律（条例に基づく処分については、条例）に特別の定めがある場合を除くほか、次の各号に掲げる場合の区分に応じ、当該各号に定める行政庁に対してするものとする」と規定しているところ、法律のほか条例にも特別の定めを置くことができる。

以上より、妥当なものはア、イ、エであり、肢１が正解となる。

**正答 1**

## 実践 問題 124 基本レベル

頻出度 地上★★★ 国家一般職★★ 特別区★ 国税・財務・労基★★ 国家総合職★★★

**問 行政不服審査法の定める審査請求に関するア～オの記述のうち、妥当なもののみを全て挙げているのはどれか。（国家総合職2021）**

ア：審査請求は、原則として審査請求人による審査請求書の提出により開始される。審査請求人が提出した審査請求書の記載事項に法令上の不備があり、当該審査請求が不適法となる場合であっても、その不備を補正することができるときには、審査庁は、相当の期間を定め、その期間内に不備を補正すべきことを命じなければならない。

イ：口頭による審査請求は、他の法律（条例に基づく処分については条例）に口頭ですることができる旨の定めがある場合に限りすることができる。口頭で審査請求をする場合には、行政不服審査法に規定する審査請求書の必要的記載事項を陳述しなければならない。

ウ：審査請求をすべき行政庁が処分庁又は不作為庁（以下「処分庁等」という。）と異なる場合における審査請求は、当該処分庁等を経由してすることができる。この場合、審査請求書の提出を受けた処分庁等は、審査請求書を、相当の期間内に、弁明書を添えて、審査庁に送付しなければならない。

エ：審査請求人は、弁明書に記載された事項に対し、反論書を提出することができる。また、審査請求人は、申立てをすれば、審理員が必要があると認めた場合に限り、口頭で審査請求に係る事件に関する意見を述べる機会が与えられる。

オ：審査請求人は、証拠書類又は証拠物を提出することができる。他方、物件の提出要求、参考人の陳述及び鑑定の要求、必要な場所の検証は、審査請求人の申立てにより行うことは認められておらず、審理員が職権で行う場合に限られている。

1：ア、イ
2：ア、エ
3：イ、ウ
4：ウ、オ
5：エ、オ

| チェック欄 | | |
|---|---|---|
| 1回目 | 2回目 | 3回目 |
| | | |



## 実践 問題 124 の解説

〈不服申立て〉

**ア○** 審査請求人が提出した審査請求書の記載事項に法令上の不備がある場合には、審査庁は、相当の期間を定め、その期間内に不備を補正すべきことを命じなければならない（行政不服審査法（以下は同法の条文）23条）。したがって、本記述は妥当である。

**イ○** 審査請求は、他の法律（条例に基づく処分については条例）に口頭ですることができる旨の定めがある場合には、例外的に口頭ですることができる（19条1項）。口頭でする場合には、19条2項から5項までに定める審査請求書の必要的記載事項を陳述しなければならない（20条前段）。その後、陳述を受けた行政庁は、その陳述の内容を録取し、これを陳述人に読み聞かせて誤りのないことを確認する（同条後段）。

**ウ×** 審査請求をすべき行政庁が処分庁等と異なる場合の審査請求は、処分庁等を経由してすることができる（21条1項）。この場合、審査請求書の提出を受けた処分庁等は、直ちに、審査請求書を審査庁となるべき行政庁に送付しなければならないが（同条2項）、この時点では、処分庁等の弁明書は添えられていない。その後、審査庁による審査請求の要件審理が行われ、審査請求が適法であることが確定した後に、審査庁から指名された審理員が処分庁等に弁明書の提出を求めることになる（29条2項）。したがって、処分庁等を経由した審査請求において、審査請求書の提出を受けた処分庁等は、審査請求書を、「相当の期間内に」、「弁明書を添えて」、審査庁に送付しなければならないと述べる本記述は妥当でない。

**エ×** 口頭意見陳述を規定する31条1項本文は、審査請求人または参加人の申立てがあった場合には、審理員は、当該申立てをした者に口頭で意見を述べる機会を与えなければならないとしている。したがって、審理員が必要があると認めた場合に限られるわけではない。

**オ×** 審査請求人は、証拠書類または証拠物を提出することができるので（32条1項）、本記述前段は妥当である。これに対し、審理員による物件の提出要求（33条）、参考人の陳述・鑑定の要求（34条）、必要な場所での検証（35条）については、審理員が職権で行う場合のほか、審査請求人の申立てを契機とする旨が規定されている。したがって、本記述後段が妥当でない。

以上より、妥当なものはア、イであり、肢1が正解となる。

**正答 1**

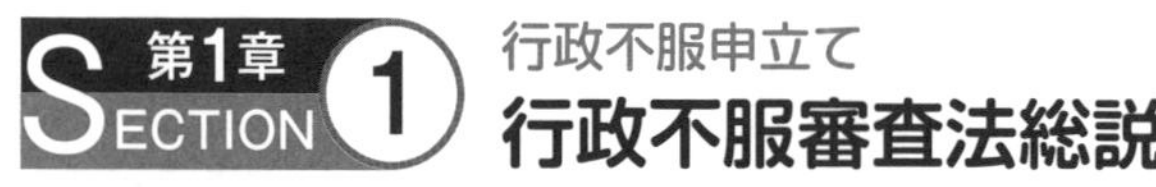


## 実践 問題 125 基本レベル

| 頻出度 | | | |
|---|---|---|---|
| | 地上★ | 国家一般職★★ | 特別区★ |
| | 国税·財務·労基★ | 国家総合職★★ | |

**問** 行政不服審査法に関するア〜オの記述のうち、妥当なもののみを全て挙げているのはどれか。 (国家一般職2018)

ア：行政不服審査法は、一般概括主義を採用し、処分、不作為、行政立法、行政指導等の態様を問わず、広く行政作用全般について審査請求を認めている。

イ：地方公共団体に対する処分のうち、地方公共団体がその固有の資格において相手方となる処分には行政不服審査法の規定は適用されない。しかし、地方公共団体が一般私人と同様の立場で相手方となる処分には同法の規定は適用されると一般に解されている。

ウ：行政不服審査法は、国民の権利利益の救済に加えて、行政の適正な運営の確保も目的としていることから、審査請求をすることができる「行政庁の処分に不服がある者」について、必ずしも審査請求をする法律上の利益を有している必要はない旨を規定している。

エ：行政不服審査法の適用除外とされている処分等は、議会の議決によってされる処分等、その性質に照らしておよそ行政上の不服申立てを認めるべきでないと考えられたものであり、別の法令においても不服申立ての制度は設けられていない。

オ：地方公共団体の機関が行う処分のうち、法律に基づく処分については行政不服審査法の規定が適用されるが、根拠規定が条例に置かれている処分については同法の規定が適用されない。

1：イ
2：ア、オ
3：イ、エ
4：ア、イ、ウ
5：イ、ウ、オ

| チェック欄 | | |
|---|---|---|
| 1回目 | 2回目 | 3回目 |
| | | |

## 実践 問題 125 の解説



〈不服申立て〉

**ア×** 行政不服審査法の対象となる行政作用は、行政庁の処分（同法２条）と不作為（同法３条）の２つしかない。したがって、処分、不作為、行政立法、行政指導等の態様を問わず、広く行政作用全般について審査請求を認めていると述べる本記述は妥当でない。

**イ○** 本記述は行政不服審査法７条２項とその解釈に適合しており、妥当である。同条項は、公共団体等に対する処分で、これらの団体等がその「固有の資格」（一般私人が立ち入りできない法的地位のこと）において当該処分の相手方となる処分には同法を適用しないと規定する。この適用除外が定められたのは、同法が私人の権利救済を目的とし、「固有の資格」を有する国または公共団体にはその目的が及ばないと考えられたからである。したがって、地方公共団体が一般私人と同様の立場で相手方となる場合には、公共団体等の「固有の資格」によるものではなく、行政不服審査法の対象になると解されている。

**ウ×** 行政不服審査法上、本記述のような規定はないので妥当でない。審査請求をすることができる者（審査請求適格）について、同法は「行政庁の処分に不服がある者」（同法２条）と規定するのみである。この意義につき判例は、取消訴訟の原告適格と一致するとしており（最判昭53.3.14）、審査請求適格は、「法律上の利益を有する者」（行政事件訴訟法９条１項）でなければならないのである。

**エ×** 適用除外とされる処分等でも別の法令による不服申立ての制度を設けることができる（行政不服審査法８条）ので、本記述は妥当でない。なお、別の法令による不服申立ての制度として公職選挙法202条などがある。

**オ×** 行政不服審査法１条２項は、「行政庁の処分その他公権力の行使に当たる行為」を「処分」と規定しており、同法７条で適用除外とされない限り「処分」に含まれることになる。同法は、明文で条例に基づく処分を除外していない以上、条例に基づく処分も「処分」に含まれると解されている。したがって、「行政庁の処分」（行政不服審査法２条）には、条例に基づく処分も含まれるので、本記述は妥当でない。

以上より、妥当なものはイであり、肢１が正解となる。

**正答 1**

行政不服申立て
# 行政不服審査法総説

## 実践 問題 126 応用レベル

| 頻出度 | 地上★ | 国家一般職★★ | 特別区★ |
|---|---|---|---|
| | 国税·財務·労基★ | 国家総合職★★ | |

**問 行政上の不服申立てに関するア～オの記述のうち、判例に照らし、妥当なもののみを全て挙げているのはどれか。(国家総合職2019)**

ア：旧訴願法に基づく訴願においては、訴願庁がその裁決をなすに当たって職権をもってその基礎となすべき事実を探知する、いわゆる職権探知主義は認められていない。

イ：懲戒処分につき人事院の修正裁決があった場合、それにより懲戒権者の行った懲戒処分は一体として取り消されて消滅し、人事院において新たな内容の懲戒処分をしたものと解される。

ウ：建築基準法に基づく壁面線の指定は、特定の街区を対象として行ういわば対物的な処分であり、特定の個人又は団体を名あて人として行うものではないから、行政不服審査法の規定に基づく教示は不要である。

エ：審査請求期間は、原則として「処分があったことを知った日」の翌日から起算して３ヶ月であるところ、「処分があったことを知った日」とは、当事者が書類の交付、口頭の告知その他の方法により処分の存在を現実に知った日を指すのであって、抽象的な知り得べかりし日を意味するものでないが、処分を記載した書類が当事者の住所に送達される等、社会通念上処分があったことを当事者が知り得べき状態に置かれたときは、反証のない限り、その処分があったことを知ったものと推定することができる。

オ：審査請求期間は、原則として「処分があったことを知った日」の翌日から起算して３ヶ月であるところ、「処分があったことを知った日」とは、都市計画法における都市計画事業の認可のように、行政処分が個別の通知ではなく告示をもって多数の関係権利者等に画一的に告知される場合には、告示があった日をいう。

1：ア、イ、エ
2：ア、ウ、エ
3：ア、ウ、オ
4：イ、エ、オ
5：ウ、エ、オ

チェック欄

| 1回目 | 2回目 | 3回目 |
| --- | --- | --- |
| | | |

## 実践 問題 126 の解説



〈不服申立て〉

**ア×** まず、訴願とは、現在の行政不服申立てを意味する。次に、職権探知主義とは、裁判所や審査庁など紛争を裁定すべき機関が、当事者が主張しない事実を取り上げ、それを裏づける資料を自ら収集し、考慮するという審理方法であり、弁論主義（裁判の基礎となる事実や証拠の提出を当事者の権限と責任にする建前）に対置する。取消訴訟では弁論主義が妥当するところ、職権探知主義は認められない。これに対して、行政不服審査では、行政機関による自己統制もその目的とするので、審査庁は職権で、不服申立人が主張しない事実を取り上げて、その存否を自ら探知すること、すなわち、職権探知主義が認められている（最判昭29.10.14）。

**イ×** 本記述では、懲戒処分（原処分）を修正した裁決（修正裁決）が懲戒処分とどのような関係になるかが問題とされている。この点について判例は、当該修正裁決は、元の懲戒処分が有効なことを前提にそれを修正するものであり、修正裁決後も懲戒処分の有効性自体は継続するとしている（最判昭62.4.21）。すなわち、判例は、元の懲戒処分が修正裁決により消滅し、新たな内容の懲戒処分が行われたとは考えていないのである。

**ウ○** 判例は、①行政不服審査法82条１項は、同項所定の処分をする場合に、その処分の相手方に対して不服申立てに関する教示を義務付けるものであるから、特定の個人または団体を名あて人とするものでない処分についてはその適用がないとし、②建築基準法46条１項に基づく壁面線の指定は、特定の街区を対象として行ういわば対物的な処分であり、特定の個人または団体を名あて人として行うものではないから、右指定については行政不服審査法82条１項の適用はないとしている（最判昭61.6.19）。

**エ○** 「処分があったことを知った日」の意義について述べる本記述は、判例の見解を正確に述べており、妥当である（最判昭27.11.20）。

**オ○** 判例は、都市計画法における都市計画事業の認可のように、処分が個別の通知ではなく告示をもって多数の関係権利者等に画一的に告知される場合には、そのような告知方法が採られている趣旨にかんがみ、告示のあった日を「処分があったことを知った日」とするとしている（最判平14.10.24）。

以上より、妥当なものはウ、エ、オであり、肢５が正解となる。

**正答 5**

# 行政不服申立て
# 教示

## 必修問題 セクションテーマを代表する問題に挑戦！

**不服申立制度は、あまりなじみのない制度なので、行政庁はその制度の内容を教える義務があります。それが教示制度です。**

**問 行政不服審査法に定める教示制度に関する記述として、妥当なのはどれか。（東京都2005改題）**

1：教示制度は、行政不服審査法に基づく不服申立てに適用される制度であり、他の法令に基づく不服申立てに適用されることはない。

2：教示には、必要的教示及び請求による教示があるが、このうち、請求による教示は、処分の相手方に限って求めることができ、利害関係人から請求することはできない。

3：教示は、必ず教示すべき事項を記載した書面により行わなければならず、口頭で行うことは認められていない。

4：行政庁が教示をしなかったときは、不服申立人は当該処分庁に不服申立書を提出することができるが、当該処分が処分庁以外の行政庁に対し審査請求できる処分であるときは、処分庁は、速やかに当該不服申立書を当該行政庁に送付しなければならない。

5：再調査の請求ができない処分につき、処分庁が誤って再調査の請求ができる旨の教示をした場合において、当該処分庁に再調査の請求がされたときは、当該処分庁は再調査の請求における審理手続を開始しなければならない。

直前復習

**Guidance ガイダンス**

**教示制度**

**教示義務がある場合**

・不服申立てをすることができる処分をする場合（口頭による処分を除く）
・利害関係人から教示を求められた場合など

**誤った教示に対する救済**

・不服申立てができないのにできると教示した場合……却下決定・裁決のあったことを知った日が、取消訴訟の出訴期間の起算日となる
・不服申立てをなすべき行政庁を間違えた場合……不服申立てを受けた行政庁が正しい行政庁に不服申立書を送付する。送付すると初めから適法な不服申立てがなされたものとされる

チェック欄 1回目 2回目 3回目

## 必修問題の解説



〈教示〉

**1 ×** 教示制度は、行政不服審査法に基づくものであるが、他の法令に基づく不服申立てについても適用される（行政不服審査法82条１項）。これは、行政事件訴訟に比べて、不服申立てという制度が一般的にあまり認知されていないため、国民が広く不服申立てを利用できるようにすることを目的としている。

**2 ×** 利害関係人も行政庁に対して教示を求めることができる（行政不服審査法82条２項）。これは、処分の名あて人以外の者にも広く不服申立てを利用できるようにすることを目的としている。

**3 ×** 行政庁は、不服申立てをすることができる処分をする場合、および利害関係人から、処分について不服申立てができるか否か、不服申立てをすべき行政庁および申立期間について「書面による」教示を求められた場合には、書面で教示しなくてはならないが（行政不服審査法82条１項・３項）、利害関係人が教示を求めたにすぎない場合は、行政庁は書面で教示をする必要はなく、口頭で教示することができる（同条２項）。

**4 ○** 行政庁が教示義務に反して教示しない場合には、不服申立人は不服申立書を当該処分庁に提出することができるが（行政不服審査法83条１項）、処分庁に管轄が生じるわけではなく、当該処分が処分庁以外の行政庁に対し審査請求できる処分であるときは、処分庁は、速やかに当該不服申立書を当該行政庁に送付することとなる（同条３項）。

**5 ×** 再調査の請求ができない処分につき、処分庁が誤って再調査の請求ができる旨の教示をした場合において、当該処分庁に再調査の請求がされたときでも、処分庁に再調査の権限が生じることはない。この場合、処分庁は、速やかに、再調査の請求書または再調査の請求録取書を審査庁となるべき行政庁に送付し、その旨を再調査の請求人に通知しなければならない（行政不服審査法22条３項）。

**正答 4**

第1章 SECTION 2 行政不服申立て

# 教示

## 1 教示とは

行政庁が、処分をするにあたり、処分の相手方などに対して不服申立ての存在や利用方法などを知らせる制度を、教示といいます。

不服申立制度は、裁判所で行う訴訟と異なって、その存在すら知らない人がほとんどです。そこで、制度の存在を知らない人が救済を受ける機会を失うことのないように、不服申立制度の利用方法などを知らせる制度が設けられたわけです。

行政不服審査法上、行政庁は以下の場合に教示義務を負うこととされています。
※以下の条文は、特に断りがない限り、行政不服審査法の条文です。

### (1) 不服申立てをすることができる処分をする場合

この場合、行政庁は、処分の相手方に対し、①不服申立てをすることができる旨、②不服申立てをすべき行政庁、③不服申立てをすることができる期間を書面で教示しなければなりません（必要的教示、82条1項本文）。

### (2) 利害関係人から教示を求められた場合

この場合、行政庁は、①不服申立てをすることができる処分であるかどうか、②不服申立てをすることができる処分である場合、不服申立てをすべき行政庁、③不服申立てをすることができる処分である場合、不服申立てをすることができる期間を教示しなければなりません（82条2項）。

### (3) 裁決に対して再審査請求が可能である場合

この場合、行政庁は、裁決の相手方に対し、①再審査請求をすることができる旨、②再審査請求をすべき行政庁、③再審査請求をすることができる期間を教示しなければなりません（50条3項）。

### (4) 再調査の請求をした日の翌日から起算して3カ月を経過した場合

この場合、再調査の請求人は、再調査の請求の決定を経なくても審査請求できるので、処分庁は、当該期間の経過後、遅滞なく、当該処分について直ちに審査請求することができる旨を書面で教示しなければなりません（57条）。

地方公共団体がその固有の資格（地方公共団体だけが立ち入ることのできる特別の立場）において処分の相手方となる場合には、そもそも行政不服審査法が適用されないので、これらの教示義務も生じません（7条2項）。

## 2 教示に対する救済

### (1) 教示の懈怠

教示義務を負う行政庁が教示をしなかった場合、処分に不服のある者は、当該処分庁に対し、不服申立書を提出することができます（83条1項）。

この場合、当該処分が処分庁以外の行政庁に対し審査請求できる処分であるときは、処分庁は、速やかに、当該不服申立書を当該行政庁に送付しなければなりません。そして、この送付によって当該不服申立ては、初めから適法な手続でなされたものと扱われます（同条3項・4項）。

### (2) 誤った教示

#### ① 審査請求ができないのにできると教示した場合

この場合、審査請求ができるわけではなく、当該審査請求に対しては却下裁決がなされます。ただし、原処分に対する出訴期間が猶予され、当該裁決があったことを知った日から6カ月以内、当該裁決の日から1年以内に取消訴訟を提起することができます（行政事件訴訟法14条3項）。

#### ② 審査請求すべき行政庁を間違えて教示した場合

審査請求人が教示された行政庁に書面で審査請求したときは、当該行政庁は、速やかに、審査請求書を処分庁または審査庁となるべき行政庁に送付し、かつ、その旨を審査請求人に通知しなければなりません（22条1項・2項）。そして、この送付によって当該審査請求は、初めから適法な手続でなされたものと扱われます（同条5項）。

#### ③ 再調査の請求ができない処分を誤って再調査の請求ができると教示した場合

処分庁に再調査の請求がされたときは、処分庁は、速やかに、再調査の請求書または再調査の請求録取書を審査庁となるべき行政庁に送付し、その旨を再調査の請求人に通知しなければなりません（22条3項）。そして、この送付によって、初めから適法に審査請求がなされたものと扱われます（同条5項）。

第1章 SECTION 2 行政不服申立て

# 教示

## 実践 問題 127 基本レベル

| 頻出度 | 地上★ 国家一般職★ 特別区★ 国税·財務·労基★ 国家総合職★★ |
|---|---|

**問** **行政不服審査法における教示や情報の提供に関するア～オの記述のうち、妥当なもののみを全て挙げているのはどれか。　（国家一般職2022）**

**ア**：行政庁は、審査請求等の不服申立てをすることができる処分をする場合には処分の相手方に対し、当該処分につき不服申立てをすることができる旨並びに不服申立てをすべき行政庁及び不服申立てをすることができる期間を書面で教示しなければならないが、当該処分を口頭でする場合も、当該教示は書面でしなければならない。

**イ**：行政庁は、利害関係人から、その処分が審査請求等の不服申立てをすることができる処分であるかどうか並びに当該処分が不服申立てをすることができるものである場合における不服申立てをすべき行政庁及び不服申立てをすることができる期間につき教示を求められたときは、当該教示を必ず書面でしなければならない。

**ウ**：審査請求等の不服申立てをすることができる処分につき、行政庁が誤って不服申立てをすることができる処分ではないと判断して、処分の相手方に対し、行政不服審査法所定の教示をしなかった場合、当該処分について不服がある者は、当該処分庁に不服申立書を提出することができる。

**エ**：審査請求等の不服申立てにつき裁決、決定その他の処分をする権限を有する行政庁は、不服申立てをしようとする者又は不服申立てをした者の求めに応じ、不服申立書の記載に関する事項その他の不服申立てに必要な情報の提供に努めなければならない。

**オ**：審査請求等の不服申立てにつき裁決等をする権限を有する行政庁は、当該行政庁に不服申立てをした者の求めに応じ、当該行政庁がした裁決等の内容その他当該行政庁における不服申立ての処理状況について公表しなければならない。

1：ア、イ
2：ア、ウ
3：イ、オ
4：ウ、エ
5：エ、オ

直前復習

| チェック欄 | | |
|---|---|---|
| 1回目 | 2回目 | 3回目 |
| | | |



## 実践 問題 127 の解説

〈教示・情報提供・公表制度〉

**ア×** 処分を口頭でする場合は教示する義務がないので、本記述は妥当でない。行政庁は、不服申立てをすることができる処分をする場合には、処分の相手方に対し、①当該処分につき不服申立てができる旨、②不服申立てをすべき行政庁、③不服申立てができる期間を書面で教示しなければならない(行政不服審査法82条1項本文。以下は同法の条文)。ただし、処分を口頭でする場合は、そもそも教示する義務はない(同項但書)。

**イ×** 必ずしも常に教示を書面でしなければならないわけではないので、本記述は妥当でない。行政庁は、利害関係人から、当該処分が不服申立てをすることができる処分であるかどうか、ならびに当該処分が不服申立てをすることができるものである場合における不服申立てをすべき行政庁および不服申立てをすることができる期間につき教示を求められたときは、当該事項を教示しなければならない(82条2項)。この場合、教示を求めた者が書面による教示を求めたときは、当該教示は書面でする必要がある(同条3項)。したがって、教示を求めた者が書面による教示を求めなかったときは、口頭による教示で足りる。

**ウ○** 行政庁が82条の規定による教示(記述ア・イの解説参照)をしなかった場合には、当該処分について不服がある者は、当該処分庁に不服申立書を提出することができるので(83条1項)、本記述は妥当である。

**エ○** (審査請求、再調査の請求もしくは再審査請求または他の法令に基づく)不服申立てにつき裁決、決定その他の処分(裁決等)をする権限を有する行政庁は、不服申立てをしようとする者または不服申立てをした者の求めに応じ、不服申立書の記載に関する事項その他の不服申立てに必要な情報の提供に努めなければならない(84条)。したがって、本記述は妥当である。

**オ×** 不服申立てにつき裁決等をする権限を有する行政庁は、当該行政庁がした裁決等の内容その他当該行政庁における不服申立ての処理状況について公表するよう努めなければならない(85条)。このように、公表は法的義務ではなく、努力義務である。

以上より、妥当なものはウ、エであり、肢4が正解となる。

**正答 4**

# 行政不服申立て 教示

実践 問題 128 基本レベル

頻出度 地上★ 国家一般職★ 特別区★ 国税·財務·労基★ 国家総合職★★

**問 行政不服審査法における教示に関するア～エの記述のうち、妥当なもののみを全て挙げているのはどれか。（国家一般職2017）**

ア：行政不服審査法は、補則（第６章）において、教示についての規定を置いているが、この教示の規定は、同法の規定が適用される場合に限らず、他の法律に基づく不服申立てにも原則として適用される。

イ：審査請求をすることができる処分につき、処分庁が誤って審査請求をすべき行政庁でない行政庁を審査請求をすべき行政庁として教示した場合において、その教示された行政庁に書面で審査請求がされたときは、その審査請求がされたことのみをもって、初めから審査庁となるべき行政庁に審査請求がされたものとみなされる。

ウ：処分庁が誤って法定の期間よりも長い期間を審査請求期間として教示した場合において、その教示された期間内に審査請求がされたときは、当該審査請求は、法定の審査請求期間内にされたものとみなされる。

エ：建築基準法に基づく壁面線の指定は、特定の街区を対象として行ういわば対物的な処分であり、特定の個人又は団体を名宛人として行うものではないから、当該指定については、行政不服審査法の規定に基づく職権による教示を行う必要はないとするのが判例である。

1：イ
2：ウ
3：エ
4：ア、エ
5：イ、ウ

チェック欄

| 1回目 | 2回目 | 3回目 |
| --- | --- | --- |
|  |  |  |



## 実践 問題 128 の解説

〈教示〉

**ア○** 本記述は、行政不服審査法82条1項本文のとおりであり、妥当である。教示制度は、行政不服審査法に基づくものであるが、他の法令に基づく不服申立てについても適用される旨が定められている（同法82条1項本文）。これは、不服申立てという制度が一般的にあまり認知されていないため、国民が広く不服申立てを利用できるようにするためである。

**イ×** 本記述の場合において、教示された行政庁に書面で審査請求されたときは、審査請求を受けた当該行政庁は、速やかに、審査請求書を処分庁・審査庁となるべき行政庁に送付しなければならず、かつ、その旨を審査請求人に通知しなければならない（行政不服審査法22条1項）。そして、審査請求書が審査庁となるべき行政庁に送付された時点で、初めから審査庁となるべき行政庁に審査請求がされたとみなされることになる（同条5項）。教示された行政庁に審査請求書が送付された時点で審査請求がされたものとみなされるわけではないので、本記述は妥当でない。

**ウ×** 平成26年改正前行政不服審査法19条は、本記述のような場合に、当該審査請求は法定の審査請求期間内にされたものとみなすと規定していたが、改正により、旧19条は削除された。したがって、当該審査請求が、法定の期間内にされたものとみなされるわけではない。もっとも、改正後においては、現行法18条1項但書の「正当な理由」にあたるとして例外的に審査請求期間を猶予するという取扱いになった。

**エ○** 建築基準法46条1項に基づく壁面線の指定の取消しが問題となった事案において判例は、壁面線の指定は、特定の街区を対象として行ういわば対物的な処分であるとしたうえで、旧行政不服審査法57条1項（現82条1項）は、「処分の相手方」に対して教示をしなければならないとしているのであるから、特定の個人または団体を名あて人とするものでない対物的な処分については同条項の適用がなく、教示する必要はないとしている（最判昭61.6.19）。

以上より、妥当なものはア、エであり、肢4が正解となる。

**正答 4**

# 第1章 行政不服申立て

章末 CHECK

? Question

**Q1** 処分庁等に上級行政庁がない場合の審査請求は、原則として、当該処分庁等に対して行うことになる。

**Q2** 不作為については、不服申立てをすることはできない。

**Q3** 再調査の請求に対する判断は裁決であり、審査請求に対する判断は決定である。

**Q4** 不作為に対する不服申立ては、再調査の請求または審査請求いずれかを選択することができる。

**Q5** 行政不服審査法は、処分に対する不服申立ては、審査請求を原則としている。

**Q6** 不服申立制度は行政活動により不利益を被った者を救済するための制度であるから、処分に対する不服申立ては誰でもすることができる。

**Q7** 不作為に対する不服申立ては、不作為にかかる処分その他の行為を申請した者に限り提起することができる。

**Q8** 不服申立ては、処分のあったことを知った日から起算して３カ月以内、および処分があった日から起算して１年以内にするのが原則である。

**Q9** 不作為の不服申立ては、相当の期間経過後は、不作為の状態が続いている限り、いつでもなしうる。

**Q10** 行政不服申立てにおいては口頭審理主義および職権主義が採られている。

**Q11** 不服申立てがなされると、処分の執行は停止されるのが原則である。

**Q12** 執行停止のためには、必ず申立人の請求が必要である。

**Q13** 却下とは、本案に理由がないとして不服申立てを退ける裁決・決定のことをいう。

**Q14** 裁決・決定を口頭で行った場合、理由は請求がない限り示す必要はない。

**Q15** 不服申立てができない処分に関しては、その実益がないことから教示義務が生じることはない。

**Q16** 不服申立てできない処分につき、不服申立てができると誤った教示をした場合、不服申立てができることになる。

**Q17** 行政庁が教示を懈怠した場合、不服申立期間経過後であっても不服申立てを行うことができる。

**A1** ○ なお、処分庁等に上級行政庁がある場合は、原則として、最上級行政庁が審査庁となる。

**A2** × 事務処理の促進のため、不作為に対する不服申立てが認められている。

**A3** × 裁決と決定が逆である。

**A4** × 不作為に対する不服申立ては、審査請求しかない。

**A5** ○ 審査請求が原則であり、再調査の請求は例外の制度である。

**A6** × 不服申立制度を利用することができるのは、当事者能力および当事者適格を有する者に限られる。

**A7** ○ 行政庁による申請の握りつぶしを防ぐためにするものだからである。

**A8** × 処分への不服申立ては、原則として処分があったことを知った日の「翌日から」起算して3カ月以内、および処分があった日の「翌日から」起算して1年以内に提起しなければならない。

**A9** ○ 不作為の場合は、それが長期間に及べば及ぶほど、違法・不当の程度が高まるといえるから、不服申立期間の制限はない。

**A10** × 行政不服申立てにおいては書面審理主義および職権主義が採られている。

**A11** × 行政不服審査法は執行不停止を原則としている。

**A12** × 審査庁が処分庁の上級庁または処分庁の場合、任意的執行停止は、職権により行うこともできる。

**A13** × 却下とは、不服申立てが法定の要件を欠くため不適法である場合に、本案審理を拒否する裁決・決定をいう。

**A14** × 裁決・決定は書面で行わなければならず、かつ理由を示すことが求められる。

**A15** × 不服申立てをすることができる処分であるかどうかについて、利害関係人から教示を求められた場合には、教示義務が発生する。

**A16** × 不服申立てをすることができるようになるわけではなく、取消訴訟の出訴期間が猶予されるにすぎない。

**A17** × たとえ教示の懈怠があったとしても、不服申立期間経過後は救済されないので注意が必要である。

memo

# 第2章

# 行政事件訴訟

SECTION

# 第2章 行政事件訴訟

## 出題傾向の分析と対策

| 試験名 | 地上 | | | 国家一般職 | | | 特別区 | | | 国税・財務・労基 | | | 国家総合職 | | |
|---|---|---|---|---|---|---|---|---|---|---|---|---|---|---|---|
| 年度 | 16-18 | 19-21 | 22-24 | 16-18 | 19-21 | 22-24 | 16-18 | 19-21 | 22-24 | 16-18 | 19-21 | 22-24 | 16-18 | 19-21 | 22-24 |
| 出題数 / セクション | 6 | 4 | 8 | 4 | 4 | 5 | 2 | 3 | 2 | 8 | 6 | 6 | 10 | 10 | 11 |
| 行政事件訴訟の類型 | | | | | | | | | | ★ | | | | ★★ | |
| 処分性 | | | | | ★ | ★ | | | | ★ | ★ | | ★★ | ★ | ★★ |
| 原告適格 | ★ | | ★ | | | ★ | | | ★ | ★★ | ★ | ★ | ★ | ★ | ★ |
| 訴えの利益 | ★ | | ★ | ★ | ★ | | | ★ | | ★ | ★★ | ★ | ★ | | ★★ |
| その他の取消訴訟の要件 | | | | | ★ | ★ | ★ | | | ★★ | | | ★ | | |
| 取消訴訟の手続 | ★ | ★ | ★★ | | | ★ | | ★★ | | | ★ | | ★★ | ★★ | |
| 訴訟の終了 | | | | | ★ | | | | | | | ★ | ★ | ★ | |
| その他の抗告訴訟 | ★★ | ★ | ★★★ | ★★ | | ★ | | | | ★ | | ★★ | ★ | ★★ | ★×4 |
| 行政事件訴訟総合 | ★ | ★★ | ★ | ★ | | | ★ | | ★ | | ★ | ★ | ★ | ★ | ★★ |

（注）１つの問題において複数の分野が出題されることがあるため、星の数の合計と出題数とが一致しないことがあります。

行政事件訴訟は行政救済法の中心分野であり、非常によく出題されています。必ず勉強するようにしてください。

**地方上級**

毎年出題されています。最近は特に無効等確認訴訟などの取消訴訟以外の抗告訴訟の内容についてよく問われていますので、この分野に関する過去問はしっかり解いて学習するようにしてください。

### 国家一般職

毎年出題されていますので、しっかりと勉強する必要があります。また、出題数も多く、行政事件訴訟全体について満遍なく問われています。しかも、判例の細かい知識を問う問題も出題されています。過去問を繰り返し解くことで、細かな知識まで身につけるようにしてください。

### 特別区

２年に１度くらいの頻度で出題されています。行政事件訴訟全体について満遍なく出題されています。問われている知識は基本的なものですので、過去問を解いて基本的な知識を身につけるようにしてください。

### 国税専門官・財務専門官・労働基準監督官

毎年出題されています。行政事件訴訟全体について満遍なく問うという問題がほとんどです。問われている知識は基本的なものですので、過去問を解いて基本的な知識を身につけるようにしてください。

### 国家総合職

毎年この分野から複数の問題が出題されていますので、しっかりと勉強する必要があります。出題数が多いことから、行政事件訴訟全体について満遍なく問われています。しかも判例の細かい知識を問う問題も出題されていますので、判例集で判例の内容をしっかり理解するようにしてください。

## Advice アドバイス 学習と対策

行政事件訴訟法の類型については、各訴訟類型の内容についてしっかり学習してください。

処分性、原告適格、訴えの利益については、多数の判例が存在しますので、各判例の事案と結論をしっかり押さえておくようにしてください。

取消訴訟以外の訴訟については、各訴訟類型の特徴を押さえておくようにしてください。

## 行政事件訴訟

# 行政事件訴訟の類型

## 必修問題 セクションテーマを代表する問題に挑戦！

**行政事件訴訟にはさまざまなものがありますので、それらの特徴を理解しましょう。**

**問 行政事件訴訟法に規定する行政事件訴訟に関する記述として、通説に照らして、妥当なのはどれか。（特別区2022）**

1：行政事件訴訟には抗告訴訟、機関訴訟、民衆訴訟及び当事者訴訟の４つの種類があり、抗告訴訟と機関訴訟は主観訴訟、民衆訴訟と当事者訴訟は客観訴訟に区別される。

2：行政事件訴訟法は、抗告訴訟について、処分の取消しの訴え、裁決の取消しの訴え、無効等確認の訴え、不作為の違法確認の訴え、義務付けの訴え、差止めの訴えの６つの類型を定めており、無名抗告訴訟を許容する余地はない。

3：義務付けの訴えとは、行政庁が法令に基づく申請に対し、相当の期間内に何らかの処分又は裁決をすべきであるにかかわらず、これをしないことについての違法の確認を求める訴訟をいう。

4：民衆訴訟とは、国又は公共団体の機関の法規に適合しない行為の是正を求める訴訟で、選挙人たる資格その他自己の法律上の利益にかかわらない資格で提起するものであり、具体例として、地方自治法上の住民訴訟がある。

5：当事者訴訟のうち、当事者間の法律関係を確認し又は形成する処分又は裁決に関する訴訟で法令の規定によりその法律関係の当事者の一方を被告とするものを、実質的当事者訴訟という。

直前復習

## 必修問題の解説

チェック欄 1回目 2回目 3回目

〈行政事件訴訟の類型〉

**1 ×** 当事者訴訟は主観訴訟であり、機関訴訟は客観訴訟であるので、本肢は妥当でない。行政事件訴訟には、①抗告訴訟（行政事件訴訟法３条。以下、法令名がなければ同法の条文)、②当事者訴訟（４条)、③民衆訴訟（５条)、④機関訴訟（６条）の４種類があり（２条)、主観訴訟と客観訴訟に区別される。主観訴訟とは、個人の権利利益の保護を目的とする訴訟（＝法律上の争訟）であり、①②がこれにあたる。これに対し、客観訴訟とは、個人の権利利益とは無関係に、行政作用の適法性を確保し、もって客観的な法秩序の維持を目的とする訴訟であり、③④がこれにあたる。

**2 ×** 無名抗告訴訟が許容されることもありうるので、本肢は妥当でない。行政事件訴訟法は、３条１項で、抗告訴訟を「行政庁の公権力の行使に関する不服の訴訟」と包括的に定義したうえで、同条２項以下で、処分の取消しの訴え等の６つの類型を列挙している。また、同法には、抗告訴訟を法定されたものに限定する旨の定めもない。したがって、同法は、法定の訴訟類型（法定抗告訴訟）以外に、無名抗告訴訟（法定されていない抗告訴訟）を許容する趣旨と解されている。

**3 ×** 本肢は不作為の違法確認の訴えについての説明であるので、妥当でない。義務付けの訴えとは、行政庁が処分または裁決をすべき旨を命ずることを求める訴訟をいい（３条６項柱書)、行政庁に申請または審査請求をした者に認められる申請型義務付け訴訟（同項２号）と、それ以外の場合における非申請型（直接型）義務付け訴訟（同項１号）がある。

**4 ○** 本肢は民衆訴訟の意義を正確に述べており、妥当である。民衆訴訟（５条）は客観訴訟であるので、誰でも自由に訴えを提起できるのではなく、法律に定めがある場合において、法律に定められた者のみが提起することができる（42条)。例として、選挙に関する訴訟（公職選挙法203条・204条・207条・208条)、住民訴訟（地方自治法242条の２）がある。

**5 ×** 本肢は形式的当事者訴訟（４条前段）についての説明であるので、妥当でない。実質的当事者訴訟とは、公法上の法律関係に関する確認の訴えその他の公法上の法律関係に関する訴訟をいう（４条後段)。

**正答 4**

行政事件訴訟

# 行政事件訴訟の類型

## 1 行政事件訴訟とは

行政事件訴訟とは、行政庁による違法な公権力の行使によって私人に被害が生じた場合に、私人の側から裁判所に訴えを提起し、行政庁の違法な公権力の行使にかかわる作為または不作為を排除して権利の回復を求める訴訟手続をいいます。

行政事件訴訟は、裁判所による救済である点、処分の適法違法のみが審理される点などにおいて、行政不服審査と異なります。

## 2 訴訟類型

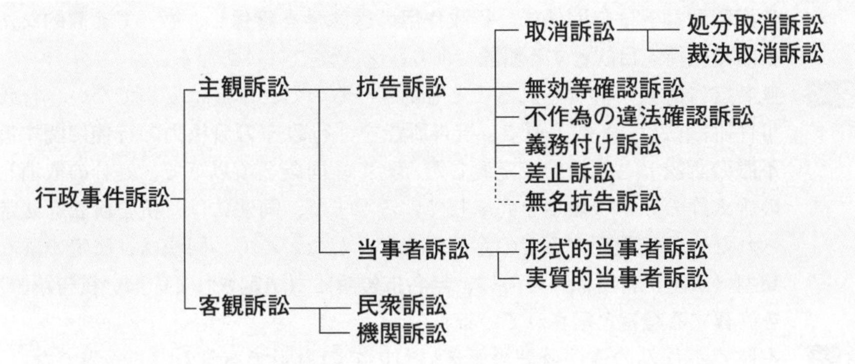


※以下の条文は、特に断りのない限り、行政事件訴訟法の条文です。

### (1) 主観訴訟

主観訴訟とは、国民の権利利益の保護を目的とする訴訟をいい、抗告訴訟と当事者訴訟がこれにあたります。

#### ① 抗告訴訟

行政庁の公権力の行使に関する不服の訴訟です（3条1項）。

#### (ア) 取消訴訟

行政庁の処分などの取消しを求める訴訟です。処分取消訴訟、裁決取消訴訟があります。前者は、行政庁の処分その他公権力の行使にあたる行為の取消しを求める訴えをいい（3条2項）、後者は、行政不服申立てに対する行政庁の裁決、決定その他の行為の取消しを求める訴えをいいます（同条3項）。

#### (イ) 無効等確認訴訟

行政庁の処分、裁決の存否または効力の有無の確認を求める訴訟です（3条4項）。

⑽ 不作為の違法確認訴訟

行政庁が法令に基づく申請に対し、相当の期間内に何らかの処分または裁決をすべきであるにもかかわらずこれをしないことについての違法の確認を求める訴訟です（3条5項）。

⑷ 義務付け訴訟

行政庁が一定の処分または裁決をすべきであるにかかわらず、それがされない場合において、行政庁がその処分または裁決をすべき旨を命ずることを求める訴訟のことです（3条6項）。

⑶ 差止訴訟

行政庁が一定の処分または裁決をすべきでないにもかかわらずこれがされようとしている場合に、行政庁がその処分または裁決をしてはならない旨を命ずることを求める訴訟です（3条7項）。

② 当事者訴訟

行政主体と私人が、対等当事者として公法上の法律関係を主張して相争う訴訟です（4条）。

⑺ 形式的当事者訴訟

当事者間の法律関係を確認し、または形成する処分または裁決に関する訴訟で、法令の規定によりその法律関係の当事者の一方を被告とするものです（4条前段）。

実質的には行政庁の処分などの効力が争点ですが、紛争の抜本的解決には対等当事者間の訴訟で争わせるのがよいことから、法令で、対等当事者間で争うべきと規定されているものです。

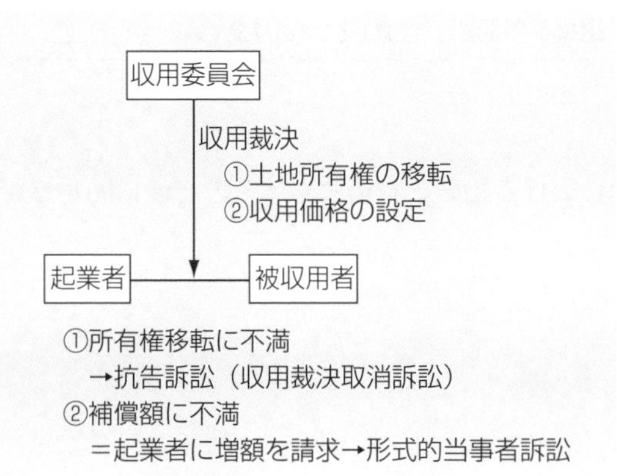

#### (イ) 実質的当事者訴訟

公法上の法律関係に関する訴訟をいいます（4条後段）。

**具体例**

実質的当事者訴訟の例として、公務員の地位確認訴訟、損失補償請求訴訟があります。

### (2) 客観訴訟

客観訴訟とは、個人の権利利益とは別に、行政活動の適法性の確保および客観的な法秩序の維持を目的とする訴訟をいい、民衆訴訟、機関訴訟がこれにあたります。政策的観点から法律により訴訟提起が認められているにすぎないため、法律の定める場合に、法律で定める者だけが、提起することができます（42条）。

#### ① 民衆訴訟

国または公共団体の機関の法規に適合しない行為の是正を求める訴訟で、選挙人たる資格その他自己の法律上の利益にかかわらない資格で提起する訴訟です（5条）。

**具体例**

民衆訴訟の典型例として、住民訴訟、選挙無効訴訟、当選訴訟があります。

#### ② 機関訴訟

国または公共団体の機関相互間における権限の存否またはその行使に関する紛争についての訴訟です（6条）。

memo

行政事件訴訟

# 行政事件訴訟の類型

## 実践 問題 129 基本レベル

| 頻出度 | 地上★ 国家一般職★ 特別区★ 国税・財務・労基★ 国家総合職★★ |
|---|---|

**問 行政事件訴訟に関するア〜オの記述のうち、妥当なもののみを全て挙げているのはどれか。** （財務2022）

ア：行政事件訴訟法は、抗告訴訟の類型として、処分の取消しの訴え、裁決の取消しの訴え、無効等確認の訴え、不作為の違法確認の訴え、義務付けの訴え、差止めの訴えの６類型を列挙しているが、同法には、抗告訴訟を法定されたものに限定する旨の定めがあり、これらの訴訟類型以外の無名抗告訴訟を許容しない趣旨と解されている。

イ：処分の取消しの訴えにおいては、自由選択主義がとられており、不服申立てを経ることなく、あるいは不服申立てと並行して訴訟を提起することができる。また、差止めの訴えにおいても、処分の取消しの訴えと同様の規定が準用され、自由選択主義がとられている。

ウ：処分の取消しの訴えとその処分についての審査請求を棄却した裁決の取消しの訴えとを提起することができる場合には、裁決の取消しの訴えにおいて、処分の違法を理由として取消しを求めることができる。

エ：義務付けの訴えは申請型と非申請型の二つに分類される。このうち、申請型の義務付けの訴えは、一定の抗告訴訟を併合提起することが要件となっており、例えば、法令に基づく申請又は審査請求を却下し又は棄却する旨の処分がされた場合にする義務付けの訴えは、当該処分の取消しの訴え又は無効等確認の訴えを併合提起しなければならない。

オ：当事者訴訟は形式的当事者訴訟と実質的当事者訴訟の二つに分類される。このうち、形式的当事者訴訟とは、当事者間の法律関係を確認し又は形成する処分又は裁決に関する訴訟で、法令の規定によりその法律関係の当事者の一方を被告とするものをいう。

1：ア、ウ
2：イ、エ
3：イ、オ
4：ウ、エ
5：エ、オ

直前復習

チェック欄

| 1回目 | 2回目 | 3回目 |
| --- | --- | --- |
| | | |

## 実践 問題 129 の解説

〈行政事件訴訟の類型〉

**ア×** 行政事件訴訟法（以下、法令名がなければ同法の条文）には抗告訴訟を法定されたものに限定する旨の定めはなく、また、無名抗告訴訟を許容する余地があるので、本記述は妥当でない。本記述の前半のとおり、抗告訴訟には6類型が法定されているが、抗告訴訟をこれらの訴訟類型に限定する旨の規定はない。また、3条1項は、抗告訴訟を「行政庁の公権力の行使に関する不服の訴訟」と定義しており、この規定は6類型以外の無名抗告訴訟を許容する趣旨であると解されている。

**イ×** 処分の取消しの訴えにおいては自由選択主義（8条1項本文）が採られているので、本記述前半は妥当である。他方、差止めの訴えには自由選択主義の規定は準用されていない（38条1項参照）。したがって、本記述後半が妥当でない。審査請求は、すでになされた処分または申請後の不作為を対象とするところ（行政不服審査法2条・3条）、差止めの訴えは処分がなされる前を問題とするため、審査請求と差止めの訴えの要件が同時に満たされることはなく、そもそも問題とならないのである。

**ウ×** 裁決の取消しの訴えにおいては、裁決固有の違法事由を主張することができるにすぎない（原処分主義、10条2項）。したがって、本記述は妥当でない。すなわち、原処分の違法を理由として取消しを求めたいのであれば、処分の取消しの訴えを提起する必要がある。

**エ○** 本記述は行政事件訴訟法の規定のとおりであり、妥当である。義務付けの訴えは、申請型義務付け訴訟（3条6項2号）と非申請型義務付け訴訟（同項1号）に分類される。申請型義務付け訴訟を提起する場合には、①不作為の違法確認訴訟か、②取消訴訟または無効等確認訴訟を併合提起する必要がある（37条の3第1項1号、同条3項各号）。

**オ○** 本記述は行政事件訴訟法の規定のとおりであり、妥当である。当事者訴訟（4条）は形式的当事者訴訟と実質的当事者訴訟の2つに分類される。このうち、形式的当事者訴訟とは、「当事者間の法律関係を確認し又は形成する処分又は裁決に関する訴訟で法令の規定によりその法律関係の当事者の一方を被告とするもの」（4条前段）をいう。

以上より、妥当なものはエ、オであり、肢5が正解となる。

**正答 5**

行政事件訴訟

# 行政事件訴訟の類型

## 実践 問題 130 基本レベル

| 頻出度 | 地上★ | 国家一般職★ | 特別区★ |
|---|---|---|---|
| | 国税･財務･労基★ | 国家総合職★★ | |

**問** 行政事件訴訟法の定める行政事件訴訟に関するア～オの記述のうち、妥当なもののみを全て挙げているのはどれか。 (国家総合職2012)

ア：処分の取消しの訴えのほか、民衆訴訟又は機関訴訟で、処分の取消しを求めるものについても、当該処分の取消しを求めるにつき法律上の利益を有する者（処分の効果が期間の経過その他の理由によりなくなった後においてもなお処分の取消しによって回復すべき法律上の利益を有する者を含む。）に限り、提起することができる。

イ：無効等確認の訴えは、当該処分又は裁決の無効等の確認を求めるにつき法律上の利益を有する者であっても、当該処分若しくは裁決の存否又はその効力の有無を前提とする現在の法律関係に関する訴えによって目的を達することができる者は、提起することができず、例えば、原子炉の周辺住民が、当該原子炉の設置者に対し、人格権等に基づきその建設ないし運転の差止めを求める民事訴訟を提起している場合には、当該原子炉の設置許可処分の無効確認の訴えを提起することはできないとするのが判例である。

ウ：行政事件訴訟法第３条第６項第１号に掲げる場合において、義務付けの訴えを提起するときは、これに併合して、当該処分に係る不作為の違法確認の訴え又は取消訴訟若しくは無効等確認の訴えを提起しなければならない。

エ：不作為の違法確認の訴えは、処分又は裁決についての申請をした者が提起することができ、当該申請が手続上適法であることは必要でなく、また、不作為が違法となる「相当の期間」の経過は、行政手続法第６条に基づき行政庁が定める標準処理期間の経過と必ずしも一致するものではない。

オ：当事者間の法律関係を確認し又は形成する処分又は裁決に関する訴訟で法令の規定によりその法律関係の当事者の一方を被告とするものを提起することができる処分又は裁決をする場合、行政庁は、当該処分を口頭でする場合を除き、当該処分又は裁決の相手方に対し、当該訴訟の被告とすべき者及び当該訴訟の出訴期間を書面で教示しなければならない。

1：ア、ウ
2：ア、エ
3：イ、ウ
4：イ、オ
5：エ、オ

チェック欄

| 1回目 | 2回目 | 3回目 |
| --- | --- | --- |
| | | |

## 実践 問題 130 の解説



〈行政事件訴訟の類型〉

**ア ×** 民衆訴訟および機関訴訟は、法律に定める場合において、法律に定める者に限り、提起することができる（行政事件訴訟法42条）。民衆訴訟および機関訴訟の場合には、法律上の利益を有する者であることは、訴訟要件となっていない。

**イ ×** 無効等確認の訴えが認められるのは、実質的当事者訴訟や民事訴訟など、現在の法律関係に関する訴訟では救済されない場合に限定される（行政事件訴訟法36条）。しかし、判例は、この要件を若干緩やかに判断し、「現在の法律関係」が存在する場合でも、無効等確認訴訟のほうが他の争訟形態よりも直截的かつ適切であるときには、無効等確認訴訟の提起が認められるとして、原子炉の設置許可処分の無効確認の訴えを提起することができるとしている（もんじゅ事件、最判平4.9.22）。

**ウ ×** 直接型義務付け訴訟（行政事件訴訟法３条６項１号）においては、いわゆる申請満足型義務付け訴訟（同条項２号）の場合と異なり、併合提起要件は設けられていない（同法37条の３第３項参照）。

**エ ○** 不作為の違法確認の訴えは、処分または裁決についての申請をした者に限り、提起することができる（行政事件訴訟法37条）が、当該申請は手続上適法である必要はない。また、同法３条５項の「相当の期間」を経過したかどうかは、処分を行うのに通常必要とする期間を基準として判断するので、手続法上の「標準処理期間」（行政手続法６条）を経過したことが、直ちに「相当の期間」を経過したことにはならない。

**オ ○** 当事者間の法律関係を確認しまたは形成する処分または裁決に関する訴訟で法令の規定によりその法律関係の当事者の一方を被告とするものを提起することができる処分または裁決をする場合、行政庁は、当該処分または裁決の相手方に対し、当該訴訟の被告とすべき者および当該訴訟の出訴期間を書面で教示しなければならない（行政事件訴訟法46条３項本文）。そして、この教示は、処分が口頭でされる場合を除き、書面で教示しなければならない（同条項但書）。

以上より、妥当なものはエ、オであり、肢５が正解となる。

**正答 5**

# 行政事件訴訟
# 行政事件訴訟の類型

## 実践 問題 131 基本レベル

頻出度 地上★ 国家一般職★ 特別区★ 国税·財務·労基★ 国家総合職★

問 行政事件訴訟法の定める行政事件訴訟に関するア～オの記述のうち、妥当なもののみを全て挙げているのはどれか。 (財務2018)

ア：機関訴訟は、国又は公共団体の機関相互間における権限の存否又はその行使に関する紛争についての訴訟であり、地方公共団体の長と議会が議会の議決に瑕疵があるかを争う訴訟はこれに当たる。

イ：不作為の違法確認訴訟は、処分又は裁決についての申請をした者に限らず、行政庁が当該処分又は裁決をすることにつき法律上の利益を有する者であれば、提起することができる。

ウ：差止訴訟は、行政庁に対し一定の処分又は裁決をしてはならない旨を命ずることを求める訴訟であり、一定の処分又は裁決がされることにより重大な損害を生ずるおそれがある場合には、その損害を避けるため他に適当な方法があるときであっても、提起することができる。

エ：民衆訴訟は、国又は公共団体の機関の法規に適合しない行為の是正を求める訴訟で、選挙人たる資格その他自己の法律上の利益に関わらない資格で提起するものであり、住民訴訟や選挙の効力に関する訴訟はこれに当たる。

オ：当事者訴訟には、実質的当事者訴訟と呼ばれる、公法上の法律関係に関する確認の訴えその他の公法上の法律関係に関する訴訟と、形式的当事者訴訟と呼ばれる、当事者間の法律関係を確認し又は形成する処分又は裁決に関する訴訟で法令の規定によりその法律関係の当事者の一方を被告とするものがある。

1：ア、イ、エ
2：ア、ウ、オ
3：ア、エ、オ
4：イ、ウ、エ
5：イ、ウ、オ

チェック欄

| 1回目 | 2回目 | 3回目 |
| --- | --- | --- |
| | | |

## 実践 問題 131 の解説

〈行政事件訴訟の類型〉



**ア○** 機関訴訟とは、国または公共団体の機関相互間における権限の存否またはその行使に関する紛争についての訴訟をいう（行政事件訴訟法６条）。機関訴訟は、民衆訴訟（解説エ参照）とともに、客観訴訟とよばれる。機関訴訟の具体例として、地方公共団体の議会と長との間における権限の行使に関する訴訟（地方自治法176条７項）などがある。

**イ×** 不作為の違法確認訴訟の原告は申請した者に限られるので、本記述は妥当でない。不作為の違法確認訴訟とは、行政庁が、法令に基づく申請に対し、相当の期間内に何らかの処分または裁決をすべきであるにもかかわらず、これをしないことについての違法の確認を求める訴訟をいう（行政事件訴訟法３条５項）。そして、不作為の違法確認訴訟は、処分または裁決についての申請を行った者に限り、提起することができる（同法37条）。

**ウ×** 差止訴訟を適法に提起するには補充性の要件を充たす必要があるので、本記述は妥当でない。すなわち、差止訴訟を適法に提起するためには、①重大な損害を生ずるおそれ（行政事件訴訟法37条の４第１項本文）、②法律上の利益を有すること（同条３項）だけでなく、③損害を避けるため他に適当な方法がないこと（補充性、同条１項但書）も充たす必要がある。

**エ○** 本記述は、民衆訴訟を定めた行政事件訴訟法５条のとおりであり、妥当である。民衆訴訟も、機関訴訟（解説ア参照）とともに客観訴訟に分類される。民衆訴訟の具体例として、住民訴訟（地方自治法242条の２）や、選挙の効力などを争う選挙に関する訴訟（公職選挙法204条、208条等）が挙げられる。

**オ○** 本記述は、当事者訴訟を定めた行政事件訴訟法４条のとおりであり、妥当である。当事者訴訟には、当事者間の法律関係を確認しまたは形成する処分または裁決に関する訴訟で法令の規定によりその法律関係の当事者の一方を被告とする形式的当事者訴訟（同条前段）と、公法上の法律関係に関する確認の訴えその他の公法上の法律関係に関する実質的当事者訴訟（同条後段）がある。

以上より、妥当なものはア、エ、オであり、肢３が正解となる。

**正答 3**

行政事件訴訟

# 行政事件訴訟の類型

## 実践 問題 132 応用レベル

頻出度 地上★ 国家一般職★ 特別区★ 国税·財務·労基★ 国家総合職★

**問 次の文章中の〔　〕内に、<語群>A～Uの中から適切な語句を当てはめて文章を完成させた場合、〔　〕のうちの①～⑤に当てはまる語句の組合せとして妥当なのはどれか。ただし、①には全て同じ語句が入り、語群の中には使用しない語句もある。 (国税・財務2012)**

行政事件訴訟法では、行政事件訴訟の類型について〔　〕訴訟、〔　〕訴訟、〔　〕訴訟及び〔　〕訴訟の四つの類型を挙げている。これらの訴訟類型について、個人の具体的な権利利益の保護を目的とする訴訟か、適法な行政作用を担保することによって一般公共の利益を保護することを目的とする訴訟かに分類すると、前者に〔　〕訴訟及び〔　〕訴訟を、後者に〔①〕訴訟及び〔　〕訴訟を分類することができる。

各訴訟類型について見ると、〔　〕訴訟とは、行政庁の公権力の行使に関する不服の訴訟をいう。この訴訟の中にも様々な類型があり、典型的な類型については行政事件訴訟法上列挙されている。その中で、例えば、処分の存否の確認を求める訴訟は〔②〕の訴えに分類され、行政庁が一定の処分をすべきであるにかかわらずこれがされないときに行政庁がその処分をすべき旨を命ずることを求める訴訟は〔③〕の訴えに分類される。

〔　〕訴訟については、行政事件訴訟法は二つの類型を定めており、「公法上の法律関係に関する訴訟」と「当事者間の法律関係を確認し又は形成する処分又は裁決に関する訴訟で法令の規定によりその法律関係の当事者の一方を被告とするもの」がある。そして、後者の具体例としては、〔④〕が挙げられる。

〔①〕訴訟及び〔　〕訴訟は、裁判所法第3条にいう「法律上の争訟」には該当せず、法律に特別の定めがあるときのみ提起することができる。これらのうち、「国又は公共団体の機関の法規に適合しない行為の是正を求める訴訟で、選挙人たる資格その他自己の法律上の利益にかかわらない資格で提起するもの」は〔①〕訴訟であり、具体例としては、〔⑤〕が挙げられる。

<語群>

A　主観　B　客観　C　形式的　D　実質的　E　形成
F　当事者　G　給付　H　機関　I　差止め　J　抗告

K　民衆　　L　裁決の取消し　　M　処分の取消し　　N　確認
O　無効等確認　　P　不作為の違法確認　　Q　義務付け
R　土地収用法に基づく収用委員会の裁決のうち損失の補償に関する訴訟
S　地方自治法に基づく住民訴訟
T　国家賠償法第１条に基づく国家賠償請求訴訟
U　地方自治法に基づく地方公共団体の長と機関との間の訴訟

1：①—K　②—P　④—R
2：①—F　③—P　④—U
3：①—K　③—Q　⑤—S
4：②—O　③—Q　⑤—U
5：②—N　④—S　⑤—T

第2章 SECTION 1 行政事件訴訟

# 行政事件訴訟の類型

| チェック欄 | | |
|---|---|---|
| 1回目 | 2回目 | 3回目 |
| | | |

## 実践 問題 132 の解説

〈行政事件訴訟の類型〉

**第1段落について**

行政事件訴訟法では、行政事件訴訟の類型について、抗告訴訟（行政事件訴訟法2章)、当事者訴訟（同法3章)、民衆訴訟および機関訴訟（同法4章）を挙げている。したがって、最初の4つの空欄には、抗告、当事者、民衆、機関が入る。

これらの訴訟類型について分類すると、主観訴訟とは、個人の具体的な権利利益の保護を目的とするものであり、抗告訴訟・当事者訴訟が該当する。他方、客観訴訟とは、適法な行政作用を担保することによって一般公共の利益を保護することを目的とするものであり、民衆訴訟・機関訴訟が該当する。したがって、次の4つの空欄のうち、はじめの2つの空欄には、抗告、当事者が入り、あとの2つの空欄には、民衆、機関が入る（なお、この段階では、①に民衆、機関のいずれが入るかは特定できない)。

**第2段落について**

抗告訴訟とは、行政庁の公権力の行使に関する不服の訴訟をいう（行政事件訴訟法3条1項)。具体的には、行政事件訴訟法は、抗告訴訟について、処分取消しの訴え、裁決取消しの訴え、無効等確認の訴え、不作為の違法確認の訴え、義務付けの訴え、差止めの訴えの6類型を定める(同法3条2項～7項)。これらの中で、処分の存否の確認を求める訴えは無効等確認の訴えに分類され、行政庁が一定の処分をすべきであるにかかわらずこれがされないときに行政庁がその処分をすべき旨を命ずることを求める訴訟は義務付けの訴えに分類される。

したがって、第2段落のはじめの空欄に、抗告が入り、②の空欄にはO無効等確認が、③の空欄にはQ義務付けが入る。

**第3段落について**

行政事件訴訟法上、「公法上の法律関係に関する訴訟」と「当事者間の法律関係を確認し又は形成する処分又は裁決に関する訴訟で法令によりその法律関係の当事者の一方を被告とするもの」の2つの類型を定めるのは、当事者訴訟である（行政事件訴訟法4条)。したがって、第3段落のはじめの空欄には、当事者が入る。

ここで、行政事件訴訟法4条前段の「当事者間の法律関係を確認し又は形成する処分又は裁決に関する訴訟で法令によりその法律関係の当事者の一方を被告とするもの」は、形式的当事者訴訟といわれる。形式的当事者訴訟は、処分・裁決の効力を争うという点で抗告訴訟として実質を有するにもかかわらず、法令の規定により当事者訴訟の形式をとるものである。その具体例としては、土地収用法に基づく収用委員会の裁決のうち損失の補償に関する訴訟（土地収用法133条３項）が挙げられる。したがって、④の空欄には、Ｒ土地収用法に基づく収用委員会の裁決のうち損失の補償に関する訴訟が入る。

**第４段落について**

行政事件訴訟の類型において、裁判所法３条にいう「法律上の争訟」に該当しないのは、客観訴訟であり、はじめの２つの空欄には民衆、機関のいずれかが入る。「国又は公共団体の機関の法規に適合しない行為の是正を求める訴訟で、選挙人たる資格その他自己の法律上の利益にかかわらない資格で提起するもの」は民衆訴訟であり、①の空欄にはＫ民衆が入る。

民衆訴訟の具体例としては、地方自治法に基づく住民訴訟が挙げられる。したがって、⑤の空欄には、Ｓ地方自治法に基づく住民訴訟が入る。

以上より、①－Ｋ、②－Ｏ、③－Ｑ、④－Ｒ、⑤－Ｓが入り、肢３が正解となる。



**正答 3**

# 処分性

## 必修問題 セクションテーマを代表する問題に挑戦！

**行政活動の中でも取消訴訟の対象となるものとならないものとがありますので、理解しましょう。**

**問 処分性に関するア～オの記述のうち、判例に照らし、妥当なもののみを全て挙げているのはどれか。 (財務2014)**

---

ア：国有普通財産の払下げは、売渡申請書の提出及びこれに対する払下許可の形式が採られており、国が優越的地位に立って私人との間の法律関係を定めるものであるから、抗告訴訟の対象となる行政処分に当たる。

イ：供託関係が民法上の寄託契約の性質を有することに鑑みると、供託事務を取り扱う行政機関である供託官のする行為は、専ら私法上の法律行為と解するのが相当であるから、供託官が弁済供託における供託金取戻請求を理由がないと認めて却下した行為は、抗告訴訟の対象となる行政処分に当たらない。

ウ：普通地方公共団体が営む水道事業に係る条例所定の水道料金を改定する条例の制定行為は、同条例が当該水道料金を一般的に改定するものであって、限られた特定の者に対してのみ適用されるものでなくとも、水道需要者は、同条例の施行によって、個別的行政処分を経ることなく、同条例に従って値上げされた水道料金の支払義務を負うことになるから、抗告訴訟の対象となる行政処分に当たる。

エ：労働基準監督署長が行う労災就学援護費の支給又は不支給の決定は、労働者災害補償保険法を根拠とする優越的地位に基づいて一方的に行う公権力の行使であり、被災労働者又はその遺族の労災就学援護費の支給請求権に直接影響を及ぼす法的効果を有するものであるから、抗告訴訟の対象となる行政処分に当たる。

オ：全国新幹線鉄道整備法の規定に基づく運輸大臣（当時）の日本鉄道建設公団（当時）に対する新幹線工事実施計画の認可は、上級行政機関の下級行政機関に対する監督手段としての承認の性質を有するもので、行政機関相互の行為と同視すべきものであり、行政行為として外部に対する効力を有するものではなく、また、これによって直接国民の権利義務を形成し、又はその範囲を確定する効果を伴うものではないから、抗告訴訟の対象となる行政処分に当たらない。

1：ア、イ　　2：ア、エ　　3：イ、ウ　　4：イ、オ　　5：エ、オ

直前復習

頻出度 地上★ 国家一般職★★ 特別区★ 国税·財務·労基★★ 国家総合職★★★

## 必修問題の解説

チェック欄 1回目 2回目 3回目

〈処分性〉

**ア ×** 国有普通財産の払下げが抗告訴訟の対象となる行政処分にあたるとする本記述は妥当でない。本記述と同様の事案につき、判例は、国有財産法の普通財産の払下げは私法上の売買と解すべきであり、この払下げが、売渡申請書の提出、これに対する払下許可という行政手続の形式をとっているからといって、行政庁が優越的地位に基づいて行う公権力の行使とみることはできず、払下行為の法律上の性質に影響を及ぼすものではないので、処分性は認められないとしている（最判昭35.7.12）。

**イ ×** 判例は、供託官が却下した行為に処分性を認めているので、本記述は妥当でない。すなわち、判例は、供託官の処分に対する審査請求の規定（供託法１条ノ４）が置かれていることなどを考慮し、供託法は弁済供託における供託金取戻請求に対する供託官の却下を抗告訴訟の対象となる行政処分としている（最大判昭45.7.15）。

**ウ ×** 本記述と同様の事案につき、判例は、地方公共団体が営む水道事業の水道料金を改定する条例は、限られた特定の者に対してのみ適用されるものではなく、そのような条例の制定行為は、行政庁が法の執行として行う処分と実質的に同視できないから、抗告訴訟の対象となる行政処分にはあたらないとしている（最判平18.7.14）。

**エ ○** 労働基準監督署長が行う労災就学援護費の支給または不支給の決定は、抗告訴訟の対象となる行政処分にあたるとする本記述は妥当である。判例は、労働基準監督署長が行う労災就学援護費の支給決定が、被災労働者またはその遺族に与えられた労災就学援護費の支給を受けることができるという抽象的な地位を具体化する行為であることを考慮して、本記述のように処分性を肯定している（中央労働基準監督署長事件、最判平15.9.4）。

**オ ○** 処分性を有するためには、行政庁の行為が国民に対するものでなければならない（外部性）。本記述はこの外部性を問題とするものであるが、判例は本記述のとおりに述べ、当該認可を行政機関相互の行為と同視すべきもの（内部的行為）と捉えて、その処分性を否定している（成田新幹線事件、最判昭53.12.8）。

以上より、妥当なものはエ、オであり、肢５が正解となる。

**正答 5**

行政事件訴訟

# 処分性

## 1 訴訟要件

適法に訴訟を提起するための要件を訴訟要件といい、訴訟要件を欠く訴えは、不適法な訴えとして却下されます。

訴訟要件としては、①処分性、②原告適格、③訴えの利益、④被告適格、⑤出訴期間、⑥管轄、例外的に⑦審査請求前置があります。

## 2 処分性

取消訴訟の対象となる「処分」とは、公権力の主体たる国または公共団体が行う行為のうち、その行為により直接国民の権利義務を形成し、またはその範囲を確定することが法律上認められているものをいいます（最判昭39.10.29）。行政作用法上の行政行為とほぼ同義です。

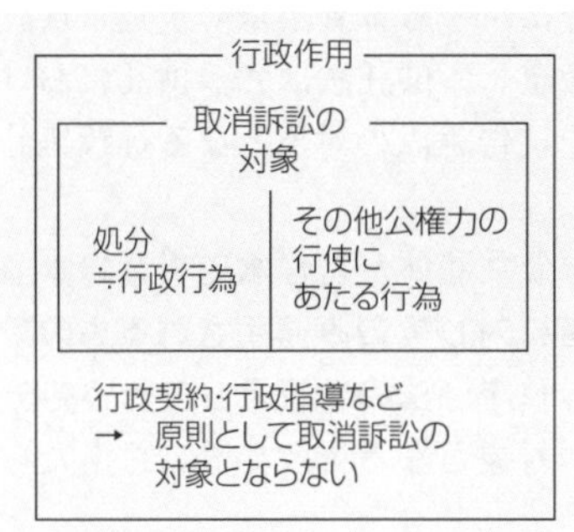


### (1) 内部行為

行政組織内部の行為は、国民の権利義務とは直接かかわらないので、処分性は認められません。

**判例**

《墓地埋葬通達事件》最判昭43.12.24

【事案】寺院に異教徒の埋葬の受忍を義務付ける内容の通達が出されたことから、墓地を経営する寺院が当該通達の取消しを求めて出訴した事案

【判旨】通達はあくまでも行政組織内部の命令にすぎないから、一般国民はこれに拘束されるものではなく、これは、通達の内容が国民の権利義務に重大な関係を持つ場合においても同様である。（したがって、通達に処分性は認められない。）

### (2) 行政計画

行政計画の処分性については、判例は個々の計画の性格を個別具体的に検討して結論を出しています。

判例 《土地区画整理事業計画の処分性》最大判平20.9.10
【事案】鉄道駅周辺における土地区画整理事業の事業計画の決定につき、同計画の施行地区内の土地所有者が、その決定の違法を主張して取消訴訟を提起した事案
【判旨】市町村の施行にかかる土地区画整理事業計画の決定は、施行区域内の宅地所有者等の法的地位に変動をもたらすものであり、抗告訴訟の対象とするに足りる法的効果を有するといえ、実効的な権利救済を図るという観点からみても、これを対象とした抗告訴訟の提起を認めるのが合理的である。（したがって、土地区画整理事業計画の決定には、処分性が認められる。）

判例 《阿倍野再開発事業判決》最判平4.11.26
【事案】大阪市は、都市再開発法に基づき、市内阿倍野区において、第二種市街地再開発事業を行うこととした。同事業計画の決定・公告後、同地区内に土地建物を有する原告らが事業計画の取消訴訟を提起した事案
【判旨】第二種市街地再開発事業計画の決定は、その公告の日から土地収用法上の事業認定と同一の法律効果を生ずるものであるから、施行地区内の土地の所有者等の法的地位に直接的な影響を及ぼすものといえ、処分にあたる。

### (3) 行政契約

行政契約は、双方当事者の合意に基づいて法的効果が生ずる非権力的行為であり、処分性は認められないとされます。

### (4) 行政指導

行政指導は非権力的・事実的行為であり、国民を法的に拘束する行為ではなく、任意の協力要請にすぎないため、処分性は認められないのが原則です。

判例 《病院開設中止勧告の処分性》最判平17.7.15
【事案】病院開設中止勧告に従わずに病院を開設した者に対して保険医療機関の指定を拒否する取扱いがなされる制度のもとで、病院開設中止勧告の処分性の有無が争われた事案
【判旨】医療法30条の7（現30条の11）の規定に基づく病院開設中止勧告は、医療法上は行政指導として定められているけれども、当該勧告を受けた者に対し、これに従わない場合には、相当程度の確実さをもって、病院を開設しても保険医療機関の指定を受けることができなくなるという結果をもたらすものであり、また、当該指定を受けることができない場合には、実際上病院の開設自体を断念せざるをえないことになる。したがって、本件勧告は「行政庁の処分その他公権力の行使」にあたる。

# 処分性

## (5) 通知行為

**判例** 《税関長の通知の処分性》最判昭54.12.25
【事案】輸入業者である原告が女性ヌード写真集の輸入申告をしたところ、税関長から輸入禁制品に該当する旨の通知を受けたことから、原告が当該通知の取消しを求めて出訴した事案
【判旨】輸入禁制品に該当する旨の税関長の通知は観念の通知ではあるが、法律に基づいて行われる作用であり、当該通知がなされると通知対象物を適法に輸入することができなくなるという法律上の効果を及ぼすものであるから、処分性が認められる。

## (6) 規範定立行為

行政立法を定立する行為や、条例制定行為などは、一般的に特定人の具体的権利義務に直接影響を及ぼすものではないから、処分性は認められないのが原則です。もっとも、判例は、一定の場合に限り、条例制定行為について条例の処分性を認めるとしています。

**判例** 《条例の処分性》最判平21.11.26
【事案】民営化政策の一環として、公立保育園を廃止する旨の条例を制定した行為が処分性を有するとして争われた事案
【判旨】条例の制定は立法作用に属するから、一般的には、処分性を有しない。しかし、本件条例は、本件各保育所の廃止のみを内容とし、他の行政処分を経ずにその施行により各保育所廃止の効果を発生させ、当該保育所に現に入所中の児童等の特定の者らに対して、直接、当該保育所において保育を受けうる法的地位を奪うものであるから、本件条例制定行為は、処分性を有する。

memo

# 第2章 SECTION 2 行政事件訴訟 処分性

## 実践 問題 133 基本レベル

| 頻出度 | 地上★ | 国家一般職★★ | 特別区★ |
| --- | --- | --- | --- |
| | 国税·財務·労基★★ | 国家総合職★★★ | |

**問 取消訴訟の訴訟要件である処分性に関する次の記述のうち、判例に照らし、妥当なのはどれか。** （国家一般職2012）

1：医療法に基づき都道府県知事が行う病院開設中止の勧告は、勧告を受けた者がこれに従わない場合に、相当程度の確実さをもって健康保険法上の保険医療機関指定を受けられないという結果をもたらすとしても、それは単なる事実上の可能性にすぎず、当該勧告自体は、法的拘束力を何ら持たない行政指導であるから、直接国民の権利義務を形成し又はその範囲を確定する行為とはいえず、処分性は認められない。

2：建築許可に際し、消防法に基づき消防長が知事に対してした消防長の同意は、行政機関相互間の行為であって、これにより対国民との直接の関係においてその権利義務を形成し又はその範囲を確定する行為とはいえず、処分性は認められない。

3：市町村の施行に係る土地区画整理事業の事業計画は、特定個人に向けられた具体的な処分ではなく、いわば土地区画整理事業の青写真たるにすぎない一般的・抽象的な単なる計画にとどまるものであり、当該事業計画の決定は、直接国民の権利義務を形成し又はその範囲を確定する行為とはいえず、処分性は認められない。

4：市の設置する特定の保育所を廃止する条例の制定行為は、普通地方公共団体の議会が行う立法作用に属するものであり、その施行により各保育所を廃止する効果を発生させ、当該保育所に現に入所中の児童及びその保護者に対し、当該保育所において保育の実施期間が満了するまで保育を受けることを期待し得る法的地位を奪う結果を生じさせるとしても、行政庁の処分と実質的に同視し得るものということはできず、処分性は認められない。

5：労働者災害補償保険法に基づく労災就学援護費の支給は、業務災害等に関する保険給付に含まれるものではなく、それを補完する労働福祉事業として給付が行われることとされているのであり、その給付を受けるべき地位は、保険給付請求権と一体をなす法的地位に当たるということはできないから、労働基準監督署長の行う労災就学援護費の支給又は不支給の決定は、直接国民の権利義務を形成し又はその範囲を確定する行為とはいえず、処分性は認められない。

直前復習

チェック欄

| 1回目 | 2回目 | 3回目 |
| --- | --- | --- |
| | | |

## 実践 問題 133 の解説



〈処分性〉

**1 ×** 行政指導は、一般的に処分性を有しないとされている。もっとも、判例は、「医療法および健康保険法の規定の内容やその運用の実情に照らすと、医療法30条の7（現30条の11）の規定に基づく病院開設中止勧告は行政指導として定められているけれども、当該勧告を受けた者が従わない場合には相当程度の確実さをもって、病院を開設しても保険医療機関の指定を受けることができなくなるという結果をもたらす。わが国は国民皆保険制度を採用しているところ、健康保険、国民健康保険等を利用しないで病院で受診する者はほとんどなく、保険医療機関の指定を受けずに診療行為を行う病院がほとんど存在しないことは公知の事実であるから、保険医療機関の指定を受けることができない場合には、実際上病院の開設自体を断念せざるをえない」とし、医療法に基づき都道府県知事が行う病院開設中止勧告の上記効果などを考慮して、行政事件訴訟法３条２項にいう「行政庁の処分その他公権力の行使に当たる行為」にあたるとした（最判平17.7.15）。

**2 ○** 消防法７条の規定に基づく消防長の同意について、判例は処分性を否定した（最判昭34.1.29）。その理由として、本件消防長の同意は、知事に対する行政機関相互間の行為であって、これにより対国民との直接の関係においてその権利義務を形成しまたはその範囲を確定する行為とは認められないことを挙げている。

**3 ×** 土地区画整理事業計画の決定について、かつて判例は、青写真にすぎないとの理由で処分性（行政事件訴訟法３条２項）を否定していた（最大判昭41.2.23）。しかし、最高裁は、上記判例を変更し、土地区画整理事業計画の決定について処分性（行政事件訴訟法３条２項）を肯定した（最大判平20.9.10）。その理由として、施行地区内の宅地所有者等は、事業計画の決定がされることによって、土地区画整理事業の手続に従って換地処分を受けるべき地位に立たされるものということができ、その意味で、その法的地位に直接的な影響が生ずるものというべきということを挙げている。

**4 ×** 条例の制定は、普通地方公共団体の議会が行う立法作用に属するから、一般的には、抗告訴訟の対象となる行政処分にあたるものでない。しかし、判例は、市の設置する特定の保育所を廃止する条例の制定行為について、処分性を肯定した（最判平21.11.26）。その理由として、上記条例は、他に行政庁の処分を待つことなく、その施行により各保育所廃止の効果を発生

させ、当該保育所に現に入所中の児童およびその保護者という限られた特定の者らに対して、直接、当該保育所において保育を受けることを期待しうる上記の法的地位を奪う結果を生じさせるものであるということを挙げている。

**5 ×** 労働災害補償保険法に基づく労災就学援護費の支給決定について、判例は、抗告訴訟の対象となる行政処分にあたるとした（中央労働基準監督署長事件、最判平15.9.4）。その理由として、被災労働者またはその遺族は、所定の支給要件を具備するときは所定額の労災就学援護費の支給を受けることができるという抽象的な地位を与えられているが、具体的に支給を受けるためには、労働基準監督署長に申請し、所定の支給要件を具備していることの確認を受けなければならず、労働者災害補償保険法23条（現29条）に基づく労働基準監督署長の支給決定によって初めて具体的な労災就学援護費の支給請求権を取得するものであるということを挙げている。

**正答 2**

memo

# 処分性

## 実践 問題 134 基本レベル

| 頻出度 | 地上★ | 国家一般職★★ | 特別区★ |
|---|---|---|---|
| | 国税・財務・労基★★ | 国家総合職★★★ | |

問 抗告訴訟の対象に関する次の記述のうち、判例に照らし、妥当なのはどれか。
（国税・財務・労基2017）

1：土地区画整理法に基づく土地区画整理組合の設立の認可は、単に設立認可申請に係る組合の事業計画を確定させるだけのものではなく、その組合の事業施行地区内の宅地について所有権又は借地権を有する者を全て強制的にその組合員とする公法上の法人たる土地区画整理組合を成立せしめ、これに土地区画整理事業を施行する権限を付与する効力を有するものであるから、抗告訴訟の対象となる行政処分に当たる。

2：市町村の施行に係る土地区画整理事業の事業計画の決定は、特定個人に向けられた具体的な処分ではなく、いわば当該土地区画整理事業の青写真たる性質を有するにすぎない一般的・抽象的な単なる計画にとどまるものであり、直接国民の権利義務を形成し又はその範囲を確定する行為とはいえないため、抗告訴訟の対象となる行政処分に当たらない。

3：普通地方公共団体が営む水道事業に係る条例所定の水道料金を改定する条例の制定行為は、当該条例が当該水道料金を一般的に改定するものであって、限られた特定の者に対してのみ適用されるものでなくとも、水道需要者は、当該条例の施行によって、個別的行政処分を経ることなく、当該条例に従って改定された水道料金の支払義務を負うことになるから、抗告訴訟の対象となる行政処分に当たる。

4：国有財産法上の国有財産の払下げは、売渡申請書の提出、これに対する払下許可という行政手続を経て行われる場合、行政庁が優越的地位に基づいて行う公権力の行使ということができることから、この場合の当該払下げは抗告訴訟の対象となる行政処分に当たる。

5：公の施設を廃止することを内容とする条例の制定行為は、普通地方公共団体の議会が行う立法作用に属するものであるから、市の設置する特定の保育所の廃止のみを内容とする条例の制定行為が抗告訴訟の対象となる行政処分に当たることはない。

直前復習

チェック欄

| 1回目 | 2回目 | 3回目 |
| --- | --- | --- |
| | | |

## 実践 問題 134 の解説



〈抗告訴訟の対象〉

**1 ○** 土地区画整理法に基づく土地区画整理組合の設立の認可が、行政事件訴訟法３条２項の「処分」（処分性）にあたるかについて、判例は、本肢と同様の理由により、処分性を肯定している（最判昭60.12.17）。

**2 ×** 土地区画整理事業計画の決定に処分性が認められるかにつき、かつて判例は、本肢と同様の理由により、処分性を否定していた（最大判昭41.2.23）。しかし、最高裁は上記判例を変更し、処分性を肯定するに至った（最大判平20.9.10）。その理由として、施行地区内の宅地所有者等は、事業計画の決定がなされることにより、土地区画整理事業の手続に従って換地処分を受けるべき地位に立たされるものということができ、その意味で、その法的地位に直接的な影響が生じることなどを挙げている。

**3 ×** 判例は、地方公共団体が営む水道事業の水道料金を改定する条例は、限られた特定の者に対してのみ適用されるものではなく、そのような条例の制定行為は、行政庁が法の執行として行う処分と実質的に同視できないことを理由に、水道料金改定条例の制定行為について処分性を否定している（最判平18.7.14）。

**4 ×** 判例は、国有普通財産の払下げは私法上の売買であり、払下げが売渡申請書の提出、これに対する払下げ許可の形式をとっているからといって、払下げ行為の法律上の性質に影響を及ぼすものではないとして、国有普通財産の払下げは行政庁の優越的地位に基づき行われる公権力の行使にあたらず、その処分性を否定している（最判昭35.7.12）。

**5 ×** 条例の制定行為は、一般的には処分性を有しない（理由につき肢３参照）。しかし、判例は、市の設置する特定の保育所を廃止する条例の制定行為について処分性を肯定した（最判平21.11.26）。その理由として、上記条例は、他に行政庁の処分を待つことなく、その施行により各保育所廃止の効果を発生させ、当該保育所に現に入所中の児童およびその保護者という限られた特定の者らに対して、直接、当該保育所において保育を受けることを期待しうる法的地位を奪う結果を生じさせることなどを挙げている。

**正答 1**

# 第2章 SECTION 2 行政事件訴訟 処分性

## 実践 問題 135 応用レベル

頻出度 地上★ 国家一般職★ 特別区★ 国税·財務·労基★ 国家総合職★★

**問 抗告訴訟の対象性に関するア～オの記述のうち、判例に照らし、妥当なもののみを全て挙げているのはどれか。ただし、以下に示す法令は、その事件当時のものである。** (国家総合職2013)

ア：都市計画区域内において工業地域を指定する決定が告示されて効力を生ずると、当該地域内の土地所有者等に建築基準法上新たな制約を課し、その限度で一定の法状態の変動を生ぜしめるものであることは否定できないが、かかる効果は、あたかも新たにそのような制約を課する法令が制定された場合におけると同様の当該地域内の不特定多数の者に対する一般的抽象的なそれにすぎず、このような効果を生ずるということだけから直ちに当該地域内の個人に対する具体的な権利侵害を伴う処分があったものとして、これに対する抗告訴訟を肯定することはできない。

イ：父がその子について住民票の記載をすることを求める申出は、住民票の記載に係る職権の発動を促す住民基本台帳法第14条第２項所定の申出とみることができ、当該申出に対する応答は、法令に根拠のない事実上の応答にすぎないものということはできない。したがって、当該応答は、それにより当該父又は子の権利義務ないし法律上の地位に直接影響を及ぼすものではないが、法令上の申請に対する応答行為として、抗告訴訟の対象となる行政処分に当たる。

ウ：特定の地方裁判所支部及び特定の家庭裁判所支部を廃止することを定めた最高裁判所規則の改正は、廃止される当該支部の管轄区域内に居住する不特定多数の者に対して一般的抽象的な法状態の変動を生じさせるものにすぎないため、その取消しを求める訴訟は法律上の争訟に当たるものの、当該規則の改正は抗告訴訟の対象となる行政処分に該当するということはできない。

エ：登録免許税法第31条第１項は、同項各号のいずれかに該当する事実があるときは、登記機関が職権で遅滞なく所轄税務署長に登録免許税に係る過誤納金の還付に関する通知をしなければならないことを規定し、同条第２項は、登記等を受けた者が登記機関に申し出て当該通知をすべき旨の請求をすることができる旨を定めている。同項は、登録免許税の還付を請求するには専らこの請求の手続によるべきであるとする手続の排他性を規定するものであり、国税通則法第56条に基づいて登録免許税の過誤納金の還付を請求することを排除する趣旨と解される。したがって、登録免許税法第31条第２項に基づく還付通知をすべき旨の請求に対して登記機関がした拒否通知は、国税通則法所定の還付請求手続を排除するという法的効果を有するものであり、抗告訴訟の対象となる行政処分に当たる。

オ：普通地方公共団体が営む水道事業に係る条例所定の水道料金を改定する条例の制定行為は、同条例が当該水道料金を一般的に改定するものであって、限られた特定の者に対してのみ適用されるものではなく、同条例の制定行為をもって行政庁が法の執行として行う処分と実質的に同視することはできないという事情の下では、抗告訴訟の対象となる行政処分に当たらない。

１：ア、ウ
２：ア、オ
３：イ、エ
４：ウ、エ、オ
５：ア、イ、ウ、エ

第2章 SECTION ② 行政事件訴訟
# 処分性

| チェック欄 | | |
|---|---|---|
| 1回目 | 2回目 | 3回目 |
| | | |

## 実践 問題 135 の解説

〈処分性〉

**ア○** 判例は、都市計画区域内において工業地域を指定する決定は、当該地域内の土地所有者などに対して新たな制約を課し、その限度で一定の法状態の変動を生じさせるものであるが、このような効果は、当該地域内の不特定多数の者に対する一般的抽象的なものにすぎず、このような効果があるというだけで直ちに当該地域内の個人に対する具体的な権利侵害を伴う処分があったということはできないから、当該決定は抗告訴訟の対象たる処分にはあたらないとした（最判昭57.4.22）。

**イ×** 判例は、子につき住民票の記載をすることを求める父の申出は、住民基本台帳法の規定による届出があった場合に市町村（特別区を含む）の長にこれに対する応答義務が課されている（住民基本台帳法施行令11条参照）のとは異なり、申出に対する応答義務が課されておらず、住民票の記載にかかる職権の発動を促す同法14条２項所定の申出とみるほかないので、本件応答は、法令に根拠のない事実上の応答にすぎず、これにより申出をした父またはその子の権利義務ないし法律上の地位に直接影響を及ぼすものではないから、抗告訴訟の対象となる行政処分に該当しないとした（最判平21.4.17）。

**ウ×** 判例は、本件訴訟は、廃止される裁判所の支部の管轄区域内に居住する国民が、その立場で最高裁判所規則の改正の取消しを求めるというものであり、その立場以上に進んで自身にかかわる具体的な紛争についてその審判を求めるものではないので、裁判所に対して抽象的に最高裁判所規則が憲法に適合するかしないかの判断を求めるものであるから、裁判所法３条１項にいう法律上の争訟にあたらないとした（最判平3.4.19）。

**エ×** 判例は、拒否通知が取り消されなくても国税通則法56条に基づき登録免許税の過誤納金の還付を請求することができることを認めており、登録免許税の過誤納金の還付通知請求を規定する登録免許税法31条２項は、還付通知請求の手続によるべきとの手続の排他性を規定するものではないとしている（最判平17.4.14）。したがって、当該手続の排他性を規定するとしている本記述は妥当でない。もっとも、前掲判例は、還付通知請求に対する許否通知は、手続上の地位を否定する法的効果を有するとして行政処分にあたるとしているが、それは、「過誤納金の還付につき排他的な手続を定めていること」を根拠としているのではなく、還付通知請求の手続は、登記を受けた者が簡易迅速に還付を受ける手続を利用しうる地位を保障していると解されるので、拒否通知は、登記を受けた者の簡易迅速に還付を受ける手続を利用しうる地位を否定する効果を有するとされたからである。行政処分にあたるとした理由は、この点にある。

オ○ 判例は、本件条例は、水道料金を一般的に改定するもので、そもそも限られた特定の者に対してのみ適用されるものではなく、条例の制定行為をもって行政庁が法の執行として行う処分と実質的に同視することはできないから、本件条例制定行為は抗告訴訟の対象となる行政処分にはあたらないとした（最判平18.7.14）。

以上より、妥当なものはア、オであり、肢２が正解となる。



正答 2

# 第2章 SECTION 2 行政事件訴訟 処分性

## 実践 問題 136 応用レベル

| 頻出度 | 地上★　国家一般職★　特別区★<br>国税·財務·労基★　国家総合職★★ |
|---|---|

**問 行政事件訴訟法における抗告訴訟の対象に関するア～オの記述のうち、判例に照らし、妥当なもののみをすべて挙げているのはどれか。**　(国Ⅰ2010)

ア：道路交通法に基づく反則金の納付の通告は、反則金を納付すべき法律上の義務を生じさせ、また、通告を受けた者が反則金を納付しない場合には検察官の公訴の提起によって刑事手続が開始されるという不利益を生じさせるのであるから、抗告訴訟の対象となる行政処分に当たる。

イ：建築基準法第42条第２項所定のいわゆるみなし道路の一括指定は、これにより指定の効果が及ぶ個々の道の敷地所有者が当該みなし道路について道路内の建築等を制限され、私道の変更又は廃止が制限される等の具体的な私権制限を受けることになり、個人の権利義務に対して本来的な効果として直接影響を与えるものであるから、抗告訴訟の対象となる行政処分に当たる。

ウ：医療法の規定に基づいて都道府県知事が行う病院開設中止の勧告は、当該勧告を受けた者に対し、相当程度の確実さをもって、病院を開設しても保険医療機関の指定を受けることができなくなるという結果をもたらすものの、病院の開設自体を中止すべき法律上の義務を生じさせるものではないから、抗告訴訟の対象となる行政処分に当たらない。

エ：労働基準監督署長が行う労災就学援護費の支給又は不支給の決定は、労働者災害補償保険法を根拠とする優越的地位に基づいて一方的に行う公権力の行使であり、被災労働者又はその遺族の労災就学援護費の支給請求権に直接影響を及ぼす法的効果を有するものであるから、抗告訴訟の対象となる行政処分に当たる。

オ：市町村の施行に係る土地区画事業計画の決定は、これにより施行地区内の宅地所有者等が規制を伴う手続に従って換地処分を受けるべき地位に立たされるということはできるものの、その法的地位に直接的な影響を生じさせるものとまではいえず、事業計画の決定に伴う法的効果は一般的、抽象的なものにすぎないから、抗告訴訟の対象となる行政処分に当たらない。

1：ア、イ
2：イ、エ
3：ウ、オ
4：エ、オ
5：ア、エ、オ

直前復習

| チェック欄 | | |
|---|---|---|
| 1回目 | 2回目 | 3回目 |
| | | |

## 実践 問題 136 の解説

〈処分性〉

**ア×** 判例は、道路交通法127条の反則金納付の通告は、これにより通告を受けた者に反則金納付の法律上の義務が生ずるわけではなく、ただその者が任意に納付すれば公訴が提起されないというにとどまるから、通告を受けた者が、その自由意思により反則金を納付し、これによる事案終結の道を選んだときは、もはや通告理由となった反則行為の不成立を主張して通告自体の適否を取消訴訟で争うことは許されないとして、その処分性を否定した（最判昭57.7.15）。

**イ○** 建築基準法42条２項のみなし道路の指定を複数の道についてまとめて行う一括指定方式について、判例は、これにより個別の土地について具体的な私権制限を発生させるので、抗告訴訟の対象となる行政処分にあたるとした（最判平14.1.17）。

**ウ×** 判例は、病院開設中止勧告は、医療法上は任意に従うことを期待してなされる行政指導として定められているが、勧告に従わない場合、病院を開設しても保険医療機関の指定を受けられなくなり、実際上病院の開設自体を断念せざるをえなくなる結果をもたらすので、当該勧告は抗告訴訟の対象となる処分にあたるとした（最判平17.7.15）。

**エ○** 判例は、労働者災害補償保険法上、被災労働者またはその遺族は、支給要件を具備するときは労災就学援護費の支給を受けることができるという抽象的な地位を与えられているが、具体的に支給を受けるためには、労働基準監督署長に申請し、その支給決定によって初めて具体的な労災就学援護費の支給請求権を取得するので、労働基準監督署長の行う労災就学援護費の支給・不支給の決定は、抗告訴訟の対象となる行政処分にあたるとした（中央労働基準監督署長事件、最判平15.9.4）。

**オ×** 土地区画整理事業計画の決定・公告について判例は、これにより施行地区内において建築物等の新築等が法的強制力をもって制限され、施行地区内の宅地所有者等は換地処分を受けるべき地位に立たされるのであるから、その法的地位に直接的な影響が生ずることとなるので、抗告訴訟の対象となる行政処分にあたるとした（最大判平20.9.10）。

以上より、妥当なものはイ、エであり、肢２が正解となる。

**正答 2**

# 行政事件訴訟
# 原告適格



## 必修問題 セクションテーマを代表する問題に挑戦！

**取消訴訟を提起できる人は限られていることを理解しましょう。**

**問 取消訴訟の原告適格に関する次の記述のうち、判例に照らし、妥当なのはどれか。（国Ⅱ1998）**

1：処分の取消訴訟を提起できる者は処分の取消しにつき「法律上の利益」を有する者でなければならないが、公衆浴場法の距離制限規定はもっぱら顧客などの利益を守る公益規定であるから、そこから既存業者に生ずる利益は反射的利益にすぎず、近隣に新規の浴場が許可されても既存業者はこれを争うことはできない。

2：鉄道料金の改定は、その利用者に直接の影響を及ぼすものであるから、地方鉄道法による地方鉄道業者の特別急行料金の改定についての認可処分に対して、路線の周辺に居住し、その特別急行車を利用している者には料金改定の認可の取消しを求める原告適格が認められる。

3：不当景品類及び不当表示防止法（景表法）は、公益保護を目的とするものであるが、個々の消費者の利益の保護も同法の間接的に目的とするところであると解されるから、誤認を招きやすい商品表示の認定によって不利益を受けた消費者には認定の取消しを求める原告適格が認められる。

4：航空機騒音の防止も航空法の目的に含まれるから、航空運送事業免許の審査にあたっては、申請事業計画を騒音障害の有無および程度の点からも評価すべきであり、新規路線免許により生じる航空機騒音によって社会通念上著しい障害を受ける空港周辺の住民には、免許の取消しを求める原告適格が認められる。

5：文化財保護法に基づく史跡の保存・活用から受ける個々人の利益は、同法の目的とする一般的、抽象的公益の中に吸収・解消されるものであるとはいえないから、当該史跡を研究の対象としてきた学術研究者には、当該史跡の指定解除処分の取消しを求める原告適格が認められる。

### Guidance ガイダンス

**原告適格あり**
- 公衆浴場の既存業者
- 保安林の指定解除により影響を受ける者
- 原子炉の周辺住民　・空港周辺住民　など

**原告適格なし**
- 遺跡の研究者　・特急料金改定における鉄道利用者
- 一般消費者　など

頻出度　地上★　国家一般職★　特別区★
国税･財務･労基★★　国家総合職★★

チェック欄
| 1回目 | 2回目 | 3回目 |
|---|---|---|
| | | |

## 必修問題の解説

〈原告適格〉

**1 ×** 判例は、公衆浴場法が許可制を採用したのは、主として国民保健および環境衛生という公共の福祉の見地から出たものであるが、同時に、被許可者を公衆浴場の濫立による経営の不合理化から守ろうとする意図をも有するものであるとしている。そのうえで、適正な許可制度の運用によって保護されるべき業者の営業上の利益は、単なる事実上の反射的利益というにとどまらず、公衆浴場法によって保護される法的利益であるとして、近隣に新規の浴場が許可された場合の既存業者には取消訴訟の原告適格が認められるとしている（公衆浴場法事件、最判昭37.1.19）。

**2 ×** 判例は、地方鉄道法による鉄道料金の認可は、もっぱら公共の利益を確保することを目的としており、利用者の個々の権利利益を保護するものではないとしている。そのうえで、路線の周辺に居住し、その特別急行車を利用している者には、同法による地方鉄道業者の特別急行料金の改定についての認可処分の取消しを求める原告適格は認められないとしている（近鉄特急事件、最判平元.4.13）。

**3 ×** 判例は、景表法の目的とするところは公益の実現にあり、同法１条にいう一般消費者の利益の保護も公益保護の一環というべきで、個々の消費者の利益は同法が目的とする公益の保護を通じ、その結果として保護されるべきもの、換言すれば、公益に完全に包摂されるような性質のものにすぎないとして、一般消費者の商品表示の認定に対する不服申立適格を否定している（主婦連ジュース事件、最判昭53.3.14）が、これは取消訴訟の原告適格をも否定する趣旨であると解されている。

**4 ○** 判例は、航空機騒音の防止も航空法の目的に含まれるから、航空運送事業免許の審査にあたっては、申請事業計画を騒音障害の有無および程度の点からも評価すべきであるとしたうえで、新規路線免許により生じる航空機騒音によって社会通念上著しい障害を受ける空港周辺の住民には免許の取消しを求める原告適格が認められるとした（新潟空港事件、最判平元.2.17）。

**5 ×** 判例は、文化財保護法は国民が史跡の保存・活用から受ける利益を、同法の目的とする一般的、抽象的公益の中に吸収・解消させ、その保護はもっぱら前述の公益の実現を通じて図ることとしているものと解され、また、同法などには文化財の学術研究者の学問研究上の利益の保護について特段の配慮をしている規定もないから、当該史跡を研究の対象としてきた学術研究者には、当該史跡の指定解除処分の取消しを求める原告適格は認められないとしている（伊場遺跡事件、最判平元.6.20）。

**正答 4**

## 第2章 SECTION 3 行政事件訴訟 原告適格

### 1 原告適格

訴訟を適法に提起し、本案判決を求めることができる資格を原告適格（訴えの主観的利益）といいます。

取消訴訟は、処分または裁決の取消しを求めるにつき法律上の利益を有する者に限り提起することができる（行政事件訴訟法９条１項）ので、原告は処分または裁決の取消しを求める法律上の利益を有する者でなければなりません。

この点については、法律上保護された利益説という説が判例・通説です。同説は、国民が享受している利益を、法律により保護されているものと、法律により保護されているわけではないが反射的に保護されているようにみえるもの（反射的利益）に分け、侵害された利益が法律によって保護されたものである場合に限り原告適格が認められる、としています。

### 2 判例

#### (1) 原告適格が肯定された事案

**判例**
《公衆浴場法事件》最判昭37.1.19
【事案】既存業者が、新規参入業者に対する公衆浴場の営業許可の取消しを求めた事案
【判旨】公衆浴場法は、主に国民保健および環境衛生を目的とすると同時に被許可者を濫立による経営の不合理化から守ろうとする意図をも有するので、既存浴場業者には新規参入者に対する営業許可処分の取消しを求める原告適格が認められる。

**判例チェック**
このほか、原告適格が肯定された判例としては、電波法に基づく競願者への放送免許につき拒否処分を受けた者（東京12チャンネル事件、最判昭43.12.24）、航空法に基づく定期航空運送事業免許の取消訴訟につき空港周辺住民（新潟空港事件、最判平元.2.17）などがあります。

**判例**
《長沼ナイキ事件》最判昭57.9.9
【事案】農林水産大臣の保安林指定解除処分に対し、保安林伐採による利水機能の低下によって直接影響を被る地域に居住する住民が、この処分の取消しを求めた事案
【判旨】森林法の保安林指定処分は、不特定多数の生活利益の保護を目的とする処分であるが、一定範囲については個人的利益としても保護しているものとみることができるから、原告適格を認めることができる。

判例

《もんじゅ事件》最判平4.9.22
【事案】（旧）動力炉・核燃料開発事業団に対する内閣総理大臣の原子炉設置認可処分につき、原子炉周辺に居住する住民がこの取消しを求めた事案
【判旨】「核原料物質、核燃料物質及び原子炉の規制に関する法律」の規定は、事故により直接的かつ重大な被害を受ける範囲の住民の生命の安全などを個別的利益として保護する趣旨を含むので、原子炉付近に居住する住民には、原子炉設置許可処分の取消しを求める原告適格が認められる。

判例チェック

都市計画事業認可処分の取消訴訟において、事業地の周辺に居住する一定の者につき、原告適格を認める判例変更がなされました（小田急線高架化訴訟［原告適格］、最大判平17.12.7）。平成16年行訴法改正がこの判例変更に大きく影響したものと考えられています。

## (2) 原告適格が否定された事案

判例

《伊場遺跡事件》最判平元.6.20
【事案】静岡県教育委員会が、「伊場遺跡」につき、駅前再開発などのために、文化財保護法および同県文化財保護条例による史跡指定を解除する処分を行ったところ、同遺跡を研究対象としてきた学者らがこの指定処分解除の取消しを求めた事案
【判旨】文化財保護法および静岡県文化財保護条例の規定から、文化財の保存や活用から受ける利益を個別的利益として保護する趣旨を導くことはできず、また、文化財の学術研究者の学問研究上の利益についても保護されているとはいえないから、原告適格は認められない。

判例チェック

このほか、原告適格が否定された判例としては、質屋営業法に基づく新規の営業許可につき既存業者（最判昭34.8.18）、公有水面埋立法に基づく埋立免許処分につき周辺水面における漁業権者（伊達火力発電所事件、最判昭60.12.17）、地方鉄道法に基づく鉄道業者への特急料金改定の認可につき路線周辺に居住している利用者（近鉄特急事件、最判平元.4.13）などがあります。

# 行政事件訴訟 原告適格

## 実践 問題 137 基本レベル

頻出度 地上★ 国家一般職★ 特別区★ 国税·財務·労基★★ 国家総合職★★

**問** 行政事件訴訟の訴訟要件に関する次の記述のうち、判例に照らし、妥当なのはどれか。（財務2015）

1：公衆浴場法に基づく営業許可の無効確認を求めた既存の公衆浴場営業者には、適正な許可制度の運用によって保護されるべき業者の営業上の利益があるところ、当該利益は、公益として保護されるものではあるが、単なる事実上の反射的利益にすぎないため、同法によって保護される法的利益とはいえず、原告適格が認められない。

2：自動車等運転免許証の有効期間の更新に当たり、一般運転者として扱われ、優良運転者である旨の記載のない免許証を交付されて更新処分を受けた者は、そのような記載のある免許証を交付して行う更新処分を受けることは、単なる事実上の利益にすぎないことから、これを回復するため、当該更新処分の取消しを求める訴えの利益を有しない。

3：場外車券発売施設の設置許可申請者に対し、自転車競技法施行規則は、その敷地の周辺から1,000メートル以内の地域にある医療施設等の位置及び名称を記載した場外車券発売施設付近の見取図を添付することを求めていることから、当該場外車券発売施設の敷地の周辺から1,000メートル以内の地域において居住し又は事業を営む者は全て、当該許可の取消訴訟の原告適格を有する。

4：文化財保護法に基づき制定された県文化財保護条例による史跡指定解除について、その取消しを求めた遺跡研究者は、文化財の学術研究者の学問研究上の利益の保護について特段の配慮をしている規定が同法及び同条例に存するため、本件訴訟における原告適格が認められる。

5：建築確認の取消しを求める訴えにつき、建築確認は、それを受けなければ建築工事をすることができないという法的効果を付与されているにすぎないものというべきであるから、当該工事が完了した場合においては、建築確認の取消しを求める訴えの利益は失われる。

チェック欄

| 1回目 | 2回目 | 3回目 |
|---|---|---|
| | | |

## 実践 問題 137 の解説

〈原告適格〉



**1 ×** 判例は、公衆浴場法は、被許可者を濫立による経営の不合理化から守ろうとする意図をも有するとして、既存の公衆浴場営業者には適正な許可制度の運用によって保護されるべき営業上の利益があるとし、当該営業上の利益は、単なる事実上の反射的利益にとどまらず公衆浴場法によって保護される法的利益であるとして、原告適格を肯定した（最判昭37.1.19）。

**2 ×** 判例は、道路交通法は、優良運転者の要件該当者に対して、優良運転者の記載のある免許証を交付して行う更新処分を受けることを、単なる事実上の利益にとどまらず、法律上の地位として保障しているとし、一般運転者として扱われ上記記載のない免許証を交付されて免許証の更新処分を受けた者は、上記の法律上の地位を否定されたことを理由として、これを回復するため、同更新処分の取消しを求める訴えの利益を有すると判示した（最判平21.2.27）。

**3 ×** 自転車競技法施行規則14条２項１号は、場外車券発売施設の設置許可申請書に、敷地の周辺から1,000メートル以内の地域にある医療施設などの位置・名称を記載した場外車券発売施設付近の見取図を添付することを求めているが、判例は、場外車券発売施設の周辺において居住しまたは事業（医療施設などに係る事業を除く。）を営むにすぎない者について、自転車競技法・同施行規則には、これらの者の生活環境に関する利益を個々人の個別的利益として保護する規定がないとして、場外車券発売施設の設置許可の取消しを求める原告適格を否定した（最判平21.10.15）。

**4 ×** 判例は、文化財保護法および県文化財保護条例には、学問研究上の利益の保護について特段の配慮をしていると解しうる規定を見い出すことはできないとして、遺跡研究者に原告適格を認めなかった（最判平元.6.20）。

**5 ○** 判例は、建築確認は、それを受けなければ工事をすることができないという法的効果を付与されているにすぎず、当該工事が完了した場合においては、建築確認の取消しを求める訴えの利益は失われるとした（最判昭59.10.26）。

**正答 5**

# 第2章 SECTION 3 行政事件訴訟 原告適格

## 実践 問題 138 基本レベル

| 頻出度 | 地上★　国家一般職★　特別区★<br>国税･財務･労基★★　国家総合職★★ |
|---|---|

**問 行政事件訴訟法に規定する取消訴訟における原告適格に関するA～Dの記述のうち、最高裁判所の判例に照らして、妥当なものを選んだ組合せはどれか。**

**（特別区2024）**

A：風俗営業等の規制及び業務の適正化等に関する法律は、善良の風俗と清浄な風俗環境を保持することを目的としており、同法の風俗営業の許可に関する規定は、一般的公益の保護に加えて、個々人の個別的利益をも保護すべきものとする趣旨を含むと解されるため、風俗営業制限地域に指定された地域に居住する者は、同地域内における当該風俗営業の許可の取消しを求める原告適格を有するとした。

B：文化財保護法及び同法の規定に基づく静岡県文化財保護条例において、文化財の学術研究者の学問研究上の利益の保護について特段の配慮をしていると解し得る規定を見出すことはできないため、同条例による県指定史跡を研究対象としている学術研究者は、当該史跡の指定解除処分の取消しを求める原告適格を有しないとした。

C：自転車競技法施行規則が、場外車券発売施設の設置許可申請者に対し、その敷地の周辺から1,000 m以内の地域にある医療施設等の位置及び名称を記載した見取図を添付することを求めているため、当該場外施設の敷地の周辺から1,000 m以内の地域において居住し又は事業を営む住民は、一律に当該設置許可の取消しを求める原告適格を有するとした。

D：地方鉄道法第21条による地方鉄道業者の特別急行料金の改定の認可処分について、同条の趣旨は、専ら公共の利益を確保することにあり、当該地方鉄道の利用者の個別的な権利利益を保護することにはないため、当該地方鉄道業者の路線の周辺に居住し通勤定期券を購入するなどしてその特別急行旅客列車を利用している者は、当該認可処分の取消しを求める原告適格を有しないとした。

1：A　B
2：A　C
3：A　D
4：B　C
5：B　D

直前復習

チェック欄

| 1回目 | 2回目 | 3回目 |
| --- | --- | --- |
| | | |

## 実践 問題 138 の解説



〈原告適格〉

**A ×** 風俗営業制限地域に指定された地域に居住する住民に風俗営業許可の取消しを求めうる原告適格を認めるかにつき、判例は、風営法の目的は、風俗営業の健全化に資するため、その業務の適正化を促進することであり、この目的から風俗営業の許可に関する規定が一般的公益の保護に加えて個々人の個別的利益をも保護すべきものとする趣旨を含むことを読み取ることは困難であるとして、周辺住民の原告適格を否定している（最判平10.12.17）。

**B ○** 史跡を研究対象としている学術研究者に史跡指定解除処分取消訴訟の原告適格があるかが争われた事案につき、判例は本記述のとおりに述べ、学術研究者の原告適格を否定している（伊場遺跡事件、最判平元.6.20）。

**C ×** 本記述と同様の事案につき、判例は、自転車競技法および同法施行規則が位置基準によって保護しようとしているのは、第一次的には、不特定多数者の利益であるところ、それは一般的公益に属する利益であって、原告適格を基礎づけるには足りないとして、場外車券発売施設の敷地の周辺から1,000m以内の地域に居住または事業を営む住民の原告適格を否定している（サテライト大阪事件、最判平21.10.15）。

**D ○** 鉄道利用者に特急料金改定の認可処分に対する取消訴訟の原告適格を認めるか否かについて、判例は、本記述のように述べて、鉄道利用者の原告適格を否定している（近鉄特急事件、最判平元.4.13）。

以上より、妥当なものはB、Dであり、肢５が正解となる。

**正答 5**

# 第2章 SECTION 3 行政事件訴訟 原告適格

## 実践 問題 139 基本レベル

| 頻出度 | |
|---|---|
| 地上★ 国家一般職★ 特別区★ | |
| 国税・財務・労基★★ 国家総合職★★ | |

**問 抗告訴訟の原告適格等に関する次の記述のうち、判例に照らし、妥当なのはどれか。**
**（国税・財務・労基2013）**

1：原子炉設置許可申請に係る原子炉の周辺に居住する住民が、当該許可を受けた者に対する原子炉の建設・運転の民事差止訴訟とともに、原子炉設置許可処分の無効確認訴訟を提起している場合、民事差止訴訟の方がより有効かつ適切な紛争解決方法であると認められることから、当該周辺住民には、無効確認訴訟の原告適格は認められない。

2：都市計画事業の認可の取消訴訟において、都市計画法は、騒音、振動等によって健康又は生活環境に係る著しい被害を直接的に受けるおそれのある個々の住民に対して、そのような被害を受けないという利益を個々人の個別的利益としても保護すべきものとする趣旨を含むと解されることから、都市計画事業の事業地の周辺に居住する住民のうち、同事業の実施により騒音、振動等による健康又は生活環境に係る著しい被害を直接的に受けるおそれのある者は、当該認可の取消しを求めるにつき法律上の利益を有し、原告適格が認められる。

3：県が行った史跡指定解除処分の取消訴訟において、文化財享有権を憲法第13条等に基づく法律上の具体的権利とは認めることはできないものの、当該史跡を研究対象としてきた学術研究者は、文化財保護法の趣旨及び目的に照らせば、個々の県民あるいは国民から文化財の保護を信託されたものとして、当該解除処分の取消しを求めるにつき法律上の利益を有し、原告適格が認められる。

4：風俗営業の許可について、風俗営業等の規制及び業務の適正化等に関する法律は、善良の風俗と清浄な風俗環境を保持し、及び少年の健全な育成に障害を及ぼす行為を防止することを目的としており、風俗営業の許可に関する規定は一般的公益の保護に加えて個々人の個別的利益をも保護していると解されることから、住居集合地域として風俗営業制限地域に指定されている地域に居住する者は、同地域における風俗営業の許可の取消しを求めるにつき法律上の利益を有し、原告適格が認められる。

5：不当景品類及び不当表示防止法に基づく、商品表示に関する公正競争規約の認定について、一般消費者の個々の利益は、同法による公益の保護の結果として保護されるべきものであり、原則として一般消費者に不服申立人適格は認められないが、著しく誤認を招きやすい認定については、自己の権利若しくは法律上保護された利益を侵害され又は必然的に侵害されるおそれがあることから、一般消費者にも不服申立人適格が認められる。

直前復習

| チェック欄 | | |
|---|---|---|
| 1回目 | 2回目 | 3回目 |
| | | |

## 実践 問題 139 の解説

〈原告適格〉



**1 ×** 判例は、原子炉の周辺住民は、原子炉の建設・運転の差止めを求める民事訴訟を提起しているが、これは本件無効確認訴訟と比較して、より直截的で適切なものであるとはいえないので、原子炉の無効確認訴訟の原告適格を有するとした（もんじゅ事件、最判平4.9.22）。

**2 ○** 判例は、都市計画法は、都市の健全な発展と秩序ある整備を図るなどの公益的見地から都市計画施設の整備に関する事業を規制するとともに、騒音、振動等によって健康または生活環境にかかる著しい被害を直接的に受けるおそれのある個々の住民に対して、そのような被害を受けないという利益を個々人の個別的利益としても保護すべきものとする趣旨を含むとして、都市計画事業により著しい健康被害等を直接的に受けるおそれのある者の原告適格を認めた（小田急線高架化訴訟、最大判平17.12.7）。

**3 ×** 判例は、文化財保護法に、学術研究者の学問研究上の利益について、一般の国民が文化財の保存・活用から受ける利益を超えてその保護を図ろうとする趣旨を認めることはできないので、本件遺跡を研究対象としてきた学術研究者は、本件取消訴訟における原告適格を有しないとした（伊場遺跡事件、最判平元.6.20）。

**4 ×** 判例は、風俗営業等の規制及び業務の適正化等に関する法律は、善良な風俗と清浄な風俗環境を保持し、および少年の健全な育成に障害を及ぼす行為を防止することと風俗営業の健全化を目的としている（同法１条）が、この目的規定から、同法の風俗営業の許可に関する規定が一般的公益の保護に加えて個々人の個別的利益をも保護すべきものとする趣旨を含むことを読み取ることは困難であるとして、風俗営業許可の取消訴訟における風俗営業制限地域の住民の原告適格を否定した（最判平10.12.17）。

**5 ×** 判例は、不当景品類及び不当表示防止法の規定により一般消費者が受ける利益は、同法の規定の目的である一般消費者の利益の保護という公益の保護の結果として生ずる反射的な利益ないし事実上の利益であって、法律上保護された利益とはいえないとして、一般消費者の不服申立適格を否定した（主婦連ジュース事件、最判昭53.3.14）。

**正答 2**

# 第2章 SECTION 3 行政事件訴訟 原告適格

## 実践 問題 140 応用レベル

| 頻出度 | 地上★　国家一般職★　特別区★　国税·財務·労基★　国家総合職★ |
|---|---|

**問** **原告適格に関するア～エの記述のうち、判例に照らし、妥当なもののみを全て挙げているのはどれか。** **（国税・財務・労基2022）**

ア：森林法は、森林の存続によって不特定多数者の受ける生活利益のうち一定範囲のものを公益と並んで保護すべき個人の個別的利益として捉え、当該利益の帰属者に対し保安林の指定につき直接の利害関係を有する者としてその利益を主張することができる地位を法律上付与しているので、かかる直接の利害関係を有する者は、保安林の指定が違法に解除され、自己の利益を害される場合には、当該解除処分に対する取消しの訴えの原告適格を有する。

イ：文化財保護法及び同法に基づく県文化財保護条例は、史跡等の文化財の保存・活用から個々の国民あるいは県民が受ける利益については、これを本来同法及び同条例がその目的としている公益の中に吸収解消させ、その保護は専ら当該公益の実現を通じて図ることとしているものと解されるので、県指定の史跡を研究対象としている学術研究者であっても、同条例に基づく当該史跡の指定解除処分の取消しを求める原告適格を有しない。

ウ：自転車競技法及び同法施行規則が場外車券発売施設の設置許可要件として定める位置基準によって保護しようとしているのは、不特定多数者の利益であるところ、それは、性質上、一般的公益に属する利益であって、原告適格を基礎付けるには足りないものであるといわざるを得ないから、当該施設の設置、運営に伴い著しい業務上の支障が生ずるおそれがあると位置的に認められる区域に医療施設を開設する者であっても、当該位置基準を根拠として当該施設の設置許可の取消しを求める原告適格を有しない。

エ：核原料物質、核燃料物質及び原子炉の規制に関する法律は、専ら公衆の生命、身体の安全、環境上の利益を一般的公益として保護しようとするものと解されるから、設置許可申請に係る原子炉の近隣地域に居住する住民は、当該原子炉の設置許可処分の無効確認を求める原告適格を有しない。

1：ア、イ
2：ア、ウ
3：イ、ウ
4：イ、エ
5：ウ、エ

## 実践 問題 140 の解説

| チェック欄 | | |
|---|---|---|
| 1回目 | 2回目 | 3回目 |
| | | |

〈原告適格〉

**ア○** 本記述と同様の事案につき判例は、森林法は、不特定多数者の受ける生活利益のうち一定範囲のものを公益と並んで保護すべき個々人の個別的利益として捉え、当該利益の帰属者には保安林の指定につき直接の利害関係を有する者としてその利益主張をすることができる地位を法律上付与しているものと解されるとし、かかる直接の利害関係を有する者は、保安林の指定が違法に解除され、それによって自己の利益を害される場合には、当該解除処分に対する取消訴訟を提起する原告適格を有するとした（長沼ナイキ事件、最判昭57.9.9）。

**イ○** 本記述と同様の事案につき判例は、文化財保護法・県文化財保護条例は、文化財の保存・活用から国民・県民が受ける利益は、同法・同条例がその目的としている公益の中に吸収解消させ、その保護はもっぱら公益の実現を通じて図ることとしていること、学術研究者の学問研究上の利益は、一般の国民・県民が文化財の保存・活用から受ける利益を超えてその保護を図ろうとする趣旨を認めることができないことを理由に、学術研究者は、史跡指定解除処分の取消訴訟の原告適格を有しないとしている（伊場遺跡事件、最判平元.6.20）。

**ウ×** 本記述と同様の事案につき判例は、位置基準は、業務上の支障が具体的に生ずるおそれのある医療施設等の開設者において、健全で静穏な環境のもとで円滑に業務を行うことのできる利益を個々の開設者の個別的利益として保護する趣旨をも含む規定であるから、場外施設の設置、運営に伴い著しい業務上の支障が生ずるおそれがあると位置的に認められる区域に医療施設等を開設する者は、位置基準を根拠として当該施設の設置許可の取消しを求める原告適格を有するとしている（最判平21.10.15）。

**エ×** 本記述と同様の事案につき判例は、核原料物質、核燃料物質及び原子炉の規制に関する法律が定める設置許可基準は、単に公衆の安全、身体の安全、環境上の利益を一般的公益として保護しようとするにとどまらず、事故等がもたらす災害により直接的かつ重大な被害を受けることが想定される範囲の住民の生命、身体の安全等を個々人の個別的利益としても保護すべきものとする趣旨を含むとし、周辺住民に無効確認を求める原告適格を認めている（もんじゅ事件、最判平4.9.22）。

以上より、妥当なものはア、イであり、肢１が正解となる。

**正答 1**

第2章 SECTION 3 行政事件訴訟

# 原告適格

## 実践 問題 141 応用レベル

頻出度 地上★ 国家一般職★ 特別区★ 国税·財務·労基★ 国家総合職★

**問 競輪の場外車券発売施設を設置しようとする者は、自転車競技法に基づき、当該施設から1,000m以内の地域にある病院等を記載した見取図等を添えて経済産業大臣に許可を申請し、経済産業大臣は、当該施設が病院等から相当の距離を有し、保健衛生上著しい支障を来すおそれがないこと（以下、この基準を「位置基準」という。）、施設の規模、構造及び設備並びにこれらの配置は周辺環境と調和していること（以下、この基準を「周辺環境調和基準」という。）等の基準に適合する場合に限り、その許可をすることができる。**

**経済産業大臣がA株式会社に対して場外車券発売施設の設置を許可したところ、当該施設から200m 離れた場所に胃腸科を開設している医師B、800m離れた場所に内科を開設している医師C及び500m離れた場所に居住するDが、許可の取消しを求めて提訴した。**

**この事案に関するア～エの記述のうち、判例に照らし、妥当なもののみを全て挙げているのはどれか。（国家一般職2013）**

ア：位置基準は、不特定多数者の利益を保護しており、これは一般的公益に属する利益であることから、B及びCに位置基準を根拠として許可の取消しを求める原告適格が認められる余地はない。

イ：位置基準は、基本的には一般的公益に属する利益を保護しているものの、病院等の開設者が健全な環境で業務を行う利益については、個別的利益として保護しており、見取図に当該施設から1,000m以内の地域にある病院等が記載されていることから、この地域において医療等の事業を営む者一般に原告適格が肯定され、B及びCに位置基準を根拠として許可の取消しを求める原告適格が認められる。

ウ：位置基準は、基本的には一般的公益に属する利益を保護しているものの、病院等の利用者が健全な環境で医療を受ける利益については、個別的利益として保護しており、周辺の住民が病院等の利用者でもあることに着目すれば、Dに位置基準を根拠として許可の取消しを求める原告適格が認められる。

エ：周辺環境調和基準は、良好な風俗環境を一般的に保護し、都市環境の悪化を防止するという公益的見地に立脚したものであり、周辺の住民の具体的利益を個々人の個別的利益として保護する趣旨を含むものではないから、Dに周辺環境調和基準を根拠として許可の取消しを求める原告適格は認められない。

1：ア　2：エ　3：ア、エ　4：イ、ウ　5：イ、エ

## 実践 問題 141 の解説

〈原告適格〉

本問は、自転車競技法に基づく場外車券発売施設の設置許可の取消しを求める原告適格の有無が問題となった判例（場外車券発売施設設置許可処分取消請求事件、最判平21.10.15）を素材とした問題である。

**ア×** 判例は、位置基準は、一般的公益を保護する趣旨に加えて、場外施設に多数の来場者が参集することによってその周辺に享楽的な雰囲気や喧騒といった環境がもたらされることにより、文教または保健衛生にかかわる業務上の支障が具体的に生ずるおそれのある医療施設等の開設者において、健全で静穏な環境のもとで円滑に業務を行うことのできる利益を、個々の開設者の個別的利益として保護する趣旨をも含む規定であるというべきであるから、場外施設の設置、運営に伴い著しい業務上の支障が生ずるおそれがあると位置的に認められる区域に医療施設等を開設する者は、位置基準を根拠として場外施設の設置許可の取消しを求める原告適格を有するとした。そして、判例は、医療施設等の開設者が上記の原告適格を有するか否かを判断するにあたっては、場外施設が設置、運営された場合にその規模、周辺の交通等の地理的状況等から合理的に予測される来場者の流れや滞留の状況等を考慮して、医療施設等が上記のような区域に所在しているか否かを、場外施設と医療施設等との距離や位置関係を中心として社会通念に照らし合理的に判断すべきとした。そのうえで、判例は、場外から約800m離れた場所に医療施設を開設する者（本問のC）については、本件敷地周辺の地理的状況等にかんがみると、当該医療施設が本件施設の設置、運営により保健衛生上著しい支障を来すおそれがあると位置的に認められる区域内に所在しているとは認められないとして、位置基準を根拠として本件許可の取消しを求める原告適格を有しないとした。他方、場外施設から約200m離れた場所に医療施設を開設する者（本問のB）については、前記の考慮要素を勘案することなく上記の原告適格を有するか否かを的確に判断することは困難というべきであるとして、大阪地裁に差戻し、原告適格の有無についての事実認定のやり直しを命じた。

**イ×** 判例は、場外施設の設置許可書に添付された見取図は、これに記載された個々の医療施設等に業務上の支障が生ずるか否かを審査する際の資料の1つとなりうるものであるが、場外施設の設置、運営が周辺の医療施設等に対して及ぼす影響はその周辺の地理的状況等に応じて一様ではなく、位置基準が場外施設周辺地域において医療等の事業を営むすべての者の利益を個別的利益としても保護する趣旨を含むとまでは解しがたいので、このような地理的状況等を一切問題とすることなく、これらの者すべてに一律に原告適格が認められるとすることはできないとした。

**ウ×** 判例は、法および規則が位置基準によって保護しようとしているのは、第一次的には、心身ともに健康な青少年の育成や公衆衛生の向上および増進という、場外施設の周辺に所在する医療施設等を利用する児童、生徒、患者等の不特定多数者の利益であるところ、それは、性質上、一般的公益に属する利益であって、原告適格を基礎づけるには足りないものであるから、場外施設の周辺に所在する医療施設等の利用者（本問のD）は、位置基準を根拠として場外施設の設置許可の取消しを求める原告適格を有しないとした。

**エ○** 判例は、周辺環境調和基準は、良好な風俗環境を一般的に保護し、都市環境の悪化を防止するという公益的見地に立脚した規定であり、そこから、場外施設の周辺に居住する者等の具体的利益を個々人の個別的利益として保護する趣旨を読み取ることは困難といわざるをえないので、場外施設の周辺に居住する者等（本問のD）は、周辺環境調和基準を根拠として場外施設設置許可の取消しを求める原告適格を有するということはできないとした。

以上より、妥当なものはエであり、肢2が正解となる。

**正答 2**

memo

行政事件訴訟

# 訴えの利益

## 必修問題 セクションテーマを代表する問題に挑戦！

**裁判を行うことに意味がないと、裁判を行うことができません。**

**問 抗告訴訟の訴えの利益に関する次の記述のうち、判例に照らし、妥当なのはどれか。 (地上1997)**

1：運転免許停止処分の記載のある免許証を所持することにより、名誉などを損なう可能性がある場合には、処分の本体たる効果が消滅したあとも、当該処分の取消しを求める訴えの利益は存在する。

2：建築基準法における建築確認は、建築関係規定に違反する建築物の出現を未然に防止することを目的としたものであるとしても、当該工事の完了後も引き続き当該建築確認の取消しを求める訴えの利益は存在する。

3：保安林指定解除処分により洪水などの防止上の利益を侵害される者には、当該処分の取消訴訟の原告適格が認められるが、代替施設の設置により洪水などの危険が解消された場合には、当該処分の取消しを求める訴えの利益は失われる。

4：税務署長の更正処分に対して取消訴訟を提起している間に、税務署長が増額再更正処分を行った場合であっても、当初の更正処分の取消しを求める訴えの利益は存在する。

5：懲戒免職処分を受けた公務員が当該処分の取消訴訟の係属中に死亡した場合は、懲戒免職処分は一身専属的なものであり、取消判決によって回復される利益は存在しないから、遺族が当該訴訟を承継することは認められない。

直前復習

Guidance ガイダンス

**訴えの利益あり**
- 失職公務員に対する免職処分
- 租税の減額再更正処分による当初の更正処分
- 完了した土地改良事業の施行認可
- 運転免許取消処分

**訴えの利益なし**
- 保安林の代替施設の完成
- 生活保護の受給者の死亡
- 建築工事の完了
- 租税の増額再更正処分による当初の更正処分
- 運転免許停止処分

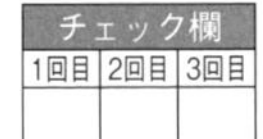

## 必修問題の解説



〈訴えの利益〉

**1 ×** 判例は、自動車運転免許停止処分の効果は、処分後無違反無処分で１年間経過した場合には一切消滅しているとしている。そのうえで、免許停止処分の記載のある免許証を所持することにより名誉、感情および信頼などを損なう可能性が常時継続して認められたとしても、それは免許停止処分がもたらす事実上の効果にすぎず、これをもって処分の効果消滅後の訴えの利益を認めることはできないとしている（最判昭55.11.25）。

**2 ×** 判例は、建築基準法における建築確認は、建築関係規定に違反する建築物の出現を未然に防止することを目的としたものということができるが、建築確認は、それを受けなければ建築基準法上の建築物の建築などの工事をすることができないという法的効果を付与されているにすぎないものであり、当該工事が完了した場合には、もはや建築確認の取消しを求める訴えの利益は失われるとしている（最判昭59.10.26）。

**3 ○** 判例は、保安林の指定解除に関し、保安林の伐採による利水機能の低下により、洪水緩和などの点で直接に影響を被る一定の範囲の地域に居住する住民については、保安林指定解除処分の取消訴訟を提起する原告適格を認めている。しかし、原告適格の基礎は、保安林指定解除処分に基づく立木竹の伐採に伴う利水機能の低下の影響を直接受ける点において、当該保安林の存在による洪水や渇水の防止上の利益を侵害されているところにあるから、代替施設の設置などによって洪水や渇水の危険が解消され、保安林の存続の必要性がなくなったと認められるに至ったときは、指定解除処分の取消しを求める訴えの利益は失われるとしている（長沼ナイキ事件、最判昭57.9.9）。

**4 ×** 判例は、租税更正処分の取消訴訟の係属中に増額再更正処分が行われた場合には、更正処分は再更正処分に吸収され消滅するから、当初の更正処分の取消しを求める訴えの利益は失われるとしている（最判昭55.11.20）。

**5 ×** 判例は、懲戒免職処分を受けた公務員が当該免職処分の取消訴訟の係属中に死亡した場合に、遺族が当該訴訟を承継することを認めている（最判昭49.12.10）。取消判決によって公務員の給料請求権などが回復され、それが相続の対象となるからである。

**正答 3**

# 行政事件訴訟 訴えの利益

## 1 意義

ある行政作用に処分性が認められ、かつ、訴えを提起した者に原告適格が認められても、処分を取り消すことにより現実に救済されうる権利利益が残されていなければなりません。この処分を取り消す必要性と実益を訴えの利益（訴えの客観的利益）といいます。

## 2 具体例

訴えの利益の問題は、ひとえに処分により侵害された権利利益が取消判決により救済される法的利益として残っているか否かです。救済されるべき法的利益が消滅した場合には、訴訟要件を欠くものとして訴えの却下判決がなされます。

判例は、以下のような観点から訴えの利益の有無を判断していると考えられます。

### (1) 原状回復の必要性

処分を取り消しても、原状回復が事実上不必要になった場合には、訴えの利益は失われます。

保安林指定解除処分により洪水や渇水の防止上の利益を侵害されたという住民の訴えの利益は、保安林の洪水防止機能を代替する施設が完成した場合には失われるとされています（長沼ナイキ事件、最判昭57.9.9）。

補足　処分を取り消しても原状回復が不可能な場合、訴えの利益が失われるかという問題があります。判例は、土地改良事業の工事がすべて完了して原状回復が社会通念上不可能であるとしても、そのような事情は行政事件訴訟法31条（事情判決）の適用に関して考慮されるべき事柄であって、事業施行認可の取消しを求める訴えの利益は失われないとしています（最判平4.1.24）。

### (2) 原告側の事情変更

訴えの提起後、原告の事情に変更があった場合、訴えの利益が失われる場合があります。

生活保護の一部廃止処分の取消訴訟係属中に、生活保護受給権を有する原告が死亡した場合、生活保護受給権は一身専属権であるから、訴えの利益は失われるとされています（朝日訴訟、最大判昭42.5.24）。

### (3) 処分の効果の消滅

取消しを求めている処分の効果が消滅した場合には、訴えの利益は原則として失われますが、処分の効果が消滅してしまった場合でも、なお処分の取消しによって回復すべき法律上の利益がある場合には、訴えの利益は失われません（行政事件訴訟法９条１項かっこ書）。この点について以下のような事件があります。

ア　メーデー（５月１日）開催のための皇居外苑使用許可申請に対する不許可処分の取消しを求める訴えの利益は、５月１日の経過により消滅することになります（**皇居前広場事件**、最大判昭28.12.23）。

イ　運転免許停止処分の取消しを求める訴えの利益は、処分後１年間を無違反無処分で経過した時点で失われることになります（最判昭55.11.25）。

ウ　建築確認は以後の建築工事を適法に行わせる処分ですから、建築工事が完了した場合には、建築確認取消訴訟の訴えの利益は失われることになります（最判昭59.10.26）。

エ　自己への免職処分に対して取消訴訟を提起した公務員が、訴訟係属中に選挙に立候補した場合（この場合、立候補届出の当日に当該公務員は辞職したものとみなされることになります）でも、免職処分を取り消すことにより、免職処分から立候補までの期間の給与請求権を確保することができるので、訴えの利益は失われないとしています（最大判昭40.4.28）。

**判例チェック**　愛知県情報公開条例に基づき不開示と決定された公文書が、その決定の取消訴訟において書証として公開された場合でも、当該条例中に開示請求者が請求にかかる公文書の内容を知り、または、公文書の写しを取得した場合に、当該公文書の公開を制限する趣旨の規定がない以上、不開示決定の取消しを求める訴えの利益は失われないとしています（**愛知県知事交際費事件**、最判平14.2.28）。

# 第2章 SECTION 4 行政事件訴訟 訴えの利益

## 実践 問題 142 基本レベル

| 頻出度 | 地上★ | 国家一般職★ | 特別区★ |
|---|---|---|---|
| | 国税・財務・労基★★ | 国家総合職★★ | |

**問 取消訴訟における訴えの利益に関する次の記述のうち、判例に照らし、最も妥当なのはどれか。** （財務2024）

1：行政手続法により定められ、公にされている不利益処分の処分基準に、先行の処分を受けたことを理由として後行の処分に係る量定を加重する旨の不利益な取扱いの定めがある場合において、当該先行の処分に当たる処分を受けた者は、将来において当該後行の処分に当たる処分の対象となり得るときであっても、先行の処分に当たる処分の効果が期間の経過によりなくなった後においては、当該先行の処分に当たる処分の取消しによって回復すべき法律上の利益を有しない。

2：日本に在留する外国人が、出入国管理及び難民認定法に基づく再入国の許可申請に対する不許可処分を受け、再入国の許可を受けないまま出国したことで在留資格を喪失した場合でも、当該不許可処分の取消しによって在留資格を回復し得るため、当該外国人は当該不許可処分の取消しを求める訴えの利益を有する。

3：自動車運転免許の効力を停止する処分を受けた者は、免許の効力停止期間を経過し、かつ、当該処分の日から無違反・無処分で1年を経過して、その処分の効果が失われた後においても、当該処分を受けた旨の記載のある免許証を所持することとなり、警察官に当該処分が存した事実を覚知され、信用等を損なう可能性が常時存在するから、当該処分の取消しによって回復すべき法律上の利益を有する。

4：保安林指定解除処分に基づく立木竹の伐採により理水機能が低下するとして、当該保安林の周辺住民が当該処分の取消しを求める訴えを提起し、原告適格が認められた場合において、代替施設の設置によって洪水や渇水の危険が解消され、その防止上からは当該保安林の存続の必要性がなくなったと認められるに至ったとしても、訴えの利益は失われない。

5：土地改良事業施行地域内に土地を有する者が、当該事業の認可処分の取消しを求める訴えを提起した場合において、その訴訟の係属中に当該事業計画に係る工事及び換地処分が全て完了したため、当該地域を当該事業施行以前の原状に回復することが、社会的、経済的損失の観点からみて、社会通念上不可能であるとしても、そのような事情は、当該処分の取消しを求める法律上の利益を消滅させるものではない。

直前復習

| チェック欄 | | |
|---|---|---|
| 1回目 | 2回目 | 3回目 |
| | | |

## 実践 問題 142 の解説

〈訴えの利益〉



**1 ×** 本肢と同様の事案につき、判例は、後行処分につき処分基準と異なる取扱いをすれば、原則として裁量権の逸脱・濫用になることから、後行処分は特段の事情がない限り処分基準により加重されることとなるので、先行処分の効果が期間の経過によりなくなった後においても、不利益な取扱いを受ける期間内においては、なお先行処分の取消しを求める法律上の利益を有するとしている（最判平27.3.3）。

**2 ×** 本肢と同様の事案につき、判例は、再入国の許可を得ずに出国した場合、同人のそれまで有していた在留資格はこれにより喪失するため、たとえ再入国不許可処分が取り消されても、従前の在留資格のままで再入国を認める余地がなくなるので、再入国不許可処分の取消しを求める訴えの利益は消滅するとしている（最判平10.4.10）。

**3 ×** 本肢と同様の事案につき、判例は、免許停止処分を受けた旨のある記載のある免許証を所持することとなり、警察官に当該処分が存した事実を覚知され、信用等を損なう可能性が存在するとしても、それは事実上の効果にすぎないものであり、法律上の利益を有することの根拠にはならないとしている（最判昭55.11.25）。

**4 ×** 本肢と同様の事案において、判例は、保安林の代替施設が設置され、洪水や渇水の危険が解消されたと認められる場合には、保安林の存続の必要性がなくなるので訴えの利益は失われるとしている（長沼ナイキ事件、最判昭57.9.9）。

**5 ○** 本肢と同様の事案において、判例は、訴訟の係属中に当該事業計画に係る工事および換地処分がすべて完了したため、当該地域を事業施行以前の原状に回復することが、社会的、経済的損失の観点からみて、社会通念上不可能であるとしても、そのような事情は行政事件訴訟法31条（事情判決）の適用に関して考慮される事柄であって、認可処分の取消しを求める法律上の利益を消滅させるものではないとしている（最判平4.1.24）。

**正答 5**

第2章 SECTION 4 行政事件訴訟

# 訴えの利益

## 実践 問題 143 基本レベル

| 頻出度 | 地上★ 国家一般職★ 特別区★ 国税·財務·労基★★ 国家総合職★★ |
|---|---|

**問 訴えの利益に関するア〜オの記述のうち、判例に照らし、妥当なもののみを全て挙げているのはどれか。** **（国税・財務・労基2014）**

**ア**：町営土地改良事業の施行認可処分の取消しを求める訴訟の係属中に、事業計画に係る工事及び換地処分が全て完了したため、事業施行地域を事業施行以前の原状に回復することが、社会通念上不可能になった場合は、社会的・経済的観点から、当該処分の取消しを求める訴えの利益は失われる。

**イ**：自動車運転免許の効力を停止する処分について、その効力停止期間が経過した場合であっても、当該処分の記載のある免許証を所持することにより、名誉、感情、信用等を損なう可能性が存在するから、当該処分の取消しを求める訴えの利益は失われない。

**ウ**：建築基準法に基づく建築確認は、それを受けなければ建築工事をすることができないという法的効果を付与されているにすぎないものというべきであるから、当該工事が完了した場合においては、建築確認の取消しを求める訴えの利益は失われる。

**エ**：免職処分を受けた公務員が、当該処分後に公職の選挙に立候補した場合は、公職選挙法の規定によりその届出の日に公務員の職を辞したものとみなされるため、当該処分が取り消されたとしても同人が公務員たる地位を回復することはないから、当該処分の取消しを求める訴えの利益は失われる。

**オ**：条例に基づき公開請求された公文書を非公開と決定した処分の取消訴訟において、当該公文書が書証として提出された場合は、当該書証の提出により、請求者は、当該非公開決定による被侵害利益を回復し、公開請求をした目的を達することとなるから、当該処分の取消しを求める訴えの利益は失われる。

1：ウ
2：エ
3：ア、イ
4：ウ、オ
5：エ、オ

| チェック欄 | | |
|---|---|---|
| 1回目 | 2回目 | 3回目 |
| | | |

## 実践 問題 143 の解説



〈訴えの利益〉

**ア×** 本記述と同様の事案につき、判例は、土地改良事業の施行認可の取消しを求める訴訟において、本件認可処分が取り消された場合に、本件事業施行地域を事業施行以前の原状に回復することが、本件訴訟係属中に本件事業計画に係る工事および換地処分がすべて完了したため、社会的・経済的損失の観点からみて社会通念上不可能であるとしても、そのような事情は、行政事件訴訟法31条（事情判決）の適用に関して考慮されるべき事柄であって、本件認可処分の取消しを求める訴えの利益は失われないとしている（最判平4.1.24）。

**イ×** 本記述と同様の事案につき、判例は、①自動車運転免許停止処分に対し取消訴訟を提起したが、処分の日から１年間無事故・無違反で経過したため処分の法的効果が消滅した場合、原告は、１年間経過により本件原処分を理由に道路交通法上不利益を受けるおそれがなくなっているから、原処分・裁決の取消しにより回復すべき法律上の利益を有しないとした。また、②原告には本件処分の記載ある免許証を所持することにより、警察官に本件原処分の存した事実を覚知され、名誉、感情、信用などを損なう可能性が認められるとしても、それは本件原処分がもたらす事実上の効果にすぎないものであり、これを本件取消訴訟によって回復すべき法律上の利益を有することの根拠とするのは相当ではないとした（最判昭55.11.25）。

**ウ○** 建築確認の法的効果を正確に述べ、工事完了後は建築確認の取消しを求める訴えの利益は失われるとする本記述は妥当である。その理由として判例は、建築基準法６条１項の建築確認の法的性質につき、建築物の建築工事が着手される前に当該建築物の計画が建築関係規定に適合していることを公権的に判断する行為であって、それを受けなければ同工事をすることができないという法的効果が付与されており、建築関係規定に違反する建築物の出現を未然に防止することを目的としたものということができるとしている（最判昭59.10.26）。

**エ×** 本記述と同様の事案につき、判例は、公務員が免職処分の取消訴訟係属中に市議会議員に立候補した場合、立候補により、その者はもはや公務員に復職することはできないが、免職処分は、それが取り消されない限り、免職処分の効力を保有し、当該公務員は違法な免職処分さえなければ公務員として有するはずであった給料請求権その他の権利、利益につき裁判所に救済を求めることができなくなるのであるから、本件免職処分の効力を排除する判決を求めることは、上記の権利、利益を回復するための必要な手段であると認められ、免職処分取消しを求める訴えの利益は認められるとしている（最大判昭40.4.28）。

**オ×** 本記述と同様の事案につき、判例は、公文書非公開決定の取消訴訟において、その公文書が書証として提出されたとしても、情報公開条例中に、開示請求者が請求にかかる公文書の内容を知り、または公文書の写しを取得した場合に当該公文書の公開を制限する趣旨の規定が存在しない以上、非公開決定の取消しを求める訴えの利益は消滅しないとしている（愛知県知事交際費事件、最判平14.2.28）。

以上より、妥当なものはウであり、肢1が正解となる。

**正答 1**

# memo

# 第2章 SECTION 4 行政事件訴訟 訴えの利益

## 実践 問題 144 基本レベル

| 頻出度 | 地上★ 国家一般職★ 特別区★ 国税・財務・労基★ 国家総合職★ |
|---|---|

**問** **行政事件訴訟法に規定する取消訴訟における訴えの利益に関するA～Dの記述のうち、最高裁判所の判例に照らして、妥当なものを選んだ組合せはどれか。**

**（特別区2019）**

A：免職された公務員が、免職処分の取消訴訟係属中に公職の選挙の候補者として届出をしたため、法律上その職を辞したものとみなされるに至った場合、当該免職処分が取り消されたとしても公務員たる地位を回復することはできないが、違法な免職処分がなければ公務員として有するはずであった給料請求権その他の権利、利益が害されたままになっているという不利益状態が存する以上、なお当該免職処分の取消しを求める訴えの利益を有するとした。

B：自動車運転免許の効力停止処分を受けた者は、免許の効力停止期間を経過し、かつ、当該処分の日から無違反・無処分で１年を経過したときであっても、当該処分の記載のある免許証を所持することにより警察官に処分の存した事実を覚知され、名誉、感情、信用を損なう可能性が常時継続して存在することから、当該処分の取消しによって回復すべき法律上の利益を有するとした。

C：建築確認は、建築基準法の建築物の建築等の工事が着手される前に、当該建築物の計画が建築関係規定に適合していることを公権的に判断する行為であって、それを受けなければ当該工事をすることができないという法的効果が付与されているにすぎないものというべきであるから、当該工事が完了した場合においては、建築確認の取消しを求める訴えの利益は失われるとした。

D：町営の土地改良事業の工事がすべて完了し、当該事業施行認可処分に係る事業施行地域を原状に回復することが物理的に全く不可能とまでいうことはできないとしても、その社会的、経済的損失を考えると、社会通念上、法的に不可能である場合には、もはや違法状態を除去することはできないから、当該認可処分の取消しを求める法律上の利益は消滅するとした。

1：A　B
2：A　C
3：A　D
4：B　C
5：B　D

チェック欄

| 1回目 | 2回目 | 3回目 |
| --- | --- | --- |
| | | |

## 実践 問題 144 の解説



〈訴えの利益〉

**A ○** 免職処分を受けた公務員が公職に立候補すれば、届出の日から公務員の職を辞したものとみなされるため、仮に免職処分が取り消されても元の地位を回復することはできない。もっとも、判例は、違法な免職処分がなければ、公務員として有するはずであった俸給請求権などの経済的利益を回復するための法律上の利益を有するとして、当該免職処分の取消しを求める訴えの利益は失われないとしている（最大判昭40.4.28）。

**B ×** 本記述と同様の事案において判例は、本記述のような効力停止処分の効果は、停止期間の経過によりなくなったこと、および処分の日から１年を経過した後の翌日以降、道路交通法その他の法律上の不利益を受けるおそれがなくなったことを理由に、当該処分の取消しによって回復すべき法律上の利益を有しないとしている（最判昭55.11.25）。

**C ○** 本記述と同様の事案において判例は、建築確認は、「建築基準法６条１項の建築物の建築等の工事が着手される前に、当該建築物の計画が建築関係規定に適合していることを公権的に判断する行為であ（る）」と述べたうえで、建築確認の存在は、検査済証の交付を拒否し、または違反是正命令を発するうえでの法的障害にはならないこと、また、建築確認が取り消されても、検査済証の交付を拒否しまたは違反是正命令を発すべき法的拘束力は生じないことを理由に、建築確認はそれを受けなければ工事をすることができないという法的効果を付与されているにすぎないものというべきであるから、当該工事が完了した場合においては、建築確認の取消しを求める訴えの利益は失われるとしている（最判昭59.10.26）。

**D ×** 本記述と同様の事案において判例は、土地改良事業施行認可処分の取消訴訟の係属中に、同事業計画に係る工事および換地処分がすべて完了したため、施行地域を原状に回復することが、社会的、経済的損失の観点から社会通念上不可能であるとしても、このような事情は行政事件訴訟法31条（事情判決）の適用に関して考慮されるべき事柄であり、取消判決により救済される権利利益が残されている限り、上記認可処分の取消しを求める原告の法律上の利益を消滅させるものではないとしている（最判平4.1.24）。

以上より、妥当なものはA、Cであり、肢２が正解となる。

**正答 2**

第2章 SECTION 4 行政事件訴訟

# 訴えの利益

## 実践 問題 145 応用レベル

頻出度 地上★ 国家一般職★ 特別区★ 国税·財務·労基★ 国家総合職★

問 訴えの利益に関するア～エの記述のうち、判例に照らし、妥当なもののみを全て挙げているのはどれか。 (財務2017)

ア：税務署長の更正処分の取消しを求める訴訟の係属中に、税務署長によって、当初の更正処分の瑕疵を是正するため、係争年度の所得金額を確定申告書記載の金額に減額する旨の再更正処分と、更正の具体的根拠を明示して申告に係る課税標準及び税額を当初の更正処分のとおりに更正する旨の再々更正処分が行われた場合であっても、当初の更正処分の取消しを求める訴えの利益は失われない。

イ：自動車等運転免許証の有効期間の更新に当たり、一般運転者として扱われ、優良運転者である旨の記載のない免許証を交付されて更新処分を受けた者は、客観的に優良運転者の要件を満たす者であれば優良運転者である旨の記載のある免許証を交付して行う更新処分を受ける法律上の地位を有することが肯定される以上、当該法律上の地位を否定されたことを理由として、これを回復するため、当該更新処分の取消しを求める訴えの利益を有する。

ウ：土地改良法に基づく土地改良事業施行の認可処分の取消しを求める訴訟の係属中に、当該事業に係る工事及び換地処分が全て完了したため、当該事業施行地域を当該事業施行以前の原状に回復することが、社会的、経済的損失の観点から見て、社会通念上、不可能となった場合には、当該認可処分の取消しを求める訴えの利益は失われる。

エ：建築基準法に基づく建築確認は、それを受けなければ建築工事をすることができないという法的効果を付与されているにすぎないものというべきであるから、当該工事が完了した場合には、当該建築確認の取消しを求める訴えの利益は失われる。

1：イ
2：ウ
3：ア、ウ
4：ア、エ
5：イ、エ

| チェック欄 | | |
|---|---|---|
| 1回目 | 2回目 | 3回目 |
| | | |

## 実践 問題 145 の解説



〈訴えの利益〉

**ア×** 判例は、再更正処分が、再々更正処分を行うための前提手続としての意味を有するにすぎず、また、再々更正処分も、実質的には、当初の更正処分の付記理由を追完したにとどまることは否定しえないことを指摘するが、再更正処分により更正処分は取り消された以上、更正処分取消訴訟の訴えの利益が失われるとしている（最判昭42.9.19）。

**イ○** 判例は、道路交通法が、交通事故の防止を図る目的に基づいて優良運転者制度を採用し、優良運転者に対して、優良運転者である旨を免許証に記載していることや更新手続上の優遇措置を講じていることを根拠として、同法は、客観的に優良運転者の要件を充たす者に対して、優良運転者である旨の記載のある免許証を交付して行う更新処分を受ける法律上の地位を保障しているとし、そのうえで、優良運転者である旨の記載のない免許証を交付されて免許証の更新処分を受けた者は、保障された法律上の地位を否定されたことを理由として、これを回復するため、当該更新処分の取消しを求める訴えの利益を有するとしている（最判平21.2.27）。

**ウ×** 判例は、土地改良事業の工事・換地処分が完了したため土地を現状に回復することが社会通念上不可能であっても、原状回復が可能であるかどうかは、事情判決について定める行政事件訴訟法31条の適用に関して考慮すべき事項であるから、認可処分が取り消されれば、換地処分などの効力に影響が及ぶ以上、訴えの利益は失われないとしている（最判平4.1.24）。

**エ○** 判例は、建築基準法６条１項の建築確認について、建築物の建築工事が着手される前に当該建築物の計画が建築関係規定に適合していることを公権的に判断する行為であって、それを受けなければ建築工事をすることができないという法的効果を付与されているにすぎないとして、当該工事が完了した場合においては、もはや建築確認の取消しを求める訴えの利益が失われるとしている（最判昭59.10.26）。

以上より、妥当なものはイ、エであり、肢５が正解となる。

**正答 5**

行政事件訴訟

# その他の取消訴訟の要件

## 必修問題 セクションテーマを代表する問題に挑戦！

そのほかの訴訟要件について学習しましょう。

問 行政事件訴訟法上の出訴期間に関する次の記述のうち、妥当なのはどれか。 （国家一般職2019）

1：出訴期間の制度は、行政法関係の早期安定の要請に基づくものであり、その期間をどのように定めるかは立法者の幅広い裁量に委ねられているので、具体的な出訴期間の長さが憲法上問題となることはないとするのが判例である。

2：取消訴訟は、処分又は裁決があったことを知った日から６ヶ月を経過したときは提起することができず、処分又は裁決の日から１年を経過したときも同様である。ただし、いずれの場合においても、正当な理由があるときは、出訴期間経過後の訴えの提起が認められる。

3：出訴期間を徒過し、取消訴訟を提起することができなくなった場合、これにより法律関係が実体的に確定するので、その後に処分庁である行政庁が職権により処分又は裁決を取り消すことはできない。

4：行政事件訴訟法の出訴期間の規定における「正当な理由」には、災害、病気、怪我等の事情のほか、海外旅行中や多忙であったといった事情も含まれると一般に解されている。

5：行政処分の告知が個別の通知ではなく告示によることが法律上定められている場合であっても、出訴期間は、告示が適法になされた日ではなく、当事者が処分があったことを現実に知った日から計算される。

直前復習

Guidance ガイダンス

**出訴期間**

・処分・裁決があったことを知った日から６カ月以内

・処分・裁決があった日から１年以内

※知った日は現実に知った日

※訴えの変更があった場合は、原則として訴えの変更日が基準

# 必修問題の解説

チェック欄 1回目 2回目 3回目

〈出訴期間〉

**1 ×** 判例は、新法によって出訴期間を短縮することは可能であり、その期間が著しく不合理で実質上裁判の拒否と認められるような場合でない限り憲法32条に違反するということはできないとしている（最大判昭24.5.18）。したがって、判例は、出訴期間の長さが裁判を受ける権利（憲法32条）の侵害という憲法上の問題となる余地を残しているので、本肢は妥当でない。

**2 ○** 本肢は、行政事件訴訟法14条１項・２項のとおりであり、妥当である。すなわち、「正当な理由」があるときは、出訴期間の制限が猶予される。

**3 ×** 出訴期間が経過しても処分庁による職権取消しは認められるので、本肢は妥当でない。ある行政処分に関して出訴期間を徒過すると、私人の側から争訟により当該処分の取消しを求めることができなくなる。これを不可争力という。しかし、不可争力は行政庁を拘束しない。したがって、処分庁は、職権により処分を取り消すことができる。

**4 ×** 「正当な理由」には、災害、病気、怪我などの事情は含まれるが、単に海外旅行中や多忙であったという事情は含まれないと解されているので、本肢は妥当でない。行政事件訴訟法上の出訴期間（記述２の解説参照）における「正当な理由」とは、災害、病気、怪我や行政庁の教示の懈怠など出訴期間中に取消訴訟を提起できないことにつきやむをえない事情を指し、単に海外旅行中や多忙というような事情は含まれないと解されている。

**5 ×** 本肢のような場合、判例は、出訴期間は告示が適法になされた日から計算されると解しているので、妥当でない。判例は、（旧）行政不服審査法14条１項本文の「処分があったことを知った日」とは、処分がその名あて人に個別に通知される場合には、その者が処分のあったことを現実に知った日のことをいい、処分があったことを知りえたというだけでは足りないが、都市計画法における都市計画事業の認可のように、処分が個別の通知ではなく告示をもって多数の関係権利者等に画一的に告知される場合には、そのような告知方法が採られている趣旨にかんがみて、「処分があったことを知った日」とは、告示があった日をいうとしている（最判平14.10.24）。これは、（現）行政事件訴訟法14条１項の「知った日」についても同様の解釈を採る趣旨と解されている。

**正答 2**

第2章 SECTION 5 行政事件訴訟

# その他の取消訴訟の要件

## 1 被告適格

※以下の条文は、特に断りのない限り、行政事件訴訟法の条文です。

処分の取消訴訟は、処分を行った行政庁の所属する行政主体を被告として、裁決の取消訴訟は、裁決をした行政庁の所属する行政主体を被告として、提起します（11条1項）。

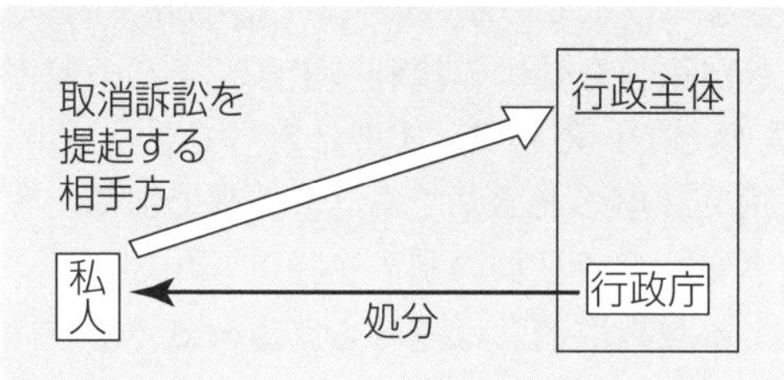


処分・裁決を実際に行っているのは行政庁ですが、私人の側から処分または裁決を行った行政庁を特定するのが困難ですので、行政主体が被告とされているのです。

ただし、処分または裁決があった後に、権限が他の行政庁に承継されたときは、その行政庁の所属する行政主体を被告として提起します（同条項かっこ書）。

## 2 出訴期間

取消訴訟には、出訴期間の制限があります。

取消訴訟は、原則として、処分または裁決があったことを知った日から６カ月以内、かつ、処分または裁決の日から１年以内に、提起しなければなりません（14条１項・２項）。

ただし、正当な理由があるときは、出訴期間が猶予されます（同条同項但書）。

14条１項で「知った日から」、２項で「処分又は裁決の日から」と規定されていますが、初日不算入の原則が適用されて、「知った日の翌日から」、「処分又は裁決の日の翌日から」起算されます。

## 3 管轄

取消訴訟は、被告の普通裁判籍の所在地を管轄する裁判所または処分もしくは裁決をした行政庁の所在地を管轄する裁判所の管轄に属します（12条１項・３項）。

## 4 審査請求前置

審査請求に対する裁決を経た後でなければ取消訴訟を提起しえない旨の規定がある場合には、審査請求を経由する必要があります。

この場合、審査請求を経ずに取消訴訟を提起することはできません（8条1項但書）。

第2章 SECTION 5 行政事件訴訟

# その他の取消訴訟の要件

## 実践 問題 146 応用レベル

頻出度 地上★ 国家一般職★ 特別区★ 国税·財務·労基★ 国家総合職★

**問 行政事件訴訟法における取消訴訟に関するア～オの記述のうち、妥当なもののみをすべて挙げているのはどれか。** （国Ⅱ2008）

ア：処分の取消しの訴えは、処分の取消しを求めるについて法律上の利益を有する者に限り提起することができ、当該法律上の利益を有する者には、処分の効果が期間の経過その他の理由によりなくなった後においてもなお処分の取消しによって回復すべき法律上の利益を有する者が含まれる。

イ：国又は公共団体に所属する行政庁が行った処分又は裁決に対して取消訴訟を提起する場合、処分の取消しの訴えについては当該処分をした行政庁を、裁決の取消しの訴えについては当該裁決をした行政庁を被告として提起しなければならない。

ウ：裁判所は、訴訟の結果により権利を害される第三者があるときは、当事者若しくはその第三者の申立て又は職権により、決定をもって、その第三者を訴訟に参加させることができる。

エ：処分の取消しの訴え及び裁決の取消しの訴えにおいては、自己の法律上の利益に関係のない違法を理由として取消しを求めることができず、処分の取消しの訴えとその処分についての審査請求を棄却した裁決の取消しの訴えとを提起することができる場合の裁決の取消しの訴えにおいては、処分の違法を理由として取消しを求めることができない。

オ：裁判所は、当事者の主張する事実について職権で証拠調べを行う必要があると認める場合には、これを行わなければならず、さらに、裁判所は、当事者の意見をきいた上で、当事者が主張しない事実をも探索して、判断の資料とすることもできる。

1：ア、イ
2：ア、ウ、エ
3：イ、エ
4：イ、エ、オ
5：ウ、オ

直前復習

チェック欄

| 1回目 | 2回目 | 3回目 |
| --- | --- | --- |
| | | |

## 実践 問題 146 の解説

〈被告適格など〉



**ア○** 処分の取消訴訟を開始するには、裁判を行うに値する客観的な事情・実益（狭義の訴えの利益）が必要となる。処分・裁決の効果が期間の経過などの理由により消滅した後でも、なお、その取消しにより回復すべき法律上の利益を有する場合においては、訴えの利益は存続し（行政事件訴訟法９条１項かっこ書）、そのような者は、訴訟を維持することができる。

**イ×** 国または公共団体に所属する行政庁が行った処分または裁決に対し取消訴訟を提起する場合、その取消訴訟は、処分または裁決をした行政庁ではなく、その行政庁の所属する国または公共団体を被告として、提起しなければならない（行政事件訴訟法11条１項柱書）。

**ウ○** 裁判所は、訴訟の結果により権利を侵害される第三者がいるときは、当事者もしくはその第三者の申立てにより、または職権で、その第三者を訴訟に参加させることができる（第三者の訴訟参加、行政事件訴訟法22条１項）。取消判決の効力は、当事者以外の第三者にも及び（第三者効、同法32条１項）、訴訟の結果が第三者の権利利益に重大な影響を及ぼすことから、このような第三者に主張・立証の機会を与えるために設けられた手続である。

**エ○** 取消訴訟で原告は、自己の法律上の利益に関係のない違法を主張することはできない（行政事件訴訟法10条１項）。原告の権利・利益の救済が取消訴訟の第一次的目的だからである。また、裁決取消訴訟において原告は、裁決にかかわる原処分の違法を主張することはできない（同条２項）。原処分の違法性は原処分の取消訴訟によってのみ争われなければならないからである（原処分主義）。

**オ×** 行政事件訴訟では、訴訟の結果が紛争当事者以外の多数の者の権利利益にも影響を及ぼすことから、裁判所に審理の進行の主導権を認める職権主義が加味されている。ただし、当事者が主張する事実の存否について当事者の提出した証拠のみでは十分な心証が得られない場合に裁判所が職権証拠調べをすることを認めるにとどまり、当事者の主張しない事実についても裁判所が調査することができる職権探知主義までは認められない。

以上より、妥当なものはア、ウ、エであり、肢２が正解となる。

**正答 2**

# 行政事件訴訟
# 取消訴訟の手続

## 必修問題 セクションテーマを代表する問題に挑戦！

**訴訟の提起と処分の効力との関係について、理解しましょう。**

問 行政事件訴訟法に規定する執行停止に関する記述として、妥当なのはどれか。 （特別区2020）

1：裁判所は、処分の執行又は手続の続行により生ずる重大な損害を避けるため緊急の必要があるときは、申立てにより、決定をもってそれらを停止することができるが、処分の効力の停止はいかなる場合もすることができない。

2：裁判所は、執行停止の決定が確定した後に、その理由が消滅し、その他事情が変更したときは、相手方の申立てにより、決定をもって、執行停止の決定を取り消すことができる。

3：裁判所は、処分の取消しの訴えの提起があった場合において、申立てにより、執行停止の決定をするときは、あらかじめ、当事者の意見をきく必要はなく、口頭弁論を経ないで、当該決定をすることができる。

4：内閣総理大臣は、執行停止の申立てがあり、裁判所に対し、異議を述べる場合には、理由を付さなければならないが、公共の福祉に重大な影響を及ぼすおそれのあるときは、理由を付す必要はない。

5：内閣総理大臣は、執行停止の申立てがあった場合には、裁判所に対し、異議を述べることができるが、執行停止の決定があった後においては、これをすることができない。

直前復習

Guidance ガイダンス

**執行停止制度**

・執行不停止の原則
　訴訟提起により、処分の執行は妨げられない
・執行停止
　重大な損害を避けるため、緊急の必要がある場合、例外的に執行停止が認められる
・内閣総理大臣の異議
　執行停止に対して、内閣総理大臣が異議を述べると、執行停止は取り消される

# 必修問題の解説

〈執行停止〉



**1 ×** 処分の効力の停止は、非常に強力な措置であるため、過剰な停止を回避する必要がある。そこで、「処分の効力の停止は、処分の執行または手続の続行の停止によって目的を達することができる場合には、することができない」（行政事件訴訟法25条２項但書。以下は同法の条文）とされる。ということは、処分の執行および手続の続行の停止では目的を達することができないときには、処分の効力の停止をすることができるので、本肢は妥当でない。

**2 ○** 処分の取消しの訴えが提起されても処分の執行は停止しない（執行不停止の原則、25条１項）。執行停止はあくまでも例外的措置である。そのため、執行停止の決定が確定した後に、その理由が消滅し、その他事情が変更したときは、裁判所は、相手方（行政庁）の申立てにより、決定をもって、執行停止の決定を取り消すことができる（26条１項）。

**3 ×** 裁判所は、当事者の意見をきくことなく執行停止の決定をすることはできないので、本肢は妥当でない。執行停止の決定は、口頭弁論を経ないですることができるが（25条６項本文）、あらかじめ当事者の意見をきかなければならない（同項但書）。

**4 ×** 内閣総理大臣が異議を述べる場合には、公共の福祉に重大な影響を及ぼすおそれのあるときでも理由を付す必要があるので、本肢は妥当でない。内閣総理大臣は、執行停止の申立てがあった場合には、裁判所に対し、異議を述べることができる（27条１項前段）。この異議には理由を付さなければならず、公共の福祉を理由とする例外はない。そして、異議の理由には、執行停止を阻止しなければ、公共の福祉に重大な影響を及ぼすおそれのある事情を示さなければならない（同条２項・３項）。

**5 ×** 執行停止の決定があった後でも異議を述べることができるので、本肢は妥当でない。27条１項は、内閣総理大臣の異議は「執行停止の決定があった後においても、同様とする」と規定し、執行停止の決定の前後を問わず異議を述べることができることを定めている。

**正答 2**

行政事件訴訟

# 取消訴訟の手続

## 1 審理手続総説

取消訴訟が提起されると、まず裁判所は、処分性や原告適格などの訴訟要件の有無について審理します（要件審理）。訴訟要件を欠く訴えに対しては補正を命じ、これができない場合および原告が補正に従わない場合には、処分の違法性を審理することなく訴えを却下します。

訴訟要件を具備した訴えに対しては、裁判所は、原告の請求（違法の主張）に理由があるか、すなわち、争いの対象となっている処分が違法なものか否かの審理を行うことになります（本案審理）。

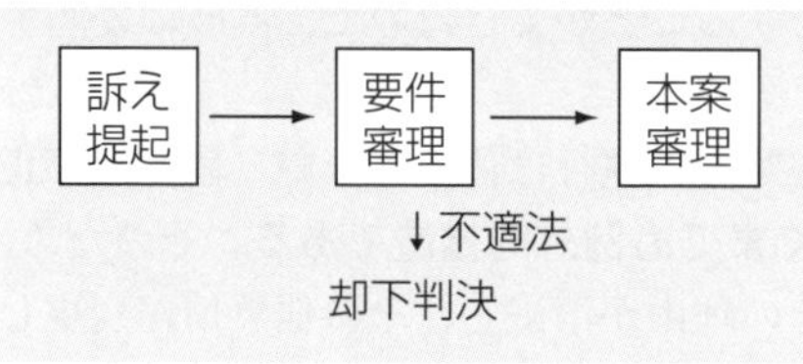


## 2 行政事件訴訟の審理の特徴

※以下の条文は、特に断りのない限り、行政事件訴訟法の条文です。

行政事件訴訟では、民事訴訟同様、**口頭主義**が採られています（7条、民事訴訟法87条1項）。

また、行政不服申立てでは公益性重視の見地から職権主義が採られます。これに対し、行政事件訴訟では、民事訴訟同様私人と行政主体が訴訟当事者の地位に立つことから、基本的に当事者主義が採られる一方、判決の効果が性質上公益に大きく影響することから、**職権主義も加味されています**。

具体的には、裁判所は、必要と認めるときは、職権で証拠調べをすることができます（**職権証拠調べ**、24条本文）。

不服申立手続と異なり、行政事件訴訟において、職権探知（裁判所が当事者の主張しない事実まで職権で証拠の収集を行う）は認められていません。職権探知まで認めることは、弁論主義の放棄と考えられるからです。

## 3 執行停止制度

訴訟手続が開始されたとき、最も問題となるのは、問題とされている処分の効力が続いていくのかという問題（執行停止の問題）です。



### (1) 執行不停止の原則

訴訟の提起は原則として、処分の効力、処分の執行または手続の続行を妨げないとされます（25条1項）。その趣旨は、不服申立てと同じで、濫訴によって行政が停滞することを防ぐことにあります。

### (2) 執行停止

執行停止が一切認められないと、たとえ勝訴しても回復困難な状態に至った場合に救済の目的を十分に達成できない場合が生じうるので、例外的に、以下の要件を充たす場合には執行停止が認められています（25条2項・4項）。

① 原告からの申立てがあること
② 重大な損害を避けるため緊急の必要があること
③ 執行停止によって公共の福祉に重大な影響を及ぼすおそれのないこと
④ 本案について理由がないとみえないこと

### (3) 内閣総理大臣の異議

執行停止の申立てがあった場合、内閣総理大臣は、裁判所に対して、執行停止の決定の前後を問わず異議を述べることができます（27条1項）。

#### ① 異議の効果

裁判所には､内閣総理大臣の異議に対する法的対抗手段がありません。すなわち、裁判所は、執行停止ができなくなり、また、すでに執行停止の決定をしているときは、執行停止を取り消さなければならないのです（27条4項）。

#### ② 慎重性の要請

この異議制度は、司法権に対する行政権による強度の干渉であり、その行使には慎重性が要求されます。したがって、異議には理由を付すことが必要であり（27条2項)､やむをえない場合でなければ異議を述べることはできず､異議を述べた場合、内閣総理大臣は次の常会で国会に報告しなければならないとされています（同条6項）。

行政事件訴訟

# 取消訴訟の手続

## 実践 問題 147 基本レベル

| 頻出度 | 地上★ 国家一般職★ 特別区★ 国税·財務·労基★ 国家総合職★ |
|---|---|

問 行政法学上の仮の救済に関する記述として、妥当なのはどれか。

(特別区2015)

1：執行停止が認められるには、公共の福祉に重大な影響を及ぼすおそれがないとき、又は本案について理由がないとみえないときという積極的要件を満たす必要はあるが、取消訴訟や無効等確認訴訟が係属している必要はない。

2：裁判所は、処分の執行又は手続の続行の停止によって、仮の救済の目的を達することができる場合であっても、申立人の権利利益保護のために、処分の効力の停止をすることができる。

3：内閣総理大臣は、執行停止の申立てがあった場合だけでなく、執行停止の決定があった後においても、裁判所に対し、異議を述べることができるが、いずれにおいても、理由を付さなければならない。

4：裁判所は、義務付けの訴えの提起があった場合において、その義務付けの訴えに係る処分又は裁決がされないことにより生ずる償うことのできない損害を避けるため緊急の必要があれば、本案について理由があるとみえないときも、申立てにより、決定をもって、行政庁に仮の義務付けを命ずることができる。

5：裁判所は、差止めの訴えの提起があった場合において、その差止めの訴えに係る処分又は裁決がされることにより生ずる償うことのできない損害を避けるため緊急の必要がない場合でも、本案について理由があるとみえるときは、申立てにより、決定をもって、行政庁に仮の差止めを命ずることができる。

| チェック欄 | | |
|---|---|---|
| 1回目 | 2回目 | 3回目 |
| | | |

## 実践 問題 147 の解説



〈仮の救済制度〉

**1 ×** 執行停止は、執行不停止の原則（行政事件訴訟法25条１項）の例外の制度であるから、積極的要件（同条２項）と消極的要件（同条４項）の双方を充足していなければならない。したがって、「処分の取消しの訴えの提起があつた場合」として本案訴訟が適法に係属していることが積極的要件なので、取消訴訟や無効等確認訴訟の適法な係属が必要である。

**2 ×** 執行停止には、①処分の効力の停止（たとえば、公務員の免職処分の効力停止により公務員としての地位を回復するもの）、②処分の執行の停止（たとえば、処分により課された義務履行を確保するための強制手段を停止するもの）、③手続の続行の停止（たとえば、土地収用法に基づく事業認定の告示につき手続の続行を停止するもの）がある。これらの中で、①が最も効力が強いので、過剰な停止を回避するため、②・③により目的を達成できる場合には、①をすることはできない（行政事件訴訟法25条２項但書）。

**3 ○** 行政事件訴訟法27条１項は、内閣総理大臣に、執行停止決定前のみならず、執行停止決定後にも異議を述べることができる旨を規定しているが、いずれにおいても、この異議には理由を付さなければならないとされている（同条２項）。

**4 ×** 仮の義務付けにおける積極的要件は、①処分または裁決がされないことにより生ずる償うことのできない損害を避けるため必要があること、②本案について理由があるとみえること、である（行政事件訴訟法37条の５第１項）。この２つは「かつ」で結ばれており、ともに要件を満たさなければならない。この点において、本肢は妥当でない。

**5 ×** 仮の差止めにおける積極的要件は、①処分または裁決がされることにより生ずる償うことのできない損害を避けるため必要があること、②本案について理由があるとみえること、である（行政事件訴訟法37条の５第２項）。この２つも仮の義務付けと同じく、「かつ」で結ばれており、ともに要件を満たさなければならない。この点において、本肢は妥当でない。

**正答 3**

第2章 SECTION 6 行政事件訴訟

# 取消訴訟の手続

## 実践 問題 148 基本レベル

| 頻出度 | 地上★ | 国家一般職★ | 特別区★ |
|---|---|---|---|
| | 国税·財務·労基★ | 国家総合職★ | |

**問** **不服申立前置に関するア～エの記述のうち、妥当なもののみを全て挙げているのはどれか。（国家総合職2016）**

**ア**：法律の根拠がある場合には、処分について審査請求その他の不服申立てに対する裁決等を経た後でなければその処分の取消しの訴えを提起することができないという、不服申立前置主義を採ることが認められる。しかし、個別法により不服申立前置が定められている場合であっても、処分、処分の執行又は手続の続行による著しい損害を避けるため緊急の必要があるときには、不服申立ての裁決等を経ることなく、処分の取消しの訴えを提起することができる。

**イ**：個別法により不服申立前置が定められている場合には、処分の取消しの訴えは、当該処分について審査請求その他の不服申立てに対する裁決等を経ていなければ、提起することはできない。しかし、適法な不服申立てがされたにもかかわらず、当該不服申立ての審理を行う行政庁が誤って却下してしまった場合には、不服申立前置の要件を満たしたものとして処分の取消しの訴えを提起することができるとするのが判例である。

**ウ**：処分についての審査請求と処分の取消しの訴えとが並行して提起された場合、裁判所は、審査請求に対する裁決を先行させることが争訟経済等の観点から望ましいと判断したときは、原則としてその審査請求に対する裁決があるまで、訴訟手続を中止しなければならない。

**エ**：個別法により不服申立前置が定められている場合において、審査請求等があった日から３か月を経過しても裁決等がないときには、適時に司法審査を得る機会を喪失することがないよう、裁決等を経ないで処分の取消しの訴えを提起することができる。

1：ア、ウ
2：ア、エ
3：イ、ウ
4：ア、イ、エ
5：イ、ウ、エ

チェック欄

| 1回目 | 2回目 | 3回目 |
| --- | --- | --- |
| | | |

## 実践 問題 148 の解説

〈不服申立前置〉

**ア○** 法律に別段の定めがある場合には、処分について審査請求その他の不服申立てに対する裁決等を経た後でなければその処分の取消しの訴えを提起することができない（行政事件訴訟法８条１項但書。以下は同法の条文）。これを不服申立前置主義という。しかし、この場合であっても、処分、処分の執行または手続の続行により生ずる著しい損害を避けるため緊急の必要があるときは、裁決などの不服申立てを経ないで取消訴訟を提起することができる（８条２項２号）。当該規定の趣旨は、直ちに取消訴訟を提起し、執行停止の申立てを可能にするためにある。

**イ○** 不服申立前置主義の趣旨は、行政庁にもう一度考慮の機会を与えるためにある。本記述と同様の事案において判例は、適法な不服申立てがなされたにもかかわらず、誤って却下されてしまった場合には、不服申立ての実体審理は行われていないが、その責めは再度考慮の機会が与えられた行政庁が負うべきであるから、当該行政庁に実体審理を行わせるべき特段の事情がない以上は、不服申立前置の要件を充たしたものとして取消訴訟の提起を認めている（最判昭36.7.21）。

**ウ×** 処分についての審査請求と処分の取消しの訴えが並行して提起された場合、裁判所は、審査請求に対する裁決を先行させることが争訟経済等の観点から望ましいと考える場合には、審査請求に対する裁決があるまで訴訟手続を中止することができる（８条３項）。当該規定は、争訟経済と権利救済の見地から設けられたものであり、中止するか否かは裁判所が裁量により職権で決定する。したがって、裁判所が訴訟手続を中止しなければならないとする本記述は妥当でない。

**エ○** 不服申立前置主義が定められている場合において、審査請求等があった日から３カ月を経過しても裁決がないときには、裁決を経ないで、処分の取消しの訴えを提起することができる（８条２項１号）。当該規定は、審査庁の裁決の遅延により国民の司法的救済が遅れることのないようにとの配慮から置かれたものである。

以上より、妥当なものはア、イ、エであり、肢４が正解となる。

**正答 4**

第2章 SECTION 6 行政事件訴訟

# 取消訴訟の手続

## 実践 問題 149 応用レベル

| 頻出度 | 地上★ 国家一般職★ 特別区★ 国税·財務·労基★ 国家総合職★ |
|---|---|

**問 行政事件訴訟法における仮の救済に関するア〜オの記述のうち、妥当なもののみを全て挙げているのはどれか。ただし、争いのあるものは判例の見解による。（国家総合職2021）**

ア：行政事件訴訟法は、執行停止の内容として、処分の効力、処分の執行又は手続の続行の全部又は一部の停止を定めているが、処分の効力の停止は、処分の執行又は手続の続行の停止によって目的を達することができる場合には、することができない。

イ：行政事件訴訟法は、執行停止の決定について、申請を却下し又は棄却した処分に関する取消判決の拘束力に関する規定を準用しているため、申請を却下し又は棄却した処分に関する取消訴訟において執行停止の決定がされた場合には、当該処分をした処分庁は、執行停止決定の趣旨に従い、申請を認容する内容の仮の処分をしなければならない。

ウ：日本弁護士連合会が弁護士に対して行う戒告処分は、同会の会則に基づく公告が行われることにより実質的に完了するものということができるから、当該公告は当該処分の続行手続として行われるものというべきである。よって、裁判所は、当該処分の手続の続行を停止することによって、当該公告が行われることを法的に阻止することができる。

エ：差止めの訴えの提起があった場合において、その差止めの訴えに係る処分又は裁決がされることにより生ずる償うことのできない損害を避けるため緊急の必要があり、かつ、本案について理由があるとみえるときは、裁判所は、申立てにより、仮の差止めの決定をすることができる。ただし、公共の福祉に重大な影響を及ぼすおそれがあるときは、かかる決定をすることはできない。

オ：行政事件訴訟法上、仮の義務付けの決定にも拘束力が認められており、仮の義務付けを命じられた行政庁は、その仮の義務付けの決定に基づいて処分又は裁決をしなければならない。また、仮の義務付けの決定が取り消されたときは、仮の義務付けを命じられていた行政庁は、その仮の義務付けの決定に基づいてした処分又は裁決を取り消さなければならない。

1：ア、イ、ウ
2：ア、イ、オ
3：ア、エ、オ
4：イ、ウ、エ
5：ウ、エ、オ

| チェック欄 | | |
|---|---|---|
| 1回目 | 2回目 | 3回目 |
| | | |

## 実践 問題 149 の解説

〈仮の救済〉



**ア○** 本記述は、行政事件訴訟法（以下は同法の条文）における執行停止制度、ならびに処分の効力の停止の補充性を正確に述べており、妥当である。処分の取消訴訟が提起されても、処分の効力、処分の執行、手続の続行は妨げられない（執行不停止の原則、25条1項）。また、民事保全法上の仮処分をすることもできない（44条）。この代替措置として、一定の要件のもとで執行停止が認められている（25条2項ないし4項）。もっとも、処分の効力の停止は、処分の執行または手続の続行の停止によって目的を達することができる場合にはすることができない（同条2項但書）。処分の効力の停止は、処分の効力それ自体が存続しない状態に置くことであるが、それが強力な措置であるため、過剰な停止を回避する必要があるからである。

**イ×** 執行停止の決定について、申請を却下しまたは棄却した処分に関する取消判決の拘束力の規定を準用していると述べる本記述は、行政事件訴訟法の規定と異なるので、妥当でない。取消判決の拘束力は、執行停止の決定に準用される（33条4項）。しかし、33条4項は、同条1項を準用しながら2項を準用しておらず、執行停止においては拘束力の積極的効果を排除している。これは、申請を却下し棄却した処分の取消訴訟において執行停止の決定がなされても、取消判決の拘束力は準用されないことを意味する。申請を却下し棄却した処分の取消訴訟においては、執行停止の利益が認められないからである。執行停止の決定をするには、執行停止により原告の権利・法的地位が現実に保全され、回復される状況が存在していなければならない。たとえば、懲戒免職処分、免許取消処分などの侵害的処分であり、執行停止をすることにより回復されるべき原状が存在するので、執行停止の利益が認められる。これに対し、申請を却下・棄却した処分については、執行が停止されても処分前の申請した時点に戻るのみで、申請が許可されたと同一の状況は生じず、また、行政庁はその申請に応じる義務はないから、執行停止の利益が認められないのである。

**ウ×** 日本弁護士連合会から戒告処分を受けた弁護士が、戒告処分の効力・その手続の続行として日本弁護士連合会会則に基づく公告が行われると、相手方の弁護士としての社会的信用等が低下するなどして回復しがたい損害を被るとして、主位的に戒告処分の効力の停止を、予備的に戒告処分に基づく手続の続行の停止を求めた事案において判例は、弁護士に対する戒告処

分は、それが当該弁護士に告知された時にその効力が生じ、告知によって完結するため、その後の公告は、処分があった事実を一般に周知させるための手続であって、処分の効力として行われるものでも、処分の続行手続として行われるものでもないから、戒告処分の効力・その手続の続行を停止することによって当該公告が行われることを法的に阻止することはできないとしている（最決平15.3.11）。

エ○ 本記述は、仮の差止めの要件を規定する37条の５第２項・３項を正確に述べており、妥当である。

オ○ 本記述は、仮の義務付けの決定とその取消しにつき拘束力が認められる旨を正確に述べており、妥当である。仮の義務付けの決定については、取消判決の拘束力が準用されており（37条の５第４項）、仮の義務付けを命じられた行政庁は、当該決定に基づき処分または裁決をしなければならない。また、当該決定が取り消されたときは、仮の義務付けを命じられていた行政庁は、当該決定に基づいてした処分または裁決を取り消さなければならない（同条５項）。

以上より、妥当なものはア、エ、オであり、肢３が正解となる。

**正答 3**

memo

# 行政事件訴訟
# 訴訟の終了

## 必修問題 セクションテーマを代表する問題に挑戦！

**訴訟の提起と処分の効力との関係について、理解しましょう。**

**問 取消訴訟の判決に関する次の記述のうち、最も妥当なのはどれか。**

**（国税・財務・労基2023）**

1：取消訴訟において、処分が違法として取り消された場合、その判決の効力は第三者に対しても及ぶため、行政事件訴訟法は、第三者の訴訟参加や再審の訴えを規定して、第三者を手続的に保護している。

2：取消訴訟において、処分が違法として取り消された場合、その処分の効力は、行政庁による取消しを要することなく、その判決の時点から失われる。

3：取消訴訟において、申請を拒否した処分が違法として取り消された場合、処分庁は、申請者から新たな申請がなされたときに限り、その判決の趣旨に従って、改めて申請に対する処分をしなければならない。

4：取消訴訟において、裁判所は、相当と認めるときであっても、終局判決前に判決をもって、処分又は裁決が違法であることを宣言することはできない。

5：取消訴訟は、処分又は裁決が法律に適合しているかどうかを裁判所が審査するものであるから、当事者が訴えを取り下げることによって終了させることはできず、裁判上の和解もすることができない。

直前復習

Guidance ガイダンス

**判決の効力**

既判力……後の裁判で確定判決と異なる主張を行えなくなる

形成力……取消判決の確定により、処分は初めから行われなかったことになる

第三者効……取消判決の効力は第三者にも及ぶ

拘束力……取消判決は、処分庁・関係行政庁を拘束する

| 頻出度 | 地上★　国家一般職★　特別区★<br>国税·財務·労基★　国家総合職★★ |
|---|---|

| チェック欄 | | |
|---|---|---|
| 1回目 | 2回目 | 3回目 |
| | | |

〈取消訴訟の判決〉

**1 ○** 本来、判決の既判力は原則として訴訟の当事者のみに生じ、第三者には生じない（民事訴訟法115号１項１号）。しかし、**取消判決の形成力**（記述イの解説参照）により、取消訴訟の原告および被告のみならず訴外の利害関係人たる第三者にも及ぶ。これが**第三者効**である。ただし、この**第三者効**は第三者の裁判を受ける権利を実質的に奪いかねない効果を持つので、当該第三者が裁判において主張できる機会を確保するために、①**第三者の訴訟参加**（行政事件訴訟法22条。以下、法令名がなければ同法の条文）、②**第三者による請求の追加的併合**（18条）、③**第三者の再審の訴え**（34条）の各制度が設けられている。

**2 ×** **取消判決の形成力とは、処分が当初からなかったのと同じ状態を回復させる形成判決の効力をいう**。すなわち、取消判決の確定により、行政庁が取り消すまでもなく、**処分の効力は処分当時に遡って消滅する**。

**3 ×** 処分を取り消す判決は、その事件について、処分をした行政庁その他の関係行政庁を拘束する（**拘束力**、33条１項）。その結果、申請に基づいてした処分が判決により取り消されたときは、その処分をした行政庁は、判決の趣旨に従い、改めて申請に対する処分をしなければならない（33条２項・３項）。したがって、改めて申請に対する処分をしなければならないのは、申請者から新たな申請がなされたときに限られない。

**4 ×** 裁判所は、相当と認めるときは、終局判決前に、判決をもって、処分または裁決が違法であることを宣言することができる（**中間違法宣言判決**、31条２項）。終局判決前に違法であることを宣言することによって、原告被告両当事者に対して、裁判を続行する意義を再検討させる和解勧告的な機能を果たすことができるのである。

**5 ×** 訴訟の開始·終了、審判対象の特定については、当事者が自由に決定できる。この原則を**処分権主義**といい（民事訴訟法246条）、行政事件訴訟にもこの原則が妥当する（７条参照）。したがって、取消訴訟を、当事者が訴えを取り下げることで終了させることも、裁判上の和解によって終了させること（行政庁に裁量権が認められており、裁量権の範囲内で和解する場合に限る）も、当事者が任意に決定することができる。

**正答 1**

**判決の種類**

却下判決……訴訟要件を欠く
棄却判決……請求（違法の主張）に理由なし
認容判決……請求（違法の主張）に理由あり

## 1 判決

※以下の条文は、特に断りのない限り、行政事件訴訟法の条文です。

### (1) 却下判決

訴えが訴訟要件を欠く場合に、本案審理（請求の当否の判断）に入らず、不適法な訴えとしてこれを排斥する判決をいいます。

### (2) 棄却判決

裁判所が本案審理を行った結果、原告の請求に理由なしとして訴えを排斥する判決をいいます。

〈事情判決〉

処分または裁決が違法であっても、処分または裁決を取り消すことによって公益に著しい障害が生ずる場合において、原告の受ける損害の程度や損害の賠償、防止の程度および方法その他一切の事情を考慮したうえで、処分または裁決の取消しが公共の福祉に適合しないと認められるときには、裁判所は請求を棄却することができます（31条1項前段)。

事情判決をする場合には、判決の主文で、処分または裁決が違法であることを宣言しなければなりません（同条項後段)。

### (3) 認容判決

裁判所が本案審理を行った結果、原告の請求に理由ありとして処分などを取り消す判決をいいます。

## 2 判決の効力

### (1) 既判力

訴訟物について裁判所が加えた判断内容が確定し、当事者および裁判所が、当該事項と異なる主張をし、または異なる判決をなしえなくなる効力をいいます。

### (2) 形成力

認容判決（取消判決）が確定すると、処分の効力は遡及的に消滅し、初めからなかったのと同様の状態を回復させる効力をいいます。

### (3) 第三者効（対世効）

取消判決による処分の遡及的消滅（形成力）は、第三者に対しても効力を有します（32条１項）。

しかし、第三者効が生ずるとなると、第三者は、訴訟当事者として争ってもいないのに、訴訟の結果によって権利を不当に侵害されることになりかねません。そこで行政事件訴訟法は、第三者の訴訟参加（22条）、判決確定後については第三者再審の訴え（34条）の制度を設けて、第三者の権利保護を図っています。



**具体例**

行政庁に農地を買収された者（農地改革の地主が典型例です）が農地買収処分取消訴訟を提起して認容された場合、判決の形成力が行政庁から農地の売渡しを受けた者（農地改革の小作人）にも及び、その者は農地を返還することになります。

### (4) 拘束力

取消判決が処分庁その他関係行政庁を拘束する（33条１項）という効力を拘束力といいます。

#### ① 消極的効果

関係行政庁は、取り消された行政処分と同一事情のもとで、同一理由、同一内容の処分を行うことが禁止されます。これを反復禁止効ともいいます。

ただし、異なる理由がある場合は、同じ申請拒否処分をしても拘束力には反しません。

#### ② 積極的効果

行政庁には、取消判決の趣旨に従って改めて措置をとる義務が発生します。たとえば、申請拒否処分をした行政庁は、判決の趣旨に従って、改めて、申請に対する処分をやり直さなければならなくなります（33条２項）。

ただし、この場合、「許可処分をしなければならない」という効果が生ずるわけではありません。再度考慮したうえ、やはり拒否処分のほうが妥当と考えた行政庁が、同じ申請拒否処分をしても、異なる理由による限り、拘束力には反しません。

第2章 SECTION 7 行政事件訴訟

# 訴訟の終了

## 実践 問題 150 応用レベル

| 頻出度 | 地上★ 国家一般職★ 特別区★ 国税·財務·労基★ 国家総合職★★ |
|---|---|

問 取消訴訟等の判決に関する次の記述のうち、妥当なのはどれか。

(国家総合職2018)

1：固定資産課税台帳に登録された基準年度に係る賦課期日における土地の価格についての固定資産評価審査委員会の決定の取消訴訟において、裁判所が、賦課期日における当該土地の適正な時価又は固定資産評価基準によって決定される価格を認定し、委員会の認定した価格が適正な時価等を上回っていることを理由として審査決定を取り消す場合には、委員会の不服審査において判断される土地の価格は基準年度に係る賦課期日における当該土地の適正な時価等という一個の評価的事実であるから、審査決定の一部ではなく全部を取り消す必要があるとするのが判例である。

2：換地処分の違法を理由とする国家賠償請求訴訟において原告の主張する違法と、当該原告が既に請求棄却の確定判決を受けた当該換地処分取消請求訴訟で主張した違法とが、その内容において異なるものではない場合であっても、当該確定判決の既判力は、当該国家賠償の請求には及ばないとするのが判例である。

3：許可を申請したところ、拒否処分がなされたので、その拒否処分の取消訴訟を提起して取消判決を得た場合には、取消判決の形成力により、処分及びそれに先立つ申請が当初からなかったことになるため、申請者が判決の趣旨に従った新たな処分を受けるためには、改めて許可申請を行う必要がある。

4：許可を申請したところ、行政庁から何らの応答もないので、申請者が不作為の違法確認訴訟を提起して勝訴した場合には、当該訴訟の判決の拘束力により、当該行政庁は、当該申請を認容することを義務付けられ、拒否処分をすることはできない。

5：地方議会議員の除名処分の効力停止決定がされた場合には、除名による欠員が生じたことに基づいて行われた繰上補充による当選人の定めは、その根拠を失うことになるから、関係行政庁である選挙管理委員会は、当該効力停止決定に拘束され、繰上補充による当選人の定めを撤回し、その当選を将来に向かって無効とすべき義務を負うとするのが判例である。

チェック欄

| 1回目 | 2回目 | 3回目 |
|---|---|---|
| | | |

## 実践 問題 150 の解説

〈取消訴訟等の判決〉



**1 ×** 判例は、裁判所が、審理の結果、基準年度に係る賦課期日における当該土地の適正な時価等を認定した場合には、当該審査決定が金額的にどの限度で違法となるかを特定することができる。その場合には、当該審査決定の全部を取り消すのではなく、一部を取り消す方が、当該土地の価格をめぐる紛争を早期に解決することができるとし、適正な時価等を超える部分を取り消せば足りるとした（最判平17.7.11）。

**2 ×** 判例は、換地処分の違法を理由とする国家賠償請求訴訟において原告の主張する違法と、当該原告がすでに請求棄却の確定判決を受けた右換地処分取消請求訴訟で主張した違法とが、その内容において異なるものでないときは、右確定判決の既判力は、右国家賠償の請求に及ぶとし、本件換地処分につき取消原因となる違法の存在が否定された以上、その既判力により国家賠償訴訟において本件換地処分が違法であるとの判断はできないとした（最判昭48.3.27）。

**3 ×** 取消判決の形成力とは、処分が当初からなかったのと同じ法的状態を回復させる形成判決の効力をいう。もっとも、取消判決の確定により、行政庁が取り消すまでもなく、処分の効力は処分当時に遡って消滅することとなるが、処分に先立つ申請自体が消滅するのではない。この場合、申請者が許可申請した時点に戻ることになり、改めて許可申請を行う必要はない。

**4 ×** 取消判決の拘束力は、不作為の違法確認訴訟の確認判決にも準用される（行政事件訴訟法38条１項・33条１項）。もっとも、判決で不作為の違法が確認された場合、義務付けられるのはあくまでも「何らかの処分」であり、申請を認容することまで義務付けるものではない。したがって、不作為の違法確認訴訟で勝訴した場合、行政庁は申請を認容することが義務付けられ、拒否処分をすることはできないと述べる本肢は、妥当でない。

**5 ○** 執行停止決定は、処分庁その他の関係行政庁を拘束する（行政事件訴訟法33 条４項・１項）。判例は、地方議会議員の除名処分の効力停止決定がされることによって、除名による欠員が生じたことに基づいて行われた繰上補充による当選人の定めはその根拠を失うことになり、選挙管理委員会は効力停止決定に拘束され、上記当選人の定めを撤回し、その当選を将来に向かって無効とすべき義務を負うとした（最判平11.1.11）。

**正答 5**

# 訴訟の終了

## 実践 問題 151 応用レベル

| 頻出度 | 地上★ 国家一般職★ 特別区★ 国税·財務·労基★ 国家総合職★ |
|---|---|

**問 行政事件訴訟法の定める取消訴訟における取消判決の効力に関するア～エの記述のうち、妥当なもののみを全て挙げているのはどれか。**

**（国家総合職2021）**

ア：取消訴訟において、処分が違法であるとして取り消された場合には、その処分は、行政庁による取消しを要せず、元からなかったことになる。

イ：取消訴訟において、処分が違法であるとして取り消された場合には、その判決の効力は第三者に対しても及ぶ。他方、判決の効果を受ける第三者がその結果のみを甘受すべきものとするのは手続上問題があることから、行政事件訴訟法は第三者の訴訟参加、第三者の再審の訴えの制度を設けている。

ウ：同一の処分につき取消訴訟と国家賠償請求訴訟が提起された場合に、取消判決が確定しても、その既判力は当該処分の違法を理由とする国家賠償請求訴訟には及ばないので、当該国家賠償請求訴訟において、被告は当該処分が適法であったことを主張することができると一般に解されている。

エ：営業許可申請をして法定の欠格事由があることを理由に拒否処分を受けた者が、当該処分の取消訴訟を提起し、当該欠格事由がないとして取消判決を得た場合、行政庁は判決の趣旨に従ってもう一度申請につき改めて審査をして処分すべきことになるが、その際、当該行政庁は、もはや当該欠格事由の存否については判断することができず、他に申請を拒否する事由がない限り許可をしなければならない。

1：ア、ウ
2：ア、エ
3：イ、ウ
4：ア、イ、エ
5：イ、ウ、エ

## 実践 問題 151 の解説

〈取消判決の効力〉

**ア○** 本記述は、取消判決の形成力を正確に述べており、妥当である。取消判決の形成力とは、処分が当初からなかったのと同じ法的状態を回復させる形成判決の効力をいう。したがって、行政庁による取消しを必要としない。

**イ○** 取消判決による処分の遡及的消滅（形成力）は、当該訴訟の原告と被告のみならず、訴訟外の第三者にも及ぶ（行政事件訴訟法（以下、法令名がなければ同法の条文）32条1項）。これを第三者効という。第三者は取消訴訟の結果により大きな影響を受けることになるので、第三者を保護するため、①第三者の訴訟参加（22条）、②第三者による請求の追加的併合（18条）、③第三者の再審の訴え（34条）の制度が置かれている。

**ウ×** 既判力とは、確定判決における主文中の判断について生じる拘束力をいう（民事訴訟法114条1項）。既判力は、①紛争の終局的解決と、②当事者に対する手続保障を根拠とする効力であるから、同一の事項が再び問題となったときは、裁判所は、前訴判決で既判力をもって確定された事項を前提として判断しなければならず（積極的作用）、また、前訴判決の内容と矛盾する当事者の主張・立証を排斥しなければならない（消極的作用）。すなわち、取消判決により処分の違法事由の存在が確定した場合には、当該処分の違法を理由とする国家賠償請求訴訟において、被告は、前訴で主張した適法事由と同一の事由を主張することはできないのである（請求棄却判決の既判力と国家賠償請求訴訟との関係について、最判昭48.3.27）。

**エ○** 本記述は、取消判決の拘束力を正確に述べており、妥当である。拘束力とは、処分を取り消す判決が、その事件について、処分をした行政庁その他の関係行政庁を拘束する効力をいう（33条1項）。行政庁は、取り消された処分と同一事情のもとで、同一理由に基づき、同一内容の処分を行うことが禁止される（消極的効果）。また、申請に基づいてした処分が取り消された場合、当初の申請が係属している状態に戻ることになるが、この場合、行政庁は、取消判決の趣旨に従い、改めて申請に対する処分をしなければならない（積極的効果、33条2項・3項）。したがって、本記述では、行政庁は、申請者の欠格事由の存否については判断することができず、他に申請拒否事由がない限り許可をしなければならない。

以上より、妥当なものはア、イ、エであり、肢4が正解となる。

**正答 4**

行政事件訴訟
# その他の抗告訴訟

**必修問題** セクションテーマを代表する問題に挑戦！

**取消訴訟以外の抗告訴訟についても理解しよう。**

**問** 無効等確認訴訟及び不作為の違法確認訴訟に関するア～オの記述のうち、妥当なのはどれか。　（国家一般職2016）

1：行政事件訴訟法において、取消訴訟とは別に無効等確認訴訟の訴訟類型が特に定められていることから、無効原因に当たる瑕疵は無効等確認訴訟で主張する必要があり、取消訴訟で当該瑕疵を主張したとしても、当該取消訴訟では審理することができない。

2：行政処分が無効であれば、その法的効力は当初から存在しないことになるから、行政事件訴訟法において、無効等確認判決については、取消判決の第三者効の規定が準用されている。

3：無効等確認訴訟と取消訴訟とは、行政処分の瑕疵が無効原因に当たるか取消原因に当たるかの違いにすぎないことから、行政事件訴訟法において、無効等確認訴訟の原告適格については、取消訴訟の原告適格の規定が準用されている。

4：不作為の違法確認訴訟の原告適格は、行政事件訴訟法上、処分又は裁決についての申請をした者とされており、同訴訟は法令に基づく申請制度の存在が前提とされ、当該申請制度は法令の明文上の定めがあることが必要である。

5：行政事件訴訟法において、取消訴訟は出訴期間の定めがあるが、不作為の違法確認訴訟は出訴期間の定めはない。

Guidance ガイダンス

**無効等確認訴訟**

・予防的無効確認訴訟
　処分・裁決に続く処分により損害を受けるおそれがある場合
・補充的無効確認訴訟
　処分・裁決が無効であることを前提とする現在の法律関係に関する訴えによって目的を達成できない場合

**不作為の違法確認訴訟**

　申請に対して処分をしないことについての違法の確認を求める訴訟
　※行政庁は何らかの作為義務を負うのみ

頻出度 地上★★★ 国家一般職★ 特別区★ 国税·財務·労基★ 国家総合職★★★

## 必修問題の解説

チェック欄 1回目 2回目 3回目

〈無効等確認訴訟・不作為の違法確認訴訟〉



**1 ×** 行政事件訴訟法（以下は同法の条文）においては、取消訴訟（3条2項）とは別に、無効等確認訴訟（3条4項）が設けられているところ、無効等確認訴訟における無効事由を取消訴訟において主張することができるかという点が問題となるが、無効等確認訴訟も行政処分に対する抗告訴訟として規定されており、出訴期間や不服申立前置主義の制約のかからない取消訴訟に類似した訴訟類型を想定していることから、**取消訴訟において無効原因にあたる瑕疵が主張されても取消訴訟として審理することができると**解されている。

**2 ×** 無効等確認訴訟に取消訴訟の規定を準用する38条において、取消判決の第三者効を規定する32条1項が準用されていない。**抗告訴訟においては取消訴訟以外に形成の訴えがなく、第三者効をもたらす判決の形成力が理論上考えられないからである。**したがって、無効等確認判決について、取消訴訟の第三者効の規定が準用されているとする本肢は妥当でない。

**3 ×** 無効等確認訴訟の原告適格を規定する36条は、無効等確認訴訟を提起できる者を独自に規定するものであるところ、無効等確認訴訟において取消訴訟の原告適格を規定する9条を準用していない（38条1項・3項）。したがって、取消訴訟の原告適格の規定が準用されているとする本肢は妥当でない。

**4 ×** 本肢では、不作為の違法確認訴訟を提起する際に要求される申請制度につき「法令の明文上の定めがあること」が必要なのかが問題とされている。この点、原告適格を規定する37条は、「処分又は裁決についての申請をした者」としていることから、原告適格が認められるためには、法令に基づく申請をした者でなければならないが、通説は、法令に基づく申請が法令の明文上の定めである必要はなく、**法令の解釈上申請権が認められればよい**と解している。法令上、申請権が認められるかという問題と、申請が認容されるべきかという問題を区別すべきだからである。したがって、本肢は、法令の明文上の定めがある申請制度に原告適格を限定している点が妥当でない。

**5 ○** 不作為の違法確認訴訟に取消訴訟の規定を準用する38条において、取消訴訟の出訴期間を規定する14条を準用しておらず、その他の規定においても出訴期間に関する規定が存在しない。**不作為状態が継続する限り不作為の違法確認訴訟を提起することが認められるべきであり、特段の出訴期間を設ける必要がないからである。**したがって、本肢は、行政事件訴訟法の規定のとおりであり、妥当である。

**正答 5**

# 第2章 SECTION 8 行政事件訴訟 その他の抗告訴訟

## 1 無効等確認訴訟

※以下の条文は、特に断りのない限り、行政事件訴訟法の条文です。

### (1) 無効等確認訴訟とは

無効等確認訴訟とは、行政庁の処分、裁決の存否または効力の有無の確認を求める訴訟をいいます（3条4項）。

### (2) 無効等確認訴訟を提起できる場合

#### ① 予防的無効確認訴訟

処分または裁決に続く処分により、損害を受けるおそれのある場合に提起できます。

判例には、無効の課税処分に基づく滞納処分を受けるおそれのある者は、滞納処分を阻止するために、先行する課税処分の無効確認訴訟を提起することができるとしたものがあります（最判昭51.4.27）。

#### ② 補充的無効確認訴訟

処分もしくは裁決の存否またはその効力の有無を前提とする現在の法律関係に関する訴えによって、目的を達成することができない場合に提起できます。

判例チェック

判例は、現在の法律関係に関する訴えとの比較において、処分の無効確認を求める訴えのほうがより直截的で適切な争訟形態であるといえるときには、無効確認訴訟の提起が認められる、としています（最判平4.9.22）。

## 2 不作為の違法確認訴訟

### (1) 不作為の違法確認訴訟の手続・要件

不作為の違法確認訴訟は、処分または裁決についての法令に基づく申請を行った者に限って、提起することができます（37条）。

### (2) 不作為の違法確認訴訟の効果

行政庁は、判決で不作為の違法が確認された場合でも、速やかに何らかの処分（＝作為）をすれば足ります。

## 3 義務付け訴訟

### (1) 義務付け訴訟の意味

義務付け訴訟とは、以下の場合において、裁判所に対し、行政庁が特定の処分または裁決をすべき旨を命ずることを求める訴訟をいいます（3条6項）。

①行政庁が一定の処分をすべきであるにもかかわらずこれがされないとき（直接（非申請）型義務付け訴訟、3条6項1号）

②行政庁に対し一定の処分・裁決を求める旨の申請または審査請求がなされた場合において、当該行政庁がその処分・裁決をすべきであるにもかかわらずこれがされないとき（申請型義務付け訴訟、3条6項2号）



## (2) 直接（非申請）型義務付け訴訟

### ① 訴訟要件

・重大な損害の発生のおそれ
・補充性
・法律上の利益

### ② 本案勝訴要件

裁判所は、以下のいずれかの場合に該当するときは、行政庁が訴えの対象たる処分をすべき旨を命ずる判決をすることとされています（37条の2第5項）。

(ア) 行政庁がその処分をすべきであることが、その処分の根拠法令の規定から明らかであると認められる場合

(イ) 行政庁が義務付けを求められた処分をしないことが、裁量権の逸脱・濫用にあたると認められる場合

## (3) 申請（申請満足）型義務付け訴訟

### ① 訴訟要件

・申請・審査請求に対する不作為または拒否処分
・申請・審査請求を行った者であること
・他の抗告訴訟との併合提起

### ② 本案勝訴要件

裁判所は、以下のすべての事項に該当する場合に限り、当該義務付けの訴えにかかる処分・裁決をすべき旨を命ずる判決を下すことができます。

(ア) 併合して提起された訴えに理由があること

(イ) 処分・裁決を行う蓋然性または裁量権の逸脱・濫用の存在

第2章 SECTION 8 行政事件訴訟

# その他の抗告訴訟

## 4 差止訴訟

### (1) 訴訟要件

・重大な損害の発生のおそれ
・補充性
・法律上の利益の存在

### (2) 本案勝訴要件

裁判所は、以下のいずれかの場合に該当するときは、行政庁が訴えの対象たる処分・裁決をしてはならない旨を命ずる判決をすることとされています（37条の4第5項）。

①行政庁が訴えで求められた処分・裁決をすべきでないことが、その処分または裁決の根拠となる法令の規定から明らかであると認められる場合

②行政庁が差止訴訟にかかる処分・裁決をすることが、裁量権の逸脱・濫用にあたると認められる場合

memo

第2章 SECTION 8 行政事件訴訟

# その他の抗告訴訟

## 実践 問題 152 基本レベル

| 頻出度 | 地上★★★　国家一般職★　特別区★<br>国税·財務·労基★　国家総合職★★★ |
|---|---|

問 不作為の違法確認の訴えに関するア～オの記述のうち、妥当なもののみを全て挙げているのはどれか。　(国家総合職2022)

ア：不作為の違法確認の訴えは、処分又は裁決についての申請をした者に限り提起することができる。申請権があっても現実に申請をしていなければ、原告適格は認められないが、申請が適法であることは要しない。

イ：行政庁が申請に対して相当の期間内に処分を行わない場合、その不作為は違法となる。また、行政手続法により、申請に対する処分についての標準処理期間が定められているときは、当該標準処理期間が相当の期間とみなされ、その期間が徒過すれば、処分は一律に違法と判断される。

ウ：不作為の違法確認の訴えの係属中に、申請に係る行政庁の処分がなされ、訴えの利益が失われた場合に、不作為の違法確認の訴えを当該処分に係る事務の帰属する国又は公共団体に対する損害賠償請求に変更することは認められていない。

エ：不作為の違法確認の訴えにおいては、行政事件訴訟法に原告適格に関する特別の規定が置かれていることから、取消訴訟の原告適格に関する規定は準用されていないが、被告適格や出訴期間については、取消訴訟の規定が準用されている。

オ：不作為の違法確認の訴えにおいて、行政庁が処分又は裁決をしないことについての違法が確認された場合、取消判決の拘束力の規定が不作為の違法確認判決にも準用されるので、行政庁には申請に対して何らかの処分又は裁決をすることが義務付けられる。

1：ア、イ
2：ア、オ
3：イ、エ
4：ウ、エ
5：ウ、オ

| チェック欄 | | |
|---|---|---|
| 1回目 | 2回目 | 3回目 |
| | | |

## 実践 問題 152 の解説

〈不作為の違法確認の訴え〉



**ア○** 不作為の違法確認の訴えは、現実に申請を行った者であれば、当該申請が適法か否かを問わず不作為の違法確認の訴えを提起しうる（行政事件訴訟法37条）。なぜなら、個別法で定められた申請期間を徒過したなどの不適法な申請でも、行政庁にはそれを却下するなどの応答すべき法的義務があり、不作為の違法を争う必要性に変わりはないからである。

**イ×** 行政庁が申請に対して「相当の期間」内に処分を行わない場合、その不作為は違法となる（行政事件訴訟法３条５項）。この点、標準処理期間（行政手続法６条）は申請を処理する期間の目安となるが、処分に要する合理的な期間を意味し、当該期間内に処理する直接の義務を課すものではないと解されている。したがって、当該期間内に処分がなされなかったとしても、直ちに不作為の違法と判断されるわけではない。

**ウ×** 取消訴訟では、国・公共団体に対する損害賠償その他の請求への変更が認められており（行政事件訴訟法21条１項。以下は同法の条文）、この制度は、他の抗告訴訟に準用されている（38条１項）。したがって、不作為の違法確認の訴えを当該処分にかかる事務の帰属する国または公共団体に対する損害賠償請求に変更することができる。

**エ×** 不作為の違法確認の訴えについては、取消訴訟の被告適格（11条）は準用されているが（38条１項）、出訴期間（14条）については準用されていない（38条１項・４項参照）。すなわち、不作為の違法確認の訴えでは、事柄の性質上、出訴期間の制限はなく、不作為が続く限りこれを提起することができる。

**オ○** 取消判決の拘束力（33条）は他の抗告訴訟に準用される（38条１項）。したがって、判決で不作為の違法が確認された場合、確認判決の拘束力により、行政庁は、速やかに申請・審査請求に対する何らかの処分・裁決をしなければならない。

以上より、妥当なものはア、オであり、肢２が正解となる。

**正答 2**

# 第2章 SECTION 8 行政事件訴訟 その他の抗告訴訟

## 実践 問題 153 基本レベル

| 頻出度 | 地上★★★ 国家一般職★ 特別区★ 国税・財務・労基★ 国家総合職★★★ |
| --- | --- |

**問 不作為の違法確認の訴えに関する次の記述のうち、最も妥当なのはどれか。**

**(国家一般職2024)**

1：不作為の違法確認訴訟は、相当の期間内に行政庁が何らかの処分又は裁決をすべきであるのに、これをしないことについての違法の確認を求める訴訟をいい、必ずしも原告が現実に法令に基づく申請をしたことを要せず、職権による措置の不作為についても訴えを提起することができる。

2：不作為の違法確認訴訟については、取消訴訟の出訴期間の規定の準用はないが、相当の期間を経過した後は、行政行為の不可争力により、処分又は裁決の不作為が継続していても、不作為の違法確認訴訟を提起することはできなくなる。

3：不作為の違法確認訴訟については、取消判決の拘束力の規定が準用されるため、原告である申請者が不作為の違法確認訴訟で勝訴した場合、申請を受けた被告行政庁は、当該申請に応答する義務を負うが、当該申請を拒否する応答をすることもできる。

4：不作為の違法確認訴訟については、義務付け訴訟を併合提起することなく仮の救済として仮の義務付けを申し立てることができ、償うことのできない損害を避けるために緊急の必要があり、かつ、本案について理由があるとみえるときは、裁判所は仮の義務付けができる。

5：法令に基づいて申請を行った後に、行政庁が申請処理に通常必要な期間を経過しても応答しない場合、審査請求をすることは直接的かつ適切な方法ではないため、申請者は、審査請求をすることはできず、不作為の違法確認訴訟を提起しなければならない。

チェック欄

| 1回目 | 2回目 | 3回目 |
|---|---|---|
| | | |

## 実践 問題 153 の解説

〈不作為の違法確認の訴え〉

**1** × 不作為の違法確認の訴えは、処分または裁決についての申請をした者に限り、提起することができる（行政事件訴訟法37条。以下、法令名がなければ同法の条文）。この訴えの目的は行政庁の「申請の握り潰し」を防止し、事後処理の促進を求めることにあるからである。

**2** × まず、行政事件訴訟法には不作為の違法確認訴訟の出訴期間に関する定めはなく、取消訴訟の出訴期間の規定の準用もない（38条１項）。次に、行政行為の不可争力は行政行為がなされたことを前提にしている。すなわち、不作為に対しては、事柄の性質上、不可争力を観念することができず、不作為が続く限り不作為の違法確認訴訟を提起することができる。

**3** ○ 不作為の違法確認訴訟で確認判決がなされた場合、取消判決の拘束力が準用されるので（38条１項、33条）、申請を受けた行政庁には応答義務が発生する。もっとも、この確認判決の拘束力は申請に答えることを義務付けるにとどまり、行政庁は拒否処分を行っても差し支えない。この点が、行政不服審査法49条３項の「一定の処分をすべき」との違いである。

**4** × 仮の義務付けは「義務付けの訴えの提起があった場合において」することができ、償うことができない損害を避けるために緊急の必要があり、かつ、本案について理由があるとみえるときに行うことができる（37条の５第１項）。したがって、不作為の違法確認訴訟自体は義務付けの訴えと併合提起せずとも提起することができるが、義務付けの訴えを併合提起していないならば仮の義務付けを行うことはできない。

**5** × まず、行政庁が法令に基づく申請に対し、相当の期間内に何らかの処分または裁決をすべきであるにかかわらず、これをしないことは、不作為の違法確認訴訟の要件（３条５項）でもあり、不作為についての審査請求の要件（行政不服審査法３条）でもある。次に、取消訴訟と審査請求の自由選択主義の規定が不作為の違法確認訴訟にも準用されている（38条４項・８条１項本文）。そして、不作為の違法確認訴訟を提起する場合において、不作為の審査請求を禁止する規定はない。したがって、申請者は審査請求をすることもできる。

**正答 3**

第2章 SECTION 8 行政事件訴訟

# その他の抗告訴訟

## 実践 問題 154 基本レベル

| 頻出度 | 地上★★★ | 国家一般職★ | 特別区★ |
|---|---|---|---|
| | 国税·財務·労基★ | 国家総合職★★★ | |

**問 行政事件訴訟法の規定する義務付けの訴えに関するア～オの記述のうち、妥当なもののみを全て挙げているのはどれか。 (国家総合職2019)**

ア：行政手続法は、不利益処分を行おうとする場合、原則として、行政庁に対して、名あて人となるべき者に事前の意見陳述（聴聞又は弁明）の機会を付与することを義務付けているが、非申請型義務付け訴訟において義務付け判決がなされたときに、行政庁がかかる事前手続なしに当該判決に従って不利益処分をすることは同法に違反しない。

イ：裁判所が義務付けの訴えにおいて請求を認容する場合、判決主文で命じられた義務を行政庁が履行しなければならないのは当然であるから、行政事件訴訟法は、義務付けの訴えについて、取消判決の拘束力に関する規定を準用していない。

ウ：義務付けの訴えを提起するためには、申請型義務付け訴訟であれ非申請型義務付け訴訟であれ、一定の処分がされないことにより重大な損害を生ずるおそれがあることに加え、当該損害を避けるため他に適当な方法がないときであることが必要である。

エ：申請拒否処分を争うに当たり、当該処分に無効の瑕疵がない場合には、取消訴訟と申請型義務付け訴訟を併合提起しなければならず、取消訴訟の出訴期間を正当な理由なく徒過すれば、もはや義務付け訴訟を提起することはできない。

オ：行政事件訴訟法は、義務付けの訴えに関する仮の救済として仮の義務付けを規定しているところ、裁判所は、当事者からの申立てによる場合のみならず、職権により仮の義務付けを決定することもできる。

1：ア、ウ
2：ア、エ
3：イ、ウ
4：イ、オ
5：エ、オ

チェック欄

| 1回目 | 2回目 | 3回目 |
|---|---|---|
| | | |

## 実践 問題 154 の解説

〈義務付けの訴え〉



**ア○** 第三者に対する不利益処分義務付け訴訟において義務付け判決がなされ、これに従って不利益処分をする場合には、事前の意見陳述手続（行政手続法13条１項１号・２項）を省略することができる。なぜなら、行政手続法は「裁判所若しくは裁判官の裁判により、又は裁判の執行としてされる処分」（同法３条１項２号）を適用除外としているところ、義務付け判決に従って不利益処分をする場合には行政手続法が適用されないからである。

**イ×** 取消訴訟における取消判決の拘束力は、取消訴訟以外の抗告訴訟すべてに準用されている（行政事件訴訟法（以下は同法の条文）33条・38条１項）。したがって、義務付けの訴えにおける認容判決にも取消判決の拘束力に関する規定が準用されるので、本記述は妥当でない。

**ウ×** 申請型義務付け訴訟は、原告が法令に基づく申請または審査請求をしているのが前提であるから、「法令に基づく申請又は審査請求に対し相当の期間内に何らの処分又は裁決がされないこと」または「法令に基づく申請又は審査請求を却下し又は棄却する旨の処分又は裁決がされた場合において、当該処分又は裁決が取り消されるべきものであり、又は無効若しくは不存在であること」を訴訟要件とする（37条の３第１項１号・２号）。すなわち、一定の処分がされないことにより重大な損害を生ずるおそれがあることに加え、当該損害を避けるため他に適当な方法がないこと（37条の２第１項）を必要とするのは非申請型義務付け訴訟だけであり、本記述は妥当でない。

**エ○** 申請型・非申請型を問わず、義務付け訴訟に出訴期間の制限はない（38条１項は14条を準用していない）。しかし、申請型義務付け訴訟と取消訴訟との併合提起が訴訟要件とされている場合においては、事柄の性質上、取消訴訟の出訴期間の制限（14条）に服する。

**オ×** 仮の救済措置としての仮の義務付けを、申立てによる場合のみならず、職権により決定することもできると述べる本記述は妥当でない。すなわち、原告の申立てを待たずに、裁判所の職権で仮の義務付けの決定をすることはできないのである（37条の５第１項）。

以上より、妥当なものはア、エであり、肢２が正解となる。

**正答 2**

第2章 SECTION 8 行政事件訴訟

# その他の抗告訴訟

## 実践 問題 155 基本レベル

| 頻出度 | 地上★ | 国家一般職★ | 特別区★ |
|---|---|---|---|
| | 国税·財務·労基★ | 国家総合職★★ | |

**問 行政事件訴訟法における義務付け訴訟には、直接型義務付け訴訟（行政事件訴訟法第３条第６項第１号）と申請型義務付け訴訟（行政事件訴訟法第３条第６項第２号）がある。これらに関する次の記述のうち妥当なのはどれか。**

**（地上2020）**

1：申請型義務付け訴訟は、申請又は審査請求をした者以外の者も提起することができる。

2：直接型義務付け訴訟も申請型義務付け訴訟もともに、一定の処分又は裁決がされないことにより重大な損害を生ずるおそれがあることが、訴訟要件の一つである。

3：直接型義務付け訴訟も申請型義務付け訴訟もともに、義務付けの訴えに係る処分又は裁決が裁量処分に当たる場合、一定の処分又は裁決の内容を特定して義務付けを命ずることができないので、棄却判決がされる。

4：直接型義務付け訴訟において勝訴した原告が、義務付け判決を受けてされた行政庁の処分になお不服がある場合、当該義務付け判決に対して再審の訴えを提起することができる。

5：義務付け訴訟には仮の救済手段として仮の義務付けが規定されており、義務付けの訴えに係る処分又は裁決がされないことにより生ずる償うことのできない損害を避けるため緊急の必要があることが、申立てが認められるための要件の一つである。

チェック欄

| 1回目 | 2回目 | 3回目 |
|---|---|---|
| | | |

## 実践 問題 155 の解説



〈義務付け訴訟〉

**1 ×** 申請または審査請求をした者以外の者も申請型義務付け訴訟を提起できると述べる本肢は、行政事件訴訟法（以下は同法の条文）の規定と異なるので妥当でない。申請型義務付け訴訟の原告適格は、「法令に基づく申請又は審査請求をした者」（37条の3第2項）にのみ認められるため、これ以外の者は申請型義務付け訴訟を提起できない。

**2 ×** 直接型義務付け訴訟では「一定の処分がされないことにより重大な損害を生ずるおそれ」があること（重大性の要件）が訴訟要件とされている（37条の2第1項）。これに対し、申請型義務付け訴訟の訴訟要件を規定する37条の3には重大性の要件が規定されていない。直接型義務付け訴訟は、実体法上の申請権を前提とせずに規制権限等を発動するよう求める訴訟であることから、訴訟要件を厳格にするために重大性の要件が求められているのである。

**3 ×** 直接型義務付け訴訟、申請型義務付け訴訟のいずれにも、行政庁が義務付けを求められた処分をしないことが裁量権の逸脱・濫用にあたると認められるときは、その義務付けの訴えに係る処分または裁決をすべき旨を命ずる判決をする旨の規定がある（37条の2第5項・37条の3第5項）。したがって、求められた処分が裁量処分でも、処分をしないことが裁量権の逸脱・濫用にあたると認められる場合には、義務付け判決をすることができる。

**4 ×** 行政事件訴訟法上、再審の訴えが認められているのは取消訴訟における第三者の再審の訴えのみである（34条）。そして、取消訴訟の規定を取消訴訟以外の抗告訴訟に準用する38条1項には34条は含まれていない。この点において、本肢は妥当でない。なお、義務付け判決を受けてされた行政庁の処分に不服がある場合は、改めて行われた行政庁の処分を対象として審査請求または取消訴訟等を行うことになる。

**5 ○** 義務付け訴訟には仮の救済手段として仮の義務付けが規定されている（37条の5）。この申立てが認められるためには、償うことのできない損害を避けるため緊急の必要があることが要件の1つとされている（37条の5第1項）。

**正答 5**

第2章 SECTION 8 行政事件訴訟

# その他の抗告訴訟

## 実践 問題 156 基本レベル

頻出度 地上★ 国家一般職★ 特別区★ 国税·財務·労基★ 国家総合職★★

**問 行政事件訴訟法の規定する無効等確認の訴えに関するア～オの記述のうち、妥当なもののみを全て挙げているのはどれか。 （国家総合職2020）**

**ア**：行政事件訴訟法は、「無効等確認の訴え」を明示的に定めており、これには出訴期間や不服申立前置主義の制約がかからないこととされている。

**イ**：行政事件訴訟法は、無効の瑕疵ある行政処分については、処分の無効を前提とする「現在の法律関係に関する訴え」によって争うことも認めている。「現在の法律関係に関する訴え」には、当事者訴訟と争点訴訟があり、両者には、抗告訴訟における、行政庁の訴訟参加、職権証拠調べ、判決の拘束力、訴訟費用の裁判の効力などの規定が全て共通して準用されている。

**ウ**：無効等確認の訴えの訴訟要件の一つである、当該処分の効力の有無を前提とする現在の法律関係に関する訴えによって目的を達することができない場合とは、当該処分に起因する紛争を解決するための争訟形態として、当該処分の無効を前提とする当事者訴訟又は民事訴訟との比較において、当該処分の無効確認を求める訴えの方がより直截的で適切な争訟形態であるとみるべき場合をも意味するとするのが判例である。

**エ**：無効等確認の訴えにおいて、取消訴訟における執行停止に関する規定は準用されない。これは、原告が、本案で処分の無効等を主張しているのに、仮の救済の局面で処分の効力の停止を求めるのは理論的に矛盾するからである。

**オ**：行政事件訴訟法は、無効等確認の訴えの本案判決について、取消訴訟における判決の第三者効の規定を準用している。これは、無効等確認の訴えは、判決の第三者効により第三者に生ずる不利益を救済することを目的とする第三者の訴訟参加の規定を準用しているからである。

1：ア、ウ
2：ア、エ
3：イ、エ
4：イ、オ
5：ウ、オ

| チェック欄 | | |
|---|---|---|
| 1回目 | 2回目 | 3回目 |
| | | |

## 実践 問題 156 の解説

〈無効等確認訴訟〉



**ア○** 無効等確認の訴え（行政事件訴訟法3条4項。以下は同法の条文）には、被告適格（11条）、管轄裁判所（12条）、執行停止制度（25条）、認容判決の拘束力（33条）等の取消訴訟の規定が準用されるが（38条1項～3項）、出訴期間の制限（14条）はなく、不服申立前置主義の規定（8条1項但書）も準用されないという特徴を持つ。

**イ×** 「現在の法律関係に関する訴え」（36条後段）には、当事者訴訟（4条）と争点訴訟（45条）があるとする点は妥当である。しかし、当事者訴訟と争点訴訟には、行政庁の訴訟参加（23条）、職権証拠調べ（24条）、訴訟費用の裁判の効力（35条）の規定が準用されている（41条1項、45条1項・4項）が、争点訴訟に判決の拘束力の規定（33条）は準用されていない。よって、「全て共通して準用されている」と述べる点は妥当でない。

**ウ○** いわゆる補充的無効確認の訴えは、法律上の利益を有する者であっても、「処分の効力の有無を前提とする現在の法律関係に関する訴えによって目的を達することができない」場合にしか提起することができない（36条後段）。ただし、判例は、この要件を緩やかに判断している。すなわち、この要件には、処分に起因する紛争を解決するための争訟形態として、処分の無効を前提とする当事者訴訟または民事訴訟との比較において、処分の無効確認を求める訴えのほうが直截的で適切な争訟形態である場合も含まれるとしている（もんじゅ事件、最判平4.9.22）。

**エ×** 取消訴訟における執行停止に関する規定は準用されないと述べる本記述は、行政事件訴訟法の規定と異なるので妥当でない。無効等確認の訴えは処分が行われたことを前提とするので、取消訴訟における執行停止に関する規定（25条）が準用されている（38条3項）。

**オ×** 取消判決における第三者効の規定を準用していると述べる本記述は、行政事件訴訟法の規定と異なるので妥当でない。無効等確認の訴えを含む他の抗告訴訟には、第三者の訴訟参加の規定（22条）が準用されているが、本案判決における第三者効の規定（32条1項）は準用されていない（38条1項・3項）。これは、抗告訴訟においては取消訴訟以外に形成の訴えがなく、第三者効をもたらす判決の形成力が理論上考えられないことによる。

以上より、妥当なものはア、ウであり、肢1が正解となる。

**正答 1**

第2章 SECTION 8 行政事件訴訟

# その他の抗告訴訟

## 実践 問題 157 応用レベル

| 頻出度 | | | |
|---|---|---|---|
| | 地上★ | 国家一般職★ | 特別区★ |
| | 国税·財務·労基★ | 国家総合職★★ | |

**問** **行政事件訴訟法の規定する「差止めの訴え」に関するア～オの記述のうち、妥当なもののみを全て挙げているのはどれか。** **(国家総合職2018)**

**ア**：差止請求を認容する判決は、裁判所が、判決の主文において、被告の不作為義務につき行政庁を特定する形で明らかにする以上、当該行政庁がこれに従うのは当然のことであり、行政事件訴訟法は、「差止めの訴え」について取消判決の拘束力に関する規定を準用していない。

**イ**：行政事件訴訟法は、「差止めの訴え」について取消判決等の第三者効の規定を準用していないので、例えば、Aが原告となり、Bに対する許可の差止訴訟を提起して勝訴しても、それのみでは、Bは差止請求を認容する判決の効力を受けない。

**ウ**：「差止めの訴え」の原告適格については、訴訟要件を満たしていれば差止めの訴えに係る行政処分の相手方に原告適格が認められるのは自明のことであるから、行政事件訴訟法は、取消訴訟の原告適格の規定を準用していない。

**エ**：「差止めの訴え」の訴訟要件としての「重大な損害を生ずるおそれ」があると認められるためには、処分がされることにより生ずるおそれのある損害が、処分がされた後に取消訴訟等を提起して執行停止の決定を受けることなどにより容易に救済を受けることができるものではなく、処分がされる前に差止めを命ずる方法によるのでなければ救済を受けることが困難なものであることを要するとするのが判例である。

**オ**：行政事件訴訟法は、「差止めの訴え」に関する仮の救済として「仮の差止め」を規定しているが、「仮の差止め」については、当事者からの申立てによる場合のみならず、裁判所が職権により「仮の差止め」を決定することもできる。

1：ア、エ
2：イ、ウ
3：イ、エ
4：イ、オ
5：ウ、オ

チェック欄 1回目 2回目 3回目

## 実践 問題 157 の解説

〈差止めの訴え〉

**ア×** 取消判決の拘束力を規定する行政事件訴訟法33条１項は、他のすべての抗告訴訟に準用される（同法38条１項)。ゆえに、「差止めの訴え」についても取消判決の拘束力に関する規定が準用されることになる。したがって、行政事件訴訟法は、「差止めの訴え」について取消判決の拘束力に関する規定を準用していないと述べる本記述は妥当でない。

**イ○** 取消判決の形成力は、当該訴訟の原告と被告のみならず、訴訟外の利害関係人たる第三者にも及ぶ（第三者効、行政事件訴訟法32条１項)。もっとも、第三者効の規定は、他の抗告訴訟には準用されない（同法38条１項)。したがって、本記述のＡが、Ｂに対する許可の差止訴訟において勝訴しても、それのみでは、Ｂは差止請求を認容する判決の効力を受けないことになる。

**ウ×** 差止めの訴えにつき、行政事件訴訟法は、取消訴訟の原告適格を準用していないと述べる本記述は、妥当でない。差止めの訴えの原告適格を規定する同法37条の４第３項は、差止めの訴えは、処分・裁決の差止めを求めるにつき法律上の利益を有する者に限り提起することができるとする。そして、「法律上の利益」の有無の判断基準として、取消訴訟の原告適格に関する解釈規定が準用されている（同法９条２項・37条の４第４項)。

**エ○** 国歌斉唱義務不存在確認等請求事件において判例は、「重大な損害を生ずるおそれ」（行政事件訴訟法37条の４第１項）があると認められるためには、処分がされることにより生ずるおそれのある損害が、処分がされた後に取消訴訟等を提起して執行停止の決定を受けることなどにより容易に救済を受けることができるものではなく、処分がされる前に差止めを命ずる方法によるのでなければ救済を受けることが困難なものであることを要するとした（最判平24.2.9)。

**オ×** 「仮の差止め」を決定するには、当事者からの申立てがなければならず、裁判所が職権によりすることはできない（行政事件訴訟法37条の５第２項)。したがって、「仮の差止め」について、裁判所が職権によりその決定をすることもできると述べる本記述は、妥当でない。

以上より、妥当なものはイ、エであり、肢３が正解となる。

**正答 3**

行政事件訴訟

# 行政事件訴訟総合

## 必修問題 セクションテーマを代表する問題に挑戦！

最後に行政事件訴訟全体を復習しましょう。

問 行政事件訴訟法に規定する取消訴訟に関する記述として、妥当なのはどれか。 （特別区2007）

1：行政庁は、法律に処分についての審査請求に対する裁決に対してのみ取消訴訟を提起できる旨の定めがある処分をするときは、処分を口頭でする場合を除き、相手方に対し法律にその定めがある旨を書面で教示しなければならない。

2：裁判所は、処分の取消訴訟が提起され、その処分により生じる回復の困難な損害を避けるために必要があるときは処分の効力を停止できるが、当該損害が生じるか否かを判断する場合に、その損害の性質や程度を勘案する必要はない。

3：取消訴訟は、原則として処分又は裁決をした行政庁を被告として提起しなければならないが、処分又は裁決をした行政庁が国又は公共団体に属する場合には、当該行政庁の所属する国又は公共団体を被告として提訴することもできる。

4：取消訴訟は、処分をした行政庁の所在地を管轄する裁判所に提起しなければならず、また、国を被告とする場合には、原告の普通裁判籍の所在地を管轄する高等裁判所の所在地を管轄する地方裁判所に提起しなければならない。

5：取消訴訟は、処分又は裁決のあったことを知った日から６か月を経過したときは、一切提起することができず、また、処分又は裁決のあった日から１年を経過したときは、正当な理由があるときを除き、提起することはできない。

直前復習

頻出度 地上★ 国家一般職★★★ 特別区★★★
国税・財務・労基★★★ 国家総合職★★★

| チェック欄 | | |
|---|---|---|
| 1回目 | 2回目 | 3回目 |
| | | |

## 必修問題の解説

〈取消訴訟一般〉

**1 ○** 行政庁は、法律に処分についての審査請求に対する裁決に対してのみ取消訴訟を提起することができる旨の定めがある（裁決主義）場合において、当該処分をするときは、当該処分の相手方に対し、法律にその定めがある旨を書面で教示しなければならないが、当該処分を口頭でする場合には、教示義務を負わない（行政事件訴訟法46条２項）。

**2 ×** 処分の取消訴訟が提起されても、原則として処分の効力、処分の執行および手続の続行に影響はない（執行不停止の原則、行政事件訴訟法25条１項）。ただし、例外的に、一定の要件のもとで執行停止が認められる（同条２項～４項）。執行停止は、重大な損害を避けるため緊急の必要がある場合にのみなしうるとされている（同条２項本文）。そして、裁判所は、重大な損害が生ずるか否かの判断にあたって、損害の回復の困難の程度以外に、損害の性質・程度や処分の内容・性質をも考慮に入れることとなっている（同条３項）。

**3 ×** 取消訴訟は、原則として処分・裁決をした行政庁の所属する行政主体を被告として提起しなければならない（行政事件訴訟法11条１項）。ただし、処分・裁決をした行政庁が国または公共団体に所属しないときには、当該行政庁が被告となる（同条２項）。

**4 ×** 取消訴訟は、被告の普通裁判籍の所在地を管轄する裁判所または処分もしくは裁決をした行政庁の所在地を管轄する裁判所の管轄に属する（行政事件訴訟法12条１項）。また、国を被告とする取消訴訟は、原告の普通裁判籍の所在地を管轄する高等裁判所の所在地を管轄する地方裁判所（特定管轄裁判所）にも提起することができる（同条４項）。すなわち、国を被告とする場合には、被告の普通裁判籍の所在地を管轄する裁判所に提起することも、特定管轄裁判所に提起することもできる。

**5 ×** 取消訴訟は、正当な理由がない限り、処分または裁決のあったことを知った日から６カ月以内に提起しなければならない（行政事件訴訟法14条１項）。また、処分または裁決のあったことを知らなくても、処分・裁決のあった日から１年を経過した場合は、正当な理由がない限り、取消訴訟を提起することはできない（同条２項）。つまり、処分または裁決のあったことを知った日から６カ月を経過したときでも、正当な理由があれば取消訴訟を提起することは許される。

**正答 1**

## 第2章 SECTION 9 行政事件訴訟
# 行政事件訴訟総合

## 1 取消訴訟と不服申立てとの関係

※以下の条文は、特に断りのない限り、行政事件訴訟法の条文です。

### (1) 自由選択主義

処分の取消しの訴えは、当該処分につき法令の規定により審査請求をすることができる場合においても、直ちに提起することを妨げないとされます（8条1項本文）。このように、私人は、取消訴訟と不服申立てのいずれを提起することもできるのが原則です。これを**自由選択主義**といいます。

この場合、両者を同時に提起することも可能です。

### (2) 審査請求前置主義

法律に特に審査請求に対する裁決を経た後でなければ取消訴訟を提起することができない旨の規定がある場合は、例外的に、取消訴訟の前に審査請求の裁決を経る必要があります（8条1項但書）。これを**審査請求前置主義**といいます。

審査請求前置主義が採られている場合でも、審査請求があった日から3カ月を経過しても裁決がないとき、著しい損害を避けるため緊急の必要があるとき、裁決を経ないことにつき正当な理由があるときには、審査請求の裁決を経ず、直ちに取消訴訟を提起することができます（8条2項）。

### (3) 取消訴訟と審査請求の競合

同一の処分に対して取消訴訟と審査請求がともになされた場合、裁判所は審査請求に対する裁決があるまで訴訟手続を中止することができます（8条3項）。

## 2 処分の取消しの訴えと裁決の取消しの訴えとの関係

行政処分の違法性を主張して審査請求を行ったがそれが棄却された場合、原処分の取消訴訟と棄却裁決の取消訴訟の2通りが考えられますが、どちらの方法を選択すればよいでしょうか。

### (1) 原処分主義

10条2項は、裁決の取消しの訴えにおいては、処分の違法性を理由として取消しを求めることができないとされています。つまり、原処分の違法性を争う場合は、個別法に特別の定めがある場合を除いて、原処分の取消訴訟を提起しなければならないのです。これを**原処分主義**といいます。

ただし、個別法により、処分の取消しの訴えが認められず、処分の審査請求に対する裁決の取消しの訴えのみが認められている場合があります。この場合は、例外的に原処分の違法を理由として裁決の取消しを求めることができます。これを**裁決主義**といいます。

### (2) 裁決に固有の違法事由がある場合

審査請求の手続に瑕疵があるなど、裁決に固有の違法事由がある場合には、裁決の取消しの訴えを提起する必要があります。

第2章 SECTION 9 行政事件訴訟

# 行政事件訴訟総合

## 実践 問題 158 基本レベル

| 頻出度 | 地上★　国家一般職★★★　特別区★★★<br>国税·財務·労基★★★　国家総合職★★★ |
|---|---|

**問** 行政事件訴訟に関するア～オの記述のうち、妥当なもののみを全て挙げているのはどれか。（財務2019）

ア：土地改良事業の施行に伴い土地改良区から換地処分を受けた者が、当該換地処分は照応の原則に違反し無効であると主張してこれを争おうとする場合には、当該換地処分がされる前の従前の土地の現在の所有者とされている者を相手方として所有権確認などの訴えを提起することによって目的を達することができるから、当該換地処分を受けた者は、当該換地処分の無効確認訴訟を提起することはできないとするのが判例である。

イ：差止訴訟は、一定の処分又は裁決がされることにより重大な損害が生ずるおそれがある場合に限り提起することができるが、その損害を避けるため他に適当な方法があるときは、提起することができない。

ウ：申請型義務付け訴訟は、法令に基づく申請又は審査請求に対し相当の期間内に何らの処分又は裁決がされない場合にのみ提起することができるが、当該処分又は裁決がされることにつき法律上の利益を有する者であれば、当該申請又は審査請求をした者でなくとも提起することができる。

エ：非申請型義務付け訴訟は、行政庁が一定の処分をすべき旨を命ずることを求めるにつき法律上の利益を有する者に限り提起することができ、その法律上の利益の有無の判断については、取消訴訟の規定が準用される。

オ：執行停止とは、処分の取消しの訴えの提起があった場合において、必要に応じてその処分の効力、処分の執行又は手続の続行の全部又は一部を停止することをいうが、処分、処分の執行又は手続の続行により生ずる重大な損害を避けるため緊急の必要があるときは、裁判所は職権で執行停止を命ずることができる。

1：ア、ウ
2：ア、エ
3：イ、ウ
4：イ、エ
5：エ、オ

チェック欄

| 1回目 | 2回目 | 3回目 |
| --- | --- | --- |
| | | |

## 実践 問題 158 の解説

〈行政事件訴訟〉



**ア×** 本記述と同様の事案において判例は、土地改良事業の施行に伴い土地改良区から換地処分を受けた者が、当該換地処分の無効を主張してこれを争おうとする場合には、「換地処分の無効を前提とする従前の土地の所有権確認訴訟等の現在の法律関係に関する訴えは紛争を解決するための争訟形態として適切なものとはいえず、むしろ当該換地処分の無効確認を求める訴えのほうがより直截的で適切な争訟形態というべきであり、当該換地処分の無効を前提とする現在の法律関係に関する訴えによってはその目的を達することができないものとして、行政事件訴訟法36条所定の無効確認の訴えの原告適格を肯定すべき場合にあたる」とし、当該換地処分の無効確認訴訟を提起することができるとしている（最判昭62.4.17）。

**イ○** 本記述は、行政事件訴訟法（以下は同法の条文）37条の４第１項の差止めの訴えにおける①損害の重大性と、②補充性の訴訟要件を正確に述べており、妥当である。

**ウ×** 申請型義務付け訴訟は、本記述で述べている不作為型のみならず、法令に基づく申請・審査請求を却下・棄却した処分・裁決に、取消原因や無効・不存在原因がある場合にも提起することができるし（拒否処分型、37条の３第１項２号）、また、原告は申請または審査請求をした者に限られている（同条２項）ので、本記述は妥当でない。

**エ○** 非申請型義務付け訴訟は、「行政庁が一定の処分をすべき旨を命ずることを求めるにつき法律上の利益を有する者に限り、提起することができる」（37条の２第３項）と規定し、また、「前項に規定する法律上の利益の有無の判断については、第９条第２項の規定を準用する」（同条４項）と規定し、取消訴訟の規定を準用している。したがって、本記述は妥当である。

**オ×** 仮の救済措置である執行停止は、裁判所による強力な行政介入措置であるから、裁判所が執行停止に踏み込むためには当事者の申立てが不可欠であり、裁判所が職権で執行停止を命ずることはできない（25条２項）。したがって、これと反対の趣旨を述べる本記述は妥当でない。

以上より、妥当なものはイ、エであり、肢４が正解となる。

**正答 4**

# 第2章 SECTION 9 行政事件訴訟 行政事件訴訟総合

## 実践 問題 159 基本レベル

| 頻出度 | 地上★ | 国家一般職★★★ | 特別区★★★ |
|---|---|---|---|
| | 国税·財務·労基★★★ | 国家総合職★★★ | |

問 行政事件訴訟に関するア～オの記述のうち、妥当なもののみを全て挙げているのはどれか。（国家一般職2016）

ア：土地改良事業の施行に伴い土地改良区から換地処分を受けた者が、当該換地処分は照応の原則に違反し無効であると主張する場合には、土地の所有権の確認、明渡し、登記抹消手続請求等の訴えにより目的を達成することができるから、当該換地処分の無効確認を求める訴えを提起することはできない。

イ：市町村の施行に係る土地区画整理事業の事業計画の決定は、施行地区内の宅地所有者等の法的地位に変動をもたらすものであって、抗告訴訟の対象とする法的効果を有するものということができ、実効的な権利救済を図るという観点から見ても、これを対象とした抗告訴訟の提起を認めるのが合理的であり、当該事業計画の決定は、「行政庁の処分その他公権力の行使に当たる行為」に当たる。

ウ：原子炉施設の安全性に関する被告行政庁の判断の適否が争われる原子炉設置許可処分の取消訴訟における裁判所の審理及び判断は、原子力委員会等の専門技術的な調査審議及び判断を基にしてされた被告行政庁の判断に不合理な点があるか否かという観点から行われるべきであり、許可処分が行われた当時の科学技術水準に照らして行うべきである。

エ：国家試験の合否の判定は、学問又は技術上の知識、能力、意見等の優劣、当否の判断を内容とする行為であり、その判断の当否を審査し具体的に法令を適用して、その争いを解決調整できるものではないため、法律上の争訟に当たらず、裁判所の司法審査の対象とならない。

オ：執行停止の申立てがあった場合、内閣総理大臣は、裁判所に対し、執行停止決定の前後を問わず異議を述べることができ、この異議があった場合、裁判所は、既に執行停止の決定をしているときはこれを取り消さなければならない。

1：ア、イ、ウ
2：ア、イ、エ
3：ア、ウ、オ
4：イ、エ、オ
5：ウ、エ、オ

チェック欄

| 1回目 | 2回目 | 3回目 |
| --- | --- | --- |
| | | |

## 実践 問題 159 の解説



〈取消訴訟一般〉

**ア×** 本問では、無効等確認の訴え（行政事件訴訟法３条４項。以下、法令名がなければ同法の条文）につき、処分の無効を前提とした現在の法律関係に関する訴えによって目的を達することができない（36条後段）場合といえるかが問題となるが、本記述と同様の照応の原則の違反を争った事案において判例は、当該換地処分の無効を前提とする従前の土地の所有権確認訴訟などの現在の法律関係に関する訴えよりもむしろ、**当該換地処分の無効確認を求める訴えのほうがより直截的で適切な争訟形態である**として、無効等確認の訴えを適法とした（最判昭62.4.17）。

**イ○** 処分性（３条２項）の有無につき、市町村の施行にかかる土地区画整理事業の事業計画の決定は、施行地区内の宅地所有者などに対し、換地処分を受けるべき地位に立たされるという意味で法的地位に変動をもたらすという観点と、換地処分の段階まで進んでしまうと、換地処分の取消訴訟において事情判決（31条）がなされる可能性が相当程度あり、実効的な権利救済が果たされないおそれがあるという観点に配慮して、上記事業計画の決定の処分性を肯定し、かつての「青写真判決」（最大判昭41.2.23）を変更した（最大判平20.9.10）。

**ウ×** 本記述前半は判例のとおりであるが、その判断の合理性の基準は「**現在の**」科学技術水準とした（**伊方原発訴訟**、最判平4.10.29）。許可処分が行われた当時の科学技術水準に照らして行うべきとする本記述の後半が妥当でない。

**エ○** 法律上の争訟（裁判所法３条１項）とは、**①当事者間の具体的な権利義務ないし法律関係の存否に関する紛争であって、②法令の適用によって終局的に解決できるもの**をいうところ、国家試験の合否の判定につき、判例は、学問または技術上の知識、能力、意見などの優劣、当否の判断を内容とする行為であり、その判断の当否を審査し具体的に法令を適用することはできないとして、②の要件該当性を否定した（最判昭41.2.8）。したがって、本記述は判例のとおりなので妥当である。

**オ○** 執行停止制度は行政作用の性質を有するので、内閣総理大臣は、裁判所に対して、執行停止の前後を問わず、異議を述べることができる（27条１項）。この異議があった場合、裁判所はすでに執行停止の決定をしているときは、これを取り消さなければならない（27条４項後段）。したがって、本記述は条文の規定どおりなので妥当である。

以上より、妥当なものはイ、エ、オであり、肢４が正解となる。

**正答 4**

第2章 SECTION 9 行政事件訴訟

# 行政事件訴訟総合

## 実践 問題 160 基本レベル

| 頻出度 | 地上★ | 国家一般職★★★ | 特別区★★★ |
|---|---|---|---|
| | 国税·財務·労基★★★ | 国家総合職★★★ | |

**問 行政事件訴訟法に規定する取消訴訟に関する記述として、通説に照らして、妥当なのはどれか。** **(特別区2012)**

1：処分の執行停止の申立てがあった場合には、内閣総理大臣は、裁判所に対し、理由を付して異議を述べることができ、この場合、裁判所は、当該異議の内容上の当否を実質的に審査することができず、執行停止をすることができない。

2：国を被告とする取消訴訟は、原告の負担を軽減し訴訟を利用しやすくするため、行政処分を行った行政庁の所在地を管轄する裁判所ではなく、原告の普通裁判籍の所在地を管轄する高等裁判所へ提起することとされている。

3：裁判所は、取消訴訟の審理において必要があると認めるときは、職権で証拠調べをすることができ、この証拠調べには、当事者が主張しない事実まで裁判所が職権で証拠の収集を行う職権探知が認められている。

4：裁判所は、取消訴訟の結果により権利を害される第三者があるときは、当事者の申立てによりその第三者を訴訟に参加させることができるが、その第三者自身の申立てによりその第三者を訴訟に参加させることはできない。

5：取消訴訟は、処分又は裁決があったことを知った日から6か月を経過したとしても、正当な理由があれば提起することができるが、処分又は裁決があった日から1年を経過したときは、正当な理由があっても提起することができない。

チェック欄

| 1回目 | 2回目 | 3回目 |
| --- | --- | --- |
| | | |

## 実践 問題 160 の解説

〈取消訴訟一般〉



**1 ○** 処分の執行停止の申立てがあった場合には、内閣総理大臣は、裁判所に対し理由を付して異議を述べることができる（行政事件訴訟法27条１項・２項）。裁判所は、この異議の理由の当否についての判断権を有しない（東京地判昭44.9.26、通説）。そして、この異議があったときは、裁判所は、執行停止をすることができない（同条４項）。

**2 ×** 取消訴訟の原則的な管轄裁判所は、被告の普通裁判籍（通常はその人・法人の住所・所在地）の所在地を管轄する裁判所または処分もしくは裁決をした行政庁の所在地を管轄する裁判所である（行政事件訴訟法12条１項）。もっとも、国などを被告とする取消訴訟については、原告の普通裁判籍の所在地を管轄する高等裁判所の所在地を管轄する地方裁判所（特定管轄裁判所）にも提起できる（同条４項）。ただし、この場合の取消訴訟の提起先は地方裁判所であり、高等裁判所ではない。

**3 ×** 行政事件訴訟法24条本文は、裁判所は、必要があると認めるときは、職権で、証拠調べをすることができるとしている。同条の趣旨は弁論主義のもとでそれを補充するために職権証拠調べを認める趣旨であり、さらに進んで職権探知主義まで認めるものではない。

**4 ×** 裁判所は、訴訟の結果により権利を害される第三者があるときは、当事者もしくはその第三者の申立てにより、または職権で、その第三者を訴訟に参加させることができる（行政事件訴訟法22条１項）。

**5 ×** 行政事件訴訟法は取消訴訟について処分または裁決があったことを知った日から６カ月（主観的出訴期間、行政事件訴訟法14条１項）、処分または裁決の日から１年（客観的出訴期間、同条２項）という出訴期間を定めている。ただし、主観的出訴期間、客観的出訴期間ともに「正当な理由」があれば延長される可能性がある（同法14条１項但書・２項但書）。

**正答 1**

第2章 SECTION 9 行政事件訴訟

# 行政事件訴訟総合

## 実践 問題 161 基本レベル

頻出度 地上★ 国家一般職★★ 特別区★★ 国税･財務･労基★★ 国家総合職★★

**問 取消訴訟の審理に関するア～オの記述のうち、妥当なもののみを全て挙げているのはどれか。** **(国家総合職2020)**

**ア**：訴訟の提起及びその取下げや請求の放棄は、処分権主義により原告に委ねられている。また、訴訟物の特定も原告に委ねられているので、原告は、行政処分を特定して、その取消しを求めなければならない。

**イ**：行政事件においては、その結果いかんが公益に影響を及ぼし、その裁判の適正が特に要請されることから、裁判所は、証拠につき十分な心証を得られる場合であっても、更に職権で証拠調べをしなければならないとするのが判例である。

**ウ**：裁判所が当事者の主張しない事実まで職権で証拠の収集を行ういわゆる職権探知主義は、行政不服審査法における審理とは異なり、取消訴訟における審理では採用されていないと一般に解されている。

**エ**：取消訴訟の結果により権利を害される第三者は、当事者若しくはその第三者の申立てにより又は裁判所の職権で訴訟に参加することができるが、この場合、裁判所は、参加の決定をするに当たって、あらかじめ当事者及びその第三者の意見を聴く必要はない。

**オ**：取消訴訟において、相互に関連する複数の訴えが提起された場合、行政事件訴訟法の列記する関連請求に限定して取消訴訟との訴えの併合が認められており、同法においては、民事訴訟法の訴えの併合の規定は準用されていない。

1：ア、イ、エ
2：ア、ウ、エ
3：ア、ウ、オ
4：イ、ウ、オ
5：イ、エ、オ

| チェック欄 | | |
|---|---|---|
| 1回目 | 2回目 | 3回目 |
| | | |

## 実践 問題 161 の解説

〈取消訴訟一般〉



**ア○** 本記述は処分権主義の意味を正確に述べており、妥当である。処分権主義とは、当事者（原告）が、訴訟の開始・終了、訴訟物（審判の対象）の特定、紛争の実体的解決を自由に決定できるとする建前をいう。行政事件訴訟法は46条までしかなく、具体的な訴訟手続に関しては民事訴訟法等が準用されている（行政事件訴訟法７条）。すなわち、取消訴訟は原告の訴えの提起を待って開始され（民事訴訟法246条）、原告は、判決が確定するまでは、これを取り下げ、請求の放棄をすることができる（同法261条・266条）。そして、訴えの提起は原告が裁判所に訴状を提出して行うが、訴状に請求の趣旨および原因を記載するために、行政処分を特定しその違法事由を示す必要がある（同法133条１項・２項２号）。

**イ×** 裁判所は、必要があると認めるときは、職権で証拠調べをすることができる（行政事件訴訟法24条本文）。すなわち、職権証拠調べは、裁判所の義務ではなく、必要と認めた場合に限り行えばよい（最判昭28.12.24）。

**ウ○** 本記述は通説的見解と合致しており、妥当である。まず、判決の基礎となる訴訟資料の収集を当事者の権能および責任とする建前を弁論主義という。弁論主義からは、裁判所は、当事者の主張しない事実を判決の基礎としてはならないとの原則が導かれる（民事訴訟法253条２項参照）。かかる原則からは、裁判所は、当事者が事実を主張していることを前提として、当事者の主張した事実についての証拠調べをするにとどまり、当事者の主張しない事実を取り上げ、それを裏づける資料を自ら収集するという職権探知主義を採用することはできないと解されている（通説）。

**エ×** 裁判所が第三者の訴訟参加の決定をするには、あらかじめ当事者および第三者の意見を聴かなければならない（行政事件訴訟法22条２項）。よって、これらの者の意見を聴く必要はないと述べる本記述は妥当でない。

**オ○** 原告は、取消訴訟の口頭弁論の終結に至るまで、関連請求にかかる訴えをこれに併合して提起することができる（行政事件訴訟法13条・16条）。関連請求にかかる訴えは同法13条各号に列記されており、これ以外の併合は認められないと解されている。したがって、訴えの併合を規定する民事訴訟法136条は準用されない。

以上より、妥当なものはア、ウ、オであり、肢３が正解となる。

**正答 3**

第2章 SECTION 9 行政事件訴訟

# 行政事件訴訟総合

## 実践 問題 162 基本レベル

頻出度 地上★ 国家一般職★★★ 特別区★★★ 国税･財務･労基★★★ 国家総合職★★★

**問 行政事件訴訟法における抗告訴訟以外の訴訟に関するア～オの記述のうち、妥当なもののみを全て挙げているのはどれか。ただし、争いのあるものは判例の見解による。（国家総合職2022）**

ア：当事者間の法律関係を確認する処分に関する訴訟で、法令の規定によりその法律関係の当事者の一方を被告とするものが提起されたときは、当該処分をした行政庁は当事者ではないため、裁判所は、当該行政庁にその旨を通知する必要はない。

イ：当事者訴訟の類型の一つとして、公法上の法律関係に関する確認の訴えその他の公法上の法律関係に関する訴訟を実質的当事者訴訟と呼ぶ。例えば、旧薬事法施行規則において、店舗販売業者に対して第一類医薬品及び第二類医薬品の郵便等販売を禁止する規定が設けられたが、当該規定の違法・無効を主張して、当該規定にかかわらず、店舗販売業者がそれらの医薬品の郵便等販売をすることができる権利ないし地位を有することの確認を求める訴訟がこれに当たる。

ウ：争点訴訟とは、私法上の法律関係に関する訴えの中で、行政庁の処分の存否又はその効力の有無が前提問題として争われる訴訟をいうが、その実質は民事訴訟であるため、行政事件訴訟法に定められる取消訴訟に関する規定の準用はなく、民事訴訟法が適用される。

エ：民衆訴訟とは、国又は公共団体の機関の法規に適合しない行為の是正を求める訴訟で、選挙人たる資格その他自己の法律上の利益にかかわらない資格で提起するものであり、民衆訴訟は、法規の適用の適正を確保し公益を実現することを目的とするものであるため、何人でも訴えを提起することができる。

オ：民衆訴訟の代表例として、地方自治法に基づく住民訴訟が挙げられる。住民訴訟は、地方公共団体の財務会計法規に適合しない行為の是正を目的とする訴訟であり、住民訴訟を提起するためには、地方公共団体の監査委員に対する住民監査請求を経なければならない。

1：ア、ウ
2：ア、エ
3：イ、ウ
4：イ、オ
5：エ、オ

チェック欄

| 1回目 | 2回目 | 3回目 |
| --- | --- | --- |
| | | |

## 実践 問題 162 の解説



〈抗告訴訟以外の訴訟〉

**ア×** 本記述の訴訟とは、形式的当事者訴訟を指す（行政事件訴訟法4条前段。以下、法令の指定がなければ同法の条文）。形式的当事者訴訟が提起されたときは、裁判所は、処分・裁決をした行政庁にその旨を通知する（39条）。形式的当事者訴訟では、処分行政庁に認容判決の拘束力が及ぶし（41条1項・33条1項）、また、訴訟資料を豊富に有する処分行政庁に訴訟参加の機会を与えることで、充実した審理が期待できるからである。

**イ○** 実質的当事者訴訟とは、公法上の法律関係に関する確認の訴えその他の公法上の法律関係に関する訴訟をいう（4条後段）。したがって、本記述前半は正しい。また、本記述後半と同様の事案につき、判例は、インターネットを通じた郵便等販売を行う事業者が、厚生労働省令の規定にかかわらず郵便等販売をすることができる権利ないし地位を有することの確認請求につき、公法上の当事者訴訟の一類型である公法上の法律関係に関する確認の訴えとして適法であるとしている（医薬品ネット販売事件、最判平25.1.11）。したがって、本記述後半も正しい。

**ウ×** 争点訴訟は、民事訴訟において行政処分の有効・無効が前提問題として争われる訴訟であるから（45条1項）、取消訴訟の規定の一部が準用されている。すなわち、行政庁の訴訟参加（23条1項・2項）、処分または裁決をした行政庁への出訴の通知（39条）、争点についての釈明処分の特則（23条の2）、職権証拠調べ（24条）などの規定が準用されている（45条1項・4項）。

**エ×** 民衆訴訟は客観訴訟である。客観訴訟は、個人の権利利益の保護を目的とする訴訟ではなく、客観的な法秩序の維持を目的とする政策的に認められる訴訟である。したがって、民衆訴訟は、法律に定める場合において、法律に定める者だけが提起することができるのである（42条）。

**オ○** 住民訴訟（地方自治法242条の2第1項）は、民衆訴訟の代表例である。そして、住民訴訟を提起するには住民監査請求（同法242条1項）を経なければならない。なぜなら、地方公共団体内部の監査制度が機能すれば、地方公共団体の財務行政の適正な運営が確保されるからである。

以上より、妥当なものはイ、オであり、肢4が正解となる。

**正答 4**

第2章 SECTION 9 行政事件訴訟

# 行政事件訴訟総合

## 実践 問題 163 基本レベル

頻出度 地上★ 国家一般職★★ 特別区★ 国税·財務·労基★ 国家総合職★★

**問 抗告訴訟の客観的訴訟要件に関する次の記述のうち、妥当なのはどれか。ただし、争いのあるものは判例の見解による。** （財務2016）

1：取消訴訟における「処分又は裁決があったことを知った日」とは、当事者が書類の交付、口頭の告知その他の方法により処分の存在を現実に知った日を指すものであるが、処分を記載した書類が当事者の住所に送達される等、社会通念上処分のあったことが当事者の知り得べき状態に置かれたときは、反証のない限り、その処分があったことを知ったものと推定することができる。

2：取消訴訟は、正当な理由があるときを除き、処分又は裁決の日から3年を経過したときは提起することができない。「正当な理由」があるといえるためには、災害、病気、けが等の事情や行政庁の教示の懈怠等の事情があることが必要であり、海外出張中で不在であったり、単に多忙であったりしたことは「正当な理由」とはいえない。

3：取消訴訟は、被告の普通裁判籍の所在地を管轄する裁判所又は処分・裁決をした行政庁の所在地を管轄する裁判所の管轄に属するとされており、それ以外の裁判所に提起することは認められていない。

4：処分又は裁決をした行政庁が国又は公共団体に所属する場合、処分の取消しの訴えについては、当該処分をした行政庁を被告とし、裁決の取消しの訴えについては、当該裁決をした行政庁を被告として提起しなければならない。

5：行政庁は、取消訴訟を提起することができる処分又は裁決をする場合には、当該処分又は裁決の相手方に対し、当該相手方から書面の交付を求められたときに限り、取消訴訟の被告とすべき者や出訴期間など客観的訴訟要件のうち重要なものについて、書面で教示しなければならない。

チェック欄

| 1回目 | 2回目 | 3回目 |
| --- | --- | --- |
| | | |

## 実践 問題 163 の解説



〈取消訴訟一般〉

**1 ○** 「処分又は裁決があったことを知った日」（行政事件訴訟法14条１項。以下は同法の条文）について判例は、当事者が処分の存在を現実に知った日を指し、抽象的な知り得べかりし日を意味するものではないとしつつも、処分を記載した書類が当事者の住所に送達されるなど、社会通念上処分のあったことを当事者の知り得べき状態に置かれたときは、反証のない限り、その処分があったことを知ったものと推定することができると判示した（最判昭27.11.20）。

**2 ×** 取消訴訟の客観的出訴期間は、正当な理由があるときを除き、処分または裁決の日から１年以内である（14条２項）。したがって、本肢は妥当でない。なお、「正当な理由」について、原告の事務の繁忙、出張不在、法律の不知等は、「正当な理由」にはあたらないと一般に解されている。

**3 ×** 取消訴訟は、被告の普通裁判籍の所在地を管轄する裁判所または処分・裁決をした行政庁の所在地を管轄する裁判所の管轄に属する（12条１項）。それ以外にも、①土地の収用、鉱業権の設定その他不動産または特定の場所に係る処分または裁決についての取消訴訟は、その不動産または場所の所在地の裁判所、②当該処分・裁決に関して事案の処理に当たった下級行政機関の所在地の裁判所、③国・独立行政法人等を被告とする取消訴訟は原告の普通裁判籍の所在地を管轄する高等裁判所の所在地を管轄する地方裁判所にも提起することができる（12条２項・３項・４項）。

**4 ×** 処分または裁決をした行政庁が国または公共団体に所属する場合は、国または公共団体を被告としなければならない（11条１項１号・２号）。したがって、本肢は妥当でない。

**5 ×** 行政庁は、取消訴訟を提起することができる処分または裁決をする場合（口頭でする場合を除く）には、当該処分または裁決の相手方に対し、取消訴訟の被告とすべき者や出訴期間などについて書面で教示しなければならない（46条１項１号・２号・３号）。すなわち、相手方からの書面の交付の要求にかかわらず、書面で教示しなければならないのである。

**正答 1**

## 行政事件訴訟
# 行政事件訴訟総合

## 実践 問題 164 基本レベル

| 頻出度 | 地上★ 国家一般職★★ 特別区★<br>国税·財務·労基★ 国家総合職★★ |
|---|---|

**問 行政事件訴訟に関するア〜オの記述のうち、妥当なもののみを全て挙げているのはどれか。 （国税・財務・労基2015）**

**ア**：行政事件訴訟法は、法律に審査請求に対する裁決を経た後でなければ処分の取消しの訴えを提起することができないと定められている場合であっても、審査請求があった日から6か月を経過しても裁決がないときは、裁決を経ないで、処分の取消しの訴えを提起することができると規定している。

**イ**：取消訴訟の対象である処分とは、行政庁の法令に基づく行為の全てを意味するのではなく、公権力の主体たる国又は公共団体が行う行為のうち、その行為によって、直接国民の権利義務を形成し又はその範囲を確定することが法律上認められているものを指すとするのが判例である。

**ウ**：道路交通法に基づく反則金の納付の通告を受けた者が、一定の期間内に反則金の納付を行わなかった場合、公訴の提起によって刑事手続が開始するため、当該通告は抗告訴訟の対象となるとするのが判例である。

**エ**：行政処分の違法性につき、行政処分の行われた後に法律が改正された場合、抗告訴訟においては行政処分の法規に対する適合の有無が判断の対象となるので、裁判所は改正後の法令に基づき当該処分の違法性を判断すべきであるとするのが判例である。

**オ**：取消訴訟の審理において、裁判所は、訴訟の結果により権利を侵害される第三者があるときは、当事者若しくは当該第三者の申立てがあった場合に限り、あらかじめ当事者及び当該第三者の意見を聞いた上で、当該第三者を訴訟に参加させることができる。

1：ア
2：イ
3：ア、ウ
4：イ、オ
5：ウ、エ

| チェック欄 | | |
|---|---|---|
| 1回目 | 2回目 | 3回目 |
| | | |

## 実践 問題 164 の解説

〈取消訴訟一般〉



**ア×** 行政事件訴訟法は、個別法で審査請求前置主義が採られている場合でも、審査請求があった日から３カ月を経過しても裁決がないときは、裁決を経ないで、処分の取消しの訴えを提起することができると規定している（法８条２項１号）。したがって、「６か月」とする本記述は妥当でない。

**イ○** 本記述は、取消訴訟の対象である「行政庁の処分」（行政事件訴訟法３条２項）の意義について判例のとおり述べているので妥当である（最判昭39.10.29）。

**ウ×** 判例は、反則金の納付の通告を抗告訴訟の対象とはならないとしている。すなわち、反則金納付通告を受けた者が、反則金を納付しないときは、検察官の公訴の提起によって刑事手続が開始されるが、反則金納付通告があっても、通告を受けた者に反則金納付の法律上の義務が生ずるわけではなく、ただ、その者が任意に反則金を納付したときは公訴が提起されないというにとどまる。そして、通告を受けた者が、自由意思により反則金を納付し、これによる事案終結の途を選んだときは、もはや通告理由となった反則行為の不成立を主張して通告自体の適否を取消訴訟で争うことは許されないとした（最判昭57.7.15）。

**エ×** 行政処分の違法判断の基準時につき、判例は、行政処分の行われた後に法律が改正されたからといって、行政庁は改正法律によって行政処分をしたのではないから、裁判所が改正後の法律によって行政処分の違法性を判断することはできないと判示している（処分時説、最判昭27.1.25）。

**オ×** 第三者の訴訟参加を規定する行政事件訴訟法22条１項は、申立てに限らず、職権によっても第三者を訴訟に参加させることができると規定しているので、本記述は妥当でない。もっとも、裁判所の専権を防止するため、裁判所が当該決定をするには、あらかじめ当事者および第三者の意見をきかなければならないとされている（同条２項）。

以上より、妥当なものはイであり、肢２が正解となる。

**正答 2**

# 行政事件訴訟総合

## 実践 問題 165 基本レベル

頻出度 地上★ 国家一般職★★ 特別区★ 国税·財務·労基★ 国家総合職★★

**問 行政事件訴訟法の規定する仮の義務付け及び仮の差止めに関するア～オの記述のうち、妥当なもののみを全て挙げているのはどれか。（国家総合職2024）**

**ア**：義務付けの訴えの提起があった場合において、その義務付けの訴えに係る処分又は裁決がされないことにより生ずる償うことのできない損害を避けるため緊急の必要があり、かつ、本案について理由があるとみえるときは、裁判所は、申立てにより、決定をもって、仮の義務付けをすることができる。

**イ**：差止めの訴えにおける仮の救済制度である仮の差止めは、争われている処分を事前に差し止める必要性が極めて高い場合に利用されることを前提としているため、本案である差止めの訴えを提起することなく、仮の差止めを適法に申し立てることができる。

**ウ**：仮の義務付けも仮の差止めも、その決定は疎明に基づいてなされ、疎明は即時に取り調べることができる証拠によってなされる。また、いずれの決定も、口頭弁論を経ないですることができるが、あらかじめ、当事者の意見を聴かなければならない。

**エ**：仮の義務付け及び仮の差止めは、その具体的な手続について、執行停止に関するいくつかの規定が準用されており、内閣総理大臣の異議の規定も、仮の義務付け及び仮の差止めにおいて準用されている。

**オ**：仮の義務付けによりなされる処分は、仮の救済としてなされるものであるため、取消判決の拘束力の規定は準用されていないが、仮の義務付けを命じられた行政庁がこれに従わない場合、裁判所がこれに代わって執行する制度が設けられている。

1：ア、イ
2：ア、ウ
3：ア、ウ、エ
4：イ、エ、オ
5：ウ、エ、オ

チェック欄

| 1回目 | 2回目 | 3回目 |
| --- | --- | --- |
| | | |

## 実践 問題 165 の解説



〈仮の義務付け・仮の差止め〉

**ア○** 本記述は、行政事件訴訟法37条の5第1項（以下は同法の条文）の義務付けの訴えにおける仮の義務付けの要件を正確に述べており、妥当である。

**イ×** 差止めの訴え（3条7項）が提起された場合において、当該訴訟にかかる処分がされることにより生ずる償うことのできない損害を避けるため緊急の必要があり、かつ本案において理由があるとみえるとき、裁判所は、申立てにより、決定をもって、仮に行政庁がその処分をしてはならない旨命ずること（仮の差止め）ができる（37条の5第2項）。すなわち、仮の差止めを適法に申し立てるには、差止めの訴えを提起しておかなければならない。

**ウ○** 仮の義務付けおよび仮の差止めについては、執行停止に関するいくつかの条文が準用されている（37条の5第4項）。たとえば、疎明に基づいてすること（25条5項）、口頭弁論を経ないですることができること、あらかじめ、当事者の意見をきかなければならないこと（同条6項）などである。したがって、本記述は妥当である。

**エ○** 記述ウと同様、仮の義務付けおよび仮の差止めについては、執行停止に関する規定が準用されている（37条の5第4項）。本記述にいう内閣総理大臣の異議の規定（27条）などである。

**オ×** 仮の義務付けには、取消判決の拘束力の規定が準用されていないと述べ、仮の義務付けを命じられた行政庁がこれに従わない場合、裁判所がこれに代わって執行する制度が設けられていると述べる本記述は、いずれも行政事件訴訟法の規定と異なるので妥当でない。仮の義務付けは、裁判所が決定により行政機関に処分をすべき旨を命じる制度である。そして、仮の義務付けには、取消判決の拘束力の規定が準用されており、仮の義務付けの決定は、関係行政庁を法的に拘束する（37条の5第4項・33条1項）。拘束力が認められなければ、仮の救済制度を設けた意味がないからである。また、仮の義務付けを命じられた行政庁がこれに従わない場合に裁判所がこれに代わって執行する制度は設けられていない。

以上より、妥当なものはア、ウ、エであり、肢3が正解となる。

**正答 3**

# 第2章 行政事件訴訟

## 章末 CHECK

## ? Question

**Q1** 形式的当事者訴訟は、公法上の法律関係の確認の訴えその他の公法上の法律関係に関する訴訟をいう。

**Q2** 民衆訴訟の典型例としては、地方自治法上の住民訴訟がある。

**Q3** 原処分の違法性を争う場合、原則として、原処分の取消訴訟を提起しても、裁決の取消訴訟を提起してもよい。

**Q4** 行政処分の取消しを求める場合、取消訴訟と不服申立てのいずれを行ってもよい。

**Q5** 取消訴訟の原告適格は、法律上保護された利益を有する者だけでなく法律上保護に値する利益を有する者にも認められるとするのが判例である。

**Q6** 取消しを求めている処分の効果が消滅した場合でも、なお処分の取消しにより回復すべき法律上の利益がある場合には訴えの利益は失われない。

**Q7** 建築工事の終了後にあっても建築確認を取り消す利益は失われない。

**Q8** 取消訴訟は処分を行った行政庁を被告として提起しなければならない。

**Q9** 審査請求に対する裁決を経た後でなければ取消訴訟を提起しえない旨の規定がある場合は、先に審査請求を経なければならない。

**Q10** 訴訟の提起がなされると、処分の効力は原則として停止する。

**Q11** 行政不服審査法や行政事件訴訟法には内閣総理大臣の異議の制度が設けられている。

**Q12** 行政事件訴訟法では、職権証拠調べだけでなく、職権探知主義も採られている。

**Q13** 裁判所が事情判決を行う場合、判決主文において、処分または裁決が違法であることを宣言しなければならない。

**Q14** 処分の取消判決が確定し、行政庁が処分を取り消すことにより、処分の効力が遡及的に消滅する。

**Q15** 判決が確定すると、行政庁には、取消判決の趣旨に従って改めて措置をとる義務が発生する。

**Q16** 義務付け訴訟は、行政庁が一定の処分をすべきであるにかかわらずこれがされないときに限り提起することができる。

**Q17** 不作為の違法確認訴訟は、処分または裁決についての法令に基づく申請を行った者に限って、提起することができる。

**A1** × 本問は実質的当事者訴訟の説明である。

**A2** ○ ほかにも、選挙または当選の効力に関する訴訟などがある。

**A3** × 原処分の違法性を争う場合は、原則として、原処分の取消訴訟を提起しなければならない（原処分主義、行政事件訴訟法10条２項）。

**A4** ○ これを自由選択主義（行政事件訴訟法８条１項本文）という。

**A5** × 判例は法律上保護された利益説に立っている（最大判平17.12.7）。

**A6** ○ 行政事件訴訟法９条１項かっこ書参照。

**A7** × 建築工事終了後は建築確認を取り消す利益は失われるとするのが判例である（最判昭59.10.26）。

**A8** × 従来は行政庁を被告とすべきとされていたが、現在では当該行政庁の所属する行政主体を被告としなければならない（行政事件訴訟法11条１項）。

**A9** ○ これを不服申立前置という。大量に行われる処分や専門技術的な性質を有する処分等は、不服申立前置が採られることがある（行政事件訴訟法８条１項但書）。

**A10** × 行訴法は執行不停止の原則を採っている（行政事件訴訟法25条１項）。

**A11** × 内閣総理大臣の異議の制度は行政事件訴訟法のみに設けられている（行政事件訴訟法27条）。

**A12** × 行政事件訴訟法では職権証拠調べは可能だが（行政事件訴訟法24条本文）、職権探知主義は採られていない。

**A13** ○ これにより、処分または裁決が違法であることに既判力が生ずることになる。

**A14** × 処分の取消判決が確定すると、行政庁が処分を取り消すまでもなく、処分の効力は遡及的に消滅する。これを形成力という。

**A15** ○ これを拘束力という（行政事件訴訟法33条）。

**A16** × 行政庁に対し一定の処分または裁決を求める旨の法令に基づく申請または審査請求がなされた場合において、当該行政庁がその処分または裁決をすべきであるにかかわらずこれがされないときにも提起しうる（行政事件訴訟法３条６項１号・２号）。

**A17** ○ 行政庁による申請の握りつぶしを防止する趣旨の訴訟だからである（行政事件訴訟法37条）。

memo

# 第3章

# 国家補償

SECTION

① 国家賠償法1条
② 国家賠償法2条
③ 国家賠償法総合
④ 損失補償
⑤ 国家補償総合

# 第3章 国家補償

## 出題傾向の分析と対策

| 試験名 | 地上 | | | 国家一般職 | | | 特別区 | | | 国税・財務・労基 | | | 国家総合職 | | |
|---|---|---|---|---|---|---|---|---|---|---|---|---|---|---|---|
| 年度 | 16-18 | 19-21 | 22-24 | 16-18 | 19-21 | 22-24 | 16-18 | 19-21 | 22-24 | 16-18 | 19-21 | 22-24 | 16-18 | 19-21 | 22-24 |
| 出題数 / セクション | 5 | 2 | 3 | 3 | 3 | 3 | 3 | 3 | 3 | 3 | 3 | 3 | 6 | 6 | 5 |
| 国家賠償法1条 | ★★ | | ★ | ★★ | ★ | ★ | | ★ | | | ★ | | ★★ | ★★ | ★★★ |
| 国家賠償法2条 | ★ | ★ | ★ | | | ★ | ★ | | ★ | | | | ★★ | ★★ | |
| 国家賠償法総合 | ★ | ★ | ★ | | ★ | | | | ★ | ★★ | ★ | ★ | ★ | | ★ |
| 損失補償 | ★ | | | | ★ | ★ | ★ | ★★ | ★ | | | ★★ | ★ | ★★ | |
| 国家補償総合 | | | | ★ | | | ★ | | | ★ | ★ | | | | ★ |

（注）１つの問題において複数の分野が出題されることがあるため、星の数の合計と出題数とが一致しないことがあります。

この分野では、国家賠償法１条・２条に関する問題が頻出ですので、しっかり学習する必要があります。

### 地方上級

ほぼ毎年出題されています。特に国家賠償法１条・２条に関してはよく出題されていますので、しっかり学習してください。条文の内容に関する問題と判例の内容に関する問題のどちらも出題されます。問われる内容は基本的ですので、過去問を解いて基本的な知識を身につけておいてください。

### 国家一般職

毎年出題されています。特に国家賠償法１条・２条に関してはほぼ毎年出題されていますので、しっかり学習してください。条文の内容に関する問題と判例の内容に関する問題のどちらも出題されます。判例についてはかなり詳しい内容まで問われていますので、しっかりと理解するようにしてください。

### 特別区

毎年出題されています。特に国家賠償法２条に関する判例の内容を問う問題がよく出されています。問われている内容は基本的なものですので、過去問を解いて国家賠償法２条に関する判例の内容をしっかり理解するようにしてください。

### 国税専門官・財務専門官・労働基準監督官

毎年出題されています。問われている内容は基本的なものですので、過去問を解いて判例の内容をしっかり理解するようにしてください。また、国家賠償法総合としても出題されやすいので、国家賠償法１条・２条以外の条項も過去問で学習しておきましょう。

### 国家総合職

毎年出題されています。しかもこの分野から１年に２問出題される年も多いため、かなり細かな知識まで問われていますので、しっかり学習してください。条文の内容に関する問題と判例の内容に関する問題のどちらも出題されます。判例についてはかなり詳しい内容まで問われていますので、判例集などで判例の内容をしっかり理解するようにしてください。



## Advice アドバイス 学習と対策

国家賠償法１条・２条は頻出です。国家賠償法総合問題という形で出題されることも多いので、まず条文の内容をしっかりと理解するようにしてください。そのうえで国家賠償法１条・２条に関する判例の内容を理解するようにしてください。特に国家総合職・国家一般職においては、判例の詳しい内容を問う問題が出題されますので、これらの試験の受験者はしっかりと判例を勉強するようにしてください。

# 国家賠償法１条

## 必修問題 セクションテーマを代表する問題に挑戦！

**公務員の違法な行為によって被った損害の救済方法について学習します。**

**問 国家賠償法に規定する公務員の公権力の行使に係る損害賠償責任に関する記述として、判例、通説に照らして、妥当なのはどれか。**

**（特別区2008）**

1：代位責任説とは、国の賠償責任の性質について、公権力の行使として行われる公務の執行には違法な加害行為を伴う危険が内在しているので、この危険の発現である損害は、危険を引き受けた国が自ら責任を負うと解する説である。

2：国家賠償法で規定する公務員には、身分上の公務員である国家公務員又は地方公務員だけでなく、国又は地方公共団体から権力的な行政の権限を委任された民間人も含まれる。

3：国又は公共団体の公権力の行使に当たる公務員が、重大な過失によって違法に他人に損害を加えたときは、国又は公共団体はこれを賠償しなければならないが、国又は公共団体はその公務員に対して求償権を有しない。

4：最高裁判所の判例では、公権力の行使に当たる知事の職務行為に基づく損害については、公共団体が賠償の責に任ずるのではなく、知事が個人として、その責任を負担するものであるとした。

5：最高裁判所の判例では、国会議員は立法行為に関して、個別の国民の権利に対応した法的義務を負うものとし、在宅投票制度を廃止して復活しない立法行為は、選挙権の行使を妨げるため国家賠償法にいう違法な行為に当たるとした。

Guidance ガイダンス

**国家賠償責任（国家賠償法１条）**

・法的性質……代位責任

・公務員……公権力を行使する者（民間人含む）

・公務員個人は賠償責任を負わない

・公務員に故意または重過失があれば、国は公務員に対して求償権を行使できる

直前復習

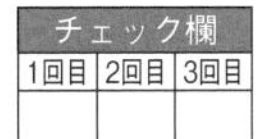

| チェック欄 | | |
|---|---|---|
| 1回目 | 2回目 | 3回目 |
| | | |

〈国家賠償法１条〉

**1 ×** 国家賠償法１条に基づき、公務員の不法行為について国・公共団体が負う賠償責任の法的性質に関しては、学説上、自己責任説と代位責任説との間で争いがある。このうち、代位責任説は、同法１条の責任は、本来加害者である公務員が負うべき責任を、国・公共団体が肩代わりして負う性質のものであるとする立場である。本肢は、自己責任説の内容である。

**2 ○** 国家賠償法１条１項に規定する公務員とは、公権力を行使する権限を与えられた者を意味するのであって、国家公務員法・地方公務員法上の公務員（身分上の公務員）に限定されない。したがって、公庫・公団などの特殊法人の職員はもちろん、民間人であっても、公証人、弁護士会の役員など、国または公共団体から公権力を行使する権限を与えられた者は、同条項に規定する公務員に含まれる（最判平19.1.25参照）。

**3 ×** 国または公共団体の公権力の行使にあたる公務員が、その職務を行うについて故意または過失により違法に他人に損害を与えた場合、国または公共団体がその賠償責任を負うこととなる（国家賠償法１条１項）。そして、国または公共団体が損害賠償義務を履行した場合においては、加害公務員に故意または重過失があったときに限り、国または公共団体は当該公務員に対する求償権を有する（同条２項）。

**4 ×** 判例は、公権力の行使にあたる公務員の職務行為に基づく損害については、国または公共団体が賠償の責めに任じ、職務の執行にあたった公務員は、行政機関としての地位においても、個人としても、被害者に対しその責任を負担するものではないとしている（最判昭30.4.19）。

**5 ×** 判例は、立法に関する国家賠償法１条の違法とは、国会議員の立法過程における行動が個別の国民に対して負担する職務上の法的義務に違背することであって、当該立法内容の違憲性の問題とは区別されるべき問題であるとし、国会議員は、立法に関しては、原則として、国民全体に対する関係で政治責任を負うにとどまり、個別の国民の権利に対応した関係での法的義務を負うものではないとしたうえ、国会議員の立法行為は、立法の内容が憲法の一義的文言に違反しているにもかかわらず国会があえて当該行為を行うというような、容易に想定しがたいような例外的な場合でない限り、国家賠償法１条１項の適用上違法の評価を受けないとして、在宅投票制度を廃止して復活しない立法行為についての国家賠償請求を否定した（在宅投票制廃止事件、最判昭60.11.21）。

**正答 2**

国家補償

# 国家賠償法１条

## 1 国家賠償法の意義

国家賠償法１条は、国・地方公共団体の公権力の行使にあたる公務員が、その職務を行うにあたって、故意または過失により、違法に、私人に損害を与えた場合の国・公共団体の賠償責任を規定したものです。

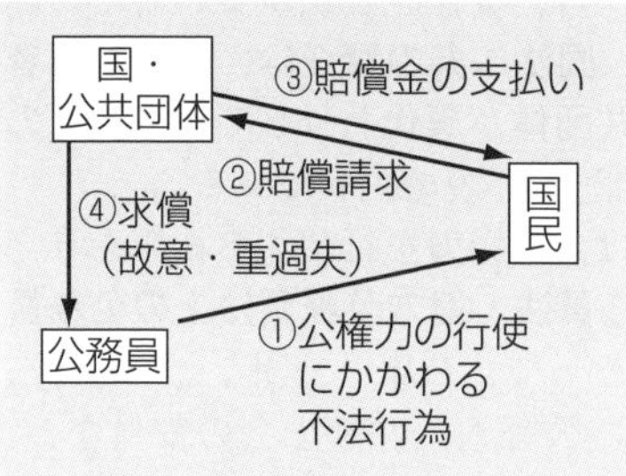


## 2 賠償責任の性質

国または公共団体の賠償責任の性質について、判例・通説は、加害者である公務員が負担すべき責任を国・公共団体が肩代わりする（代位する）ものであるとしています（**代位責任説**）。

## 3 国家賠償責任の要件

> 国家賠償法１条の要件
> ①公権力の行使にあたる、②公務員が、③その職務を行うにつき、④故意または過失により、⑤違法に、⑥他人に損害を加えること

### (1) 公権力の行使

① 「公権力」の意味・範囲については、権力的行政作用に限定する**狭義説**、権力的行政作用に限らず、私経済作用と公の営造物の設置・管理作用を除くすべての行政作用を含むとする**広義説**、私経済作用と公の営造物の設置・管理作用も含むあらゆる行政作用を意味するとする**最広義説**が対立していますが、**広義説**が判例・通説です。

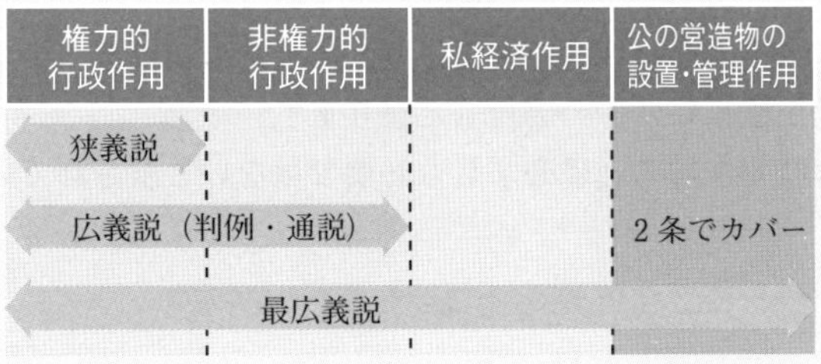

| 権力的行政作用 | 非権力的行政作用 | 私経済作用 | 公の営造物の設置・管理作用 |
|---|---|---|---|
| 狭義説 | | | 2条でカバー |
| 広義説（判例・通説） | 広義説（判例・通説） | | |
| 最広義説 | 最広義説 | 最広義説 | |

広義説に立つと、行政指導や国公立学校における教育作用等の非権力作用も「公権力の行使」に含まれ、国家賠償法1条の適用が認められることになります。

また、公権力の行使には、行政権の行使だけでなく、立法権の行使や司法権の行使も含まれます。ただし、その作用の特殊性から、その権限行使が国家賠償法上違法となる場合は、限定されています。

② 行政庁の規制権限の不行使も、「公権力の行使」に含まれます。ただし、これについても、規制権限の不行使が国家賠償法上違法と認められる場合は、限定されています。

**判例**
《京都誠和住研事件》最判平元.11.24
【事案】悪質な宅建業者の業務停止・免許の取消しを行わない、などの知事の権限不行使は、国家賠償法上違法な行為といえるかが争われた事案
【判旨】行政庁が規制権限を行使しない不作為が違法といえるためには、具体的事情のもとにおいて、行政庁に監督処分権限が付与された趣旨・目的に照らして、その不行使が著しく不合理と認められることを必要とする。

**判例**
《在宅投票制廃止事件》最判昭60.11.21
【事件】国会が在宅投票制度を廃止し、これを復活させる立法を行わなかったことが、違法な公権力の行使にあたるのではないかが争われた事案
【判旨】国会議員の立法行為は、立法内容が憲法の一義的文言に反しているにもかかわらず国会があえて当該立法を行うというような、容易に想定しがたい例外的な場合でない限り、違法なものとはいえない。

**判例**
最判昭57.3.12
【事件】裁判官がした裁判に、訴訟法上救済されるべき瑕疵が存在する場合、国家賠償法上違法な公権力の行使といえるかが争われた事案
【判旨】裁判官がした裁判が、国家賠償法上違法とされるためには、当該裁判官が付与された権限の趣旨に明らかに背いてこれを行使したというような特別の事情が認められなければならない。

### (2) 公務員

たとえ民間人であっても、公権力を行使する権限を与えられた者は、その権限を与えられた範囲内では国家賠償法にいう「公務員」となります。

また、加害公務員を個々に特定することは必ずしも必要ではないと解されています（判例・通説）。

### (3) 職務を行うについて

自己の利を図る意図をもってする場合でも、客観的に職務執行の外形を備える行為をし、これによって他人に損害を加えた場合には、「職務を行うについて」といえます（**外形標準説**、判例・通説）。

判例チェック

警官が非番の日に制服を着用して職務質問を装い強盗を行った場合も、「職務を行うについて」といえるため、国家賠償法１条の責任が認められる（最判昭31.11.30）。

### (4) 故意・過失

国家賠償責任が認められるには、加害行為について公務員の故意または過失が必要となります。

今日では、過失認定の客観化が進められ、公務員が職務上要求されている標準的注意義務に違反したと認められる場合には、過失があるものと解されています（判例・通説）。

### (5) 違法性

「違法」には、具体的法令違反の場合はもちろんのこと、客観的に公正を欠く行為がなされた場合も含まれるとされています。したがって、特定の法令に違反していなくても、権限濫用や信義則違反と認められる行政活動は、国家賠償法１条の「違法」な行政活動となります。

最判昭61.2.27

【事件】警察官が犯人をパトカーで追跡中に、第三者に損害を与えた行為は、国家賠償法上違法といえるかが争われた事案

【判旨】被害者を追跡する行為自体は違法ではないとしても、追跡が職務目的を遂行するうえで不必要であるか、またはそれが第三者に損害を与えるような不相当な方法でなされた場合には違法となる。

### (6) 損害発生

国家賠償制度は損害賠償救済制度ですから、損害発生は不可欠の要件です。

また、公権力の行使と損害発生の間に因果関係が認められることも必要です。

対象となる損害は、経済的損害に限られず、精神的損害も含まれます。

判例
《水俣病認定遅延慰謝料訴訟》最判平3.4.26
【事件】水俣病の認定処分が遅延したことによる、患者の不安感などの精神的損害は国家賠償法の保護の対象となるのかについて争われた事案
【判旨】水俣病の認定が遅れたことについての申請者の焦燥感・不安感は、人格的利益の１つとして国家賠償の保護対象となりうる。



## 4 国家賠償法１条の効果

### (1) 行政内部の責任

加害公務員に故意または重過失があった場合、国家賠償法１条に基づいて賠償責任を負う国・公共団体は、当該公務員に対して求償権を行使することができます（国家賠償法１条２項）。

### (2) 公務員個人の責任

国家賠償法１条に基づいて国・公共団体が賠償責任を負う場合、加害者である公務員個人は、被害者に対し賠償責任を負いません（最判昭30.4.19）。公務員個人の責任を認めると公務員の職務遂行の萎縮化のおそれがあるからです。

国家補償

# 国家賠償法１条

## 実践 問題 166 基本レベル

| 頻出度 | |
|---|---|
| 地上★★　国家一般職★★★　特別区★★ | |
| 国税·財務·労基★★★　国家総合職★★★ | |

**問 国家賠償法第１条第１項の「公権力の行使」に関する次の記述のうち、妥当なのはどれか。ただし、争いのある場合は判例の見解による。　（地上2013）**

1：本条における「公権力の行使」とは、国又は公共団体の公務員によるものであるため、公務員法上の公務員でない者がした行為について、本条の適用はない。

2：本条が適用された場合、加害行為をした公務員には求償権が行使されるため、損害賠償責任を成立させるためには、原告は加害公務員を個別に特定しなければならない。

3：県知事が児童福祉法に基づき社会福祉法人が設置する児童養護施設に入所させた児童について、社会福祉法人の職員が行った養護看護行為に問題があった場合は、当該法人は本条における公共団体にあたり、損害賠償責任を負う。

4：本条が適用された場合は、加害行為をした公務員は被害者に対して、行政機関としての地位においても、公務員個人としても、損害賠償責任を負わない。

5：外国人が被害者となった場合の国家賠償法の適用において、相互の保証を要するのは、本法第２条の場合に限られ、本法第１条の場合においては要しない。

チェック欄

| 1回目 | 2回目 | 3回目 |
|---|---|---|
| | | |

## 実践 問題 166 の解説

〈国家賠償法１条〉

**1 ×** 国家賠償法１条１項の「公権力の行使」について、判例・通説は、国または公共団体の作用のうち、純粋な私経済作用と２条にいう営造物の設置・管理作用を除くすべての作用をいうとする（最判昭62.2.6）。公権力の行使であることが肯定されれば、そのような行為をする者は、公務員法上の公務員でなくても国家賠償法上の「公務員」となるので、その者がした行為には、国家賠償法１条１項が適用される。

**2 ×** 判例は、公務員による一連の職務上の行為の過程において他人に被害を生ぜしめた場合において、それが具体的にどの公務員のどのような違法行為によるものであるかを特定することができなくても、その一連の行為のいずれかに行為者の故意または過失による違法行為があったのでなければ被害が生ずることはなかったであろうと認められ、それがどの行為であるにせよこれによる被害につき行為者の属する国または公共団体が法律上賠償の責任を負うべき関係が存在するときは、国または公共団体は、加害行為不特定を理由に国家賠償責任を免れることはできないとした（最判昭57.4.1）。

**3 ×** 判例は、都道府県による児童福祉法上の措置に基づき社会福祉法人の設置運営する児童養護施設に入所した児童に対する当該施設の職員等による養育監護行為は、都道府県の公権力の行使にあたるので、都道府県が当該行為による損害について賠償責任を負うとした（最判平19.1.25）。つまり、判例は、当該養育監護行為は、社会福祉法人が国家賠償法１条１項の公共団体にあたるので、当該社会福祉法人は当該養護監護行為による損害についての賠償責任を負うとしたわけではない。

**4 ○** 判例は、公権力の行使にあたる公務員の職務行為に基づく損害については、国または公共団体が賠償の責めに任ずるのであって、当該公務員は、行政機関としての地位においても、個人としても、被害者に対しその責任を負うものではないとした（最判昭30.4.19）。

**5 ×** 国家賠償法６条は、「この法律は、外国人が被害者である場合には、相互の保証があるときに限り、これを適用する」と定めており、同条の適用範囲を同法２条の場合に限定していない。

**正答 4**

国家補償

# 国家賠償法１条

## 実践 問題 167 基本レベル

頻出度 地上★★ 国家一般職★★★ 特別区★★ 国税·財務·労基★★★ 国家総合職★★★

**問 国家賠償法に規定する公務員の公権力の行使に係る損害賠償責任に関する記述として、最高裁判所の判例に照らして、妥当なのはどれか。（特別区2012）**

1：国又は公共団体が損害賠償の責を負うのは、公務員が主観的に権限行使の意思をもってした職務執行につき、違法に他人に損害を加えた場合に限られ、公務員が自己の利を図る意図で、客観的に職務執行の外形を備える行為をし、これにより違法に他人に損害を加えた場合には、損害賠償の責を負うことはない。

2：加害行為及び加害行為者の特定は、損害賠償責任発生の根幹となるので、公務員による一連の職務上の行為の過程において他人に被害を生ぜしめた場合に、それが具体的にどの公務員のどのような違法行為によるものであるかを特定できないときは、国又は公共団体は、損害賠償の責を負うことはない。

3：行政処分が違法であることを理由として国家賠償の請求をするについては、まず係争処分が取消されることを要するため、あらかじめ当該行政処分につき取消又は無効確認の判決を得なければならない。

4：国家賠償法にいう公権力の行使とは、国家統治権の優越的意思の発動たる行政作用に限定され、公立学校における教師の教育活動は、当該行政作用に当たらないので、国家賠償法にいう公権力の行使には含まれない。

5：裁判官がした争訟の裁判につき国の損害賠償責任が肯定されるためには、その裁判に上訴等の訴訟法上の救済方法によって是正されるべき瑕疵が存在するだけでは足りず、当該裁判官がその付与された権限の趣旨に明らかに背いてこれを行使したものと認めうるような特別の事情があることを必要とする。

チェック欄

| 1回目 | 2回目 | 3回目 |
|---|---|---|
| | | |

## 実践 問題 167 の解説

〈国家賠償法１条〉

**1 ×** 非番の日に警察官が制服制帽を着用し、被害者を拳銃で射殺した事案において、判例は、その公務員が行為の外形において職務執行と認めうべきものであれば、国家賠償法１条の職務執行にあたるとした（最判昭31.11.30）。

**2 ×** 国または公共団体の公務員による一連の職務上の行為の過程において他人に被害を生ぜしめた場合において、それが具体的にどの公務員のどのような違法行為によるものであるかを特定することができなくても、一連の行為のうちのいずれかに行為者の故意または過失による違法行為があったのでなければ被害が生ずることはなかったであろうと認められ、かつ、それがどの行為であるにせよこれによる被害につき行為者の属する国または公共団体が法律上賠償の責任を負うべき関係が存在するときは、国または公共団体は、加害行為不特定のゆえをもって国家賠償法または民法上の損害賠償責任を免れることができないとした（最判昭57.4.1）。

**3 ×** 行政処分が違法であることを理由として国家賠償の請求をするについて、判例は、あらかじめ行政処分につき取消しまたは無効確認の判決を得なければならないものではないと述べた（最判昭36.4.21）。なお、判例は、この法理が、金銭を納付させることを直接の目的とする行政処分にも及ぶことを認めた（最判平22.6.3）。

**4 ×** 市立中学校の生徒が体育授業中に怪我をした結果、全身にわたる麻痺を伴った重篤な後遺症を負った事案において、判例は、国家賠償法１条１項にいう「公権力の行使」には、公立学校における教師の教育活動も含まれるとして、市の賠償責任を肯定した（最判昭62.2.6）。

**5 ○** 判例は、「裁判官がした争訟の裁判に上訴等の訴訟法上の救済方法によって是正されるべき瑕疵が存在したとしても、これによつて当然に国家賠償法１条１項の規定にいう違法な行為があったものとして国の損害賠償責任の問題が生ずるわけのものではなく、右責任が肯定されるためには、当該裁判官が違法又は不当な目的をもつて裁判をしたなど、裁判官がその付与された権限の趣旨に明らかに背いてこれを行使したものと認めうるような特別の事情があることを必要とすると解するのが相当である」とした（最判昭57.3.12）。

**正答 5**

国家補償

# 国家賠償法１条

## 実践 問題 168 基本レベル

頻出度 地上★★ 国家一般職★★★ 特別区★★ 国税･財務･労基★★★ 国家総合職★★★

**問 国家賠償法第１条に関するア～オの記述のうち、判例に照らし、妥当なもののみを全て挙げているのはどれか。 (国家総合職2013)**

ア：宅地建物取引業法は、免許を付与した宅地建物取引業者の人格・資質等を一般的に保証し、ひいては当該業者の不正な行為により個々の取引関係者が被る具体的な損害の防止、救済を制度の直接的な目的とするものであるから、知事による宅地建物取引業者への免許の付与・更新が、同法所定の免許基準に適合しない場合は、県は、当該業者の不正行為により損害を被った取引関係者に対して、国家賠償法第１条第１項に基づく損害賠償責任を負う。

イ：国会議員の立法行為が国家賠償法第１条第１項の適用上違法となるかどうかは、国会議員の立法過程における行動が個別の国民に対して負う職務上の法的義務に違反したかどうかの問題であって、当該立法の内容の違憲性の問題とは区別されるべきである。

ウ：国家賠償法第１条第１項は、国家賠償責任の成立要件として違法行為を行った公務員の故意・過失を要求していることに鑑みれば、同項にいう職務執行とは、公務員が、主観的に権限行使の意思をもってした職務行為のことを指し、自己の利をはかる意図をもってした行為は含まれない。

エ：児童福祉法第27条第１項第３号の措置に基づき児童養護施設に入所した児童に対する当該施設の職員による養育監護行為は、当該施設が社会福祉法人により設置・運営されるものであっても、都道府県の公権力の行使に当たる公務員の職務行為に当たる。

オ：国又は公共団体の公務員による規制権限の不行使は、具体的事情の下において、規制権限の不行使と発生した被害との間に社会通念上相当な因果関係が認められるときは、当該規制権限の不行使により被害を受けた者との関係において、国家賠償法第１条第１項の適用上違法となる。

1：エ
2：オ
3：ア、イ
4：ア、ウ
5：イ、エ

直前復習

チェック欄

| 1回目 | 2回目 | 3回目 |
|---|---|---|
| | | |

## 実践 問題 168 の解説

〈国家賠償法１条〉

**ア×** 判例は、宅地建物取引業法の免許制度は、免許を付与した宅建業者の人格・資質等を一般的に保証し、ひいては当該業者の不正な行為により個々の取引関係者が被る具体的な損害の防止、救済を制度の直接的な目的とするものとは解しがたいので、知事等による免許の付与ないし更新それ自体は、法所定の免許基準に適合しない場合であっても、当該業者との個々の取引関係者に対する関係において直ちに国家賠償法１条１項にいう違法な行為にあたるものではないとした（京都誠和住研事件、最判平元.11.24）。

**イ○** 判例は、国会議員の立法行為が国家賠償法１条１項の適用上違法となるかどうかは、国会議員の立法過程における行動が個別の国民に対して負う職務上の法的義務に違背したかどうかの問題であって、当該立法の内容の違憲性の問題とは区別されるべきであり、仮に当該立法の内容が憲法の規定に違反するおそれがあるとしても、そのゆえに国会議員の立法行為が直ちに違法の評価を受けるものではないとした（在宅投票制廃止事件、最判昭60.11.21）。

**ウ×** 判例は、国家賠償法第１条の立法趣旨は、公務員が主観的に権限行使の意思をもってする場合に限らず、自己の利を図る意図をもってする場合でも、客観的に職務執行の外形を備える行為をしてこれによって、他人に損害を加えた場合には、国または公共団体に損害賠償の責を負わしめて、ひろく国民の権益を擁護することであるとした（最判昭31.11.30）。

**エ○** 判例は、児童福祉法27条に基づく都道府県の措置により、社会福祉法人の設置運営する児童養護施設に入所した児童を養育監護する施設の長および職員は、国家賠償法１条１項の適用において都道府県の公権力の行使にあたる公務員に該当し、その職員による養育監護行為は、都道府県の公権力の行使にあたる公務員の職務行為にあたるとした（最判平19.1.25）。

**オ×** 判例は、宅建業者の不正な行為により個々の取引関係者が損害を被った場合であっても、具体的事情のもとにおいて、知事等に監督処分権限が付与された趣旨・目的に照らし、その不行使が著しく不合理と認められるときでない限り、当該権限の不行使は、当該取引関係者に対する関係で国家賠償法１条１項の適用上違法の評価を受けるものではないとした（京都誠和住研事件、最判平元.11.24）。

以上より、妥当なものはイ、エであり、肢５が正解となる。

**正答 5**

国家補償

# 国家賠償法1条

## 実践 問題 169 基本レベル

頻出度 地上★★ 国家一般職★★★ 特別区★★ 国税·財務·労基★★★ 国家総合職★★★

問 国家賠償法に関するA～Dの記述のうち、最高裁判所の判例に照らして、妥当なものを選んだ組合せはどれか。 (特別区2016)

A：第一次出火の際の残り火が再燃して発生した火災については、消防署職員の消火活動について失火責任法は適用されず、第一次出火の消火活動に出動した消防署職員に残り火の点検、再出火の危険回避を怠った過失がある以上、消防署職員の重大な過失の有無を判断することなく、国又は公共団体は、国家賠償法により損害を賠償する義務がある。

B：市町村が設置する中学校の教諭がその職務を行うについて故意又は過失によって違法に生徒に損害を与えた場合、当該教諭の給料その他の給与を負担する都道府県が国家賠償法に従い当該生徒に対して損害を賠償したときは、当該中学校を設置する市町村が国家賠償法にいう内部関係でその損害を賠償する責任ある者であり、当該都道府県は、賠償した損害の全額を当該市町村に対し求償することができる。

C：都道府県による児童福祉法の措置に基づき社会福祉法人の設置運営する児童養護施設において、国又は公共団体以外の者の被用者が第三者に損害を加えた場合であっても、当該被用者の行為が国又は公共団体の公権力の行使に当たるとして国又は公共団体が被害者に対して国家賠償法に基づく損害賠償責任を負う場合には、被用者個人のみならず使用者も民法に基づく損害賠償責任を負わない。

D：じん肺法が成立した後、通商産業大臣が石炭鉱山におけるじん肺発生防止のための鉱山保安法に基づく省令改正権限等の保安規制の権限を直ちに行使しなかったことは、保安措置の内容が多岐にわたる専門的、技術的事項であるため、その趣旨、目的に照らし、著しく合理性を欠くものとはいえず、国家賠償法上、違法とはいえない。

1：A　B
2：A　C
3：A　D
4：B　C
5：B　D

直前復習

チェック欄

| 1回目 | 2回目 | 3回目 |
| --- | --- | --- |
| | | |

## 実践 問題 169 の解説

〈国家賠償法１条〉

**A ×** 判例は、国家賠償法４条は、同法１条１項の規定が適用される場合においても、民法の規定が補充的に適用されることを明らかにしているところ、失火責任法は、失火者の責任条件について民法709条の特則を規定したものであるから、国家賠償法４条の「民法」に含まれるとした（最判昭53.7.17）。したがって、失火責任法が適用されないとする本記述は、判例と異なる立場をとるものであり妥当でない。

**B ○** 判例は、市町村が設置する中学校の教諭がその職務を行うについて故意または過失によって違法に生徒に損害を与えた場合に、当該教諭の給料その他の給与を負担する都道府県が国家賠償法１条１項、３条１項に従い生徒に対して損害を賠償したときは、当該都道府県は、同法３条２項に基づき、賠償した損害の全額を当該市町村に対して求償できるとした（最判平21.10.23）。

**C ○** 判例は、社会福祉法人の設置運営する児童養護施設に都道府県が入所させた児童に対する当該施設の職員等による養育監護行為は、国家賠償法１条１項の適用において都道府県の公権力の行使にあたる公務員の職務行為に該当する。そのうえで、国家賠償法１条１項は国または公共団体がその被害者に対して賠償の責めに任ずることとし、公務員個人は民事上の損害賠償責任を負わないこととしたものであるから、国・公共団体以外の者の被用者が第三者に損害を加えた場合においても、国または公共団体が同法１条１項に基づく損害賠償責任を負う場合には、被用者自身が民法709条に基づく損害賠償責任を負わないのみならず、その使用者も同法715条に基づく損害賠償責任を負わないと判示した（最判平19.1.25）。

**D ×** 判例は、規制権限の行使により被害拡大を相当程度防ぐことができた昭和35年４月以降、鉱山保安法に基づく規制権限を直ちに行使しなかったことは、その趣旨・目的に照らし、著しく合理性を欠くものとして、国家賠償法１条１項の適用上、違法となると判示した（最判平16.4.27）。したがって、じん肺発生防止のための保安規制の権限を直ちに行使しなかったことは国家賠償法上、違法とはいえないと述べる本記述は、判例と異なる立場をとるものであり妥当でない。

以上より、妥当なものはＢ、Ｃであり、肢４が正解となる。

**正答 4**

国家補償
# 国家賠償法１条

**実践 問題 170** 応用レベル

| 頻出度 | 地上★ | 国家一般職★★ | 特別区★ |
|---|---|---|---|
| | 国税・財務・労基★ | 国家総合職★★ | |

**問** 次の文章は、国家賠償法第１条第１項の違法について述べたものである。空欄Ａ～Ｄに入るものをア～カから選んだ組合せとして妥当なのはどれか。
（国Ⅱ2011）

国家賠償法第１条第１項は、公務員の行為の違法及び故意・過失を国家賠償責任の主要な成立要件としている。ここでいう違法の概念については様々な議論があるが、判例の中には、［ Ａ ］かどうかにより違法性を判断するものがある。そしてそのような考え方によれば、行政処分に関する損害賠償請求事件において、国家賠償法上の違法が認められるのは、［ Ａ ］ときであるから、取消訴訟において処分が違法とされても国家賠償訴訟における違法は認められないことがあり得る。これに対して通説は、行政行為のように処分の根拠となる法規範が明確なものについて、国家賠償訴訟における違法性の判断に公務員の過失として評価される要素を含めるべきではないとする。また、国家賠償訴訟は、［ Ｂ ］機能とともに［ Ｃ ］機能を有しているとされるが、後者の機能は、取消訴訟などの行政訴訟と同じく法律による行政の原理（法治主義）を制度的に支える制度であるという視点と整合的であり、行政行為は法律に適合していることが要請され、それが適法であれば国家賠償法上の責任を負うこともないと考える。したがって、通説によると、国家賠償訴訟における違法と取消訴訟における違法は［ Ｄ ］ということになる。

ア：公務員が行った行政活動が法規範に違反している
イ：行政活動を行った公務員が職務上通常尽くすべき注意義務を懈怠した
ウ：被害者を救済する
エ：違法な行政行為に対して損害賠償責任を認めることによって違法な行政行為を抑止する
オ：同じである
カ：別である

1：Ａ－ア、Ｂ－ウ、Ｃ－エ、Ｄ－オ
2：Ａ－ア、Ｂ－エ、Ｃ－ウ、Ｄ－カ
3：Ａ－イ、Ｂ－ウ、Ｃ－エ、Ｄ－オ
4：Ａ－イ、Ｂ－エ、Ｃ－ウ、Ｄ－オ
5：Ａ－イ、Ｂ－エ、Ｃ－ウ、Ｄ－カ

チェック欄

| 1回目 | 2回目 | 3回目 |
|---|---|---|
| | | |

## 実践 問題 170 の解説

〈国家賠償法１条〉

国家賠償法１条にいう違法性の意味について、判例の中には、行政活動を行った公務員が職務上通常尽くすべき注意義務を懈怠したかどうかを判断の基準とするものがある（最判昭62.2.6など）。これに基づけば、行政処分に関する国家賠償請求訴訟において、違法性が認められるのは、公務員が注意義務を怠ったときであるから、取消訴訟において処分が違法とされても国家賠償請求は認められないケースがありうる。この立場は、取消訴訟の違法性と国家賠償法上の違法性は異なるという点から、違法性二元論とよばれる。

これに対し通説は、国家賠償法も法律による行政の原理を担保しているものとして、被害を生じさせた行政処分が処分の根拠規範に違反している以上は国家賠償法上も違法だとする。この立場によれば、取消訴訟における違法性と国家賠償訴訟における違法性は同じものとなり、違法性とは別途、故意・過失が判断されることとなる（違法性一元論）。

Ａには、イが入る。Ａの空欄の直後に「違法性の判断」とあるので、Ａには、アかイが入ることがわかる。そして、その後に「取消訴訟において処分が違法とされても国家賠償訴訟における違法は認められないことがあり得る」とあるので、取消訴訟における違法性とは異なる違法性の考え方が入ることがわかる。そして、「公務員が行った行政活動が法規範に違反している」場合には、その行政活動は取消しの対象となるため、Ａにはイが入ることがわかる。なお、Ｂの空欄の直前の記述で、通説が判例を批判しており、「違法性の判断に公務員の過失として評価される要素を含めるべきではない」とあることからも、Ａには過失に関するものである「注意義務の懈怠」という記述を含むイが入ることがわかる。

Ｂにはウが入る。ＢおよびＣには、国家賠償訴訟に期待される機能が入ることから、ウかエが入ることがわかる。そのうち、Ｃについては、「後者の機能」とあり、「行政行為は法律に適合していることが要請され」るとあるので、「違法な行政行為を抑止する」という記述を含むエが入る。よって、Ｂにはウが入る。

Ｃにはエが入る。Ｂの解説参照。

Ｄにはオが入る。Ｄの空欄の直前の「（行政行為が）適法であれば国家賠償法上の責任を負うこともない」という記述から、通説は、国家賠償訴訟と取消訴訟の違法を同じものと考えていることができる。

以上より、Ａ－イ、Ｂ－ウ、Ｃ－エ、Ｄ－オが入り、肢３が正解となる。

**正答 3**

国家補償

# 国家賠償法１条

## 実践 問題 171 応用レベル

頻出度 地上★　国家一般職★★　特別区★
国税·財務·労基★　国家総合職★★

**問 国家賠償法１条１項にいう「公権力の行使」の意義について、次の３つの考え方がある。これらの説に関する次の記述のうち、妥当なのはどれか。**

(地上1993)

**狭義説**　：優越的な意思の発動として行われる権力的作用のみを指すとする説。

**広義説**　：純然たる私経済作用と営造物の設置管理作用を除くすべての公行政作用を指すとする説。

**最広義説**：私経済作用を含むあらゆる国家作用を指すとする説。

1：公行政作用のうち、非権力的行政作用は、狭義説によれば、公権力の行使にあたらないが、広義説によれば公権力の行使に含まれることがありうる。

2：国または公共団体が行う私経済作用から生じた損害については、国家賠償法による救済も民法による救済もありえないとする点において、狭義説と広義説の間に差はない。

3：判例は、広義説の立場から、裁判官による裁判や国会議員による立法行為は公権力の行使にあたらないと解している。

4：国公立学校における教師の教育活動は、広義説によれば公権力の行使にあたらないが、最広義説によれば公権力の行使に含まれることがありうる。

5：第２次世界大戦前においても、判例は広義説に立ち、権力的行政活動から生ずる損害について、行政主体の賠償責任を認めていた。

チェック欄

| 1回目 | 2回目 | 3回目 |
| --- | --- | --- |
| | | |

## 実践 問題 171 の解説

〈国家賠償法１条〉

**1 ○** 非権力的作用は、狭義説によれば、公権力の行使にあたらないことになるが、広義説では、公権力の行使を、純然たる私経済作用と国家賠償法２条の対象となる営造物の設置管理作用を除くすべての公行政作用とするので、**広義説によれば非権力的作用も公権力の行使に含まれることになる。**

**2 ×** 純然たる私経済作用は、狭義説によっても広義説によっても、公権力の行使には含まれない。そのため、国家賠償法１条による救済はされないことになる。しかし、両説とも、公権力の行使に含まれない行為については、民法を適用して救済されうることを認めている。

**3 ×** 判例は広義説の立場をとっている。もっとも、判例は、裁判官による裁判作用や国会議員による立法作用も、公権力の行使に含まれるとしている（裁判作用について最判昭57.3.12、立法作用について最判昭60.11.21）。ただし、これらの作用については、その特殊性から、国家賠償法上違法と認められる場合はかなり限定されている。

**4 ×** 最広義説は、公権力の行使をあらゆる国家作用を指すとするので、これによると国公立学校における教師の教育活動も公権力の行使に含まれる。また、広義説も、公権力の行使を、純然たる私経済作用と国家賠償法２条の対象となる営造物の設置管理作用を除くすべての公行政作用を指すとするので、**広義説によっても国公立学校における教師の教育活動は公権力の行使に含まれることになる。**

**5 ×** 第２次世界大戦前においては、国家は主権の行使に関しては責任を負わないとする**国家無答責の法理**が採られていた。そのため、権力的行政活動から損害が生じたとしても、それに対する行政主体の賠償責任は認められなかった。また、国家賠償法は、第２次世界大戦前においてはまだ制定されていなかった。

**正答 1**

国家補償

# 国家賠償法１条

**実践 問題 172 応用レベル**

| 頻出度 | 地上★　国家一般職★★　特別区★<br>国税·財務·労基★　国家総合職★★ |
|---|---|

**問** 国家賠償法第１条に関するア～オの記述のうち、妥当なもののみを全て挙げているのはどれか。（国家総合職2012）

ア：我が国では行政活動に対する救済に当たり、取消訴訟と国家賠償請求訴訟の自由選択主義を採用しており、ある行政処分により不利益を受けているとしてその救済を求める者は、行政事件訴訟法に基づく取消訴訟を提起して処分の取消しを求めることや、国家賠償法第１条第１項に基づく損害賠償請求訴訟を提起してその損害の賠償を求めることができるが、それらの双方を請求することはできない。

イ：国家賠償法第１条第１項にいう「公務員」は、身分上の公務員に限られず、公権力の行使を委ねられた者も含まれると解されているが、公権力の行使を委ねられているわけではない私人が公務員に扮した上で職務行為を装って犯罪を行い、相手方が公務員としての外形を信頼して被害にあったとしても、国又は公共団体は同項に基づく責任を負わない。

ウ：国家賠償法第１条第１項における違法について、行政活動によって生じる被害に着目し、法の許さない結果を発生させたことにつき違法を認定するとの立場から、パトカーの追跡行為を受けて逃走する車両が起こした事故により損害を被った第三者が提起した国家賠償請求訴訟においては、追跡行為の必要性・相当性が認められても、当該第三者に対する法益侵害があれば、公共団体は同項に基づく責任を負うとするのが判例である。

エ：医薬品の副作用により被害が生じた場合の国家賠償責任について、副作用のために、国民の生命・健康が侵害される危険が生じ、これを回避するためには行政庁による直接の規制のほかに方途がないような場合は、当該医薬品の製造承認を取り消す作為義務が行政庁に生じるとの立場から、クロロキン製剤の副作用による被害者が提起した国家賠償請求訴訟においては、行政庁が直接規制するほかに事態を回避する方途がなかったとはいえず、作為義務は生じていなかったとして、国は国家賠償法第１条第１項に基づく責任を負わないとするのが判例である。

オ：国又は公共団体以外の者の被用者が第三者に損害を与えた行為が、国又は公共団体の公権力の行使に当たり、国又は公共団体が被害者に対し国家賠償法第１条第１項に基づく損害賠償責任を負う場合の被用者及びその使用者の責任については、被用者個人が民法第709条に基づく損害賠償責任を負わないのみならず、使用者も同法第715条に基づく損害賠償責任を負わないとするのが判例である。

1：エ
2：オ
3：ア、ウ
4：イ、オ
5：イ、ウ、エ

# 国家補償
# 国家賠償法１条

チェック欄

| 1回目 | 2回目 | 3回目 |
|---|---|---|
| | | |

## 実践 問題 172 の解説

〈国家賠償法１条〉

**ア×** 自由選択主義とは、原則として、行政上の不服申立てに対する裁決等を経ることなく、直ちに訴訟を提起することも認める建前をいう。取消訴訟と国家賠償請求訴訟はその目的を異にするため、そもそも自由選択主義か否かということは問題とならず、目的に応じて、そのいずれか一方または双方を提起することができる。なお、国家賠償請求をする前提として、取消訴訟を提起して処分の違法性を確認しておく必要はない（最判昭36.4.21）。

**イ○** 国家賠償法１条１項の要件たる「公務員」とは、**公権力を行使する権限を与えられた者をいい、国家公務員法・地方公務員法上の公務員に限定されない**。したがって、公庫・公団などの特殊法人の職員はもちろん、民間人であっても、公証人や、弁護士を懲戒する弁護士会など公権力を行使する権限を与えられた者は、「公務員」に含まれる。そして、「職務を行うについて」の解釈については、判例は、「公務員が主観的に権限行使の意図をもつてする場合にかぎらず自己の利をはかる意図をもつてする場合であっても、**客観的に職務執行の外形をそなえる行為をしてこれによつて、他人に損害を加えた場合には**」、**国または公共団体の国家賠償責任を認める**（外形標準説、最判昭31.11.30）。もっとも、この外形標準説は、公務員の職務行為との関連性を問題とする際の理論であり、公務員としての外形を有するか否かについての法理ではない。したがって、私人が公務員に扮して、職務行為を装って犯罪を行い、相手方が公務員としての外形を信頼して被害にあったとしても、国家賠償責任が生ずるわけではない。

**ウ×** 本記述同様の事案において、判例（最判昭61.2.27）は、「追跡行為が違法であるというためには、右追跡が当該職務行為を遂行する上で不必要であるか、又は逃走車両の逃走の態様及び道路交通状況等から予測される被害発生の具体的危険性の有無及び内容に照らし、追跡の開始・継続若しくは追跡の方法が不相当であることを要するものと解すべきである」としたうえで、追跡行為に必要性・相当性が認められるため、追跡行為の違法性を否定した。

**エ×** いわゆるクロロキン薬害訴訟（最判平7.6.23）において、判例は、結論においては本記述同様、国の損害賠償責任を否定したものの、その理由としては、以下のように判示している。すなわち、「医薬品の副作用による被害が発生した場合であっても、厚生大臣〔当時〕が当該医薬品の副作用による被害の発生を防止するために前記の各権限を行使しなかったことが直ちに国家賠償法１条１項の適用上違法と評価されるものではなく、副作用を含めた当該医薬品に関するその時点における医学的薬学的知見の下において、…薬事法の目的及び厚生大臣に付与された権限の性質等に照らし、右権限の不行使がその許容される限度を逸脱して著しく合理性を欠くと認められるときは、その不行使は…同項の適用上違法となる」としている。このような考え方を、裁量権消極的濫用論という。本記述のような考え方は、裁量権収縮論といい、本判例の第１審・第２審が採用した考え方である。

**オ○** 国家賠償法１条の責任が認められる場合に、加害者たる公務員個人が責任を負うかという問題について、判例は、これを否定している（最判昭30.4.19）。さらに、右判例の趣旨から、公共団体から民間の法人に権限が委譲され、当該法人の被用者が過失により第三者に損害を加えた場合であっても、「当該被用者の行為が国又は公共団体の公権力の行使に当たるとして国又は公共団体が被害者に対して同項〔国家賠償法１条１項〕に基づく損害賠償責任を負う場合には、被用者個人が民法709条に基づく損害賠償責任を負わないのみならず、使用者も同法715条に基づく損害賠償責任を負わないと解するのが相当である」としている（最判平19.1.25）。

以上より、妥当なものはイ、オであり、肢４が正解となる。



**正答 4**

国家補償

# 国家賠償法２条

必修問題　セクションテーマを代表する問題に挑戦！

**道路や河川などの公共のものによって、損害を被った場合の救済方法について学習しましょう。**

**問** 国家賠償法に規定する公の営造物の設置又は管理の瑕疵に基づく損害賠償責任に関する記述として、判例、通説に照らして、妥当なのはどれか。　（特別区2022）

---

1：公の営造物とは、道路、河川、港湾、水道、下水道、官公庁舎、学校の建物等、公の目的に供されている、動産以外の有体物を意味する。

2：公の営造物の管理の主体は国又は公共団体であり、その管理権は、法律上の根拠があることを要し、事実上管理する場合は含まれない。

3：営造物の設置又は管理の瑕疵とは、営造物が通常有すべき安全性を欠いていることをいい、これに基づく国及び公共団体の損害賠償責任については、その過失の存在を必要としない。

4：営造物の設置又は管理の瑕疵には、供用目的に沿って利用されることとの関連において危害を生ぜしめる危険性がある場合を含むが、その危害は、営造物の利用者に対してのみ認められる。

5：未改修である河川の管理についての瑕疵の有無は、通常予測される災害に対応する安全性を備えていると認められるかどうかを基準として判断しなければならない。

直前復習

Guidance ガイダンス

**国家賠償法２条**

・公の営造物……人工公物＋自然公物
　　※動産も含む
・瑕疵……営造物が通常有すべき安全性を欠いていること
　　※未改修河川は過渡的安全性で足りる
・無過失責任

チェック欄

| 1回目 | 2回目 | 3回目 |
|---|---|---|
| | | |

〈国家賠償法２条〉

**1 ×** 動産が公の営造物とされることもあるので、本肢は妥当でない。「公の営造物」（国家賠償法２条１項）とは、国または公共団体により直接に公の目的に供されている有体物をいう。道路・河川は例示であり、不動産に限定されず、警察犬、拳銃などの動産も対象となる。実際に、裁判例の中にも、動産を公の営造物と解したものが数多く存在する。

**2 ×** 営造物の設置または管理は、国または公共団体が事実上これをなす状態にあれば足り、必ずしも法令所定の権限に基づく必要はないと解されている。したがって、本肢は妥当でない。判例も、市が法令に基づかず事実上管理を行っていた河川における転落事故につき、当該河川を市が管理する「公の営造物」にあたるとしている（最判昭59.11.29）。

**3 ○** いわゆる２条責任は無過失責任とされているため、本肢は妥当である。判例は、営造物の設置または管理の瑕疵とは、営造物が通常有すべき安全性を欠き、他人に危害を及ぼす危険性のある状態をいうが、これに基づく国または公共団体の賠償責任は、その過失の存在を必要としない無過失責任であるとしている（高知落石事件、最判昭45.8.20）。

**4 ×** 営造物の設置または管理の瑕疵には営造物の利用者以外に対する危害も含まれるので、本肢は妥当でない。判例は、営造物が供用目的に沿って利用されることとの関連において危害を生ぜしめる危険性がある場合についても営造物の設置または管理に瑕疵があるとし、その危害は、営造物の利用者に対してのみならず、利用者以外の第三者に対するそれも含むとしている（大阪空港訴訟、最大判昭56.12.16）。

**5 ×** 本肢は改修済河川についての安全性の判断基準を述べているので、妥当でない。判例は、未改修河川または改修途上の河川の安全性について、一般に施行されてきた治水事業による河川の改修、整備の過程に対応するいわば過渡的な安全性をもって足りるものとせざるをえないとしている（大東水害訴訟、最判昭59.1.26）。これに対して、改修済河川の安全性については、通常予測される災害に対応する安全性を備えていると認められるかどうかを基準として、安全性の判断をしなければならないとしている（多摩川水害訴訟、最判平2.12.13）。

**正答 3**

# 国家補償
# 国家賠償法２条

## 1 国家賠償法２条の意義

国家賠償法２条は、道路、河川その他公の営造物の設置または管理の瑕疵による損害に対する国・地方公共団体の賠償責任を規定したものです。

## 2 国家賠償法２条の性質

国家賠償法２条の責任は、ほかにその損害につき責任を負うべき者があると否とにかかわらず、また損害発生を防止するために必要な注意を払ったか否かにかかわらず、国・公共団体が負う無過失責任であるとされています（高知落石事件、最判昭45.8.20)。

## 3 要件

### (1) 公の営造物に関する損害であること

ここで、「公の営造物」とは、国・公共団体によって公の目的のための利用に供される物をいいます。これは、講学上の「公物」と同じものです。

「公の営造物」には、道路のような人工的な公物に限らず、河川のような自然公物も含みます。また、民法717条の場合と異なり、土地に接着した物である必要はなく、動産（公用車、拳銃など）なども含みます。ただし、行政主体の所有する物でも、公の用に供されていないものは、私物であって、これによる損害については国家賠償法２条の適用はなく、民法により救済されることになります。

### (2) 設置または管理に瑕疵があること

国家賠償法２条にいう「瑕疵」とは、営造物が通常有すべき安全性を欠いていることをいい、これに基づく国および公共団体の賠償責任については、その過失の存在を必要としないとされています（判例・通説)。「瑕疵」については、以下で詳しく説明します。

## 4 「瑕疵」

(1) 瑕疵の存否、すなわち通常有すべき安全性を欠いているか否かは、その営造物の構造、用法、場所的環境および利用状況など諸般の事情を総合的に考慮して、個別具体的に判断されます（点字ブロック事件、最判昭61.3.25)。

判例
《大阪空港訴訟》最大判昭56.12.16
【事案】空港周辺の住民が、航空機の騒音などにより、身体的・精神的損害を被ったとして、国を被告として損害賠償を求めた事案
【判旨】瑕疵には、その営造物を構成する物的施設自体にある物理的・外形的な欠陥によって危害を生じさせる危険性がある場合のみならず、その営造物が供用目的に沿って利用されることとの関連において危害を生じさせる危険性を有する場合をも含む。またその危害は、営造物の利用者に対してのみならず、利用者以外の第三者に対する危害をも含む。



判例
《テニス審判台転倒事件》最判平5.3.30
【事案】幼児Aが公立中学校校庭内のテニスコートにあった審判台の背部から降りようとしたために審判台が転倒し、Aが下敷きとなって死亡したため、保護者らが国家賠償法2条に基づく損害賠償を請求した事案
【判旨】公の営造物が通常有すべき安全性の有無は本来の用法に従った使用を前提として決せられ、本来の用法に従って使用する限り損害発生の危険がないにもかかわらず、通常予想しえない異常な用法での使用により損害が生じたとしても、国または地方公共団体は損害賠償責任を負わない。

(2)「瑕疵」には、施設自体に存在する物理的・外形的な欠陥などに限らず、営造物がその目的に従って利用されることとの関連で危害を生じさせる危険性がある場合も含みます。これを機能的瑕疵（供用関連瑕疵）といい、大阪空港訴訟において「瑕疵」に含まれることが認められています。

### (3) 道路

判例
《高知落石事件》最判昭45.8.20
【事案】国道の一部で、長年の岩石の風化に、降り続いた雨が誘因となって岩石が落石した場合、道路の設置・管理に瑕疵があるといえるか、また瑕疵があるとしても、予算不足を理由にその責任を免れることができるかどうかが争われた事案
【判旨】道路の崩土、落石の危険に対し防護柵を設置するなどの措置をとったことがない場合は、道路の管理に瑕疵があるといえる。また、道路の管理に多額の費用がかかるとしても、これによって直ちに道路管理についての責任を免れることはできない。

判例
《故障車放置事件》最判昭50.7.25
【事案】故障した大型車が道路に87時間放置され、それに他の車が衝突した場合、道路の設置・管理に瑕疵があったといえるかが争われた事案
【判旨】故障した大型車が長時間放置され、道路の安全性を著しく欠いている状況にもかかわらず、道路を管理する土木出張所が、道路の安全性を保つために必要な措置をまったく講じていなかった場合には、道路管理に瑕疵があったといえる。

# 国家賠償法2条

判例チェック
判例は、標識などが、夜間、通行車により倒され、その直後に交通事故が発生した場合、道路の設置・管理に瑕疵があるといえるかが争われた事案において、時間的に道路管理者が遅滞なく原状に復して、安全な状態に保っておくことは不可能であることから、道路の管理について瑕疵はなかったと判断しています（奈良赤色灯事件、最判昭50.6.26）。

### (4) 河川

道路と異なり、河川については、その管理に伴う財政的制約が、設置・管理の瑕疵の判断をするにあたって考慮されています。

#### ① 一般的基準

河川管理についての瑕疵の有無については、自然的条件、社会的条件、改修を要する緊急性の有無およびその程度などを総合的に考慮し、河川管理における財政的、技術的および社会的諸制約のもとでの同種・同規模の河川の管理の一般水準および社会通念に照らして是認しうる安全性を備えていると認められるか否かを基準としています。

#### ② 個別的基準

判例
《大東水害訴訟》最判昭59.1.26
【事案】未改修河川における安全性とは何かが争われた事案
【判旨】河川の改修を実施するには、莫大な費用を要するし、また技術的・社会的制約も伴うので、未改修河川の安全性は、過渡的な安全性で足りる。すでに改修計画に基づいて改修中である河川の未改修部分から水害が発生したとしても、当該計画が全体として格別に不合理でない以上、河川の管理に瑕疵があるとすることはできない。

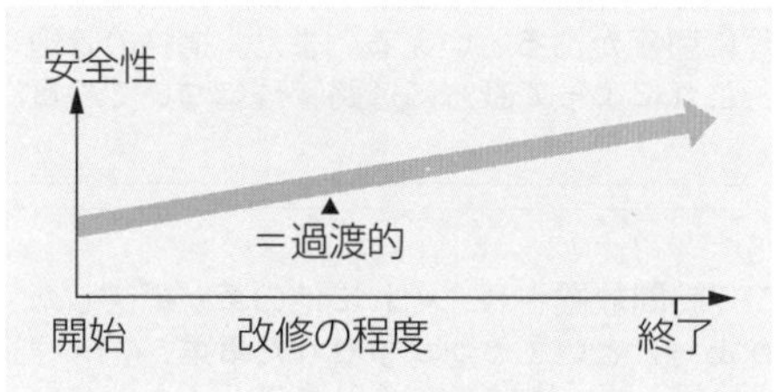

判例

《多摩川水害訴訟》最判平2.12.13

【事案】改修済河川における安全性とは何かが争われた事案

【判旨】すでに改修されたか、あるいは改修・整備の必要がないとされる河川の安全性とは、改修計画に定める規模の洪水における流水の通常の作用から予測される災害の発生を防止するに足りる安全性をいう。

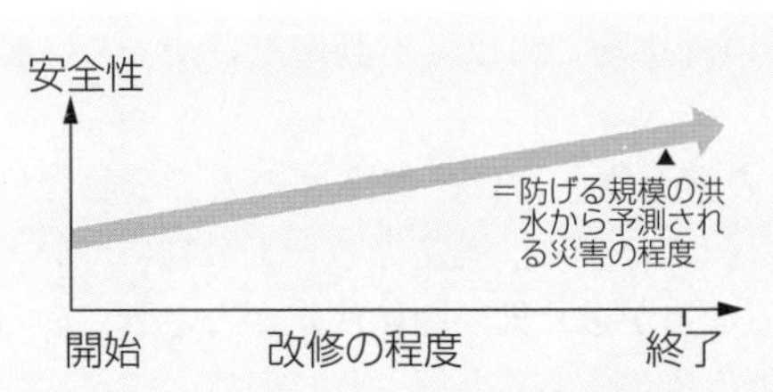

# 実践 問題 173 基本レベル

| 頻出度 | 地上★ 国家一般職★★ 特別区★★<br>国税·財務·労基★★ 国家総合職★★★ |
|---|---|

**問** 国家賠償法が定める公の営造物の設置又は管理の瑕疵責任に関するア～オの記述のうち、妥当なもののみをすべて挙げているのはどれか。 (国Ⅱ2010)

ア：国家賠償法第２条第１項にいう「公の営造物」には、不動産だけでなく、動産も含まれうると解されている。

イ：国家賠償法第２条第１項にいう「公の営造物」には、道路等の人工公物だけでなく、河川等の自然公物も含まれる。このうち、道路等の人工公物については、供用開始行為により供用が始まることから、供用開始決定がなされていることが、公の営造物となるための必須の要件であると解されている。

ウ：国家賠償法第２条第１項にいう「管理」は、国又は公共団体の法律上又は条例上の管理権ないしは所有権、賃借権等の権原に基づく管理に限られ、国又は公共団体の事実上の管理は含まれないとするのが判例である。

エ：国家賠償法第２条第１項上、「営造物の設置又は管理に瑕疵があつた」とされる安全性の欠如とは、当該営造物を構成する物的施設自体に存する物理的、外形的な欠陥ないし不備によって一般的に他人に危害を生ぜしめる危険性がある場合のみならず、当該営造物が供用目的に沿って利用されることとの関連において危害を生ぜしめる危険性がある場合も含み、また、その危害は、当該営造物の利用者に対してのみならず、利用者以外の第三者に対するものも含むと解すべきであるとするのが判例である。

オ：公の営造物の設置又は管理に瑕疵があるため国又は公共団体が国家賠償法第２条第１項の規定により責任を負う場合において、当該営造物の設置又は管理に当たる者とその設置又は管理の費用の負担者とが異なるときは、その双方が損害賠償責任を負うこととなるが、当該営造物の設置費用につき補助金を交付する者も、当該営造物の設置費用の負担者に含まれることがあるとするのが判例である。

1：ア、イ
2：ア、エ
3：ア、エ、オ
4：イ、ウ、オ
5：ウ、エ、オ

| チェック欄 | | |
|---|---|---|
| 1回目 | 2回目 | 3回目 |
| | | |

## 実践 問題 173 の解説

〈国家賠償法２条〉

**ア○** 「公の営造物」は、性質上、民法717条の場合と異なり、土地に接着した工作物である必要はなく、公用自動車、警察犬、拳銃などの動産でもよい。

**イ×** 人工公物には、道路、河川などのような一般公共の用に供される場合（公共用物）のみならず、官公庁庁舎や公務員宿舎などのような、国・公共団体自身の公用に供せられる場合（公用物）も含まれる。これらのうち公用物は、公務員が利用するものであるので、公物として成立するために供用開始決定は不要である。また、供用開始行為のない自然公物ですら「公の営造物」たりうる以上、道路などの人工公共用物についても、供用開始決定は不要である。したがって、供用開始決定は、「公の営造物」になるための必須の要件ではない。

**ウ×** 国家賠償法２条にいう「設置又は管理」とは、国または公共団体が事実上これをなす状態にあれば足り、必ずしも法令で定められた権原に基づく必要はない（最判昭59.11.29）。

**エ○** 公の営造物の設置又は管理の瑕疵とは、営造物が通常有すべき安全性を欠いていることをいう（判例・通説）。この安全性の欠如について判例は、安全性の欠如は、当該営造物を構成する物的施設自体に存在する物理的、外形的な欠陥ないし不備によって危害を生じさせる危険性のある場合だけでなく、その営造物が供用目的に沿って利用されることとの関連において危害を生じさせる危険性がある場合（機能的瑕疵）をも含み、その危害は、営造物の利用者に対してだけでなく、利用者以外の第三者に対する危害をも含むとした（大阪空港訴訟、最大判昭56.12.16）。

**オ○** 営造物の設置・管理者とそれらに関する費用を負担する者が異なる場合、被害者はそのいずれに対しても請求しうる（国家賠償法３条１項）。また、判例は、国が県の営造物設置事業に補助金を交付していた場合、県に対し法律上当該営造物につき危険防止の措置を請求できる立場にあるときは、国家賠償法３条１項の費用負担者に含まれるとして、国に損害賠償責任を認めた（最判昭50.11.28）。

以上より、妥当なものはア、エ、オであり、肢３が正解となる。

**正答 3**

第3章 SECTION 2 国家補償

# 国家賠償法２条

## 実践 問題 174 基本レベル

| 頻出度 | 地上★ | 国家一般職★★ | 特別区★★ |
|---|---|---|---|
| | 国税·財務·労基★★ | 国家総合職★★★ | |

**問 国家賠償法に規定する公の営造物の設置又は管理の瑕疵に基づく損害賠償責任に関するＡ～Ｄの記述のうち、最高裁判所の判例に照らして、妥当なものを選んだ組合せはどれか。 （特別区2013）**

Ａ：道路の安全性を著しく欠如する状態で、道路上に故障車が約87時間放置されていたのに、道路管理者がこれを知らず、道路の安全保持のために必要な措置を全く講じていなかったというような状況のもとにおいても、道路交通法上、道路における危険を防止するために、違法駐車に対して規制を行うのは警察官であるから、当該道路管理者は損害賠償責任を負わない。

Ｂ：国家賠償法にいう公の営造物の管理者は、必ずしも当該営造物について法律上の管理権ないしは所有権、賃借権等の権原を有している者に限られるものではなく、事実上の管理をしているにすぎない国又は公共団体も同法にいう公の営造物の管理者に含まれる。

Ｃ：未改修である河川の管理についての瑕疵の有無は、河川管理における財政的、技術的及び社会的諸制約の下でも、過渡的な安全性をもって足りるものではなく、通常予測される災害に対応する安全性を備えていると認められるかどうかを基準として判断すべきである。

Ｄ：幼児が、公立中学校の校庭内のテニスコートの審判台に昇り、その後部から降りようとしたために転倒した審判台の下敷きになって死亡した場合において、当該審判台には、本来の用法に従って使用する限り、転倒の危険がなく、当該幼児の行動が当該審判台の設置管理者の通常予測し得ない異常なものであったという事実関係の下では、設置管理者は損害賠償責任を負わない。

1：A　B
2：A　C
3：A　D
4：B　C
5：B　D

直前復習

チェック欄

| 1回目 | 2回目 | 3回目 |
|---|---|---|
| | | |

## 実践 問題 174 の解説

〈国家賠償法２条〉

**A ×** 判例は、道路管理者は、道路を常時良好な状態に保つよう維持し、修繕し、もって一般交通に支障を及ぼさないように努める義務を負う（道路法42条１項）ので、道路管理者が、道路上に故障車が約87時間放置されていることを知らず、道路の安全性を保持するのに必要な措置をまったく講じていなかったという場合、道路管理者の道路管理には瑕疵があったというほかないとして、道路管理者である県の責任を認めた（故障車放置事件、最判昭50.7.25）。

**B ○** 判例は、普通河川で起きた転落事故に関する事例で、国家賠償法２条にいう公の営造物の管理者につき、必ずしも法律上の管理者ないしは所有権等の権原を有している者に限られるものではなく、事実上の管理をしているにすぎない国または公共団体も、同法２条の管理者に含まれるとした（最判昭59.11.29）。

**C ×** 未改修の河川管理の瑕疵につき、判例は、財政的・技術的・社会的制約のもとで一般に施行されてきた治水事業による改修・整備の過程に対応するいわば過渡的な安全性をもって足りるとし、当該河川の管理瑕疵の有無は、そうした諸制約のもとでの同種・同規模の河川の管理の一般水準および社会通念に照らして是認しうる安全性を備えていると認められるかどうかを基準として判断すべきであるとした（大東水害訴訟、最判昭59.1.26）。

**D ○** 判例は、テニスの審判台の通常有すべき安全性の有無は、本来の用途に従った使用を前提としたうえで、何らかの危険発生の可能性があるか否かによって決せられるべきであるとして、幼児が当該審判台を設置管理者の通常予測しえない異常な方法で使用して生じた事故については、設置管理者に国家賠償法２条１項の損害賠償責任は生じないとした（テニス審判台転倒事件、最判平5.3.30）。

以上より、妥当なものはＢ、Ｄであり、肢５が正解となる。

**正答 5**

第3章 SECTION 2 国家補償

# 国家賠償法2条

**実践 問題 175** 応用レベル

| 頻出度 | 地上★ 国家一般職★ 特別区★ 国税･財務･労基★ 国家総合職★★ |
|---|---|

**問** **公の営造物の設置又は管理の瑕疵に関するア～オの記述のうち、判例に照らし、妥当なもののみを全て挙げているのはどれか。** **(国家総合職2012)**

**ア**：国家賠償法第２条第１項にいう公の営造物の設置又は管理の瑕疵とは、営造物が通常有すべき安全性を欠いていることをいうが、これに基づく国又は公共団体の賠償責任については、その過失の存在を必要とする。したがって、県道上に道路管理者の設置した、掘穿工事中であることを表示する工事標識等が、夜間、通行車によって倒されたため、その直後に他の通行車について事故が発生した場合は、時間的に道路管理者が道路の原状を回復する余地がなく、県の道路の管理に過失があったということはできないため、県は、同項に基づく賠償責任を負わない。

**イ**：国家賠償法第２条第１項は、危険責任の法理に基づき被害者の救済を図ることを目的として、国又は公共団体の責任発生の要件につき、公の営造物の設置又は管理に瑕疵があったために他人に損害を生じたときと規定しているところ、財政的、技術的及び社会的制約の下で被害を回避する可能性があったことは、道路の設置又は管理に瑕疵を認めるための積極的要件になるものではない。

**ウ**：改修計画に基づいて現に改修中である河川については、当該計画が、全体として、過去の水害の発生状況その他諸般の事情を総合的に考慮し、河川管理の一般水準及び社会通念に照らして、格別不合理なものと認められないときは、その後の事情の変動により未改修部分につき水害発生の危険性が特に顕著となり、早期の改修工事を施行しなければならないと認めるべき特段の事由が生じない限り、当該部分について改修がいまだ行われていないことの一事をもって河川の管理に瑕疵があるということはできず、また、このことは人口密集地域を流域とするいわゆる都市河川の管理についても、一般的にはひとしく妥当する。

**エ**：公の営造物の利用の態様及び程度が一定の限度にとどまる限りにおいてはその施設に危害を生ぜしめる危険性がなくても、これを超える利用によって危害を生ぜしめる危険性がある状況にある場合には、そのような利用に供される限りにおいて当該営造物の設置、管理には瑕疵があるということができ、当該営造物の設置･管理者たる国において、このような危険性があるにもかかわらず、これにつき特段の措置を講ずることなく、また、適切な制限を加えないままこれを利用に供し、その結果利用者又は第三者に対して現実に危害を生ぜしめたときは、それが当該設置・管理者の予測し得ない事由によるものでない限り、国は、国家賠償法第２条第１項に基づく責任を負う。

オ：国道の周辺住民が、当該国道の供用に伴い自動車から発せられる騒音等によって、睡眠妨害、家族の団らん等に対する妨害を受けているとして、当該国道の設置・管理者に対し、損害の賠償を求めている場合において、当該国道の供用が周辺住民に対する関係において、違法な権利侵害ないし法益侵害となり、国道の設置・管理者において賠償義務を負うかどうかを判断するに当たっては、侵害行為の態様と侵害の程度、被侵害利益の性質等、周辺住民の被っている被害をそれ自体として考慮すべきであり、侵害行為の持つ公共性ないし公益上の必要性を考慮要素としてはならない。



1：ア、イ、オ
2：ア、ウ、エ
3：ア、エ、オ
4：イ、ウ、エ
5：イ、ウ、オ

# 国家賠償法２条

チェック欄

| 1回目 | 2回目 | 3回目 |
|---|---|---|
| | | |

## 実践 問題 175 の解説

〈国家賠償法２条〉

**ア×** 国家賠償法２条１項の責任の性質については、他にその損害につき責任を負うべき者があると否とにかかわらず、また損害発生を防止するために必要な注意を払ったか否かにかかわらず、**国・公共団体が負う無過失責任**であると解されている（**高知落石事件**、最判昭45.8.20）。そして、判例は、時間的に道路管理者が道路の原状を回復する余地がないことから、道路管理に瑕疵がなかったと判断しているのであって、過失がないとしているわけではない（**奈良赤色灯事件**、最判昭50.6.26）。

**イ○** 国道の供用に伴い、自動車からの騒音・排気ガス等が周辺住民に生活妨害等の被害をもたらすとして、国家賠償法２条１項に基づく損害賠償が請求された事案において、判例は、国家賠償法２条１項は、危険責任の法理に基づき被害者の救済を図ることを目的として、国または公共団体の責任発生の要件につき、公の営造物の設置または管理に瑕疵があったために他人に損害を生じたときと規定しているところ、財政的、技術的および社会的制約のもとでの回避可能性があったことが本件道路の設置または管理に瑕疵を認めるための積極的要件になるものではないとした（**国道43号線訴訟**、最判平7.7.7）。

**ウ○** 国家賠償法２条１項にいう「公の営造物の設置又は管理の瑕疵」とは、「通常備えるべき安全性を欠いていること」を意味する。そして、河川の通常備えるべき安全性の判断について、判例は、既改修河川と未改修河川とでその判断を別にしている。改修工事中の河川の排水路からの溢水によって床上浸水が発生したため、国家賠償法２条１項に基づく損害賠償が請求され、未改修河川についての管理の瑕疵が問題となった事案において、判例は、本記述のように述べ、結論として請求を棄却した（**大東水害訴訟**、最判昭59.1.26）。

**エ○** 国家賠償法２条１項にいう「公の営造物の設置又は管理の瑕疵」とは、「通常備えるべき安全性を欠いていること」を意味する。空港の供用に伴う航空機の騒音等により、周辺住民が人格権ないし環境権を著しく害されたとして国家賠償法２条１項に基づき損害賠償を請求した事案において、判例（**大阪空港訴訟**、最大判昭56.12.16）は、「安全性の欠如…とは、ひとり当該営造物を構成する物的施設自体に存する物理的、外形的な欠陥ないし不備によって一般的に右のような危害を生ぜしめる危険性がある場合のみならず、その営造物が供用目的に沿って利用されることとの関連において危害を生ぜしめる危険性がある場合をも含み、また、その危害は、営造物の利用者に対してのみならず、利用者以外の第三者に対するそれをも含む」とし、続いて本記述のように述べた。

**オ ×** 本記述と同様の事案において、判例（国道43号線訴訟、最判平7.7.7、記述イ参照）は、大阪空港訴訟大法廷判決（最大判昭56.12.16、記述エ参照）を参照し、「営造物の供用が第三者に対する関係において違法な権利侵害ないし法益侵害となり、営造物の設置・管理者において賠償義務を負うかどうかを判断するに当たっては、侵害行為の態様と侵害の程度、被侵害利益の性質と内容、侵害行為の持つ公共性ないし公益上の必要性の内容と程度等を比較検討するほか、侵害行為の開始とその後の継続の経過及び状況、その間に採られた被害の防止に関する措置の有無及びその内容、効果等の事情をも考慮し、これらを総合的に考察してこれを決すべきものである」とし、結論として、本件道路の公共性ないし公益上の必要性のゆえに、被害が社会生活上受忍すべき範囲内のものであるということはできないとして、原告周辺住民の請求を認容した。

以上より、妥当なものはイ、ウ、エであり、肢4が正解となる。



**正答 4**

国家補償

# 国家賠償法２条

## 実践 問題 176 応用レベル

| 頻出度 | 地上★ | 国家一般職★ | 特別区★ |
|---|---|---|---|
| | 国税·財務·労基★ | 国家総合職★★ | |

**問** **国家賠償法第２条に関するア～オの記述のうち、判例に照らし、妥当なもののみをすべて挙げているのはどれか。** (国Ⅰ2010)

ア：公立学校の校庭が開放されて一般の利用に供されている場合、校庭内の設備等の設置管理者は、幼児を含む一般市民の校庭内における安全について全面的に責任を負っており、保護者に同伴されて町立中学校校庭内のテニスコートに来た５歳の幼児が、当該コートにある審判台から降りようとした際に、その座席部分の背当てを構成する左右の鉄パイプを両手で握り、その後部から降りようとしたため審判台が倒れ、当該幼児が審判台の下敷きになって死亡した場合、設置管理者たる町は国家賠償法第２条第１項に基づく賠償責任を負う。

イ：県道上に道路管理者の設置した、掘穿工事中であることを表示する工事標識板等が、夜間、通行車によって倒されたため、その直後に他の通行車について事故が発生した場合、時間的に道路管理者が道路の原状を回復する余地がなかったとしても、人工公物である道路の設置又は管理に瑕疵があったというためには道路の安全性に欠如があったことで足りるから、道路管理者たる県は国家賠償法第２条第１項に基づく賠償責任を負う。

ウ：工事実施基本計画に準拠して改修、整備がされた河川における河川管理の瑕疵の有無は、同計画に定める規模の洪水における流水の通常の作用から予測される災害の発生を防止するに足りる安全性を備えているかどうかによって判断すべきであり、また、水害発生当時においてその発生の危険を通常予測することができたとしても、その危険が改修、整備がされた段階においては予測することができなかった場合における河川管理の瑕疵の有無は、過去に発生した水害の規模などの自然的条件、土地の利用状況などの社会的条件、改修を要する緊急性の有無などの諸般の事情及び河川管理における財政的、技術的及び社会的諸制約をその事案に即して考慮した上、その危険の予測が可能となった時点から当該水害発生時までにその危険に対する対策を講じなかったことが河川管理の瑕疵に該当するかどうかによって判断すべきである。

エ：点字ブロック等の新たに開発された視力障害者用の安全設備が国家賠償法第２条第１項にいう公の営造物である日本国有鉄道（当時）の駅のホームに敷設されていないことが同項にいう設置又は管理の瑕疵に当たるか否かを判断するに当たっては、当該安全設備が事故防止に有効なものとして全国ないし当該地域における道路、駅のホーム等に普及しているかどうかまでは考慮事項とならず、たとえ当該安全設備が普及していると認められなかったとしても、事故防止に有効な点字ブロックが開発されていることを承知しながら敷設しないまま放置していた以上、当該ホームの管理に瑕疵があったものということができる。

オ：一般国道等の道路の周辺住民がその供用に伴う自動車の騒音等により被害を受けている場合において、周辺住民からその供用の差止めが求められたときに、差止請求を認容すべき違法性があるかどうかを判断するにつき考慮すべき要素は、周辺住民から損害賠償が求められた場合に賠償請求を認容すべき違法性があるかどうかを判断するにつき考慮すべき要素とほぼ共通するが、施設の供用の差止めと金銭による賠償という請求内容の相違に対応して、違法性の判断において各要素の重要性をどの程度のものとして考慮するかにはおのずから相違があるから、両場合の違法性の有無の判断に差異が生じることがあっても不合理とはいえない。

1：イ
2：ウ
3：ウ、オ
4：ア、イ、エ
5：ア、エ、オ

# 国家賠償法２条

チェック欄

| 1回目 | 2回目 | 3回目 |
|---|---|---|
| | | |

## 実践 問題 176 の解説

〈国家賠償法２条〉

**ア×** 本記述と同様の事案について、判例は、国家賠償法２条の公の営造物の安全性の有無は、その本来の用途に従った使用を前提としたうえで、何らかの危険発生の可能性があるか否かによって判断すべきであり、被害者が異常な用法で利用したために損害が生じた場合は、設置・管理者に国家賠償法２条１項の責任はないとした（テニス審判台転倒事件、最判平5.3.30）。

**イ×** 判例は、道路工事箇所を表示する標識などが夜間、直前に通過した別の車によって倒され、赤色灯が消えていたため後続車に事故が発生した場合は、道路としての安全性に欠如があったといわざるをえないが、時間的に道路管理者において遅滞なく原状に復することは不可能であるから、道路管理に国家賠償法２条の瑕疵はなかったというべきであるとして、同条の責任を否定した（奈良赤色灯事件、最判昭50.6.26）。

**ウ○** 判例は、改修整備された河川の安全性とは、改修計画に定める規模の洪水における流水の通常の作用から予測される災害の発生を防止するに足りる安全性をいうとしたうえで、改修段階で予想できず、以降の防災技術の向上などにより水害発生時点で通常予測可能となった危険については、本記述が挙げるような諸制約を考慮したうえ、危険の予測が可能となった時点から当該水害発生時点までに予測しえた危険に対する対策を講じなかったことが河川管理の瑕疵に該当するか否かを判断すべきであるとした（多摩川水害訴訟、最判平2.12.13）。

**エ×** 判例は、新たに開発された視力障害者用安全設備を駅ホームに設置しなかったことにより当該駅ホームが通常有すべき安全性を欠くに至るか否かを判断するにあたっては、当該安全設備が事故防止上有効なものとして全国または当該地域に普及しているか否か、駅ホームの構造や視力障害者の利用度との関係から予測される事故発生の危険性の程度、事故防止のために安全設備を設置する必要性・困難性の有無、などを考慮しなければならないとしたうえで、本件ホームの管理に瑕疵はなかったとした（点字ブロック事件、最判昭61.3.25）。

**オ○** 国道43号線沿道住民が供用関連瑕疵に基づく国家賠償請求と、道路の運行供用差止を求めた事案で判例は、本記述のように判示し、差止請求について、住民が受ける被害は日常生活における妨害にとどまるが、本件道路は、その沿道の住民や企業に対してのみならず、地域間交通や産業経済活動に対してかけがえのない多大な便益を提供しているなどの事情から、差止めを認容すべき違法性はないとした原審を是認した（国道43号線訴訟、最判平7.7.7）。

以上より、妥当なものはウ、オであり、肢３が正解となる。

**正答 3**

memo

# 国家賠償法総合

## 必修問題 セクションテーマを代表する問題に挑戦！

**最後に国家賠償全体について復習しましょう。**

問 国家賠償法に関する次の記述のうち、妥当なのはどれか。

（国家一般職2022）

---

1：国家賠償法第１条が適用されるのは、公務員が主観的に権限行使の意思をもって行った職務執行につき違法に他人に損害を加えた場合に限られるものであり、客観的に職務執行の外形を備える行為であっても、公務員が自己の利を図る意図をもって行った場合は、国又は公共団体は損害賠償の責任を負わないとするのが判例である。

2：公権力の行使に当たる公務員の職務行為に基づく損害については、国又は公共団体が賠償の責任を負い、職務の執行に当たった公務員は、故意又は重過失のあるときに限り、個人として、被害者に対し直接その責任を負うとするのが判例である。

3：保健所に対する国の嘱託に基づき、県の職員である保健所勤務の医師が国家公務員の定期健康診断の一環としての検診を行った場合、当該医師の行った検診及びその結果の報告は、原則として国の公権力の行使に当たる公務員の職務上の行為と解すべきであり、当該医師の行った検診に過誤があったため受診者が損害を受けたときは、国は国家賠償法第１条第１項の規定による損害賠償責任を負うとするのが判例である。

4：国家賠償法第２条第１項にいう営造物の設置又は管理の瑕疵とは、営造物が有すべき安全性を欠いている状態をいうが、そこにいう安全性の欠如とは、当該営造物を構成する物的施設自体に存する物理的、外形的な欠陥ないし不備によって一般的に危害を生ぜしめる危険性がある場合のみならず、当該営造物が供用目的に沿って利用されることとの関連において危害を生ぜしめる危険性がある場合をも含み、また、その危害は、当該営造物の利用者に対してのみならず、利用者以外の第三者に対するそれをも含むとするのが判例である。

5：外国人が被害者である場合には、国家賠償法第１条については、相互の保証があるときに限り、国又は公共団体が損害の賠償責任を負うが、同法第２条については、相互の保証がないときであっても、国又は公共団体が損害の賠償責任を負う。

直前復習

| 頻出度 | 地上★★ | 国家一般職★★ | 特別区★ |
|---|---|---|---|
| | 国税·財務·労基★★★ | 国家総合職★★ | |

| チェック欄 | | |
|---|---|---|
| 1回目 | 2回目 | 3回目 |
| | | |

## 必修問題の解説

〈国家賠償一般〉

**1 ×** 公務員が自己の利を図る意図で職務執行を行った場合でも、国または公共団体は損害賠償責任を負うことがあるので、本肢は妥当でない。判例は、国家賠償法1条は、公務員が主観的に権限行使の意図をもってする場合に限らず、自己の利を図る意図をもってする場合でも、客観的に職務執行の外形を備える行為をし、これによって他人に損害を加えた場合には、国または公共団体に損害賠償の責を負わせ、広く国民の権益を擁護することをもって、その立法の趣旨とするとした（最判昭31.11.30）。

**2 ×** 公務員個人の責任につき判例は、国家賠償法1条1項による国家賠償請求については、国または公共団体が賠償の責めに任ずるのであり、公務員が行政機関としての地位において賠償の責任を負うものではなく、また公務員個人もその責任を負うものではないとした（最判昭30.4.19）。

**3 ×** 判例は、国の損害賠償責任を認めていない。すなわち、レントゲン写真による検診およびその結果の報告は、医師がもっぱらその専門的技術および知識経験を用いて行う行為であって、医師の一般的診断行為と異なるところはないから、特段の事由のない限り、それ自体としては公権力の行使たる性質を有するものではないとした（最判昭57.4.1）。

**4 ○** 本肢は判例の見解と合致しており、妥当である。すなわち、国家賠償法2条1項にいう営造物の設置・管理の瑕疵とは、営造物が通常有すべき安全性を欠いている状態をいうが、この安全性の欠如は、当該営造物を構成する物的施設自体に存在する物理的、外形的な欠陥ないし不備によって危害を生じさせる危険性のある場合だけでなく、その営造物が供用目的に沿って利用されることとの関連において危害を生じさせる危険性がある場合をも含み、その危害は、営造物の利用者に対してだけでなく、利用者以外の第三者に対する危害をも含むとした（大阪空港訴訟、最大判昭56.12.16）。

**5 ×** 外国人が被害者である場合には、相互の保証があるときに限り、国家賠償法が適用される（相互保証主義、同法6条）。同条は、同法1条と同法2条を区別していない。そのため、同法2条についても相互の保証がないと国または公共団体は損害の賠償責任を負わないことになる。

**正答 4**

第3章 SECTION 3 国家補償

# 国家賠償法総合

## 1 損害賠償責任を負う者

被害者にとって、国家賠償請求をなす相手方が国であるのか公共団体であるのかがわかりにくい場合があります。そこで、国家賠償法３条は公務員・営造物の監督・管理者と、それらに関する費用を負担する者とが異なる場合、被害者はそのいずれに対しても請求しうるとしています。

これによれば、①国家賠償法１条による損害賠償の場合、公務員の選任監督をしている者だけでなく、公務員の給料を支払っている者にも請求できます。また、②国家賠償法２条の場合も、公の営造物の設置・管理をしている者だけでなく、公の営造物の設置・管理の費用を負担している者にも請求できることになります。

## 2 国家賠償法への民法の適用

国家賠償法４条は、①国家賠償法１条・２条に基づいて賠償請求することができない場合については、一般法である民法の規定を根拠に賠償請求しうること、そして②国家賠償法１条・２条に基づいて賠償請求することができる場合でも、民法の不法行為に関する規定が補充的に適用されることの２つを意味していると解されています。

②の例としては、民法722条（損害賠償の方法、過失相殺）、民法724条（消滅時効、除斥期間）などがあります。

ここにいう「民法」には、民法の特則を定めた法令が含まれると解されています。判例は、消防職員の失火で損害が生じた場合について、国家賠償法４条により民法709条の特則である失火責任法が適用されるとしています。

## 3 外国人への国家賠償法の適用

被害者である外国人に、国家賠償法を適用するためには、その外国人の本国で日本国民が国家賠償を受けられる場合に限られます（**相互保証主義**、国家賠償法６条）。

## 4 その他

違法な行政処分によって損害が生じた場合、取消訴訟によって当該行政処分を取り消すことなく、直接国家賠償請求訴訟を提起することができます。

memo

第3章 SECTION 3 国家補償
# 国家賠償法総合

## 実践 問題 177 基本レベル

| 頻出度 | 地上★★ 国家一般職★★ 特別区★<br>国税·財務·労基★★★ 国家総合職★★ |
|---|---|

**問** **国家賠償法に関するア～オの記述のうち、判例に照らし、妥当なもののみを全て挙げているのはどれか。** **(国税・財務・労基2013)**

**ア**：国家賠償法第１条第１項にいう「公権力の行使」とは、国家統治権の優越的な意思の発動たる作用を指すため、非権力的行為である行政指導や公立学校における教師の教育活動は「公権力の行使」に当たらない。

**イ**：国又は公共団体以外の者の被用者が第三者に損害を加えた場合であっても、当該被用者の行為が国又は公共団体の公権力の行使に当たるとして、国又は公共団体が、被害者に対して国家賠償法第１条第１項に基づく損害賠償責任を負うときには、被用者個人が民法第709条に基づく損害賠償責任を負わないのみならず、その使用者も同法第715条に基づく損害賠償責任を負わない。

**ウ**：国又は公共団体の公務員らによる一連の職務上の行為の過程において他人に被害を生ぜしめた場合において、その一連の行為のうちいずれかに行為者の故意又は過失による違法行為があったのでなければ当該被害が生ずることはなかったであろうと認められるときは、その一連の行為の一部に国又は公共団体の公務員の職務上の行為に該当しない行為が含まれる場合であっても、国又は公共団体は、加害行為の不特定を理由に国家賠償法上の損害賠償責任を免れることはできない。

**エ**：税務署長のする所得税の更正は、所得金額を過大に認定していたとしても、そのことから直ちに国家賠償法第１条第１項にいう違法があったとの評価を受けるものではなく、税務署長が資料を収集し、これに基づき課税要件事実を認定、判断する上において、職務上通常尽くすべき注意義務を尽くすことなく漫然と更正をしたと認め得るような事情がある場合に限り、同項にいう違法があったとの評価を受ける。

**オ**：国家賠償法第１条第１項は、公権力の行使によって私人の身体・財産に作為的に危害が加えられる場合にのみ適用され、いわゆる規制権限の不行使については、その権限を定めた法令の趣旨・目的等に照らし、その不行使が著しく合理性を欠くと認められる場合であっても、同項は適用されない。

1：ア、エ　　2：ア、オ　　3：イ、ウ　　4：イ、エ　　5：ウ、オ

チェック欄

| 1回目 | 2回目 | 3回目 |
| --- | --- | --- |
| | | |

## 実践 問題 177 の解説



〈国家賠償一般〉

**ア×** 国家賠償法１条１項の「公権力の行使」の意味について、通説は、命令強制を伴う作用だけでなく、純然たる私経済作用および公の営造物の設置・管理作用以外の作用には広く本条が適用されると考える（広義説）。判例も広義説に立ち、非権力的行為である行政指導や公立学校教師の教育活動も「公権力の行使」にあたるとした（最判昭62.2.6、最判平5.2.18）。

**イ○** 判例は、国家賠償法１条１項は、国または公共団体の公権力の行使にあたる公務員が、その職務を行うについて、故意または過失によって違法に他人に損害を与えた場合には、国または公共団体がその被害者に対して賠償の責めに任ずることとし、公務員個人は民事上の損害賠償責任を負わないこととしたものであるので、国または公共団体以外の者の被用者が第三者に損害を加えた場合であっても、当該被用者の行為が国または公共団体の公権力の行使にあたるとして国または公共団体が被害者に対して同条項に基づく損害賠償責任を負う場合には、被用者個人が民法709条に基づく損害賠償責任を負わないのみならず、使用者も民法715条に基づく損害賠償責任を負わないとした（最判平19.1.25）。

**ウ×** 判例は、国または公共団体の公務員による一連の職務上の行為の過程において他人に被害を生ぜしめた場合において、それが具体的にどの公務員のどのような違法行為によるものであるかを特定することができなくても、その一連の行為のうちのいずれかに行為者の故意または過失による違法行為があったのでなければその被害が生ずることはなかったであろうと認められ、かつ、それがどの行為であるにせよこれによる被害につき行為者の属する国または公共団体が法律上賠償の責任を負うべき関係が存在するときは、国または公共団体は、加害行為不特定のゆえをもって国家賠償法または民法上の損害賠償責任を免れることができないとした。しかし、判例は、この法理が肯定されるのは、それらの一連の行為を組成する各行為のいずれもが国または同一の公共団体の公務員の職務上の行為にあたる場合に限られ、一部にこれに該当しない行為が含まれている場合には、この法理は妥当しないとした（最判昭57.4.1）。

**エ○** 判例は、税務署長のする所得税の更正は、所得金額を過大に認定していたとしても、そのことから直ちに国家賠償法１条１項にいう違法があったとの評価を受けるものではなく、税務署長が資料を収集し、これに基づき課税要件事実を認定、判断するうえにおいて、職務上通常尽くすべき注意義務を尽くすことなく漫然と更正をしたと認めうるような事情がある場合に限り、違法の評価を受けるとした（最判平5.3.11）。

**オ ×** 判例は、医薬品の副作用による被害が発生した場合であっても、（旧）厚生大臣が当該医薬品の副作用による被害の発生を防止するための各権限を行使しなかったことが直ちに国家賠償法１条１項の適用上違法と評価されるものではなく、副作用を含めた当該医薬品に関するその時点における医学的、薬学的知見のもとにおいて、薬事法の目的および（旧）厚生大臣に付与された権限の性質等に照らし、当該権限の不行使がその許容される限度を逸脱して著しく合理性を欠くと認められるときは、その不行使は、副作用による被害を受けた者との関係において同条項の適用上違法となるとした（クロロキン薬害訴訟、最判平7.6.23）。

以上より、妥当なものはイ、エであり、肢４が正解となる。

**正答 4**

memo

第3章 SECTION 3 国家補償

# 国家賠償法総合

## 実践 問題 178 基本レベル

| 頻出度 | 地上★★ | 国家一般職★★ | 特別区★ |
|---|---|---|---|
| | 国税·財務·労基★★★ | 国家総合職★★ | |

**問 国家賠償法に関するア～エの記述のうち、判例に照らし、妥当なもののみを全て挙げているのはどれか。 (国家総合職2024)**

ア：道路の防護柵に腰掛けて遊んでいた幼児が転落し、負傷した事故は、同人が危険性の判断能力に乏しい幼児であったとしても、道路及び防護柵の設置管理者が通常予測することのできない行動に起因するものであり、国家賠償法第２条第１項にいう営造物の設置又は管理に瑕疵があったとはいえず、当該設置管理者は損害賠償責任を負わない。

イ：国道に面する山地から落石や崩土が起こり得る状況であったにもかかわらず、防護柵又は防護覆を設置したり、事前に通行止めをする等の措置を取っていなかった場合において、たまたま当該国道を通行していた自動車に土砂と共に岩石が当たり、その衝撃により同乗者が死亡したときは、当該国道の管理費用を負担する県は防護柵を設置するための費用が相当の多額に上り、予算措置に困却していたことを立証すれば、損害賠償責任を負わないが、道路管理者である国は損害賠償責任を負う。

ウ：失火ノ責任ニ関スル法律（失火責任法）は、失火者の責任条件について民法第709条の特則を規定したものであるから、国家賠償法第４条にいう「民法」に含まれること等を踏まえると、公権力の行使に当たる公務員の失火による国又は公共団体の損害賠償責任については、国家賠償法第４条により失火責任法が適用され、当該公務員に重大な過失があることを必要とする。

エ：国家賠償法第５条は、「国又は公共団体の損害賠償の責任について民法以外の他の法律に別段の定があるときは、その定めるところによる。」と規定しているところ、特別送達郵便物について、郵便業務従事者の軽過失による不法行為に基づき損害が生じた場合に、国家賠償法に基づく国の損害賠償責任を免除し、又は制限している郵便法の規定の部分は、国及び公共団体の賠償責任を定めた憲法第17条に違反し無効である。

1：ア、イ
2：ア、ウ
3：イ、エ
4：ア、ウ、エ
5：イ、ウ、エ

チェック欄

| 1回目 | 2回目 | 3回目 |
|---|---|---|
| | | |

## 実践 問題 178 の解説

〈国家賠償一般〉

**ア○** 本記述と同様の事案につき、判例は、国家賠償法2条1項の瑕疵の有無は、営造物の構造、用法、場所的環境および利用状況などを総合考慮して具体的個別的に判断すべきとの基準を示したうえで、幼児の転落事故は、幼児につき危険性の判断能力が乏しいとしても防護柵の設置管理者が通常予測することのできない行動に起因するため、防護柵が本来有する安全性に欠けることはないとし、国の損害賠償責任を否定している（最判昭53.7.4）。

**イ×** 道路の設置・管理による損害賠償責任に財政的理由が考慮されるかどうかが問題となった高知落石事件（最判昭45.8.20）において、判例は、道路に防護柵を設置するとした場合には、相当の額の費用がかかり、その予算措置に困却することは推察できるが、それにより直ちに道路管理の瑕疵によって生じた損害に対する賠償責任を免れうると考えることはできないとし、財政的理由は免責事由にならないとの考えを示した。

**ウ○** 判例は、本記述と同様、失火責任法は、失火者の責任条件について民法709条の特則を規定したものであるから、国家賠償法4条の「民法」に含まれるとし、公権力の行使にあたる公務員の失火による国または公共団体の損害賠償責任については、同条により失火責任法が適用され、当該公務員に重大な過失があることを必要とするとしている（最判昭53.7.17）。

**エ○** 本記述と同様の事案につき、判例は、特別送達郵便物については、適正な手順に従い確実に受送達者に送達されることが特に強く要請され、その適正かつ確実な送達に直接の利害関係を有する訴訟当事者等は自らかかわることのできる他の送付の手段をまったく有していないという特殊性がある。この特殊性に照らすと、郵便業務従事者の軽過失による不法行為から生じた損害の賠償責任を肯定したからといって、直ちに、郵便の役務をなるべく安い料金で、あまねく、公平に提供することによって公共の福祉を増進するという郵便法の目的が害されるとはいえないので、特別送達郵便物について、郵便業務従事者の軽過失による不法行為に基づき損害が生じた場合に、国家賠償法に基づく国の損害賠償責任を免除し、または制限している郵便法の規定は、憲法17条に違反し無効であるとしている（郵便法違憲判決、最大判平14.9.11）。

以上より、妥当なものはア、ウ、エであり、肢4が正解となる。

**正答 4**

国家補償
# 国家賠償法総合

## 実践 問題 179 基本レベル

頻出度 地上★★ 国家一般職★★ 特別区★ 国税·財務·労基★★★ 国家総合職★★

問 国家賠償に関するア～オの記述のうち、判例に照らし、妥当なもののみを全て挙げているのはどれか。（国家一般職2014）

ア：保健所に対する国の嘱託に基づいて地方公共団体の職員である保健所勤務の医師が国家公務員の定期健康診断の一環としての検診を行った場合において、当該医師の行った検診又はその結果の報告に過誤があったため受診者が損害を受けたときは、国は、国家賠償法第１条第１項による損害賠償責任を負う。

イ：国又は公共団体以外の者の被用者が第三者に損害を加えた場合であっても、当該被用者の行為が国又は公共団体の公権力の行使に当たるとして国又は公共団体が国家賠償法第１条第１項に基づく損害賠償責任を負うときは、使用者は民法第715条に基づく損害賠償責任を負わない。

ウ：裁判官がした争訟の裁判に上訴等の訴訟法上の救済方法によって是正されるべき瑕疵が存在したとしても、これによって当然に国家賠償法第１条第１項のいう違法な行為があったものとして国の損害賠償責任の問題が生じるものではないが、国の損害賠償責任が肯定されるために、当該裁判官がその付与された権限の趣旨に明らかに背いてこれを行使したものと認められるような特別の事情があることまで必要となるものではない。

エ：国会議員の立法行為又は立法不作為は、その立法の内容又は立法不作為が国民に憲法上保障されている権利を違法に侵害するものであることが明白な場合や、国民に憲法上保障されている権利行使の機会を確保するために所要の立法措置を執ることが必要不可欠であり、それが明白であるにもかかわらず、国会が正当な理由なく長期にわたってこれを怠る場合などには、例外的に、国家賠償法第１条第１項の適用上、違法の評価を受ける。

オ：行政処分が違法であることを理由として国家賠償請求をするためには、あらかじめ当該行政処分について取消し又は無効確認の判決を得なければならないものではないが、当該行政処分が金銭を納付させることを直接の目的としている場合には、その違法を理由とする国家賠償請求を認容したとすれば、結果的に当該行政処分を取り消した場合と同様の経済的効果が得られるときであっても、取消訴訟等の手続を経ることなく国家賠償請求をすることはできない。

1：ア、ウ　2：イ、エ　3：ウ、オ　4：エ、オ　5：ア、イ、ウ

直前復習

チェック欄

| 1回目 | 2回目 | 3回目 |
|---|---|---|
| | | |

## 実践 問題 179 の解説

〈国家賠償一般〉

**ア×** 国家公務員の定期健康診断は、公益的性格を持つため、その一環として行われる医師の検診なども国家賠償法（以下、本解説中「国賠法」という）1条1項の「公権力の行使」にあたるのではないかとも思われるが、判例は、国家公務員の定期健康診断の一連の行為から医師の検診およびその結果の報告を切り離し、それらは、特段の事由のない限り、「公権力の行使」としての性質を有しないとした（岡山税務署健康診断事件、最判昭57.4.1）。その理由として、①当該検診および結果の報告は医師がもっぱらその専門的技術および知識経験を用いて行う行為であり、医師の一般的診断行為と異なるところはないこと、②当該行為が定期健康診断の一環として行われたものであっても、健康診断の他の行為と切り離してその性質を考察することができるものであることなどが挙げられる。

**イ○** 民間児童養護施設の職員による養育監護行為が、同時に、都道府県の公権力の行使にあたる公務員の職務行為とされた事案につき判例は、国家賠償請求が認められるときに公務員個人が損害賠償義務を負わないこと（最判昭30.4.19）の趣旨にかんがみ、国または公共団体以外の者の被用者が第三者に損害を加えた場合であっても、国または公共団体が被害者に対して国賠法1条1項に基づく損害賠償責任を負う場合には、被用者個人が民法709条に基づく損害賠償責任を負わないのみならず、使用者も同法715条に基づく損害賠償責任を負わないとしている（最判平19.1.25）。

**ウ×** 本記述と同様の事案につき判例は、裁判官がした争訟の裁判に上訴等の訴訟法上の救済方法によって是正されるべき瑕疵が存在したとしても、これによって当然に国賠法1条1項にいう違法な行為があったものとして国の損害賠償責任の問題が生じるわけではなく、その責任が肯定されるためには、当該裁判官が違法または不当な目的をもって裁判をしたなど、裁判官がその付与された権限の趣旨に明らかに背いてこれを行使したものと認められるような特別の事情のあることを必要とするとしている（最判昭57.3.12）。

**エ○** 本記述は、在外日本人選挙権剥奪違法事件である。当該事件につき最高裁は、国会議員の立法行為または立法不作為は、その立法の内容または立法不作為が国民に憲法上保障されている権利を違法に侵害するものであることが明白な場合や、国民に憲法上保障されている権利行使の機会を確保するために所要の立法措置をとることが必要不可欠であり、それが明白であるにも

かかわらず、国会が正当な理由なく長期にわたってこれを怠る場合などには、例外的に、国賠法１条１項の適用上、違法の評価を受けるとし、原告の慰謝料請求を認めた（最大判平17.9.14）。

**オ ×** 本記述中、前段の内容は妥当であるが、後段が妥当でない。後段は、金銭の納付を命じる処分について、取消訴訟の出訴期間経過後に国家賠償請求を認めることは、実質的に処分の取消しと同じ効果が生じるので、取消訴訟の出訴期間を無意味にするのではないかを問題としている。この点につき判例は、行政処分が違法であることを理由として国家賠償請求をするについては、あらかじめ当該行政処分について取消しまたは無効確認の判決を得なければならないものではなく、このことは、行政処分が金銭を納付させることを直接の目的としており、その違法を理由とする国家賠償請求を認容したとすれば、結果的に当該行政処分を取り消した場合と同様の経済的効果が得られるという場合であっても異ならないとした（最判平22.6.3）。したがって、本記述の後段についても、取消訴訟等の手続を経ることなく国家賠償請求することができるのである。

以上より、妥当なものはイ、エであり、肢２が正解となる。

**正答 2**

memo

国家補償
# 国家賠償法総合

**実践 問題 180　基本レベル**

| 頻出度 | 地上★★　国家一般職★★　特別区★<br>国税·財務·労基★★★　国家総合職★★ |
|---|---|

**問 国家賠償法に関する記述として、妥当なのはどれか。**　（特別区2023）

1：国の公権力の行使に当たる公務員がその職務を行うにつき、違法に外国人に損害を加えたときは、国家賠償法で、相互の保証がないときにもこれを適用すると規定していることから、国が損害賠償責任を負う。

2：公権力の行使に当たる公務員がその職務を行うにつき、故意により、違法に他人に損害を加えた場合において、当該公務員の選任・監督者と費用負担者が異なるときには、費用負担者に限り、損害賠償責任を負う。

3：最高裁判所の判例では、書留郵便物についての郵便業務従事者の故意又は重過失により損害が生じた場合の国の損害賠償責任の免除又は制限につき、行為の態様、侵害される法的利益の種類及び侵害の程度、免責又は責任制限の範囲及び程度等から、郵便法の規定の目的の正当性や目的達成の手段として免責又は責任制限を認めることの合理性、必要性を総合的に考慮し、合憲と判断した。

4：最高裁判所の判例では、裁判官がした争訟の裁判につき国家賠償法の規定にいう違法な行為があったものとして国の損害賠償責任が肯定されるためには、裁判官がその付与された権限の趣旨に明らかに背いてこれを行使したものと認めうるような特別の事情は必要とせず、上訴等の訴訟法上の救済方法により是正されるべき瑕疵が存在すれば足りるとした。

5：最高裁判所の判例では、厚生大臣が医薬品の副作用による被害の発生を防止するために薬事法上の権限を行使しなかったことが、副作用を含めた当該医薬品に関するその時点における医学的、薬学的知見の下、薬事法の目的及び厚生大臣に付与された権限の性質等に照らし、その許容される限度を逸脱して著しく合理性を欠くと認められるときは、国家賠償法の適用上、違法となるとした。

チェック欄

| 1回目 | 2回目 | 3回目 |
|---|---|---|
| | | |

## 実践 問題 180 の解説



〈国家賠償一般〉

**1 ×** 外国人が被害者である場合には、当該外国人の本国で日本国民が賠償を受けられる場合に限り、当該外国人に国家賠償法が適用される（相互保証主義、国家賠償法6条）。

**2 ×** 国家賠償法の被告適格について、被害者の選択を容易にするために、損害を発生させた公務員の選任・監督者と費用負担者が異なる場合は、そのいずれに対しても国家賠償請求を行うことができる（国家賠償法3条1項）。この場合、損害を賠償した者は内部関係でその損害を賠償する責任ある者に対して求償権を有することになる（同条2項）。

**3 ×** 本肢と同様の事案につき、判例は、書留郵便物について、郵便業務従事者の故意または重大な過失による不法行為に基づき損害が生ずるようなことは、通常の職務規範に従って業務執行がされている限り、ごく例外的な場合にとどまるはずであって、そのような例外まで損害賠償責任を免除しなければ、郵便法の目的を達成することができないとは考えられない、として、郵便法の当該規定は憲法17条が立法府に付与した裁量の範囲を逸脱し、無効であると判示している（郵便法違憲判決、最大判平14.9.11）。

**4 ×** 司法権の行使も、国家賠償法1条1項にいう「公権力の行使」にあたる。判例は、司法権の行使が違法と判断される場合を制限的に解しており、裁判官が付与された権限の趣旨に明らかに背いて行使したと認められる特別の事情がない限り違法とはならないとしている（最判昭57.3.12）。

**5 ○** 規制権限の不行使については、規制権限の行使について効果裁量が認められている場合が多く、原則として違法とはならない。しかし、規制権限の不行使が裁量権の逸脱・濫用にあたるときは違法となると解されている（行政事件訴訟法30条参照）。この点につき判例も、本肢の内容を述べ、規制権限の不行使が違法と判断される基準を提示している（クロロキン薬害訴訟、最判平7.6.23）。

**正答 5**

# 国家補償 国家賠償法総合

## 実践 問題 181 応用レベル

頻出度 地上★★ 国家一般職★★ 特別区★ 国税・財務・労基★★★ 国家総合職★★

**問** **国家賠償に関するア～オの記述のうち、判例に照らし、妥当なもののみを全て挙げているのはどれか。** **(国家一般職2013)**

**ア**：国会議員による立法不作為についても、国家賠償法第１条第１項の適用上、違法の評価を受けることがあり、国会が在外選挙制度を設けるなどの立法措置を長期にわたって執らなかったことはこれに該当するが、在外国民が選挙権を行使できなかった精神的苦痛は金銭賠償にはなじまないから、国は賠償責任を負わない。

**イ**：都道府県が児童福祉法に基づき要保護児童を児童養護施設に入所させた場合、当該施設を設置運営しているのが社会福祉法人であるときは、その職員は公務員ではないから、都道府県が入所させた児童に対する職員による養育監護行為は、国家賠償法第１条第１項にいう公権力の行使には当たらない。

**ウ**：弁護士会が設置した人権擁護委員会が、受刑者から人権救済の申立てを受け、調査の一環として他の受刑者との接見を求めた際、刑務所長が接見を許可しなかったことは、接見を求める者の利益に配慮すべき旧監獄法上の義務に違反し、国家賠償法第１条第１項の適用上、違法である。

**エ**：水俣病の認定申請者としての、早期の処分により水俣病にかかっている疑いのままの不安定な地位から早期に解放されたいという期待、その期待の背後にある申請者の焦燥、不安の気持ちを抱かされないという利益は、不法行為法上の保護の対象になり得るものであり、少なくとも不作為の違法確認の訴えにより処分すべき行政手続上の作為義務に違反していることが確認されていれば、それをもって国は国家賠償法による賠償責任を負う。

**オ**：ある事項に関する法律解釈について異なる見解が対立し、実務上の取扱いも分かれていて、そのいずれについても相当の根拠が認められる場合において、公務員がその一方の見解を正当と解し、これに基づいて公務を遂行したときは、後にその執行が違法と判断されたからといって、直ちに公務員に過失があったものとすることはできない。

１：ア
２：オ
３：ア、エ
４：イ、ウ
５：ウ、エ、オ

## 実践 問題 181 の解説

| チェック欄 | | |
|---|---|---|
| 1回目 | 2回目 | 3回目 |
| | | |

〈国家賠償一般〉

**ア×** 判例は、10年以上の長きにわたって在外国民に国政選挙において投票する機会を与えるための何らの立法措置もとられなかったという立法不作為の結果、在外国民は、選挙において投票をすることができないことによる精神的苦痛を被ったものというべきであるから、上記の違法な立法不作為を理由とする国家賠償請求は認められるとした（最大判平17.9.14）。

**イ×** 判例は、児童福祉法に基づいて児童の養護監護にあたる児童養護施設の長は、本来都道府県が有する公的な権限を委譲されてこれを都道府県のために行使するものと解されるので、児童福祉法に基づいて社会福祉法人の設置運営する児童養護施設に都道府県が入所させた児童に対する当該施設の職員等による養育監護行為は、国家賠償法１条１項の適用において都道府県の公権力の行使にあたる公務員の職務行為に該当するとした（最判平19.1.25）。

**ウ×** 判例は、法律上、人権擁護委員会に強制的な調査権限は付与されていないので、刑務所長には同委員会の調査活動の一環として行われる受刑者との接見申入れに応ずべき法的義務は存しないことから、人権擁護委員会の接見を許さなかった刑務所長の措置について、国家賠償法１条１項にいう違法があったということはできないとした（最判平20.4.15）。

**エ×** 判例は、救済法、および補償法のもとでの認定申請に対する処分を迅速、適正にすべきという行政手続上の作為義務は、申請者の内心の静穏な感情を害されないという私的利益の保護に直接向けられたものではないため、不作為の違法確認の訴えにおける認定申請に対する不作為が違法であることの確認の趣旨も、知事が処分をすべき行政手続上の作為義務に違反していることを確認することにあるから、これが直ちに認定申請者の上記の法的利益の侵害という意味での不作為の違法性を確認するものではないとした（水俣病認定遅延慰謝料訴訟、最判平3.4.26）。

**オ○** 判例は、ある事項に関する法律解釈につき異なる見解が対立し、実務上の取扱いも分かれていて、そのいずれについても相当の根拠が認められる場合に、公務員がその一方の見解を正当と解しこれに立脚して公務を遂行したときは、後にその執行が違法と判断されたからといって、直ちに上記公務員に過失があったものとすることは相当でないとした（最判平16.1.15）。

以上より、妥当なものはオであり、肢２が正解となる。

**正答 2**

第3章 SECTION 3 国家補償

# 国家賠償法総合

**実践 問題 182** 応用レベル

| 頻出度 | 地上★ 国家一般職★ 特別区★ 国税·財務·労基★ 国家総合職★★ |
|---|---|

**問** 国家賠償に関するア～エの記述のうち、判例に照らし、妥当なもののみをすべて挙げているのはどれか。 (国Ⅰ2011)

ア：公権力を違法に行使した警察官が警視以下の地方公務員としての身分を有する者であっても、その者の任免及びその者に対する指揮監督の権限は、国家公安委員会によって任免され国家公務員の身分を有する警視総監又は道府県警察本部長によって行使される。したがって、都道府県警察の警察官が行う捜査は、都道府県の処理すべき事務に係る捜査であっても、国家賠償法の解釈上国の公権力の行使に当たる。

イ：一般に、処分庁が、公害に係る健康被害の救済に関する特別措置法又は公害健康被害補償法（当時）に基づく水俣病と認定すべき旨の申請を、相当期間内に処分すべきは当然であり、処分庁には、同認定申請につき不当に長期間にわたって処分がされない場合に申請者が不安感、焦燥感を抱かされ内心の静穏な感情を害されるという結果を回避すべき条理上の作為義務がある。したがって、客観的に処分庁がその処分のために手続上必要と考えられる期間内に処分できなかったという事情があれば、この作為義務に違反したものとして、国家賠償法上違法となる。

ウ：逮捕･勾留は、その時点において犯罪の嫌疑について相当な理由があり、かつ、必要性が認められる限りは適法であり、公訴の提起は、検察官が裁判所に対して犯罪の成否、刑罰権の存否につき審判を求める意思表示にほかならないのであるから、起訴時あるいは公訴追行時における検察官の心証は、その性質上、判決時における裁判官の心証と異なり、起訴時あるいは公訴追行時における各種の証拠資料を総合勘案して合理的な判断過程により有罪と認められる嫌疑があれば足りる。したがって、刑事事件において無罪の判決が確定したというだけで直ちに起訴前の逮捕・勾留、公訴の提起・追行、起訴後の勾留が国家賠償法上違法となることはない。

エ：公務は、私的業務とは際立った特殊性を有するものであり、その特殊性故に、民事不法行為法の適用が原則として否定されるべきものであるが、公権力の行使に当たる公務員が、行為時に行為の違法性を認識していた事案については、民事不法行為法の適用を認めても、損害賠償義務の発生を恐れるが故に公務員が公務の執行を躊躇するといったような弊害が発生するおそれがなく、かえって、将来の違法な公務執行の抑制の見地からは望ましい効果が生じることさえ期待できるところである。したがって、公権力の行使に当たる公務員が、行為時にその違法性を認識していた場合には、民事不法行為法の適用を受ける。

1：イ
2：ウ
3：ア、イ
4：ア、エ
5：ウ、エ

# 国家賠償法総合

## 実践 問題 182 の解説

チェック欄 1回目 2回目 3回目

〈国家賠償一般〉

**ア×** 判例は、警察法および地方自治法は、都道府県に都道府県警察を置き、警察の管理・運営に関しては都道府県の処理する事務であるとしているので、都道府県警察の警察官が警察の責務の範囲に属する交通犯罪の捜査を行うことは、例外的場合を除いて、当該都道府県の公権力の行使にあたり、当該捜査を行うにつき故意・過失で違法に他人に損害を与えた場合の国家賠償法１条の責任は、都道府県が負い、国は原則として責任を負わないとする（最判昭54.7.10）。

**イ×** 判例は、処分庁が作為義務に違反したといえるためには、客観的に処分庁がその処分のために手続上必要と考えられる期間内に処分できなかったことのみでは足りず、その期間に比してさらに長期間にわたり遅延が続き、かつ、その間、処分庁として通常期待される努力により遅延を解消できたのにこれを回避するための努力を尽くさなかったことが必要であるとした（水俣病認定遅延慰謝料訴訟、最判平3.4.26）。

**ウ○** 本記述は、起訴前の逮捕・勾留、公訴の提起・追行、起訴後の勾留の国家賠償法上の違法性判断の基準につき判例（最判昭53.10.20）の見解を述べているので、妥当である。

**エ×** 民法715条の使用者責任については、被用者は独立して一般の不法行為責任を負い、被害者は被用者の責任を追及することもできるが、国家賠償法１条に基づき国・公共団体の責任が成立するときは、公権力の行使にあたる公務員が、行為時にその違法性を認識していた場合であっても、被害者は公務員個人の責任を追及することはできないとするのが判例・通説である（最判昭30.4.19）。

以上より、妥当なものはウであり、肢２が正解となる。

**正答 2**

memo

国家補償

# 損失補償



## 必修問題 セクションテーマを代表する問題に挑戦！

**適法な公権力の行使による損失の救済方法を学習しましょう。**

**問** 行政法学上の損失補償に関する記述として、判例、通説に照らして、妥当なのはどれか。 （特別区2024）

1：損失補償とは、違法な公権力の行使により、特定の者に財産上の特別の犠牲が生じた場合に、その損失を社会全体の負担で補塡する制度である。

2：憲法第29条第３項について、法律上損失補償の規定がない場合でも、憲法に基づき直接損失補償請求ができるとする立法指針説が通説とされている。

3：最高裁判所の判例では、公共のために必要な制限によるものは、一般的に当然に受忍すべきものとされる制限の範囲を超えて、特別の犠牲を課したと認められたとしても補償請求の余地はないとした。

4：最高裁判所の判例では、土地収用法における損失の補償は、収用の前後を通じて被収用者の財産価値を等しくならしめるような完全な補償までは必要としないとした。

5：最高裁判所の判例では、憲法は正当な補償と規定しているだけであって、補償の時期については少しも言明していないのであるから、補償が財産の供与と交換的に同時に履行されるべきことを憲法の保障するところではないとした。

Guidance ガイダンス　**損失補償**　・法令に補償規定がない場合、憲法29条３項に基づいて補償請求をなしうる

| 頻出度 | 地上★★　国家一般職★　特別区★<br>国税·財務·労基★★　国家総合職★★★ |
|---|---|

| チェック欄 | | |
|---|---|---|
| 1回目 | 2回目 | 3回目 |
| | | |

## 必修問題の解説

〈損失補償〉

**1 ×** 損失補償は、適法な公権力の行使により、特定の者に財産上の特別の犠牲が生じた場合に、その損失を社会全体の負担で補塡する制度である。これに対し、違法な公権力の行使に対する補填は、国家賠償の問題とされる（国家賠償法１条１項参照）。

**2 ×** 立法指針説の説明として妥当でなく、また、同説は通説ではないので、本肢は妥当でない。憲法29条３項の損失補償に関する規定の解釈をめぐっては、①立法上の指針にすぎず、法律の根拠なく損失補償を行うことはできないとする立法指針説、②補償規定を欠く法律を違憲無効とする違憲無効説、③補償規定を欠いていても直ちに違憲無効とはせず、憲法29条３項を直接の根拠に損失補償を請求しうる余地がないわけではないとする請求権発生説がある。本肢の立法指針説の説明は、③請求権発生説の説明となっており、妥当でない。また、判例・通説は③請求権発生説に立つと解されている（河川附近地制限令事件、最大判昭43.11.27）。

**3 ×** 公共のために必要な一般的制限ならば何人もこれを受忍すべきものであり、損失補償の対象とはならないのが原則である。しかし、判例は、一般的に当然に受忍すべきとされる制限の範囲を超えて、特別の犠牲を課したと認められる場合には、憲法29条３項を根拠として補償を請求することができるものと解する余地があるとしている（上掲河川附近地制限令事件、最大判昭43.11.27）。

**4 ×** 憲法29条３項にいう「正当な補償」の内容について、合理的に算出された相当の額で足りるとする相当補償説と、損失をもたらす国家活動の前後を通じて財産の価値が等しくなるような補償を要するとする完全補償説がある。この点、判例は、土地収用法の解釈において、収用の前後を通じて被収用者の財産価値を等しくならしめるような完全な補償を必要とするとし、完全補償説の見解を示している（最判昭48.10.18）。

**5 ○** 損失補償の時期に関して、判例は、財産の供与と損失補償を同時履行（民法533条）的に行う必要はないとしている（最大判昭24.7.13）。

**正答 5**

# 第3章 SECTION 4 国家補償 損失補償

## 1 損失補償とは

損失補償制度とは、適法な公権力の行使によって加えられた財産上の「特別の犠牲」に対して、損失の公平負担の見地から財産的補填を行う制度をいいます。

## 2 根拠

損失補償を規律する一般法は存在していません。ただし、損失補償が必要となるような行政活動に関しては、個別の法律に補償に関する規定が設けられているのが通例で、補償請求はその法律の規定に基づいて行われます。

ただし、法令の中には、損失補償条項を欠くものもあります。この場合にも、損失補償制度に触れている憲法29条３項を直接の根拠として損失補償を求めることができると解されており、判例もその余地がありうることを認めています（河川附近地制限令事件、最大判昭43.11.27）。

## 3 要件

補償は「特別の犠牲」に対して必要となります。

「特別の犠牲」

①特定人を対象

②財産権の本質的内容を侵すほど強度な侵害

**判例**

《奈良県ため池条例事件》最大判昭38.6.26

【事案】ため池の堤とうに農作物を植えることを禁止する奈良県の条例に違反したとして罰金刑を科された被告人が、父祖の代から農作物の栽培に使用してきた堤とうの使用を補償なく制限することは憲法29条３項に反するとして争った事案

【判旨】本条例はため池の堤とうを使用する財産上の権利の行使を著しく制限するものではあるが、災害を防止し公共の福祉を保持するための社会生活上やむをえない制約であり、ため池の堤とうを使用しうる財産権を有する者が当然受忍しなければならない責務というべきものであって、憲法29条３項の損失補償はこれを必要としない。

## 4 「正当な補償」とは

「正当な補償」が意味する補償の範囲については、①完全な補償（損失をもたらす国家活動の前後を通じて財産の価値が等しくなるような補償）とする完全補償説と、②相当な補償（その当時の経済状態において成立することが考えられる価格に基づき合理的に算出された相当な額での補償）で足りるとする相当補償説が対立しています。

判例チェック　判例は、一般論としては相当補償説を採り、常に完全な補償が必要となるわけではないとしています（最大判昭28.12.23）。ただ、相当補償説といっても、完全補償を否定する趣旨ではありません。判例は、土地収用法の解釈としては完全な補償が必要であるとしています（最判昭48.10.18）。

## 5 対象

①通常は、収用・制限される権利そのものが予定されています（これに対する補償を権利補償といいます）。
②近年、権利そのもの以外の損失であっても、収用などにより通常生ずべき損失（収用損失）は補償されるようになっています。
→残地補償、移転補償など
③精神的損失は、「通常受けるべき損失」には該当しないと考えられています（福原輪中堤事件、最判昭63.1.21）。

## 6 方法

①原則として、金銭補償の方法によってなされます。一般論として、財産の供与と補償を同時履行的に行う必要はないとされています（最大判昭24.7.13）。
②土地収用法は、替地補償（代替地を与える）などの現物補償の方法も認めています（土地収用法82条～86条）。

## 7 国家賠償と損失補償の谷間

違法ではあるけれど過失の認められない公権力の行使により損害を被った私人は、過失責任主義を採る国家賠償法１条の請求をすることができず、しかも、適法行為による損失ではないので損失補償を請求することもできません。

このような、公務員の違法・無過失の行為に基づく損害については、それぞれ予防接種法や刑事補償法などで補償の給付制度が設けられ、立法的に解決が図られている場合もあります。しかしながら、補償額が低額である、などの問題があることから、被害者の救済が必ずしも十分とはいえません。そこで、このような問題を解決するため、国家賠償法１条で求められる「過失」の認定基準を緩和することにより、国家賠償による救済を図るべきとする説（国家賠償アプローチ）や、憲法29条３項を類推適用し救済を図るべきとする説（損失補償アプローチ）などが主張されています。

# 第3章 SECTION 4 国家補償 損失補償

## 実践 問題 183 基本レベル

| 頻出度 | 地上★★ | 国家一般職★ | 特別区★ |
|---|---|---|---|
| | 国税·財務·労基★★ | 国家総合職★★★ | |

**問** **行政法学上の損失補償に関する記述として、最高裁判所の判例に照らして、妥当なのはどれか。** **（特別区2021）**

1：倉吉都市計画街路事業の用に供するための土地収用では、土地収用法における損失の補償は、特定の公益上必要な事業のために土地が収用される場合、その収用によって当該土地の所有者等が被る特別な犠牲の回復を図ることを目的とするものではないから、収用の前後を通じて被収用者の財産価値を等しくならしめるような補償を要しないとした。

2：旧都市計画法に基づき決定された都市計画に係る計画道路の区域内の土地が現に都市計画法に基づく建築物の建築の制限を受けているが、都道府県知事の許可を得て建築物を建築することは可能である事情の下で、その制限を超える建築物の建築をして上記土地を含む一団の土地を使用できないことによる損失について、その共有持分権者が直接憲法を根拠として補償を請求できるとした。

3：憲法は、財産権の不可侵を規定しており、国家が私人の財産を公共の用に供するには、これにより私人の被るべき損害を填補するに足りるだけの相当な賠償をしなければならず、政府が食糧管理法に基づき個人の産米を買上げるには、供出と同時に代金を支払わなければならないとした。

4：戦争損害はやむを得ない犠牲なのであって、その補償は、憲法の全く予想しないところで、憲法の条項の適用の余地のない問題といわなければならず、平和条約の規定により在外資産を喪失した者は、国に対しその喪失による損害について補償を請求することはできないとした。

5：自作農創設特別措置法の農地買収対価が、憲法にいうところの正当な補償に当たるかどうかは、その当時の経済状態において成立することを考えられる価格に基づき、合理的に算出された相当な額をいうのであって、常にかかる価格と完全に一致することを要するものであるとした。

直前復習

| チェック欄 | | |
|---|---|---|
| 1回目 | 2回目 | 3回目 |
| | | |

## 実践 問題 183 の解説

〈損失補償〉

**1 ×** 判例は、土地収用法における損失の補償は完全な補償を要するとしているので、本肢は妥当でない。憲法29条３項にいう「正当な補償」の意義について、相当補償説（肢５参照）と完全補償説の２説が対立している。判例は、土地収用法における損失の補償は、その収用によって当該土地の所有者等が被る特別な犠牲の回復を図ることを目的とするものであるから、完全な補償、すなわち、収用の前後を通して被収用者の財産価値を等しくならしめるような補償を要するとして、土地収用法の解釈としては完全補償説に立っている（最判昭48.10.18）。

**2 ×** 判例は、制限を超える建築物の建築をして土地を利用できないことは特別の犠牲にあたらないとしているので、本肢は妥当でない。本肢の事案では60年という長期間の利用制限が課せられていた。この点につき、判例は、その損失は、一般的に受忍すべきものとされる制限の範囲を超えて特別の犠牲を課せられたものということがいまだ困難であるから、直接憲法29条３項を根拠として補償を請求することはできないとしている（最判平17.11.1）。

**3 ×** 判例は、補償の時期について、供出と代金の支払いを同時にする必要はないとしているので、本肢は妥当でない。判例は、「憲法は…補償の時期についてはすこしも言明していないのであるから、補償が財産の供与と交換的に同時に履行さるべきことについては、憲法の保障するところではない」としている（最大判昭24.7.13）。

**4 ○** 対日平和条約による在外資産の喪失のような戦争損害について、判例は本肢と同様に述べて、憲法29条３項を適用してその補償を求める主張は、その前提を欠くとしている（最大判昭43.11.27）。

**5 ×** 判例は、自作農創設特別措置法に基づく農地買収対価について、常にその当時の経済状態において成立する価格と完全に一致することを要するものではないとしているので、本肢は妥当でない。判例は、憲法29条３項にいう「正当な補償」とは、その当時の経済状態において成立することを考えられる価格に基づき、合理的に算出された相当な額をいうのであって、必ずしも常にかかる価格と完全に一致することを要するものではないとし、相当補償説に立っている（最大判昭28.12.23）。

**正答 4**

国家補償
# 損失補償

## 実践 問題 184 基本レベル

| 頻出度 | 地上★★ | 国家一般職★ | 特別区★ |
|---|---|---|---|
| | 国税·財務·労基★★ | 国家総合職★★★ | |

**問** **損失補償に関するア～オの記述のうち、妥当なもののみを全て挙げているのはどれか。** **(国家一般職2015)**

**ア**：日本国憲法は、財産権の保障とともに私有財産が公共のために用いられた場合の損失の補償についても明文で規定している。また、明治憲法においても、財産権の保障のみならず損失補償についても明文で規定していた。

**イ**：都市計画法上の土地利用制限は、それのみで直ちに憲法第29条第３項にいう私有財産を公共のために用いることにはならず、当然に同項にいう正当な補償を必要とするものではないが、土地利用制限が60年をも超える長期間にわたって課せられている場合、当該制限は、制限の内容を考慮するまでもなく、権利者に受忍限度を超えて特別の犠牲を課すものであり、同項にいう私有財産を公共のために用いる場合に当たるものとして、損失の補償が必要であるとするのが判例である。

**ウ**：土地収用法に基づく収用の場合における損失の補償には、収用される権利の対価の補償のみならず、営業上の損失、建物の移転による賃貸料の損失など、収用によって権利者が通常受ける付随的な損失の補償も含まれる。

**エ**：公用収用の対象となった物が経済的価値でない歴史的・文化財的価値を有する場合当該価値が広く客観性を有するものと認められるときは、損失補償の対象となるとするのが判例である。

**オ**：公用収用における損失の補償は、土地等の取得又は使用に伴い当該土地等の権利者が受ける損失の補償に限られず、当該権利者以外の者に対して損失を補償する少数残存者補償や離職者補償についても、裁判上の請求権として法律上認められている。

1：イ
2：ウ
3：ア、オ
4：イ、エ
5：ウ、エ

| チェック欄 | | |
|---|---|---|
| 1回目 | 2回目 | 3回目 |
| | | |

## 実践 問題 184 の解説

〈損失補償〉

**ア×** 憲法29条1項は「財産権は、これを侵してはならない。」と規定し、財産権を保障している。また、同条3項は「私有財産は、正当な補償の下に、これを公共のために用ひることができる。」と規定し、損失補償を定めている。これに対し、明治憲法は、私有財産制を保障していたものの、私有財産を公共の用に供した場合の損失補償の規定を置いていなかった。

**イ×** 土地の利用が規制されてから収用までの期間が長期にわたるような場合は、特別の犠牲にあたりうるとも思われる。しかし、判例は、都市計画法の道路予定地として指定され建築制限を受けたところ、当該道路の整備がなされないまま経過した事案において、「一般的に当然に受忍すべきものとされる制限の範囲を超えて特別の犠牲を課せられたものということがいまだ困難である」として損失補償請求を認めなかった（最判平17.11.1）。

**ウ○** 土地の収用に対する損失補償の内容として、直接収用対象となる土地等の対価を補償するだけでは不十分なことがあるので、土地収用法には補償項目として、権利対価補償（同法71条）以外に、工事費用の補償（同法75条）、移転料補償（同法77条）、通常損失の補償（同法88条）等、土地収用に伴う付随的損失に対する補償を定めている。

**エ×** 文化財的価値の喪失に対する補償も含まれるかが争われた事案において、判例は、土地収用法88条の「通常受ける損失」とは客観的・社会的にみて収用に基づき被収用者が当然に受けると考えられる経済的・財産的な損失をいい、経済的価値でない特殊な価値についてまで補償の対象とする趣旨ではないとして、市場価格の形成に影響を与えない文化財的価値は、それ自体経済的評価になじまないものとして、土地収用法上損失補償の対象となりえないとした（福原輪中堤事件、最判昭63.1.21）。

**オ×** 公共用地の取得に伴う損失補償基準要綱45条は、生活共同体から分離される者に対する少数残存者補償を、同基準46条は、土地等の権利者で職を失う者が再就職するまでの期間中所得を得ることができないと認められるときの離職者補償について定めているが、両条は、社会政策上の観点から、例外的に第三者の生活権補償に一定の配慮をしているにすぎず、第三者に裁判上の補償請求権を認めているわけではない。

以上より、妥当なものはウであり、肢2が正解となる。

**正答 2**

# 国家補償 損失補償

## 実践 問題 185 基本レベル

| 頻出度 | 地上★★ 国家一般職★ 特別区★ 国税·財務·労基★★ 国家総合職★★★ |
| --- | --- |

**問 損失補償に関する次の記述のうち、妥当なのはどれか。**

（国税・財務・労基2022）

1：警察法規が一定の危険物の保管場所等について技術上の基準を定めている場合において、道路工事の施工の結果、警察法規違反の状態を生じ、危険物保有者がその技術上の基準に適合するように既存の工作物の移転等を余儀なくされ、これによって損失を被ったときは、当該危険物保有者はその損失の補償を請求することができるとするのが判例である。

2：財産上の犠牲が単に一般的に当然に受忍すべきものとされる制限の範囲を超え、特別の犠牲を課したものである場合であっても、これについて損失補償に関する規定がないときは、当該制限については補償を要しないとするのが立法上の趣旨であると解すべきであり、直接憲法第29条第３項を根拠にして補償請求をすることはできないとするのが判例である。

3：土地収用法に基づく収用の場合における損失の補償には、収用される権利の対価の補償のみならず、被収用地に存在する物件の移転料の補償や、営業の中断に伴う損失の補償など、収用によって被収用者が通常受ける付随的な損失の補償も含まれる。

4：都市計画法に基づく建築物の建築制限は、それのみで直ちに憲法第29条第３項にいう私有財産を公共のために用いることにはならず、同項にいう正当な補償を必要とするものではないが、当該制限が60年以上の長期間にわたって課せられている場合、当該制限は、その制限の内容を考慮するまでもなく、その期間に照らして当然に権利者に受忍限度を超えて特別の犠牲を課すものであり、損失の補償が必要であるとするのが判例である。

5：国家が私人の財産を公共の用に供するには、これによって私人の被るべき損失を填補するに足りるだけの相当な補償をしなければならないことはいうまでもないが、憲法は、これに加えて、補償の時期についても、補償が財産の供与と交換的に同時に履行されるべきことを保障しているとするのが判例である。

チェック欄

| 1回目 | 2回目 | 3回目 |
| --- | --- | --- |
| | | |

## 実践 問題 185 の解説



〈損失補償〉

**1 ×** 判例は、道路法70条1項が補償の対象としている範囲につき、道路工事の施工による形状の変更を直接の原因として生じた隣接地の用益または管理上の障害を除去するために、やむをえない必要があってした工作物の新築等の工事に起因する損害に限られるとしたうえで、警察法規が技術上の基準を定めており、道路工事の結果この基準に適合するために工作物の移転などをするために損害を被ったとしても、道路工事の施工によって警察規定に基づく損失がたまたま現実化するに至ったにすぎず、このような損害は道路法上の補償の対象ではないとしている（最判昭58.2.18）。

**2 ×** 判例は、法令に損失補償に関する規定がなかったとしても憲法29条3項を直接の根拠として損失補償を請求しうる余地があるとしている（河川附近地制限令事件、最大判昭43.11.27）。したがって、本肢は妥当でない。

**3 ○** 本肢は、土地収用法の規定のとおりであり、妥当である。損失補償は、通常、収用される権利そのものを対象とするが、それ以外の損失でも収用により通常生ずべき損失については補償の対象とされる場合がある。たとえば、同法77条は、収用する土地にある物件を移転するための費用の補償、同法88条は、営業上の損失など土地所有者などが通常受けるべき損失の補償について規定している。

**4 ×** 判例は、旧都市計画法3条に基づき昭和13年に内務大臣が決定した都市計画によって、都市計画道路の路線区域内とされて建築制限を課せられ、昭和44年の都市計画決定後も同法53条による建築制限を受け、結局、建築制限が60年以上続いた場合でも、一般的に当然に受任すべきとされる制限の範囲を超えて特別の犠牲を課せられたということはできず、損失補償は不要であるとしている（最判平17.11.1）。

**5 ×** 判例は、憲法29条3項は「正当な補償」と規定しているだけで、補償の時期については少しも言明していないのであるから、補償が財産の供与と交換的に同時に履行されるべきことについては憲法の保障するところではないとし、補償が財産の供与より甚だしく遅れた場合には、遅延による損失をも補填する問題を生ずるであろうが、だからといって憲法は補償の同時履行までをも保障したものと解することはできないとしている（最大判昭24.7.13）。

**正答 3**

国家補償
# 損失補償

## 実践 問題 186 基本レベル

頻出度 地上★★ 国家一般職★ 特別区★ 国税·財務·労基★★ 国家総合職★★★

**問 損失補償に関するア～エの記述のうち、判例に照らし、妥当なもののみを全て挙げているのはどれか。 （国家総合職2019）**

ア：都市計画に係る計画道路の区域内にその一部が含まれる土地につき60年以上にわたり建築物の建築の制限を受けている場合、当該建築制限の期間の長さのみをもって特別の犠牲に当たるということができるため、制限を超える建築物の建築をして当該土地を含む一団の土地を使用することができないことによる損失について、その共有持分権者は、直接憲法第29条第３項を根拠として補償請求をすることができる。

イ：土地収用法による補償金の額の決定は、収用委員会の広範な裁量に委ねられているというべきであって、裁判所が当該決定の内容の適否を審査するに当たっては、その基礎とされた重要な事実に誤認があること等により重要な事実の基礎を欠くこととなる場合、又は、その内容が社会通念に照らし著しく妥当性を欠くものと認められる場合に限り、裁量権の範囲を逸脱し又はこれを濫用したものとして、裁決に定められた補償額を違法とすべきである。

ウ：戦争損害は、多かれ少なかれ、国民が等しく受忍しなければならないやむを得ない犠牲なのであって、その補償については、国において当該損害の発生が具体的に予想できたといったような特別の事情のない限り、原則として憲法第29条第３項は適用されない。

エ：土地収用法における損失の補償は、特定の公益上必要な事業のために土地が収用される場合、その収用によって当該土地の所有者等が被る特別な犠牲の回復を図ることを目的とするものであるから、完全な補償、すなわち、収用の前後を通じて被収用者の財産価値を等しくならしめるような補償をなすべきであり、金銭をもって補償する場合には、被収用者が近傍において被収用地と同等の代替地等を取得することを得るに足りる金額の補償を要する。

1：エ
2：ア、イ
3：ア、ウ
4：イ、エ
5：ウ、エ

チェック欄

| 1回目 | 2回目 | 3回目 |
| --- | --- | --- |
| | | |

## 実践 問題 186 の解説

〈損失補償〉

**ア×** 判例は、建築制限が60年以上続いた場合であっても、一般的に当然に受忍すべきとされる制限の範囲を超えて特別の犠牲を課せられたということはいまだ困難であり、憲法29条３項を根拠として当該損失に対する補償の請求をすることはできないとしている（最判平17.11.1）。したがって、これと反対の趣旨を述べる本記述は妥当でない。

**イ×** 判例は、①土地収用法による補償額は「相当な価格」などの不確定概念をもって定められているが、それは通常人の経験則や社会通念に従って客観的に認定すべきものであって、補償の範囲およびその額について収用委員会の裁量権を認めることはできない、②損失補償に関する訴訟において裁判所は、収用委員会の補償に関する裁量判断に裁量権の逸脱・濫用があるか否かを審理・判断するのではなく、証拠に基づき収用裁決時点における正当な補償額を客観的に認定し、裁決に定められた補償額が認定額と異なるときは、裁決に定められた補償額を違法とし、正当な補償額を確定すべきであるとしている（最判平9.1.28）。したがって、収用委員会に広範な裁量を認める旨を述べる本記述は妥当でない。

**ウ×** 本記述は、在外資産をもって賠償に充てることとした平和条約の実行に伴い失った在外資産について損失補償を求めた訴訟をもとにしている。これについて判例は、「非常事態にあっては、国民のすべてが生命・身体・財産の犠牲を堪え忍ぶべく余儀なくされていたのであって、これらの犠牲は、いずれも、戦争犠牲または戦争損害として、国民のひとしく受忍しなければならなかったところであり、右の在外資産の賠償への充当による損害のごときも、一種の戦争損害として、これに対する補償は憲法の全く予想しないところである」として損失補償の対象とはならないとしている（最大判昭43.11.27）。すなわち、「国において当該損害の発生が具体的に予想できたといったような特別の事情のある場合」でも、憲法29条３項は適用されないので、これを条件に補償を受けうると述べる本記述は妥当でない。

**エ○** 本記述は、土地収用法における損失補償の解釈として完全補償説に立った土地収用法事件（最判昭48.10.18）の判旨のとおりであり、妥当である。

以上より、妥当なものはエであり、肢１が正解となる。

**正答 1**

# 損失補償

## 実践 問題 187 応用レベル

頻出度 地上★ 国家一般職★ 特別区★ 国税·財務·労基★ 国家総合職★★

**問** **ガソリンスタンドを経営するXは、消防法に基づく市長の許可を受け、国道付近の自己の土地の地下にガソリンタンクを設置し、適法に維持管理してきた。ところが、国道を維持管理する国がガソリンスタンド近くの交差点に新たに地下道を設置した結果、Xのガソリンタンクは、地下道からの水平距離で10メートル以内に存することとなり、危険物に関して地下構築物から10メートル以上の離隔距離を置くことを定める消防法令（当時）に違反する施設となった。このため、Xはガソリンタンクの移設工事を行った。Xは、この移設工事は国が地下道を設置したことに起因するとして、国に対して道路法第70条に基づく損失補償を請求した。**

**この事例に関する次の記述のうち、判例に照らし、妥当なのはどれか。**

**（国家総合職2013）**

1：Xがガソリンタンクを地下に設置した当時、ガソリンタンクの位置が消防法令に違反することとなるような地下道が設置されることを予測し得なかった以上、ガソリンタンクの移設に要する費用は受忍限度を超える損失として補償されるべきであり、道路法第70条第1項による補償の対象は、同項に例示の物理的障害に基づく損失だけでなく、消防法等による法規制上の障害に基づく損失も含まれるから、Xが支出した移設費用は、道路法第70条により補償される。

2：警察法規が一定の危険物の保管場所等につき保安物件との間に一定の離隔距離を保持すべきことなどを内容とする技術上の基準を定めている場合において、道路工事の施行の結果、警察違反の状態を生じ、危険物保有者が当該技術上の基準に適合するように工作物の移転等を余儀なくされ、これによって損失を被ったとしても、それは道路工事の施行によって警察規制に基づく損失がたまたま現実化するに至ったものにすぎず、このような損失は、道路法第70条第1項の定める補償の対象には属しないというべきであり、Xが支出した移設費用は、同項による補償の対象とはならない。

3：警察法規が一定の危険物の保管場所等につき保安物件との間に一定の離隔距離を保持すべきことなどを内容とする技術上の基準を定めている場合において、道路工事の施行の結果、警察違反の状態を生じ、危険物保有者が当該技術上の基準に適合するように工作物の移転等を余儀なくされ、これによって損失を被ったとしても、それは道路工事の施行によって警察規制に基づく損失がたまたま現実化するに至ったものにすぎず、このような損失は、道路法第70条第１項の定める補償の対象とはならないが、Xが設置したガソリンタンクは設置時において適法であり、自己の責めには属さない後発的事態の発生によりその移設を余儀なくされたのであるから、Xは、道路法とは別に、消防法の規定に基づいて、支出した移設費用の補償を請求することができる。

4：危険物の保有者は、自己の責めに帰すべき事由とはいえない後発的な環境の変化によって危険が顕在化した場合であっても、既に危険が物自体のうちに内在し、安全状態を継続的に保持する状態責任を負っており、警察規制違反の状態を解消するためにXが支出した移設費用は、道路法第70条第１項の定める補償の対象とはならないが、公平の観点から道路管理者である国が費用を負担するのが合理的であるから、Xは、直接憲法第29条第３項に基づいて、支出した移設費用の補償を請求することができる。

5：危険物の保有者は、自己の責めに帰すべき事由とはいえない後発的な環境の変化によって危険が顕在化した場合であっても、既に危険が物自体のうちに内在し、安全状態を継続的に保持する状態責任を負っており、Xは、警察規制違反の状態を解消するのに要する費用を自ら負担しなければならないが、Xが予め、法令で定められた保安物件との離隔距離を維持するため、設置したガソリンタンクの周囲に所有権や不作為請求権を内容とする地役権等の取得・設定をしていたときに限り、Xは、特別の法令の定めがなくとも、直接憲法第29条第３項に基づいて、支出した移設費用の補償を請求することができる。

（参考）道路法

（道路の新設又は改築に伴う損失の補償）

第70条　土地収用法第93条第１項の規定による場合の外、道路を新設し、又は改築したことに因り、当該道路に面する土地について、通路、みぞ、かき、さくその他の工作物を新築し、増築し、修繕し、若しくは移転し、又は切土若しくは盛土をするやむを得ない必要があると認められる場合においては、道路管理者は、これらの工事をすることを必要とする者（以下「損失を受けた者」という。）の請求により、これに要する費用の全部又は一部を補償しなければならない。この場合において、道路管理者又は損失を受けた者は、補償金の全部又は一部に代えて、道路管理者が当該工事を行うことを要求することができる。（第２項以下略）

第3章 SECTION 4 国家補償

# 損失補償

## 実践 問題 187 の解説

| チェック欄 | | |
|---|---|---|
| 1回目 | 2回目 | 3回目 |
| | | |

〈損失補償〉

本問は、モービル石油事件（最判昭58.2.18）の内容を問う問題である。

**1 ×** 判例は、道路法第70条１項による補償の対象は、道路工事の施工による土地の形状の変更を直接の原因として生じた隣接地の用益または管理上の障害を除去するためにやむをえない必要があってした工作物の新築、増築、修繕もしくは移転または切土もしくは盛土の工事に起因する損失に限られるとするのが相当であるとしており、消防法等による法規制上の障害に基づく損失は含まれないとして、Ｘらが支出した移設費用は、道路法70条により補償されないとした。

**2 ○** 判例は、警察法規が一定の危険物の保管場所等につき保安物件との間に一定の離隔距離を保持すべきことなどを内容とする技術上の基準を定めている場合において、道路工事の施工の結果、警察違反の状態を生じ、危険物保有者が当該技術上の基準に適合するように工作物等の移転を余儀なくされ、これによって損失を被ったとしても、それは道路工事の施工によって警察規制に基づく損失がたまたま現実化するに至ったものにすぎず、このような損失は、道路法70条１項の定める補償の対象には属しないとした。

**3 ×** 判例は、Ｘが被った損失は、警察規制に基づく損失にほかならず、道路法70条１項の定める補償の対象には属しないとした。また、Ｘが被った損失は、警察規制に基づく損失であるから、他の法令においても損失補償の対象とはならない。判例も、消防法に基づく補償請求を認めていない。

**4 ×** 損失補償については、個別法に補償規定がない場合でも、直接憲法29条３項を根拠として請求が認められるとするのが、判例（河川附近地制限令事件、最大判昭43.11.27）・通説である。しかし、補償規定がない場合にいつでも、直接憲法29条３項を根拠として補償請求が認められるわけではなく、災害を防止し公共の福祉を保持するうえに社会生活上やむをえない財産権に対する制約（警察規制）は、財産権を有する者が当然受忍しなければならない責務であるので、憲法29条３項の損失補償を必要としないとするのが、判例である（奈良県ため池条例事件、最大判昭38.6.26）。本件事例において、判例は、Ｘが被った損失は、まさにそうした警察規制に基づく損失であるとしているので、憲法29条３項に基づいて補償請求をすることはできないことになる。本件事例において、判例は、Ｘが被った損失について憲法29条３項に基づく補償請求を認めていない。

**5 ×** ガソリンタンクのような危険物の所有者は、その危険物に由来する危険な状態を是正する責任を負う。これを**状態責任**という。ガソリンタンクはその危険性を理由に、道路から一定の距離を置いてタンクを設置すべきことが法律上定められており（消防法10条４項）、これはガソリンタンクの所有者に**状態責任**を課したものといえる。したがって、ガソリンタンクの設置後、保安距離の範囲内に道路が設置された場合、ガソリンタンクの所有者は自己の費用負担によってガソリンタンクを移転しなければならない。そこで、ガソリンタンクの所有者はそれを避けたければあらかじめ周囲の土地について、その所有権を取得するか、道路を敷設しないという不作為義務を定めた地役権を設定してその損失を回避することになる。そして、ガソリンタンクの所有者が、このような所有権の取得あるいは地役権の設定・取得を行っていた場合には、ガソリンタンクの移転費用について道路管理者に対して補償請求をすることができるとする学説がある。しかし、判例は、このような損失補償請求の可否について言及していない。



**正答 2**

第3章 SECTION 5

## 国家補償

# 国家補償総合

**必修問題** セクションテーマを代表する問題に挑戦！

**最後に国家補償全体を復習しましょう。**

**問** 国家補償に関する次の記述のうち、妥当なのはどれか。

（国Ⅱ1992）

---

1：適法な公権力の行使によって個人の財産権に特別の犠牲が課せられたとしても、個々の法令に一定の損失補償をすべき旨の規定がない場合には、被った損失の補償を請求することはできないとするのが判例である。

2：土地収用法に基づき土地の収用が行われた場合の損失の補償については、原則として現物すなわち替地の提供の方法によることとされている。

3：公務員の職務上の行為により他人に損害が生じ、国または公共団体が損害賠償の責任を負う場合には、当該公務員個人は賠償責任を負うものではないから、国または公共団体は当該公務員に対して求償権を有しない。

4：公務員の不法行為について国または公共団体の賠償責任を定める国家賠償法第１条の「職務を行うについて」とは、公務員が主観的に権限行使の意思をもってする場合に限らず、自己の利益のために行う場合であっても、客観的に職務執行の外形を備えていれば足りるとするのが判例である。

5：公の営造物の設置または管理の瑕疵により損害を受けた個人が、国家賠償法第２条に基づく損害賠償を請求する場合、当該営造物の設置または管理について国または公共団体に過失が存在することが必要であるとするのが判例である。

**Guidance ガイダンス**

**国家補償の種類**

・国家賠償……国家の違法な行為
　　１条……公務員個人は賠償責任を負わない
　　２条……無過失責任
・損失補償……国家の適法な行為
　　相当補償……農地改革
　　完全補償……土地収用

直前復習

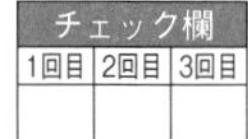

| 頻出度 | 地上★ | 国家一般職★ | 特別区★ |
|---|---|---|---|
| | 国税·財務·労基★ | 国家総合職★ | |

## 必修問題の解説

| チェック欄 | | |
|---|---|---|
| 1回目 | 2回目 | 3回目 |
| | | |

〈国家補償〉

**1 ×** 判例は、適法な公権力の行使によって個人の財産権に特別の犠牲を加えられた場合に、個々の法律上、損失補償に関する規定がないからといって一切の損失補償を否定する趣旨とまでは解されず、直接憲法29条３項を根拠にして、補償請求する余地が全くないわけではないとしている（河川附近地制限令事件、最大判昭43.11.27）。

**2 ×** 土地収用法に基づく土地収用の損失補償は、原則として、金銭補償の方法による（同法70条本文）。ただし、土地所有者などの要求がある場合には、替地による補償をすることもできる（同法70条但書・82条）。

**3 ×** 公務員の職務上の行為により他人に損害が生じ、国または公共団体が損害賠償の責任を負う場合には、当該公務員個人は賠償責任を負うものではない（最判昭30.4.19）。しかし、国または公共団体は、当該公務員に故意または重過失があった場合には、当該公務員に対して求償権を有する（国家賠償法１条２項）。求償の要件を故意または重過失に絞ることで、公務員の職務遂行の萎縮化を防止している。

**4 ○** 判例は、国家賠償法１条１項の「職務を行う」について、その公務員の主観的な意図目的は問わず、客観的に職務執行の外形を備えていれば足りるとしている（最判昭31.11.30）。国民の権利利益を広く擁護するためである。

**5 ×** 判例は、国家賠償法２条に基づく損害賠償責任について、無過失責任であるとしている（高知落石事件、最判昭45.8.20）。

**正答 4**

国家補償

# 国家補償総合

## 実践 問題 188 基本レベル

頻出度 地上★ 国家一般職★ 特別区★ 国税･財務･労基★ 国家総合職★

**問** 国家補償に関するア～オの記述のうち、妥当なもののみをすべて挙げているのはどれか。（国Ⅰ2011）

**ア**：我が国の損失補償制度では、国家賠償制度と異なり、損失補償を規律する一般法は存在せず、損失補償は、通常、個別法令に基づいてなされるが、判例は、財産権制限に対する国の「正当な補償」を規定する憲法第29条第３項はプログラム規定であると解し、個別法令において損失補償に関する規定がない場合においても、同項を直接の根拠として、損失補償を請求することができるとしている。

**イ**：都市計画法等に基づく60年を超える土地利用規制に対する損失補償の要否について、判例は、当該制限の内容自体は当然に受忍すべきものとされる制限の範囲を超えるものとはいえない場合であっても、その制限が相当長期にわたる以上、土地利用規制開始時から口頭弁論終結時までの期間について、当該土地の利用が制限されたことに伴う損失を補償しなければならないとしている。

**ウ**：憲法第29条第３項にいう「正当な補償」に関し、判例は、自作農創設特別措置法における農地の買収対価算出基準については完全補償説に立脚する判断を行い、土地収用法に基づく土地収用の補償金額については相当補償説に立脚する判断を行っている。

**エ**：予防接種によって生じた後遺障害に対する国家補償について、判例は、法律に基づく予防接種により確率的に不可避に生じる一定の被害に対して、国家賠償法による救済措置を採ることはおよそ困難であるとした上で、被害者の救済を図るため、憲法第29条第３項の類推適用を行って損失補償を認めることができるとしている。

**オ**：旧原子爆弾被爆者の医療等に関する法律の適用範囲について、判例は、同法は社会保障法としての性格をもつものであるが、制度の根底には国家補償的配慮があるとして、我が国に不法入国した外国人被爆者に対しても同法の適用があるとしている。

1：エ
2：オ
3：ア、ウ
4：イ、オ
5：イ、ウ、エ

| チェック欄 | | |
|---|---|---|
| 1回目 | 2回目 | 3回目 |
| | | |

## 実践 問題 188 の解説

〈国家補償〉

**ア×** 判例は、損失補償について定める個別的な法令がない場合、直接憲法29条３項を根拠として損失補償を請求しうるから、補償規定がなくても、当該法令は違憲ではないとする（河川附近地制限令事件、最大判昭43.11.27）。したがって、判例は、憲法29条３項はプログラム規定ではないと解している。

**イ×** 判例は、旧都市計画法３条に基づき、昭和13年に内務大臣が決定した都市計画によって、都市計画道路の路線区域内とされ、建築制限を課せられ、昭和44年の都市計画決定後も、同法53条による建築制限を受け、結局建築制限が60年以上続いた場合であっても、一般的に当然に受忍すべきとされる制限の範囲を超えて特別の犠牲を課せられたということはいまだ困難であり、当該損失に対する補償は不要であるとする（最判平17.11.1）。

**ウ×** 判例は、土地収用法による損失の補償について、「特定の公益上必要な事業のために土地が収用される場合、その収用によって当該土地の所有者等が被る特別な犠牲の回復を図ることを目的とするものであるから、完全な補償、すなわち、収用の前後を通じて被収用者の財産価値を等しくならしめるような補償をなすべき」であると解している（最判昭48.10.18）。しかし、判例は、農地改革の場合について、「憲法29条３項にいうところの財産権を公共の用に供する場合の正当な補償とは、その当時の経済状態において成立することを考えられる価格に基き、合理的に算出された相当な額をいう」とし、相当な補償で足りるとしている（最大判昭28.12.23）。

**エ×** 判例は、「禁忌者」にあたる場合を広く解することによって国家賠償法１条１項「過失」の認定を緩やかにするという見解（国家賠償説）を採ったとされる（小樽予防接種ワクチン禍訴訟、最判平3.4.19）。

**オ○** 本記述の事例につき判例（最判昭53.3.30）は、本記述同様の見解を採って、わが国に不法入国した外国人に対しても旧原爆医療法の適用があるとしているので、本記述は妥当である。

以上より、妥当なものはオであり、肢２が正解となる。

**正答 2**

国家補償

# 国家補償総合

## 実践 問題 189 基本レベル

頻出度 地上★ 国家一般職★ 特別区★ 国税·財務·労基★ 国家総合職★

問 国家補償に関するア〜オの記述のうち、妥当なもののみをすべて挙げているのはどれか。 (国Ⅰ2005)

ア：ある行政活動に対する救済に当たり、原告としては、取消訴訟と国家賠償のいずれか一方あるいは両方を請求できる。ただし、国家賠償法以外の救済手段に排他性が与えられていると解されるときは、特別の事情がない限り、国家賠償法に基づく賠償請求をすることはできない。

イ：明治憲法の下では、公権力の行使に関して、国家の賠償責任が認められなかったのみならず、判例によれば、公権力の行使に関しては官吏個人も責任を負うことはなかった。日本国憲法の下では、国家賠償法において、公務員の公権力の行使によって国又は公共団体が責任を負うことが明記されたが、公務員個人は被害者には責任を負わないとするのが判例である。

ウ：国家賠償法第２条にいう「公の営造物」は、民法第717条の「土地の工作物」とは異なる概念であり、動産も含まれると解されている。

エ：「公の営造物」本来の用法であれば損害が生じなかったはずであるのに、その本来の用法によらなかったために通常予測することのできない損害が発生した場合に、損害賠償が認められなかった判例がある。一方、本来の用法による利用者との関係では瑕疵がない場合でも、第三者との関係で被害が発生したときには、損害賠償が認められた判例がある。

オ：国家の行為自体は適法であるが、それによって私人の側に生じた特別の損失をそのまま放置すれば公平負担の理念に反することになるので、この特別の損失を補償しようとするのが損失補償の制度であるが、憲法第29条第３項により直接、損失補償請求権が発生するとする判例がある。

1：オ
2：イ、オ
3：ア、ウ、エ
4：イ、ウ、エ、オ
5：ア、イ、ウ、エ、オ

| チェック欄 | | |
|---|---|---|
| 1回目 | 2回目 | 3回目 |
| | | |

## 実践 問題 189 の解説

〈国家補償〉

**ア○** 不動産強制競売事件における執行裁判所の処分に関して、判例は、当該処分の是正は、執行手続の性質上、強制執行法に定める救済手続によることが予定されているから、特別の事情がある場合を除いて、権利者が同手続による救済を求めることを怠ったため損害が発生しても、その賠償を国に対して請求することはできないとした（最判昭57.2.23）。

**イ○** 明治憲法下では、公権力の行使に関して国家は賠償責任を負わないものとされてきた（国家無答責の法理）。また、旧行政裁判法の規定においても、公法私法二元論を理由に、例外的な場合を除き官吏個人も責任を負わないとするのが大審院の判例であった（徳島市立小学校遊動円棒事件、大判大5.6.1）。戦後、日本国憲法17条の規定にのっとり国家賠償法が制定され、国家無答責の原則は否定されたが、公務員個人が違法な公権力の行使に際して責任を負うことについては、否定されている（最判昭30.4.19）。

**ウ○** 国家賠償法２条にいう「公の営造物」とは、国・公共団体によって設置・管理される物や施設のうち、公の目的のために供される有体物をいう。民法717条の「土地の工作物」とは異なり、土地に接着した物である必要はなく、警察官の拳銃のような動産も含まれると解されている。

**エ○** 判例は、「通常有すべき安全性」の有無は、その営造物本来の用途に従った使用を前提としたうえで、何らかの危険発生の可能性があるか否かにより判断すべきであり、被害者が異常な用法で利用したため損害が生じた場合においては、設置・管理者に同条の責任は生じないとしている（テニス審判台転倒事件、最判平5.3.30）。また、「通常有すべき安全性」の欠如は、その営造物が供用目的に沿って利用されることとの関連において第三者に危害を生じさせる危険性がある場合（機能的瑕疵）をも含むので、このような危険性があるにもかかわらず、特段の措置を講ずることなくこれを利用に供し、利用者または第三者に対して現実に危害を生ぜしめたときは、国家賠償法２条の責任を免れることができない、としている（大阪空港事件、最大判昭56.12.16）。

**オ○** 判例は、憲法29条３項を直接の根拠として損失補償請求することができる余地を認めている（河川附近地制限令事件、最大判昭43.11.27）。

以上より、妥当なものはア、イ、ウ、エ、オであり、肢５が正解となる。

**正答 5**

国家補償

# 国家補償総合

## 実践 問題 190 基本レベル

| 頻出度 | 地上★ | 国家一般職★ | 特別区★ |
| --- | --- | --- | --- |
| | 国税·財務·労基★ | 国家総合職★ | |

**問** 国家補償に関するア〜エの記述のうち、判例に照らし、妥当なもののみを挙げているのはどれか。（国家総合職2023）

ア：予防接種によって後遺障害が発生した場合には、禁忌者を識別するために必要とされる予診が尽くされたが禁忌者に該当すると認められる事由を発見することができなかったこと、被接種者が後遺障害を発生しやすい個人的素因を有していたこと等の特段の事情が認められない限り、被接種者は禁忌者に該当していたと推定するのが相当である。

イ：公害健康被害の補償等に関する法律は、障害補償費の支給が、公害による健康被害に係る損害の迅速な填補のためにされる趣旨のものであることを明らかにしている。この仕組みに照らせば、障害補償費は、都道府県知事が公害の原因企業の負担すべき損害賠償を肩代わりして給付するものではなく、疾病にかかっていると認められる者に対して社会保障的な見地から給付するものであるため、障害補償費の請求者が、当該疾病による健康被害について同企業に対し損害賠償請求をし、賠償金が全額支払われた場合でも、請求者は損害賠償請求と同一の事由について満額の補償給付を受けることができる。

ウ：土地収用法における損失の補償は、特定の公益上必要な事業のために土地が収用される場合に、その収用によって当該土地の所有者等が被る特別な犠牲の回復を図ることを目的とするものであるところ、ある土地が都市計画事業のために収用される場合、同土地に当該事業のために建築制限が課せられているときは、損失補償額の算定に当たっては、同土地が建築制限を受けた土地であることを前提としてその評価をなす必要がある。

エ：ため池の堤とうに農作物を植える等の行為を禁止する条例の目的は、ため池の破損、決かい等による災害を未然に防止することであって、ため池の堤とうを使用する財産上の権利を有する者は、この目的のためにその財産権の行使をほとんど全面的に禁止されることになるが、そのような制約は、ため池の堤とうを使用し得る財産権を有する者が当然受忍しなければならない責務というべきものであって、憲法第29条第３項の損失補償を必要としない。

1：ア、イ
2：ア、エ
3：イ、ウ
4：イ、エ
5：ウ、エ

| チェック欄 | | |
|---|---|---|
| 1回目 | 2回目 | 3回目 |
| | | |

## 実践 問題 190 の解説

〈国家補償〉

**ア○** 予防接種による後遺障害に関する事案において判例は、国家賠償で求められる過失の認定基準を緩和している。すなわち、予防接種によって後遺障害が発生した場合、禁忌者を識別するために必要とされる予診が尽くされたが禁忌者に該当すると認められる事由を発見できなかったこと、被接種者が個人的素因を有していたことなどの特段の事情がない限り、被接種者は禁忌者に該当していたと推定するとしている（最判平3.4.19）。

**イ×** 判例は、公害健康被害の補償等に関する法律は、障害補償費の支給に要する費用について、都道府県等がこれを支弁することとしているが、障害補償費の支給に要する費用の全額につき独立行政法人環境再生保全機構によって原因者から徴収される特定賦課金をもって充てるとしており、最終的には原因者が負担すべきものとしている。このような同法の仕組みに照らせば、同法４条２項の認定を受けた者に対する障害補償費は、原因者が本来すべき損害賠償義務の履行に代わるものとして支給されるものと解される。そうすると、同法４条２項の認定を受けた疾病による健康被害にかかる損害のすべてが填補されている場合には、もはや同法に基づく障害補償費の支給によって填補されるべき損害はないというべきであるから、都道府県知事は、同項の認定を受けた者が、原因者に対する損害賠償請求訴訟により損害賠償義務のすべての履行を受けている場合には、同法に基づく障害補償費の支給義務のすべてを免れるとしている（最判平29.9.8）。

**ウ×** 判例は、ある土地が都市計画事業に基づいて収用された場合の補償額について、都市計画事業に伴って課せられた建築制限によって地価が低下した場合、補償額は、建築制限を受けることによって低下した地価ではなく、建築制限がなかったものとして当該土地が収用当時において有すべき地価であるとしている（最判昭48.10.18）。

**エ○** 判例は、「ため池の保全に関する条例」により、ため池の堤とうを使用することはほとんど全面的に禁止されることになるが、このような制約は、災害を防止し、公共の福祉を保持するうえで社会生活上やむをえないものであり、ため池の堤とうを使用しうる財産権を有する者が当然受忍しなければならない責務というべきであって、憲法29条３項の損失補償はこれを必要としないとしている（奈良県ため池条例事件、最大判昭38.6.26）。

以上より、妥当なものはア、エであり、肢２が正解となる。

**正答 2**

# 国家補償総合

## 実践 問題 191 応用レベル

頻出度 地上★ 国家一般職★ 特別区★ 国税·財務·労基★ 国家総合職★

**問 国家補償に関するア～オの記述のうち、妥当なもののみをすべて挙げているのはどれか。**（国Ⅰ2004）

ア：国家賠償法第１条第１項に基づく国家賠償責任の要件の中には、違法性及び過失があるとされているが、しばしば両者を一体として判断することもあり、また、専ら過失について判断することもある。そのような例として、教師等の注意義務違反が問われる公立学校での課外のクラブ活動における事故がある。その際には、教師をはじめ学校が、生徒を指導監督し、事故の発生を未然に防止する一般的な注意義務は存在するものの、学校内の個別の教育活動に応じて教師等が負うべき注意義務の具体的な内容は異なり、事故発生の予見可能性や回避可能性等に基づき、その具体的な注意義務についての違反を判断するというのが判例である。

イ：伝染病の発生・まん延を防止するため、法律により実施される予防接種においては、まれに接種によって死亡その他の重篤な後遺障害が生じることがあるため、そのような事故を避けるために予診による禁忌者の選別が行われている。仮に後遺障害が発生した場合であったとしても、被接種者が禁忌者であると認定されるに足りる相当の理由が特定できなかった場合には、当該被接種者は禁忌者でないと推定され、国家賠償責任は認められないとするのが判例である。

ウ：地方公共団体が、特定の者に対して工場等の誘致のために、積極的な勧誘・勧告等を行った場合において、そのような勧誘を受けた者が、社会通念上看過することのできない程度の積極的損害を被るときには、地方公共団体において、その損害を補償するなどの代償的措置を講ずることなく誘致施策を変更することは、それがやむを得ない客観的事情によるのでない限り、当事者間に形成された信頼関係を不当に破壊するものとして違法性を帯び、地方公共団体の不法行為責任を生じさせるとするのが判例である。

エ：国又は公共団体が管理している道路については、国家賠償法第２条第１項に基づき国又は公共団体の賠償責任が認められるためには、当該国又は公共団体の過失の存在が必要であるとするのが判例である。したがって、仮に従来からしばしば落石が発生している箇所において、道路全体に防護柵を設けることが財政的に困難である場合には、当該道路を管理している国又は公共団体が道理管理の瑕疵を問われることはなく、賠償責任も否定される。

**オ**：国が、地方公共団体に対し、国立公園に関する公園事業の一部の執行として周回路の設置を承認し、その設置費用の半額相当の補助金を交付し、また、その後の改修にも補助金を交付して、当該周回路に関する設置費用の二分の一近くを負担しているときには、国は、当該周回路については、国家賠償法第３条第１項所定の公の営造物の設置費用の負担者に当たるとするのが判例である。

1：ア、イ、エ
2：ア、ウ、オ
3：イ、ウ、エ
4：イ、エ、オ
5：ウ、エ、オ

第3章 SECTION 5 国家補償

# 国家補償総合

チェック欄 1回目 2回目 3回目

## 実践 問題 191 の解説

〈国家補償〉

**ア○** 判例は、クラブ活動が学校の教育活動の一環として行われるものである以上、その実施について学校側には生徒を指導監督し事故の発生を未然に防止する一般的な注意義務があるとしつつ、クラブ活動が本来生徒の自主性を尊重すべきものであるので、何らかの事故の発生する危険性を具体的に予見することが可能であるような特段の事情のある場合は別として、顧問の教諭は、個々の活動に常時立ち会い、監視指導すべき義務までをも負うものではないとした（最判昭58.2.18）。つまり、判例は、事故発生の予見可能性や回避可能性等に基づき、具体的な教師の注意義務違反を判断するとの解釈態度を採った。

**イ×** 判例は、予防接種によって後遺障害が発生した場合、禁忌者を識別するために必要とされる予診断が尽くされたが禁忌者に該当すると認められる事由を発見できなかったこと、被接種者が個人的素因を有していたことなどの特段の事情がない限り、被接種者は禁忌者に該当していたと推定されるとした（小樽予防接種ワクチン禍訴訟、最判平3.4.19）。

**ウ○** 判例は、地方公共団体が積極的な勧誘を伴う施策の変更により、その勧誘を受けた者が社会観念上看過することのできない程度の積極的損害を被る場合に、地方公共団体において当該損害を補償するなどの代償的措置を講じないことは、それがやむをえない客観的事情によるのでない限り、当事者間に形成された信頼関係を不当に破壊するものとして違法性を帯び、地方公共団体の不法行為責任を生じさせるとした（最判昭56.1.27）。

**エ×** 判例は、道路に防護柵を設置するとした場合には、相当の額の費用がかかり、その予算措置に困却することは推察できるが、それで直ちに道路管理の瑕疵による損害に対する賠償責任を免れうると考えることはできないとし、財政的理由は免責事由とならないとした（高知落石事件、最判昭45.8.20）。

**オ○** 判例は、国が、自ら設置することに代えて特定の地方公共団体にその設置を認めたうえ、当該営造物の設置費用につき当該公共団体の負担額と同等もしくはこれに近い経済的な補助を供与する反面、当該公共団体に対し法律上当該営造物につき危険防止の措置を請求できる立場にあるときは、国は費用負担者に含まれるとした（鬼ヶ城転落事件、最判昭50.11.28）。

以上より、妥当なものはア、ウ、オであり、肢2が正解となる。

**正答 2**

memo

# 第3章 国家補償

章末 CHECK

? Question

**Q1** 国家賠償法1条1項の「公権力」の意味については、権力的行政作用に限定する狭義説が通説である。

**Q2** 国家賠償法1条の責任は「公権力の行使」についての責任であるから、行政庁の権限不行使は、「公権力の行使」に含まれない。

**Q3** 公務員が自己の利益を図る目的で行為をした場合、「職務を行うについて」にあたることはない。

**Q4** 国家賠償法1条により国・公共団体が責任を負う場合、加害行為をした公務員個人も連帯して損害賠償責任を負う。

**Q5** 国家賠償法2条による賠償責任は無過失責任であるから、国・公共団体は天災などの不可抗力による損害や、回避可能性のない損害についても責任を負う。

**Q6** 「瑕疵」には、営造物がその目的に従って利用されることとの関連で危害を生じさせる危険性がある場合も含まれる。

**Q7** 改修計画に基づいて改修中である河川の未改修部分から水害が発生したとしても、当然には河川管理に瑕疵があるとはいえない。

**Q8** 私人が国から受けた損害のうち、国家賠償法の適用を受けない損害については、その者が損害賠償請求をする手段はない。

**Q9** 国家賠償法に基づく地方公共団体に対する損害賠償請求権は、公法上の金銭債権であるから、その消滅時効について民法の規定は適用されない。

**Q10** 日本に在住している外国人が、すべて国家賠償法の適用を受けることができるわけではない。

**Q11** 公務員が失火によって私人に損害を与えた場合でも、失火責任法は民法とはいえない以上、適用されない。

**Q12** 損失補償条項を欠く法令の場合、憲法29条3項を直接の根拠として損失補償を求めることができる。

**Q13** 憲法29条3項にいう「正当な補償」とは、相当な補償では足りず完全な補償が必要であるとするのが判例である。

**Q14** 国家賠償と損失補償の谷間の問題については、憲法29条3項を類推適用し救済を図るべきとする説などが主張されている。

## Answer

**A1** × 権力的行政作用に限らず、私経済作用と公の営造物の設置・管理作用を除くすべての行政作用を含むとする広義説が通説である。

**A2** × 判例は、行政庁の不作為も「公権力の行使」に含まれるとする。

**A3** × 判例は、自己の利益を図る意図をもってする場合でも、客観的に職務行為の外形を備える行為をし、これによって他人に損害を与えた場合は「職務を行うについて」といえるとする（最判昭31.11.30）。

**A4** × 加害者である公務員個人は被害者に対して賠償責任を負わないとするのが判例である（最判昭30.4.19）。

**A5** × 国家賠償法２条に基づく責任は、無過失責任ではあるが、結果責任ではない。

**A6** ○ 高速道路や空港等の供用に伴う騒音・大気汚染などの公害は、国家賠償法２条の「瑕疵」にあたる。

**A7** ○ 判例は、未改修河川で水害が発生しても、改修計画が全体として格別に不合理でない以上は、河川の管理に瑕疵があるとすることはできないとしている（大東水害訴訟、最判昭59.1.26）。

**A8** × 国家賠償法に基づいて損害賠償を請求できない場合には、民法の不法行為の規定に基づき損害賠償を請求することができる。

**A9** × 国家賠償法が適用される場合であっても、同法に規定のない事項については民法が適用される（国家賠償法４条）。

**A10** ○ 国家賠償法６条は、相互保証主義を採っている。

**A11** × 判例は、失火責任法は国家賠償法４条にいう「民法」に含まれるとする（最判昭53.7.17）。

**A12** ○ 判例のとおりである（河川附近地制限令事件、最大判昭43.11.27）。したがって、損失補償規定を欠く法律も直ちに違憲とはならない。

**A13** × 判例は、一般論としては相当補償説を採り、常に完全な補償が必要となるわけではないとしている（最大判昭28.12.23）。

**A14** ○ ほかにも国家賠償法１条で求められる「過失」の認定基準を緩和することにより、国家賠償による救済を図るべきとする説などがある。

memo

行政法

# 第5編
# 地方自治

# 第1章

# 地方自治

SECTION

① 地方公共団体の組織・権能
② 地方公共団体の住民の権利

# 第1章 地方自治

## 出題傾向の分析と対策

| 試験名 | 地　上 | | | 国家一般職 | | | 特別区 | | | 国税・財務・労基 | | | 国家総合職 | | |
|---|---|---|---|---|---|---|---|---|---|---|---|---|---|---|---|
| 年　度 | 16-18 | 19-21 | 22-24 | 16-18 | 19-21 | 22-24 | 16-18 | 19-21 | 22-24 | 16-18 | 19-21 | 22-24 | 16-18 | 19-21 | 22-24 |
| 出題数／セクション | 5 | 5 | 4 | | | | | | | | | | 1 | 1 | 1 |
| 地方公共団体の組織・権能 | ★×4 | ★★★ | ★★★ | | | | | | | | | | ★ | | ★ |
| 地方公共団体の住民の権利 | ★ | ★★ | ★ | | | | | | | | | | | ★ | |

（注）１つの問題において複数の分野が出題されることがあるため、星の数の合計と出題数とが一致しないことがあります。

地方自治については、地方上級ではよく出題されていますが、それ以外の試験種ではほとんど出題されていません。

**地方上級**

ほぼ毎年出題されています。特に地方公共団体の組織・権能についてよく出題されています。最近では、地方公共団体の事務および地方公共団体における長と議会の関係について出題されました。問われている内容は基本的ですので、過去問を解いて基本的な知識を身につけておいてください。

**国家一般職**

ほとんど出題されていません。万全を期したい人は、過去問を解いて基本的な知識を身につけておいてください。

**特別区**

ほとんど出題されていません。万全を期したい人は、過去問を解いて基本的な知識を身につけておいてください。

**国税専門官・財務専門官・労働基準監督官**

ほとんど出題されていません。万全を期したい人は、過去問を解いて基本的な知識を身につけておいてください。

国家総合職

3年に1度くらいの頻度で出題されています。過去問を解いて基本的な知識を身につけておいてください。

Advice アドバイス 学習と対策

地方上級の受験者は必ず地方自治について勉強するようにしてください。

地方公共団体の組織・権能については、地方自治の本旨や自治権の根拠、憲法上の地方公共団体の意味をまず理解するようにしてください。長および議会の関係はよく問われますので、過去問を繰り返し解いてそれらに関する知識を身につけるようにしてください。

地方公共団体の住民の権利については、直接請求と住民監査請求・住民訴訟のそれぞれの要件をしっかりと学習するようにしてください。

SECTION 1

地方自治

# 地方公共団体の組織・権能

**必修問題** **セクションテーマを代表する問題に挑戦！**

**憲法でも学習した地方自治制度の内容について、行政法ではもう少し詳しく学習します。**

**問 地方自治に関する次の記述のうち、妥当なのはどれか。**

（国Ⅱ1989）

1：地方自治権の本質をどう捉えるかに関し、固有権説と伝来説の対立があるが、いずれの説も地方自治権は国家の統治権に由来するものとする点では差異がない。

2：地方公共団体の組織および運営に関する事項は「地方自治の本旨」に基づいて法律で定めることとされているが、「地方自治の本旨」とは住民自治を指し、団体自治までも包含するものではない。

3：住民自治が保障されている限り、「地方自治の本旨」には反しないから、地方公共団体のうち都道府県を残し、市町村を廃止しても憲法に違反するものではない。

4：地方公共団体の長の直接公選制を廃止して、地方議会が長を選任することとしたとしても違憲ではないから、都の特別区の長の直接公選制を廃止し、区議会が都知事の同意を得て長を選任するとしたことは違憲ではないとするのが判例である。

5：地方公共団体は法律の範囲内で条例を制定することができるが、憲法94条にいう「条例」には議会の制定するものだけでなく、長の制定する規則や各種委員会の制定する規則も含まれると解されている。

Guidance ガイダンス

**地方自治の本旨**

・住民自治……地方の政治は地方の住民によって行われる

・団体自治……地方の政治は国から独立した団体によって行われる

**地方自治の根拠**

・固有権説……自治体固有の権利

・伝来説………国の統治権から移譲された権利

・制度的保障説……憲法が制度として義務付け

直前復習

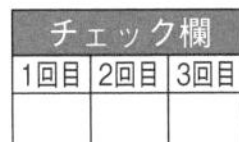

## 必修問題の解説



〈地方自治〉

**1 ×** 地方自治の本質に関する**固有権説**は、地方自治権の本質は、個人の人権と同様、**地方公共団体固有の前国家的な権利**であると捉える。これに対し、伝来説は、地方自治権の本質は、**国家の統治権に由来**し、国の政策的自制に基づく承認ないし国の委任に根拠を有するものであると捉える。

**2 ×** 地方自治は、中央政府への権力集中の防止と民主主義の基盤の育成を目的とする。「**地方自治の本旨**」（憲法92条）は、国から独立した存在としての地方公共団体が、その事務をそれ自体の権能をもって自主的に処理すること（**団体自治**）と、地方公共団体の行政は、その構成員たる住民の意思に基づいて行われなければならないこと（**住民自治**）の両方を意味する。

**3 ×** 市町村および都道府県という二段階構造そのものが憲法上の要請であるのかどうかについては争いがある。現在の市町村および都道府県という構造それ自体を憲法が固定的なものとして要請しているとまではいえない。しかし、歴史的・比較法的に地方公共団体としての地位を享有してきた市町村を廃止し、都道府県のみの一層制とすることは憲法の地方自治の本旨に反すると解するのが一般である。

**4 ×** 普通地方公共団体の長の直接公選制を廃止することは、憲法93条２項に違反する。これに対して判例は、**特別区の区長公選制の廃止は同条項に違反しないとする**（**区長公選制廃止事件**、最大判昭38.3.27）。同判決は、憲法上の地方公共団体といいうるためには、事実上住民が経済的文化的に密接な共同生活を営み、共同体意識を持っているという社会的基盤が存在し、沿革的にも現実の行政のうえでも、相当程度の自主立法権、自主行政権、自主財政権など地方自治の基本的権能を付与された地域団体であることを必要とするとし、東京都の特別区は、憲法上の地方公共団体といえないことを根拠とする。

**5 ○** 憲法94条にいう条例には、地方議会が制定する条例だけでなく、地方公共団体の長の制定する規則や各種委員会の定める規則も含まれると解されている。

**正答 5**

# 地方自治
# 地方公共団体の組織・権能

## 1 地方自治総論

### (1) 地方自治の本旨

地方自治とは、地方政治は国とは異なる組織およびその地域の住民の手によって行われるべきであるとする考え方をいいます。

憲法は、「地方公共団体の組織及び運営に関する事項は、地方自治の本旨に基づいて、法律でこれを定める」（憲法92条）としています。

「地方自治の本旨」とは、住民自治と団体自治のことを指します。
住民自治とは、地方政治がその地域の住民によって行われることをいい、団体自治とは、国から独立した機関が地方政治を自らの意思と責任のもとで行うことです。

### (2) 地方公共団体の種類

※以下の条文は、特に断りのない限り、地方自治法の条文です。

#### ① 普通地方公共団体と特別地方公共団体

普通地方公共団体とは、都道府県および市町村を指します（1条の3第2項）。

特別地方公共団体とは、特別区、地方公共団体の組合、財産区を指します（1条の3第3項）。

最高裁判所は、憲法上の「地方公共団体」には特別区は含まれず、住民の直接選挙によって区長を選出しなくても違憲ではないとしています（区長公選制廃止事件、最大判昭38.3.27）。

#### ② 政令指定都市、中核市

政令指定都市制度は、政令で指定を受けた人口50万以上の都市について、都道府県に近い権限を与えるものです（252条の19以下）。

中核市制度は、政令で指定を受けた人口20万以上の都市について、政令指定都市に準ずる権限を与えるものです（252条の22以下）。

## 2 地方公共団体の事務

・ **自治事務**

地方公共団体の処理する事務のうち、法定受託事務を除いたもの(2条8項)。

・ **法定受託事務**

国（2条9項2号の、いわゆる第2号法定受託事務では都道府県。以下同じ）が本来果たすべき役割にかかる事務であって、国においてその適正な処理を特に確保する必要があるものとして、法律またはこれに基づく政令に定めるもの（2条9項)。

## 3 地方公共団体の機関

### (1) 地方公共団体の機関の種類

立法機関……地方議会

執行機関……長（都道府県知事、市町村長）

町村では、条例により、議会の代わりに有権者の総会（町村総会）を設けることもできます（94条)。

### (2) 長と議会との関係

#### ① 長の拒否権

一般拒否権……長が議会の議決について異議がある場合、長はその送付を受けた日から10日以内に、理由を付して再議に付すことができる制度（176条1項）

特別拒否権……議会の議決が、権限逸脱・法令違反・会議規則違反と認めるときは、理由を付して、長が必ず再議に付さなければならない制度（176条4項以下）

#### ② 議会の長に対する不信任議決

議会は、議員数の3分の2以上の者が出席し、その4分の3以上の者の同意により、長に対する不信任議決をすることができます（178条3項)。長は、その通知を受けた日から10日以内に議会を解散することができますが（同条1項)、この期間内に議会を解散しないとき、または解散後初めて招集された議会において議員数の3分の2以上の者が出席し、その過半数の者の同意による不信任議決が再びあったときは、長は職を失います（同条2項・3項)。

# 地方公共団体の組織・権能

### ③　長の専決処分

専決処分とは、本来議会の議決を経るべき処分につき、一定の場合に長がその議決を経ずに処分を行うことをいいます（179条、180条）。

## 4 条例

条例とは、地方公共団体がその自治権に基づいて制定する自主法のことをいいます。

地方公共団体は、法令に違反しない範囲において、２条２項の事務に関して条例を制定することができます（14条１項）。ここでの「事務」の中には、法定受託事務も含まれます。

また、条例に違反した者に対し、２年以下の拘禁刑、100万円以下の罰金、拘留、科料もしくは没収の刑または５万円以下の過料を科すことができます（同条３項）。

memo

第1章 SECTION 1 地方自治

# 地方公共団体の組織・権能

## 実践 問題 192 基本レベル

| 頻出度 | 地上★★★ 国家一般職★ 特別区★ 国税·財務·労基★ 国家総合職★ |
|---|---|

**問** **地方公共団体の事務に関するア～オの記述のうち、妥当なもののみをすべて挙げているのはどれか。** (国Ⅰ2009)

**ア**：自治事務は、地方公共団体が処理する事務のうち、法定受託事務以外のものをいう。

**イ**：法定受託事務については、その処理についてよるべき基準（処理基準）を、各大臣が定めることができる旨の規定が地方自治法にあるが、自治事務については、処理基準を定めることができる旨の規定は地方自治法にない。

**ウ**：法定受託事務は、いったん国の事務あるいは都道府県の事務であったものが地方公共団体に委託されるものであり、かつての機関委任事務と同様に、地方公共団体の事務ではない。

**エ**：地方公共団体は、自治事務については、法令に違反しない限り、すべての事項に関し条例を制定することが可能であるが、法定受託事務については、法律又はこれに基づく政令により処理することが原則とされており、その内容、基準、手続等が法令で詳細に規定されることになるため、法定受託事務に関し条例を制定することはできない。

**オ**：地方自治法は、関与についての公正透明の原則を採用し、自治事務に対する関与について、書面の交付、許可・認可等の審査基準や標準処理期間の設定、公表等の手続を定めているが、法定受託事務に対する関与については、そのような手続を定めていない。

1：ア、イ
2：ア、オ
3：イ、エ
4：ウ、エ
5：ウ、オ

| チェック欄 | | |
|---|---|---|
| 1回目 | 2回目 | 3回目 |
| | | |



## 実践 問題 192 の解説

〈地方公共団体の事務〉

**ア○** 地方自治法上の自治事務とは、地方公共団体が処理する事務のうち、法定受託事務以外のものをいう（地方自治法2条8項）。

**イ○** 地方自治法上の法定受託事務とは、性質上国または都道府県が本来果たすべき役割にかかる事務で、特に適正な処理を確保する必要があるため、その事務に対する国の関与について、地方自治法上自治事務と異なる法的効果を認められている事務をいう（地方自治法2条9項）。法定受託事務は、国または都道府県が本来果たす役割にかかる事務であることから、地方自治法は、各大臣が都道府県の法定受託事務の処理について（同法245条の9第1項）、都道府県の執行機関が市町村の法定受託事務の処理について（同条2項）、処理基準を定めることを認めている。しかし、自治事務については、地方自治法に処理基準についての規定はない。

**ウ×** 地方自治法上、自治事務も法定受託事務も、地方公共団体の事務とされている（記述エの解説参照）。

**エ×** 普通地方公共団体は、法令に違反しない限りにおいて地方自治法2条2項の事務に関し、条例を制定することができる（地方自治法14条1項）。地方自治法2条2項の事務とは、地域における事務およびその他の事務で法律またはこれに基づく政令により処理することとされるもののことをいい、地域における事務とは、自治事務、法定受託事務両方を指す。したがって、法定受託事務についても条例を制定できる。

**オ×** 国の地方公共団体に関する関与の基準について、地方自治法では、関与にかかわる基本原則、新たな事務区分ごとの関与の基本類型、関与の手続および関与にかかわる係争処理手続が規定されている。そして関与の手続に関しては、公正・透明の原則が採用され、書面の交付、許可・認可等の審査基準や標準処理期間の設定・公表などを定めること（地方自治法250条の2以下など）などが義務付けられる。この手続の対象となる事務は、自治事務、法定受託事務の両方である。

以上より、妥当なものはア、イであり、肢1が正解となる。

**正答 1**

第1章 SECTION 1 地方自治

# 地方公共団体の組織・権能

## 実践 問題 193 基本レベル

| 頻出度 | 地上★★★　国家一般職★　特別区★　国税·財務·労基★　国家総合職★ |
|---|---|

**問 地方議会に関する以下の記述のうち、妥当なのはどれか。　(地上2006改題)**

1：普通地方公共団体においては議会を設置しなければならないが、特別区などの特別地方公共団体は議会を設置しなくともよい。

2：市町村においては議会を設置する代わりに、選挙権を有する住民全員で構成する総会を条例で設置することができる。

3：地方議会の議事は原則として公開であるが、例外として当該議会の出席議員の3分の2以上の議決があれば、秘密会とすることができる。

4：予算については地方公共団体の長が決すべき権限を有しているから、減額修正はもちろん、増額修正についても議会はすることができない。

5：地方公共団体の事務についての国の関与は、法定受託事務については関与が認められるものの、自治事務については認められない。

チェック欄

| 1回目 | 2回目 | 3回目 |
| --- | --- | --- |
| | | |



## 実践 問題 193 の解説

〈地方議会〉

**1 ×** 地方自治法89条は、「普通地方公共団体に議会を置く」と定めている。そして、特別地方公共団体についても、特別区は基本的に市の規定が適用されるので（同法283条１項）、議会の設置は必要と解されている。

**2 ×** 普通地方公共団体に議会を設置しなければならないが（地方自治法89条）、その例外として、町村は、議会の代わりに、条例で、選挙権を有する者の総会を設けることができる（町村総会、同法94条）。しかし、市は総会を設けることができない。議会に代わる総会の制度は、議会を設置・運営することが困難な小規模な自治体を想定したものであり、市のような規模の大きい自治体を対象とするものではないからである。

**3 ○** 普通地方公共団体の議会の会議は、原則として公開である（地方自治法115条１項本文）。議会の立法活動を住民に監視させるとともに、住民の知る権利に仕えるという意義を有する。もっとも、公開に適さない一定の事項について、議長または議員３人以上の発議により、出席議員の３分の２以上の多数で議決したときは、秘密会を開くことができる（同条項但書）。

**4 ×** 予算に関して、普通地方公共団体の長がその調製を行い（地方自治法149条２号）、議会が議決を行う（同法96条１項２号）。議会は、予算を増額して議決することも可能であるが（同法97条２項本文）、長の予算の提出の権限を侵すことはできないとされている（同条項但書）。議会の予算議決権と長の予算提出権との調整を図る趣旨である。

**5 ×** 団体自治の理念から、地方公共団体は国から独立して事務処理を行うが、一定の必要性が認められれば、国が地方公共団体に関与することができる。関与の対象となる事務について、地方自治法は、国とのかかわりが強い法定受託事務に限定せず、地方公共団体の自主性・自立性が尊重される自治事務にも認めている。もっとも、過度の関与を認めると団体自治の趣旨に背くため、地方自治法は自治事務に関する関与の類型を限定し（地方自治法245条・245条の４・245条の５・245条の６）、その他さまざまな規制を行っている。

**正答 3**

**実践** 問題 194 基本レベル

| 頻出度 | 地上★★★　国家一般職★　特別区★<br>国税･財務･労基★　国家総合職★ |
|---|---|

**問 普通地方公共団体の長に関する次の記述のうち、妥当なのはどれか。**

（国Ⅱ1985）

1：普通地方公共団体の長の被選挙権については、年齢満30年以上の日本国民であり、かつ、当該普通地方公共団体の住民であることが要件とされている。

2：普通地方公共団体の長は、選挙管理委員会の許可を得れば、当該普通地方公共団体の議会の議員を兼ねることもできる。

3：普通地方公共団体の長は、議会における条例の制定・改廃について異議がある場合には、これを再議に付することができるが、予算の議決については再議に付することはできない。

4：都道府県知事の権限に属する事務を分掌させるための局または部の数については、法律上何ら制限はなく、各都道府県の実情に応じて、知事が規則によってこれを定める。

5：普通地方公共団体の長は、議会において長の不信任の議決がなされた場合には、議長からその旨の通知を受けた日から10日以内に議会を解散することができる。

チェック欄

| 1回目 | 2回目 | 3回目 |
|---|---|---|
| | | |

## 実践 問題 194 の解説

〈普通地方公共団体の長〉

**1 ×** 地方公共団体の長の被選挙権は、地方公共団体の議会の議員の被選挙権と異なり（地方自治法19条1項)、広く適材を求めるべく住所要件は不要とされている。また、年齢要件は、都道府県知事は、本肢にいうとおり満30年以上であるが（同条2項)、市町村長の場合は満25年以上である（同条3項)。

**2 ×** 普通地方公共団体の長は、その職務の執行にあたって公正な態度が要求されるとともに、地方公共団体の事務に専念する義務を負担していることから、地方公共団体の議会の議員ならびに常勤の職員および短時間勤務職員を兼職することは禁止されている（地方自治法141条2項)。このことは、選挙管理委員会の許可を得るか否かにかかわらない。

**3 ×** 普通地方公共団体の議会の議決について異議があるときは、当該地方公共団体の長は、地方自治法に特別の定めがある場合を除いて、その送付を受けた日から10日以内に理由を示してこれを再議に付することができる（地方自治法176条1項)。すなわち、予算に関する議決についても再議に付することができる。

**4 ×** 普通地方公共団体の長は、その権限に属する事務を分掌させるため、必要な内部組織を設けることができ、それが長の直近下位の内部組織の設置およびその分掌する事務に関する場合、条例で定めなければならない（地方自治法158条1項後段)。

**5 ○** 普通地方公共団体の議会において、当該地方公共団体の長の不信任議決をしたときは、直ちに議長からその旨を当該地方公共団体の長に通知しなければならない。この場合においては、地方公共団体の長は、その通知を受けた日から10日以内に議会を解散することができる（地方自治法178条1項後段)。

**正答 5**

地方自治

# 地方公共団体の組織・権能

## 実践 問題 195 基本レベル

| 頻出度 | |
|---|---|
| | 地上★★★　国家一般職★　特別区★ |
| | 国税・財務・労基★　国家総合職★ |

**問 地方公共団体の長と議会との関係に関する次の記述のうち、正しいのはどれか。**　**(地上1982改題)**

1：長は必要があると思われるときには、議会に出席して自ら議案の説明をすることができるし、またそうしなければならない。

2：議会における条例の制定または改廃に関する議決に異議があるときは、長はその送付を受けた日から10日以内に理由を示してこれを再議に付することができる。

3：議会における予算に関する議決に異議があるときは、長はこれを再議に付することができるが、再議の結果、議会の議決が総議員の３分の２以上の多数で、再議に付された議決と同じ議決であるときは、その議決は確定する。

4：議会が、普通地方公共団体の義務に属する経費を削除する議決をしたときは、長は理由を示してこれを再議に付することができる。

5：議会が長の不信任議決を行うためには、過半数の議員が出席した上で、その３分の２以上の多数の者の賛成が必要である。

| チェック欄 | | |
|---|---|---|
| 1回目 | 2回目 | 3回目 |
| | | |



## 実践 問題 195 の解説

〈地方公共団体の長と議会との関係〉

**1 ×** 地方自治法は、首長主義（相互に独立した公選議員で組織する議会と首長の相互の抑制と均衡のうちに、妥当な政治の実現を図ろうとする制度原理）を採用しており、地方公共団体の長は、原則として議会に出席する権利を有しない。ただし、議長から説明のために出席を求められたときは、地方公共団体の長は議場に出席しなければならないとされている（地方自治法121条本文）。これに対して、国政レベルでは、議院内閣制を採っていることから、内閣総理大臣その他の国務大臣には議院への出席権・発言権が認められている（憲法63条）。

**2 ○** 普通地方公共団体の議会の議決について異議があるときは、当該地方公共団体の長は、地方自治法に特別の定めがある場合を除いて、その送付を受けた日から10日以内に理由を示してこれを再議に付することができる（地方自治法176条１項）。ただし、再議に付した場合でも、条例の制定もしくは改廃または予算に関するものについて議会が出席議員の３分の２以上の者の同意により再議に付された議決と同一内容の議決をした場合には、その議決は確定するとされている（同条２項・３項）。

**3 ×** 肢２の解説参照。総議員の３分の２以上ではなく、出席議員の３分の２以上の者の同意が必要とされている。

**4 ×** 普通地方公共団体の議会が普通地方公共団体の義務に属する経費を削除する議決をしたときは、当該地方公共団体の長は、理由を示してこれを再議に付さなければならない（地方自治法177条１項）。

**5 ×** 地方公共団体の議会の長に対する最終的な対抗手段として、不信任議決があるが、地方公共団体の議会において長に対する不信任議決をするためには、議員数の３分の２以上の者が出席し、その４分の３以上の者の同意がなければならないとされている（地方自治法178条３項、同条１項）。なお、議会の不信任議決に対して、長が議会を解散した場合に、その解散後初めて招集された議会で再び不信任の議決を行う場合は、議員数の３分の２以上の者が出席したうえで、その過半数の同意があればよいとされている（同法178条３項、同条２項）。

**正答 2**

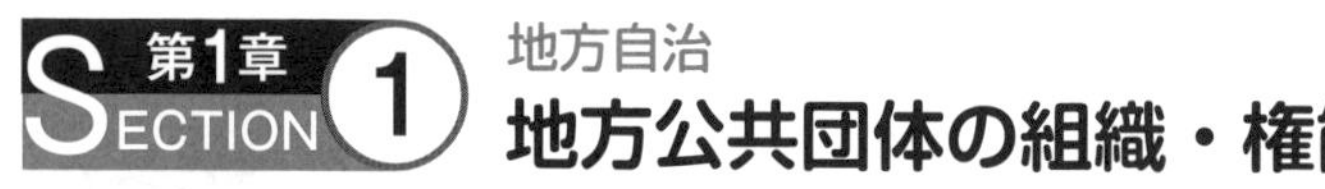

第1章 SECTION 1 地方自治

# 地方公共団体の組織・権能

## 実践 問題 196 基本レベル

頻出度 地上★★★ 国家一般職★ 特別区★ 国税·財務·労基★ 国家総合職★

**問 条例に関する次の記述のうち、妥当なのはどれか。** **(地上1991)**

1：「法律による行政」の原理により、地方公共団体は、法律に「条例の定めるところによる」などの規定がない限り条例を制定することはできない。

2：私法秩序の形成などに関する事項は国の事務に属するから、条例で民法と異なる地方公社などの法人の設立を認めることはできない。

3：条例の定める基準は全国統一でなければならないから、たとえば排出基準（汚染物質の排出許容値）について、条例が法律の定める基準よりも厳しい基準を定めることはできない。

4：条例の制定については地方公共団体の自主性が尊重されなければならないから、法律によって条例で定めることとされている事項について、主務官庁が条例案を作成しこれを行政指導の一環として地方公共団体に提示するようなことは許されない。

5：財産法の規制は全国統一的な制度によるべきであり、憲法29条２項も財産権に関する事項は法律で定めると規定しているから、条例で財産権の行使に関する規制をすることはできない。

## 実践 問題 196 の解説

チェック欄
| 1回目 | 2回目 | 3回目 |
| --- | --- | --- |
| | | |



〈条例〉

**1 ×** 地方公共団体が条例を制定するとき、憲法の関連規定のほかに法律による授権規定を必要とするかが、法律による行政の原理との関係で問題となる。この点、学説には、条例制定権の根拠を地方公共団体に自治権が保障されていること自体に求める見解と、憲法94条によって条例制定権が授与されたとする見解とがあり、論理構成に争いがあるが、結論としては、法律の授権なく条例を制定できると解されている。

**2 ○** 条例制定権は、地方公共団体の事務に関する事項に限られる（憲法94条、地方自治法14条１項）。法人の設立に関する事項は、私法秩序の形成等に関する事項であり、国の事務に属するから、条例で民法と異なる地方公社などの法人の設立を認めることはできない。

**3 ×** 条例制定権には、法令に違反しないことという限界がある（憲法94条、地方自治法14条１項）。特定事項についてこれを規律する国の法令と条例が併存する場合において、判例は、両者が同一の目的に出たものであっても、国の法令が必ずしもその規定によって全国的に一律に同一内容の規制を施す趣旨ではなく、それぞれの地方公共団体において、その地方の実情に応じて、別段の規制を施すことを容認する趣旨であると解されるときは、国の法令と条例の間には何らの矛盾抵触はないとしている（徳島市公安条例事件、最大判昭50.9.10）。したがって、法令による規制が、国として維持すべき共通の最小限の規制基準を定めたものであり、より厳しい規制基準を条例が定めることを排除するものでない場合には、法令よりも厳しい規制を定める条例を制定することも認められる。

**4 ×** 条例制定権は、地方公共団体の自主立法権である。しかし反面、現代国家においては、国家の積極的関与が要請されており、このことは国家と地方公共団体との関係においてもあてはまる。本肢の行政指導も、このような国家の関与の一形態と捉えることができる。行政指導は、何ら効果が生じない事実上の行為であり、地方公共団体を法的に拘束しないことから、地方公共団体に対し行政指導を行うことも許されてよい場合がある。

**5 ×** 憲法29条２項は、財産権の内容は、法律でこれを定めるとしている。しかし、条例は地方議会の議決によって成立する民主的立法であり、実質的には法律に準じるものであることから、条例で財産権の規制をすることもできると解されている（奈良県ため池条例事件、最大判昭38.6.26）。

**正答 2**

# 第1章 SECTION 1 地方自治 地方公共団体の組織・権能

## 実践 問題 197 応用レベル

| 頻出度 | 地上★ 国家一般職★ 特別区★ 国税･財務･労基★ 国家総合職★ |
|---|---|

**問 地方公共団体に関する次の記述のうち、妥当なのはどれか。（国Ⅰ1994改題）**

1：普通地方公共団体は国と異なり、住民の直接選挙により選ばれた、いずれも民意を反映した執行機関たる長と議決機関たる議会が存在するから、住民による解職請求や議会の解散請求は認められるが、議会は不信任決議により長を失職させることはできないし、長も議会の解散権を有しない。

2：地方公共団体の長その他職員の一定の財務会計上の違法な行為について地方公共団体の住民は、自己の法律上の利益とかかわりなく、もっぱら地方公共団体の財政の適正を図る目的でその是正を求めて訴訟を提起することができるが、これは、いわゆる客観的訴訟のうちの機関訴訟に該当する。

3：各大臣は、その所管する法令にかかわる都道府県知事の法定受託事務の管理もしくは執行が法令の規定に違反するものがある場合には、当該知事に対して違反を是正するよう勧告、そして当該事務を行うべきことを指示をすることができ、さらに知事が当該指示に従わない場合には、高等裁判所に知事を罷免する裁判を請求することができる。

4：地方公共団体の条例は国の法令に抵触してはならず、ある対象について法令の規制がある場合には、法律の規制とは別の目的で条例で規制を加えることは可能であるが、法律に特段の定めがない限り、同一目的で法律の規制よりも厳しい規制を設けることはできないとするのが判例である。

5：いわゆる自治会、町内会等の地縁による団体は、かつては権利能力を有する方途がなかったため、保有する不動産を団体名義で登録することができず、代表者の死亡などの場合に問題が生じていたが、地方自治法の改正により、市町村長の承認を受けて法人格を取得することができることとされた。

チェック欄

| 1回目 | 2回目 | 3回目 |
| --- | --- | --- |
| | | |

## 実践 問題 197 の解説

〈地方公共団体〉

**1 ×** 普通地方公共団体においては、議会の議員、地方公共団体の長は住民によって直接に選挙され（憲法93条２項）、住民は議員およびその他の吏員の解職請求や議会の解散請求（地方自治法13条・76条以下）ができるなど、国政段階では存在しない直接民主主義の制度がある。しかし、地方自治法は、議会に不信任決議をもって長を失職させる権能を与えるとともに、その対抗手段として長に議会の解散権を与えている（同法178条１項）。

**2 ×** 機関訴訟とは、国または公共団体の機関相互間における権限の存否またはその行使に関する紛争についての訴訟をいう（行政事件訴訟法６条）。なお、本肢の住民訴訟は、民衆訴訟（同法５条）に該当する。

**3 ×** 各大臣は、都道府県知事の法定受託事務の管理または執行が法令の規定もしくは各大臣の処分に違反するものがある場合の措置として、都道府県知事に対して当該違反を是正する旨の文書による勧告をすることができ、当該勧告に従わない場合には、文書により当該事務を行うべきことを指示できる（地方自治法245条の８第１項・２項）。都道府県知事が当該指示に従わない場合、各大臣は、当該事項を行うべきことを命ずる旨の裁判を請求できる（同条３項）。しかし、知事が指示に従わない場合でも、知事を罷免する裁判を請求することはできない。住民の公選にかかる知事の地位を無視することは、地方公共団体の自治権を侵害すると考えられるからである。

**4 ×** 条例は、国の法律・命令に違反してはならない。条例が法令に抵触するか否かは、単に文言を対比するのみではなく、それぞれの趣旨・目的、内容および効果を比較して決められる（徳島市公安条例事件、最大判昭50.9.10）。法律の規制が全国一律の画一的規制を目的とするものと解される場合、条例で同一事項につき同一目的で法律より厳しい規制をすることはできない。しかし、当該法律の規制が最小限の規制であるにすぎないと解される場合、地方公共団体が地域の特性を考慮し、条例で上乗せ規制することもできると解されている。

**5 ○** 本肢にあるように、従来の不都合を回避するため、平成３年改正の際、自治会や町内会などの「地縁による団体」は、地域的な共同活動のための不動産または不動産に関する権利等を保有するため市町村長の認可を受ければ、その規約に定める目的の範囲内において権利義務を保有できる旨の規定が新たに付け加えられた（地方自治法260条の２）。

**正答 5**

地方自治

# 地方公共団体の住民の権利

必修問題　セクションテーマを代表する問題に挑戦！

**住民自治の観点から、住民にはさまざまな権利が与えられています。**

**問　普通地方公共団体における住民の権利について、正しいものはどれか。（地上2010）**

1：議会の解散に関する直接請求は選挙管理委員会に対してなされ、選挙管理委員会は意見を付して議会へ送付し、議会の過半数で可決されれば解散する。

2：条例の制定を求める請求がなされた場合、住民投票で過半数が賛成すれば、条例が成立する。

3：住民監査請求および住民訴訟を提起する権利は、選挙権の１つであるので、選挙権を有する住民のみが行使することができる。

4：住民監査請求も住民訴訟も財務会計上の行為に限られるところ、住民訴訟は違法なもののみを対象とするが、住民監査請求は不当なものについてもすることができる。

5：住民監査請求を行うには、監査対象事項を特定しなければならないが、他の事項と区別認識できれば個別具体的に特定されていなくともよい。

直前復習

Guidance ガイダンス

**直接請求**

○有権者の50分の１以上の連署が必要
- 条例制定改廃請求……議会の過半数の賛成により制定
- 事務監査請求……直ちに実施

○有権者の３分の１以上（原則）の連署が必要
- 議会解散請求、議員解職請求、長の解職請求……有権者の投票による過半数の同意
- 役職員解職請求……議会の３分の２以上の出席とその４分の３以上の賛成

**住民監査請求、住民訴訟**

○住民監査請求の対象……違法・不当な財務会計上の行為

○住民訴訟の対象…………違法な財務会計上の行為

頻出度　地上★★　国家一般職★　特別区★　国税･財務･労基★　国家総合職★★

チェック欄 1回目 2回目 3回目



## 必修問題の解説

〈地方公共団体の住民の権利〉

**1 ×** 議会の解散に関する直接請求は、一定の署名をもって選挙管理委員会に対してなされ（地方自治法76条１項）、選挙人の投票に付される（同条３項）。この投票で過半数の賛成があれば、議会は解散する（同法78条）。

**2 ×** 条例の制定を求める請求は、一定の署名をもって長に対してなされ（地方自治法74条１項）、長は意見を付して議会に付議する（同条３項）。これを受けて議会は請求のあった条例について審議する。条例の制定について住民投票が行われるわけではない。

**3 ×** 住民監査請求および住民訴訟は、選挙権がなくとも地方公共団体の住民であれば提起することができる（地方自治法242条１項・242条の２第１項参照）。なお、事務監査請求は、日本国民たる普通地方公共団体の住民であってかつ選挙権を有する者でなければできない（同法75条１項）。

**4 ○** 監査対象に限定がない事務監査請求（地方自治法75条１項）とは異なり、住民監査請求および住民訴訟は対象が財務会計上の行為に限られる（同法242条１項・242条の２第１項）。そして、住民監査請求は違法なものに限らず、不当なものも対象となるが（同法242条１項）、住民訴訟においては違法なもののみが対象となる（同法242条の２第１項）。

**5 ×** 住民監査請求は、具体的な財務会計上違法または不当な行為についてその是正を求める制度である。判例も、住民監査請求においては、対象とする当該行為等を監査委員が行うべき監査の端緒を与える程度に特定すれば足りるというものではなく、当該行為等を他の事項から区別して特定認識できるように個別的､具体的に摘示することを要するとしている（最判平2.6.5）。

**正答 4**

**住民訴訟のポイント**
・住民監査請求を経なければならない
・対象は違法な財務会計上の行為または怠る事実のみ

# 第1章 SECTION 2 地方自治 地方公共団体の住民の権利

地方自治法は、住民自治の観点から、国政に比べ、住民がより直接的に政治に参加する制度を設けています。

※以下の条文は、特に断りのない限り、地方自治法の条文です。

## 1 直接請求

地方議会議員・長の選挙権を有する住民は、一定数以上の者の連署をもって、その代表者から、一定事項について請求する権利を有しており、これを直接請求といいます。

地方自治法上の直接請求制度には、以下のものがあります。

| 種　類 | 要　件 | 手続　効果 | 制　限 |
|---|---|---|---|
| 条例制定改廃請求（74条1項） | 有権者総数の50分の1以上の連署 | 議会が招集・提案<br>過半数の賛成 | 地方税の賦課徴収などは不可 |
| 事務監査請求（75条1項） | 有権者総数の50分の1以上の連署 | 特に他の手続はない<br>すぐに監査を実施 | 特になし |
| 議会解散請求（76条1項） | 原則として有権者総数の3分の1以上の連署（☆については所属の選挙区内で） | 有権者による投票<br>過半数の同意 | 一般選挙から1年は不可<br>解散投票から1年は不可 |
| ☆議員解職請求（80条1項） | 原則として有権者総数の3分の1以上の連署（☆については所属の選挙区内で） | 有権者による投票<br>過半数の同意 | 就職の日から1年は不可<br>解散投票から1年は不可 |
| 長の解職請求（81条1項） | 原則として有権者総数の3分の1以上の連署（☆については所属の選挙区内で） | 有権者による投票<br>過半数の同意 | 就職の日から1年は不可<br>解散投票から1年は不可 |
| 役職員解職請求（86条1項） | 原則として有権者総数の3分の1以上の連署（☆については所属の選挙区内で） | 議会に付議<br>3分の2以上の出席<br>その4分の3以上の賛成 | 就職の日から1年は不可<br>解職議決から1年は不可<br>（委員はそれぞれ6カ月） |

## 2 住民監査請求、住民訴訟

地方公共団体において違法・不当な行為がされた場合、地方自治法は、住民監査請求と住民訴訟という2つの制度で住民の手による地方公共団体の違法・不当な行為の是正を図っています。

### (1) 住民監査請求

住民が、違法・不当な財務会計上の行為や不作為の防止・是正措置などを、監査委員に対して請求する制度をいいます（242条）。

当該地方公共団体の「住民」であれば、年齢、性別、国籍などを問わず誰でも請求できます。

住民監査請求の対象は、違法・不当な「財務会計上の行為または怠る事実（不作為）」に限られます（242条1項）。

直接請求制度の１つである事務監査請求が、有権者の50分の１以上の署名が必要なこと、地方公共団体の事務一般を監査の対象とすることができる点で、住民監査請求と大きく異なるので気をつけてください。

### (2) 住民訴訟

住民が、長その他の執行機関に対して、違法な財務会計上の行為を是正するよう裁判所に請求する訴訟制度のことをいいます（242条の２）。

住民訴訟は、地方公共団体の住民が、自己の法律上の利益にかかわりなく、当該地方公共団体の財産管理の適正を求めて提起するものなので、客観訴訟に分類されます。

住民訴訟は裁判所に提起するものである以上、「違法」性について審理できるだけで、「不当」性については審理できないことに注意してください。

住民訴訟の類型には、以下の４つが挙げられます。

ア　違法な財務会計上の行為の差止請求（242条の２第１項１号）

イ　違法な行政処分の取消しまたは無効確認の請求（２号）

ウ　違法に怠る事実の違法確認請求（３号）

エ　地方公共団体の損害賠償などの請求に係る請求（４号）

住民訴訟を提起するためには、住民監査請求を経なければなりません（住民監査請求前置主義、242の２第１項柱書参照）。

## 実践 問題 198 基本レベル

| 頻出度 | 地上★★ 国家一般職★ 特別区★<br>国税·財務·労基★ 国家総合職★★ |
|---|---|

**問** **地方自治法上、住民に認められている直接請求などに関する次の記述として、妥当なのはどれか。** （国Ⅰ1989）

1：住民は、普通地方公共団体の長に対して、条例の制定または改廃を請求することができるが、請求しうる条例の内容については法律上特に制限はなく、地方税の廃止に関する条例改正を請求することも認められる。

2：住民は、普通地方公共団体の議会の議員の解職を請求することができるが、同一普通地方公共団体の議会の議員である限り、ある選挙区から選出された議員について、他の選挙区の住民が解職を請求することも認められる。

3：住民は、普通地方公共団体の長の解職を請求することができるが、この請求は当該地方公共団体の議会に対して行うのではなく、一定数の者の連署をもって、その代表者から当該普通地方公共団体の選挙管理委員会に対して行わなければならない。

4：住民は、普通地方公共団体の議会の解散を請求することができるが、この請求を行いうる時期については法律上特に制限はないから、議員の一般選挙の直後であっても、一定数の者の連署をもってすれば議会の解散を請求することが認められる。

5：住民は、普通地方公共団体の事務の監査を請求することができ、また、財務に関する違法または不当な行為にかかる監査を請求することができるが、これらはいずれも一定数の者の連署が必要であり、単独で監査請求をすることは認められない。

チェック欄

| 1回目 | 2回目 | 3回目 |
| --- | --- | --- |
| | | |

## 実践 問題 198 の解説

〈直接請求〉

**1 ×** 地方自治法12条1項は、「日本国民たる普通地方公共団体の住民は、この法律に定めるところにより、その属する普通地方公共団体の条例（地方税の賦課徴収並びに分担金、使用料及び手数料の徴収に関するものを除く）の制定又は改廃を請求する権利を有する」と規定する。したがって、地方税の廃止に関する条例改正を請求することは認められない。

**2 ×** 地方自治法80条1項は、「選挙権を有する者は、…所属の選挙区におけるその総数の3分の1…以上の者の連署をもつて、その代表者から、普通地方公共団体の選挙管理委員会に対し、当該選挙区に属する普通地方公共団体の議会の議員の解職の請求をすることができる。この場合において選挙区がないときは、選挙権を有する者の総数の3分の1…以上の者の連署をもつて、議員の解職の請求をすることができる」とする。選挙権を有するのは選挙区内の者だけである（同法18条）から、ある選挙区選出の議員につき、他の選挙区の住民が解職を請求することは認められない。

**3 ○** 地方自治法81条1項は、「選挙権を有する者は、…その総数の3分の1…以上の者の連署をもつて、その代表者から、普通地方公共団体の選挙管理委員会に対し、当該普通地方公共団体の長の解職の請求をすることができる」とする。

**4 ×** 地方自治法79条は、「第76条第1項の規定による普通地方公共団体の議会の解散の請求は、その議会の議員の一般選挙のあつた日から1年間及び同条第3項の規定による解散の投票のあつた日から1年間は、これをすることができない」として、解散請求権行使の期間を制限している。これは、選挙人の意思が表示されてからわずか1年の間に、議会が選挙人の意思に反するようなことが仮にあったとしても、それは選挙人自らの責任に帰すべき問題であって、みだりに解散請求をさせることは妥当でないとの趣旨である。

**5 ×** 地方自治法75条1項は、「選挙権を有する者…は、…その総数の50分の1以上の者の連署をもつて、その代表者から、普通地方公共団体の監査委員に対し、当該普通地方公共団体の事務の執行に関し、監査の請求をすることができる」とする。したがって、本肢のうち、地方公共団体の事務の監査請求について、一定数の者の連署が必要であるとする部分は妥当である。これに対して、財務に関する違法または不当な行為にかかる監査の請求は、住民監査請求（同法242条）のことであり、この請求は、当該地方公共団体の住民であれば、1人でも行うことができる。

**正答 3**

# 地方公共団体の住民の権利

**実践 問題 199** 基本レベル

頻出度 地上★★ 国家一般職★ 特別区★ 国税・財務・労基★ 国家総合職★★

**問** 住民の直接請求に関する次の記述のうち、正しいのはどれか。

（地上1989改題）

1：住民の直接請求の制度は、条例の制定改廃請求・事務の監査請求・解職請求・住民訴訟の４つに限られている。

2：解職請求は選挙で選ばれた公務員についてのみこれを行うことができ、副市町村長および副知事については請求できない。

3：地方税の賦課徴収や手数料の徴収に関する条例の制定改廃については、住民の直接請求は認められない。

4：長の解職請求は、就職の日もしくは解職の投票の日から１年以内であってもこれをすることができる。

5：条例の制定改廃を請求するためには、選挙権を有する者の30分の１以上の者の連署が必要である。

チェック欄

| 1回目 | 2回目 | 3回目 |
|---|---|---|
| | | |



## 実践 問題 199 の解説

〈直接請求〉

**1 ×** 地方自治においては、代表民主制を原則とするが、住民が直接に地方行政に参加できる手段を加え、住民自治の充実を図っている。この直接民主主義の方式には、直接請求、住民監査請求、住民訴訟の３種類がある。そのうち、直接請求制度には、①条例の制定・改廃請求（地方自治法12条１項）、②事務監査請求（同条２項）、③議会の解散請求（同法13条１項）、④議会議員、長、および主要役職員の解職請求（同条２項）の４種類がある。

**2 ×** 日本国民たる普通地方公共団体の住民は、その属する地方公共団体の議会の議員、長、副知事もしくは副市町村長、指定都市の総合区長、選挙管理委員もしくは監査委員または公安委員会の委員の解職を請求する権利を有する（地方自治法13条２項）。

**3 ○** 日本国民たる普通地方公共団体の住民は、その属する地方公共団体の条例の制定または改廃を請求する権利を有する（地方自治法12条１項）。ただし、選挙人が地方税の廃止軽減の請求を濫用する傾向があることから、地方税の賦課徴収ならびに分担金、使用料および手数料の徴収に関する条例は除かれている（同条項かっこ書）。

**4 ×** 住民は長の解職を請求する権利を有するが、長の解職請求は、原則としてその就職の日および解職の投票の日から１年間はすることができないとされている（地方自治法84条本文）。公選で選ばれた長をすぐに解職させるのは責任ある参政権の行使とはいえないこと、および解職請求権行使の濫用を防止することがその理由である。なお、同じ理由から、議会の議員の解職請求も、就職の日および解職の投票の日から１年間はすることができないとされており（同法84条本文）、また、主要役職員の解職請求についても、それぞれ制限期間が設けられている（同法88条）。

**5 ×** 条例の制定・改廃請求は、普通地方公共団体の議会の議員および長の選挙権を有する者の総数の50分の１以上の者の連署をもって、その代表者から、普通地方公共団体の長に対してなされる（地方自治法74条１項）。

**正答 3**

第1章 SECTION ②

## 地方自治
# 地方公共団体の住民の権利

## 実践 問題 200 基本レベル

| 頻出度 | 地上★★　国家一般職★　特別区★<br>国税·財務·労基★　国家総合職★★ |
|---|---|

**問 地方自治法の定める住民監査請求及び住民訴訟に関する次の記述のうち、妥当なのはどれか。**　**(国家総合職2019)**

1：住民監査請求は、普通地方公共団体の住民が、監査委員に対して、財務会計上の行為又は怠る事実につき監査を求めるものであるが、いずれの場合においても、住民監査請求をすることができる期間に制限はない。

2：住民監査請求においては、普通地方公共団体の長等による違法若しくは不当な行為又は違法若しくは不当な怠る事実を争うことができ、住民訴訟においても、かかる行為又は怠る事実について、その違法性のみならず不当性について争うことができる。

3：住民訴訟は、地方財務行政全般の適正な運営を確保することを目的としており、その対象とされる事項は、公金の支出、財産の取得·管理·処分、契約の締結·履行、債務その他の義務の負担、公金の賦課・徴収を怠る事実、財産の管理を怠る事実に限られないとするのが判例である。

4：住民訴訟においては、執行機関又は職員に対して、違法な行為の全部又は一部の差止めを請求することができるが、当該差止めの請求は、当該行為により普通地方公共団体に回復の困難な損害を生ずるおそれがある場合に限り認められる。

5：住民訴訟を提起することができるのは、普通地方公共団体の住民で、住民監査請求をした者であり、法人や外国人であっても当該訴訟を提起することができる。また、住民訴訟が係属している場合、当該普通地方公共団体の他の住民が別に訴えを提起して同一の請求をすることはできない。

## 実践 問題 200 の解説

チェック欄
| 1回目 | 2回目 | 3回目 |
|---|---|---|
| | | |

〈住民監査請求・住民訴訟〉

**1** × 住民監査請求（地方自治法（以下は同法の条文）242条）のうち、財務会計上の行為につき監査を求めるものは、正当な理由のない限り、当該行為のあった日または終わった日から１年経過したときは行うことができない（同条２項）。したがって、住民監査請求をすることができる期間に制限があるので、本肢は妥当でない。

**2** × 住民訴訟の対象は、「違法」な行為、または「違法」な怠る事実であり、住民監査請求と異なり、「不当」な行為を対象とすることはできない（242条の２第１項）。したがって、住民訴訟においては、不当性について争うことはできないので、これと反対の趣旨を述べる本肢は妥当でない。

**3** × 住民訴訟を提起するには、住民監査請求を経ていなければならない（242条の２第１項）。それゆえ、住民訴訟の対象は、住民監査請求の対象と一致する。この点について判例も、住民訴訟の対象とされる事項は、公金の支出、財産の取得・管理・処分、契約の締結・履行、債務その他の義務の負担、公金の賦課・徴収を怠る事実、財産の管理を怠る事実に限られるとしている（最判平2.4.12）。したがって、住民訴訟の対象とされる事項は、財務会計上の行為・怠る事実に限られないと述べる本肢は妥当でない。

**4** × 住民訴訟のうち、違法な行為の差止請求（242条の２第１項１号）は、当該行為を差し止めることによって人の生命または身体に対する重大な危害の発生の防止その他公共の福祉を著しく阻害するおそれがあるときは認められない（同条６項）。すなわち、違法な行為の差止請求を制限する規定はあるが、当該請求の認容に関する規定はない。当該請求が認容されるためには上記の制限に該当しなければよいのであり、本肢の「普通地方公共団体に回復の困難な損害を生ずるおそれがある場合」に限られないのである。

**5** ○ 住民監査請求は、当該地方公共団体の「住民」（当該地方公共団体に住所を有する者、10条１項）なら、誰でも請求することができる。それゆえ、年齢、国籍などを問わず、また、連署も要せず１人でも請求することができる。もっとも、住民訴訟の原告は住民監査請求を行った住民でなければならない。また、住民訴訟の係属中、当該地方公共団体の他の住民は、別訴をもって同一の請求をすることはできない（242条の２第４項）。

**正答 5**

第1章 SECTION ② 地方自治

# 地方公共団体の住民の権利

## 実践 問題 201 応用レベル

頻出度 地上★★ 国家一般職★ 特別区★ 国税・財務・労基★ 国家総合職★★

**問 地方自治法の定める住民監査請求及び住民訴訟に関するア～オの記述のうち、妥当なもののみを全て挙げているのはどれか。 (国家総合職2013)**

ア：住民監査請求は、普通地方公共団体に関する直接民主主義的制度の一環として位置付けられる。したがって、地方自治法の定める直接請求制度と同様、住民監査請求をすることができる住民は、当該普通地方公共団体の議会の議員及び長の選挙権を有する者に限定される。

イ：地方自治法は、住民監査請求の対象となる違法若しくは不当な行為等又は違法若しくは不当な怠る事実について列記して定めているが、住民訴訟で審理の対象となるのは、当該住民監査請求の対象には限定されず、住民訴訟の客観訴訟としての特質に照らして、広く当該普通地方公共団体に関する違法な行政運営一般に及ぶ。

ウ：地方自治法は、住民監査請求をすることができる期間について、当該行為のあった日又は終わった日から1年を経過したときはこれをすることができず、ただし正当な理由があるときはこの限りでない、と定めているが、怠る事実については、請求期間に関する制約を定めていない。

エ：住民監査請求をした普通地方公共団体の住民は、その請求に対する監査委員の監査の結果等に不服があれば、定められた要件の下に、裁判所に住民訴訟を提起することができる。住民監査請求においては、当該普通地方公共団体の長等による違法若しくは不当な行為等又は違法若しくは不当な怠る事実を争うことが可能であるため、住民訴訟においても、行為等又は怠る事実の違法にとどまらず、それらの不当性についても争うことができる。

オ：住民訴訟は、米国で判例法上発展してきた納税者訴訟をモデルとした制度である。したがって、住民訴訟を提起することができるのは、普通地方公共団体の住民で、住民監査請求をした者のうち、当該普通地方公共団体で過去5年に納税をしたことのあるものに限定される。

1：ウ
2：ア、オ
3：イ、エ
4：ア、イ、エ
5：ア、ウ、オ

チェック欄

| 1回目 | 2回目 | 3回目 |
|---|---|---|
| | | |

## 実践 問題 201 の解説

〈住民監査請求・住民訴訟〉

**ア×** 住民監査請求の請求権者については、当該地方公共団体の「住民」(地方自治法10条1項参照。当該地方公共団体に住所を有している者)であれば、誰でも請求しうる。したがって、当該普通地方公共団体の議会の議員および長の選挙権を有する者に限定されるわけではない。直接請求における事務監査請求の場合(地方自治法75条)と混同しないこと。

**イ×** 住民監査請求の対象は、違法または不当な財務会計上の行為である(地方自治法242条1項)。また、住民訴訟の対象は、違法な財務会計上の行為であり(同法242条の2第1項)、行政運営一般ではない。

**ウ○** 住民監査請求は、正当な理由がない限り、当該行為のあった日または終わった日から1年を経過したときは、これをすることができない(地方自治法242条2項)。つまり、この期間制限が適用されるのは財務会計上の作為に限られ、財務会計上の不作為(怠る事実)には適用されない。判例も、「怠る事実」にかかる監査請求については同条2項の適用はないとした(最判平14.7.18)。

**エ×** 住民訴訟については、普通地方公共団体の住民は、住民監査請求をした場合において、監査委員の監査の結果等に不服があるとき等の場合、裁判所に対し、住民監査請求にかかる「違法な」行為または怠る事実につき、提起できる(地方自治法242条の2第1項)。

**オ×** 住民訴訟は、アメリカ合衆国の納税者訴訟をモデルとした制度である。しかし、住民訴訟は、住民監査請求を行った普通地方公共団体の住民であれば、誰でも提起できるのであり(地方自治法242条の2第1項)、年齢・性別・国籍・選挙権・納税義務などは問われない。

以上より、妥当なものはウであり、肢1が正解となる。

**正答 1**

# 第1章 地方自治

章末 CHECK

? Question

**Q1** 地方自治の本旨には、国民主権と団体自治の２つの要素がある。

**Q2** 住民自治とは国から独立した機関が地方政治を自らの意思と責任のもとで行うことをいう。

**Q3** 地方自治法の普通地方公共団体とは都道府県および市町村、特別区をいう。

**Q4** 地方開発事業団や財産区も地方自治法上の特別地方公共団体に含まれる。

**Q5** 中核市制度は人口30万以上かつ面積100平方キロメートル以上という要件（ただし人口50万以上になれば、面積要件は不要）を充たす都市について政令指定都市に準ずる権限を与えるものである。

**Q6** 平成11年地方自治法改正により、機関委任事務が廃止された。

**Q7** 市町村では、条例により、議会の代わりに有権者の総会を設けることもできる。

**Q8** 第２号法定受託事務とは、国が市長村、特別区に処理を受託させる法定受託事務のことをいう。

**Q9** 地方公共団体は、立法機関と執行機関と司法機関に分けられる。

**Q10** 専決処分とは本来議会の議決を経るべき処分につき、一定の場合に長がその議決を経ずに処分を行うことをいう。

**Q11** 地方公共団体が条例により過料を科すことは認められていない。

**Q12** 条例の制定改廃請求については、地方税の賦課徴収については認められない。

**Q13** 住民監査請求の要件として、地方公共団体の住民のうち、有権者50分の１以上の署名が必要であるが、事務監査請求は１人でもできる。

**Q14** 地方自治法上認められる住民訴訟の類型としては、「違法な財務会計上の行為の差止請求」、「違法な行政処分の取消しまたは無効確認の請求」、「地方公共団体の損害賠償などの請求に係る請求」に限られる。

**Q15** 住民監査請求をしていない住民は、原告として住民訴訟を提起できない。

A1 × 地方自治の本旨には、住民自治と団体自治の２つの要素がある。

A2 × 地方政治がその地域の住民によって行われることが住民自治である。

A3 × 普通地方公共団体とは、都道府県および市町村を指す（地方自治法１条の３第２項）。

A4 × なお、特別地方公共団体とは、特別区、地方公共団体の組合、財産区である（地方自治法１条の３第３項）。

A5 × 中核市制度は政令で指定する人口20万以上の市について、政令指定都市に準ずる権限を与えるもので（地方自治法252条の22以下）、平成18年の地方自治法改正で面積要件は廃止された。

A6 ○ 平成11年地方自治法改正で、国と地方公共団体の関係を実質的上下主従関係から、対等協力関係にするため、全面的に廃止された。

A7 × 町村については、そのような総会を設けることが認められているが（地方自治法94条）、市には認められていない。

A8 × 第２号法定受託事務とは、都道府県が市町村、特別区に処理を受託させる事務のことをいう。

A9 × 地方公共団体に司法機関はない。

A10 ○ 専決処分は、法律の定める事由がある場合と議会の委任がある場合に分けられる。

A11 × 地方公共団体は、法令に特別の定めがあるものを除くほか、条例により５万円以下の過料を科すことができる（地方自治法14条３項）。

A12 ○ 12条１項かっこ書参照。住民の濫用の危険があるからである。

A13 × 住民監査請求と事務監査請求の説明が逆である。

A14 × 設問に挙げられたもののほか、「違法に怠る事実の違法確認請求」を含めて４つである（地方自治法242条の２第１項１号ないし４号）。

A15 ○ 地方自治法は、できるだけ自治体内部での解決を図り、併せて裁判所の負担の軽減にもなるよう、住民訴訟の前審手続として、住民監査請求を要求している（地方自治法242条の２第１項）。

memo

行政法

# 第6編
# その他

# 第1章

# その他

SECTION

① 公物
② 警察
③ 公務員

# 第1章 その他

## 出題傾向の分析と対策

| 試験名 | 地上 | | | 国家一般職 | | | 特別区 | | | 国税・財務・労基 | | | 国家総合職 | | |
|---|---|---|---|---|---|---|---|---|---|---|---|---|---|---|---|
| 年度 | 16-18 | 19-21 | 22-24 | 16-18 | 19-21 | 22-24 | 16-18 | 19-21 | 22-24 | 16-18 | 19-21 | 22-24 | 16-18 | 19-21 | 22-24 |
| 出題数 / セクション | | | | | | | | | | 3 | 3 | 3 | 3 | 1 | 3 |
| 公物 | | | | | | | | | | ★★★ | ★★★ | ★★★ | ★★ | ★ | ★ |
| 警察 | | | | | | | | | | | | | | | |
| 公務員 | | | | | | | | | | | | | ★ | | ★★ |

（注）１つの問題において複数の分野が出題されることがあるため、星の数の合計と出題数とが一致しないことがあります。

この分野は一部の試験種を除きほとんど出題されません。国税・財務・労基では公物について、国家総合職では公物と公務員について出題されています。

### 地方上級

ほとんど出題されていません。たまに、地方公務員法について問われています。万全を期したい人は、公務員についての過去問を解いて基本的な知識を身につけておいてください。

### 国家一般職

ほとんど出題されていません。万全を期したい人は、過去問を解いて基本的な知識を身につけておいてください。

### 特別区

ほとんど出題されていません。万全を期したい人は、過去問を解いて基本的な知識を身につけておいてください。

### 国税専門官・財務専門官・労働基準監督官

公物では国有財産法から毎年出題されています。万全を期したい人は、過去問を解いて基本的な知識を身につけておいてください。特に、財務専門官志望の人は、公物についてしっかり勉強するようにしてください。

### 国家総合職

公物については、3年に1度くらいの頻度で出題されていましたが、近年、連続して出題されています。また、最近では、公務員についても連続して出題されました。かなり細かい知識まで問われていますので、過去問を解いて公物に関する知識を身につけるようにしてください。

## Advice アドバイス 学習と対策

国家総合職・財務専門官受験者以外は、あまり気にしなくてよい分野です。

他の試験種では基本的なことしか問われていませんので、過去問を解いて基本的な知識を身につけておけば十分です。

# 1 その他
# 公物

必修問題 セクションテーマを代表する問題に挑戦！

**あまり聞き慣れない公物というものについて学習します。**

問 公物に関する次の記述のうち、妥当なのはどれか。

（国家総合職2021）

1：公物とは、国又は公共団体等により、直接公の目的のために供用される個々の有体物をいう。したがって、私人が自己の所有する空き地を一般に開放して不特定多数の者に自由に使用させたとしても、当該空き地は公物とはいえない。また、国又は公共団体等が所有している有体物であっても、直接に公の目的に供用されていないものは公物とはいえない。

2：公物は、その成立過程の違いにより、道路等の人工的に設けられる人工公物と、河川等の自然に形成された自然公物に分類される。公共用物は、それが人工公物であるか自然公物であるかを問わず、公衆の利用が可能となる時点を明確にする必要があるので、供用する行政主体による公用開始行為があって初めて公物となる。

3：公物については、通則を定める統一的な法典はなく、道路法、河川法等の公物管理法と呼ばれる個別法により管理が行われる。例えば、河川に関しては、国内に存在する全ての河川について、一級河川、二級河川及び準用河川のいずれかの指定を受けて河川法の規定が適用又は準用され、その管理が行われている。

4：まだ公物ではないが、将来公物とすることが決定されたものを予定公物という。予定公物は、供用が開始されて初めて公物となるので、法律上、公用又は公共用に供される行政財産ではなく、普通財産とされている。

5：公共用財産が長年の間事実上公の目的に供用されることなく放置され、公共用財産としての形態、機能を全く喪失し、もはやその物を公共用財産として維持すべき理由がなくなった場合であっても、当該公共用財産について、黙示的に公用が廃止されたものとすることはできず、行政主体による明示的な公用廃止行為がなければ、これを時効取得することはできないとするのが判例である。

直前復習

Guidance ガイダンス

**公物のポイント**

・公物……行政主体により直接公の目的に供されている有体物

# 必修問題の解説

| チェック欄 | | |
|---|---|---|
| 1回目 | 2回目 | 3回目 |
| | | |



〈公物〉

**1 ○** 公物の最たる特徴は、有体物が行政主体により、直接に公の目的に供用されていることである。それゆえ、私人が自己の所有する空き地を一般に開放して不特定多数の者に使用させたとしても、直接に公の目的に供用されていないので当該空き地は公物ではない。また、行政主体が所有する有体物でも、それが直接に公の目的に供用されていなければ公物ではない。

**2 ×** 公共用物のうち、道路のような人工公物が公物として成立するためには、行政主体が一般公衆の用に供する旨の意思表示（公用開始行為）をすることが必要とされる。これに対して、河川のような自然公物は、本来自然のままで公共の用に供されていることから、「成立」の観念がなく、「成立」の起点となる公用開始行為にあたるものは存在しない。したがって、自然公物は公用開始行為がなくとも公物になるので、本肢は妥当でない。

**3 ×** 河川の場合、河川法上、国土交通大臣が指定した一級河川、知事が指定した二級河川、市町村長が指定した準用河川のほか、指定のない河川（普通河川）も存在する（同法100条の２第１項）。したがって、国内に存在するすべての河川について、一級河川、二級河川、準用河川のいずれかの指定を受けて河川法上の管理が行われていると述べる本肢は妥当でない。

**4 ×** 予定公物は、国有財産法でも地方自治法でも行政財産とされているので、本肢は妥当でない。国有財産法３条２項は行政財産の類型を定め、その１つとして公用財産と公共用財産を定めている（同項１号・２号）。これらによると、公用財産、公共用財産のいずれも「供するものと決定したもの」が予定公物である。よって、国有財産法上、予定公物は行政財産である。また、地方自治法238条４項は行政財産の内容を定めるが、同項によると、行政財産のうち、公用または公共用に「供することと決定した財産」が予定公物である。よって、地方自治法上も予定公物は行政財産である。

**5 ×** 判例は、「公共用財産が、長年の間事実上公の目的に供用されることなく放置され、公共用財産としての形態、機能を全く喪失し、この物のうえに他人の平穏かつ公然の占有が継続したが、そのため実際上公の目的が害されるようなこともなく、もはやその物を公共用財産として維持すべき理由がなくなった場合には、右公共用財産については、黙示的に公用が廃止されたものとして、これについて取得時効の成立を妨げない」とし、黙示的な公用廃止がありうることを明らかにしている（最判昭51.12.24）。

**正答 1**

# 第1章 SECTION 1 その他 公物

## 1 公物

### (1) 公物の意味

公物とは、国・地方公共団体などの行政主体により、直接に公の用（行政目的）に供される、個々の有体物をいいます。公物は、**供用目的**により**公用物**と**公共用物**に、また成立過程により**人工公物**と**自然公物**にそれぞれ分けられます。

| | |
|---|---|
| **公用物** | 官公庁の建物などのように、国または地方公共団体の使用に供される公物 |
| **公共用物** | 道路、河川などのように、直接一般公衆の共同使用に供される公物 |
| **人工公物** | 道路、河川など行政主体が加工することで、初めて公の用に供することができる公物のように、直接一般公衆の共同使用に供される公物 |
| **自然公物** | 河川、砂浜などのように、自然の状態のままで公の用に供することができる公物 |

### (2) 公物の成立と消滅

#### ① 成立

公用物の場合、国・公共団体が自分で使用するものなので、使用開始を表示することなく、行政主体が事実上その使用を開始すれば成立します。

公共用物の場合、**人工公物**は、行政主体が一般公衆の用に供する旨の意思表示（**公用開始行為**）をすることが必要です。

#### ② 消滅

公用物の場合は、単にその使用を廃止することで消滅します。

公共用物の場合は、物が一般公衆の用に供しえない状態になること、または行政主体の意思表示（**公用廃止行為**）によって消滅します。判例は、長年放置されて公共用財産としての形態・機能をまったく喪失し、その物の上に他人の占有が継続した場合について、**黙示的公用廃止**を認めています（最判昭51.12.24）。

memo

その他
# 公物

## 実践 問題 202 基本レベル

頻出度 地上★ 国家一般職★ 特別区★ 国税·財務·労基★★ 国家総合職★★

**問 国有財産法に関する次の記述のうち、妥当なのはどれか。** (財務2015)

1：国有財産法にいう国有財産には、特許権や商標権などの知的財産権は含まれない。

2：国有財産法上の行政財産について、その用途又は目的を妨げない限度において使用又は収益を許可する場合、借地借家法の規定が適用される。

3：国有財産法上の行政財産については売払いが可能であるが、普通財産については売払いが禁止されている。

4：国有財産法上の普通財産は、原則として財務大臣が管理し、又は処分しなければならない。

5：国有財産法上の普通財産は貸付けを行うことができるが、これを無償で貸し付けることは認められていない。

チェック欄

| 1回目 | 2回目 | 3回目 |
| --- | --- | --- |
| | | |

## 実践 問題 202 の解説

〈国有財産法〉

**1 ×** 国有財産法上、国有財産には知的財産権が含まれる。国有財産の範囲につき、同法2条1項5号は、「特許権、著作権、商標権、実用新案権その他これらに準ずる権利」と規定し、知的財産権が含まれることを明らかにしている。

**2 ×** 国有財産法上、行政財産の使用・収益については、借地借家法の規定は適用されない。同法18条6項は、「行政財産は、その用途又は目的を妨げない限度において、その使用又は収益を許可することができる」と規定している。そして、同項の「許可を受けてする行政財産の使用又は収益については、借地借家法…の規定は、適用しない」と規定している（同条8項）。

**3 ×** 国有財産法上の行政財産は売払いが禁止されているが、普通財産については売払いが可能である。同法18条1項は、「行政財産は…売り払」うことができないと規定するが、他方、同法20条1項は、「普通財産は…売り払」うことができると規定している。普通財産は、公共の用に供されておらず、処分の自由度が高まるのである。

**4 ○** 国有財産法6条は、「普通財産は、財務大臣が管理し、又は処分しなければならない」と規定しているので、本肢は妥当である。ちなみに、行政財産を管理するのは、各省庁の長である（同法5条）。

**5 ×** 国有財産法20条1項は、普通財産の貸付けを認めており、同法22条1項は、同項各号所定の場合に、地方公共団体・水害予防組合・土地改良区への無償での貸付けを認めている。すなわち、普通財産は無償で貸し付けることが認められているのである。

**正答 4**

その他
# 公物

## 実践 問題 203 基本レベル

| 頻出度 | 地上★ | 国家一般職★ | 特別区★ |
|---|---|---|---|
| | 国税·財務·労基★★ | 国家総合職★★ | |

**問 国有財産法に関する次の記述のうち、最も妥当なのはどれか。** (財務2024)

1：普通財産とは、行政財産以外の一切の国有財産をいい、国において森林経営の用に供するものは普通財産に含まれる。

2：公用財産とは、国において直接公共の用に供し、又は供するものと決定した国有財産をいい、庁舎やその敷地は公用財産に含まれる。

3：国有財産の管理は、各省各庁の長又は財務大臣が行わなければならず、国有財産に関する事務の一部を都道府県又は市町村に行わせることはできない。

4：各省各庁の長は、行政財産とする目的で土地又は建物を取得しようとするときは、原則として財務大臣に協議しなければならない。

5：国有財産に関する事務に従事する職員は、相当と認められる対価を支払えば、その取扱いに係る国有財産を譲り受けることができる。

チェック欄

| 1回目 | 2回目 | 3回目 |
| --- | --- | --- |
| | | |



## 実践 問題 203 の解説

〈国有財産法〉

**1 ×** まず、国有財産は、行政財産と普通財産に分類される（国有財産法３条１項。以下は同法の条文）。次に、普通財産とは、行政財産以外の一切の国有財産をいう（同条３項）。国において森林経営の用に供し、または供するものと決定したものは森林経営用財産とされ、行政財産に含まれる（同条２項４号）。

**2 ×** 公用財産の定義が国有財産法の規定と異なるので、本肢は妥当でない。国有財産法にいう公用財産とは、国において国の事務、事業またはその職員の住居の用に供し、または供するものと決定したもののことである（３条２項１号）。したがって、国の事務に供される庁舎やその敷地は公用財産に含まれる。なお、本肢のいう国において直接公共の用に供し、または供するものと決定したものは、公共用財産である（同項２号）。これは、公物法における公用物と公共用物の区別に対応した区分である。

**3 ×** 各省各庁の長は、その所管に属する行政財産を管理し、財務大臣は普通財産を管理しなければならない（５条・６条）。しかし、国有財産に関する事務の一部は、政令で定めるところにより、都道府県または市町村が行うこととすることができる（９条３項）。

**4 ○** 行政財産とする目的で土地または建物を取得しようとするときは、当該国有財産を所管する各省各庁の長は、原則として財務大臣に協議しなければならない。（14条１号）。したがって、本肢は妥当である。

**5 ×** 国有財産に関する事務に従事する職員は、その取扱いに係る国有財産を譲り受け、または自己の所有物と交換することができない（16条１項）。この規定に違反する行為は、無効となる（同条２項）。したがって、職員が国有財産を譲り受けることができると述べる本肢は、国有財産法の規定と異なるので妥当でない。

**正答 4**

# その他 公物

**実践 問題 204** 応用レベル

| 頻出度 | 地上★　国家一般職★　特別区★　国税·財務·労基★★　国家総合職★★ |
|---|---|

**問** 国有財産法に関するア～オの記述のうち、妥当なもののみを全て挙げているのはどれか。（財務2020）

ア：国有財産法は、国が保有する財産のうち、不動産や自動車といった有体物を対象としており、株式や商標権といった無体物については、その対象としていない。

イ：国有財産は行政財産と普通財産とに分類される。また、公用財産と公共用財産は行政財産に、皇室用財産と森林経営用財産は普通財産にそれぞれ区分される。

ウ：行政財産は、国の行政目的に直接供される財産であるため、各省各庁の長において個別に管理・処分するのではなく、全て財務大臣が一元的に管理・処分することとされている。

エ：普通財産は、国又は公共団体において公共用、公用又は公益事業の用に供する必要があるときは、土地に限り交換することができる。また、交換する財産の価額が等しくないときであっても、交換前に会計検査院にその旨を通知すれば、その差額を金銭で補足する必要はない。

オ：内閣は、会計検査院の検査を経た国有財産増減及び現在額総計算書を、翌年度開会の国会の常会に報告することが常例とされている。

1：イ
2：エ
3：オ
4：ア、エ
5：ウ、オ

| チェック欄 | | |
|---|---|---|
| 1回目 | 2回目 | 3回目 |
| | | |

## 実践 問題 204 の解説



〈国有財産法〉

**ア×** 国有財産には株式や商標権も含まれているので、本記述は妥当でない。国有財産には、不動産（国有財産法２条１項１号。以下は同法の条文）のような有体物のほか、株式（同項６号）や商標権（同項５号）等の無体物も含まれている。

**イ×** 皇室用財産と森林経営用財産は普通財産に区分されないので、本記述は妥当でない。国有財産は、行政財産と普通財産とに分類される（３条１項）。よって、本記述前段は正しい。しかし、行政財産は、公用財産、公共用財産、皇室用財産、森林経営用財産の４つである（同条２項各号）。よって、皇室用財産と森林経営用財産は普通財産ではない。

**ウ×** 行政財産は、財務大臣が一元的に管理・処分するのではないので、本記述は妥当でない。各省各庁の長は、その所管に属する行政財産を管理しなければならない（５条）。すなわち、行政財産は、各省各庁の長が管理する。これに対し、普通財産は財務大臣が管理し、または処分する（６条）。

**エ×** 普通財産は、土地以外にも交換することができ、また、会計検査院に報告しても差額を補足する必要はなくならないので、本記述は妥当でない。普通財産は、土地または土地の定着物もしくは堅固な建物に限り、国または公共団体において公共用、公用または公益事業の用に供するため必要があるときは、それぞれ土地または土地の定着物もしくは堅固な建物と交換しうる（27条１項本文）。よって、交換を土地に限定している本記述前段は妥当でない。また、交換する財産の価額が等しくないときは、その差額を金銭で補足する必要がある（同条２項）。同項に例外規定はないので、本記述後段も妥当でない。なお、堅固な建物を交換しようとするときは、各省各庁の長は、事前に、会計検査院に通知しなければならない（同条３項）。

**オ○** 本記述は国有財産法の規定のとおりであるので、妥当である。内閣は、会計検査院の検査を経た国有財産増減および現在額総計算書を、翌年度開会の国会の常会に報告することを常例とする（34条１項）。

以上より、妥当なものはオであり、肢３が正解となる。

**正答 3**

# 第1章 2 SECTION その他 警察

## 必修問題 セクションテーマを代表する問題に挑戦！

**ここでいう警察の意味は、一般的に用いられている警察とは違うことに注意しましょう。**

**問** 警察権行使の原則に関する記述として妥当なのは、次のどれか。

（東京都1995改題）

1：警察消極目的の原則は、警察権は、公共の安全と秩序を維持し、これに対する障害を除去する目的のためにのみ発動できるとするものである。
2：警察消極目的の原則は、警察権は、公共の安全と秩序の維持に直接関係のない私生活や私住所を侵してはならないとするものである。
3：警察責任の原則は、警察権は、公共の安全と秩序を維持するうえでの障害を除去するために必要な最小限度において発動できるとするものである。
4：警察責任の原則は、公共の安全と秩序を維持するために警察権を発動させるにあたり、法律または条例上の具体的根拠を必要とするものである。
5：警察公共の原則は、公共の安全と秩序に対する障害が生じた場合、この状態の発生に責任を有する者に対してのみ警察権を発動できるとするものである。

直前復習

### Guidance ガイダンス　警察裁量

・警察消極目的の原則……警察権の発動は公共の安全・秩序という消極目的のみ
・警察公共の原則……警察権の発動は公共の安全・維持に無関係な私生活を害してはならない
・警察責任の原則……警察権の行使対象者は、公共の安全・秩序の障害発生に責任を負う者のみ
・警察比例の原則……警察権の発動による自由の制限は、必要最小限度でなければならない

| 頻出度 | 地上★ 国家一般職★ 特別区★<br>国税·財務·労基★ 国家総合職★★ |
|---|---|

## 必修問題の解説



〈講学上の警察〉

**1 ○** 行政法学で「警察」という場合、公共の安全と秩序を維持するために、一般統治権に基づき、国民に命令し強制し、その国民の自由を制限する作用をいう。よって、警察組織のみが「警察」作用を行っているわけではなく、保健所なども「警察」作用を行っているのである。警察の目的は、その定義からもわかるように、公共の安全と秩序の維持である。警察権はこのような消極目的のためにのみ発動することができるのであって、公共の安全と秩序維持と関係のない積極目的（たとえば経済政策の実現）のために警察権を発動することは、その限界を超えた違法な作用である。このような警察権の限界は警察消極目的の原則とよばれる。

**2 ×** 警察は、公共の安全と秩序の維持に直接関係のない私生活や私住所を侵してはならないが、これは警察公共の原則とよばれる。定義からも明らかなように、警察はあくまで公共の安全と秩序維持のためだけに発動しうるものだからである。たとえば、借金の取立てに警察権が関与することは許されないという民事上の法律関係不干渉の原則はここから導かれるものである。

**3 ×** 警察権は、公共の安全と秩序を維持するうえで障害を除去するために必要な最小限度において発動することができるというのは、警察比例の原則とよばれるものである。

**4 ×** 警察責任の原則とは肢５の解説で述べられているものである。警察権の行使について法律や条例の根拠が必要か否かは、法律の留保の問題である。警察は一方的に命令、強制したり、自由を制限するものであるから、侵害留保説、権力留保説いずれによったとしても、法律の根拠が必要である。

**5 ×** 公共の安全と秩序に対する障害が生じた場合、この状態の発生に責任を有する者に対してのみ警察権を発動できるというのは、警察責任の原則とよばれるものである。ただし、緊急の必要があるとして法律が特に認めた場合は例外的に責任を有しないものに警察権を発動できる。たとえば、消防法29条２項は、延焼防止のために、延焼のおそれがある建物などを処分することを認めている（即時強制の例として挙げられるものである）。

**正答 1**

# 第1章 SECTION 2 その他 警察

## 1 警察とは

行政法学における警察（行政警察）とは、公共の安全と秩序を維持するために、一般統治権に基づいて、権力的に人の自由を制限する作用をいいます。警察は、保安警察と狭義の行政警察に分けられます。

| | |
|---|---|
| 保安警察 | 他の行政領域と関係なくそれ自身独立して行われる警察（たとえば、集会・集団行動の抑制） |
| 狭義の行政警察 | 他の行政領域と関連して行われる警察（たとえば、金融業の取締り） |

## 2 警察裁量

警察作用は侵害行政に分類されるので、法律の留保に関するどの見解に立っても法律の根拠が必要です。しかし、法律で警察権の行使をすべて規定することは困難ですので、現実には、警察権の行使に裁量が認められることになります。

警察裁量の限界として、警察消極目的の原則、警察公共の原則、警察責任の原則、警察比例の原則が挙げられます。

| | |
|---|---|
| 警察消極目的の原則 | 警察権は、安全・秩序を維持するという消極目的にのみ発動されるべきとする建前 |
| 警察公共の原則 | 警察権は、公共の安全・秩序維持の目的で発動されるべきとする建前 |
| 警察責任の原則 | 警察権の対象となる者は、公共の安全・秩序に対する障害またはその危険を生じさせたことに対して責任を負う者に限られるとする建前 |
| 警察比例の原則 | 警察権の発動およびそれによる人の自由の規制は、目的達成のため必要最小限度でなければならないとする建前 |

memo

その他
# 警察

実践 問題 205 応用レベル

頻出度 地上★ 国家一般職★ 特別区★ 国税・財務・労基★ 国家総合職★

問 警察作用に関する次の記述のうち、妥当なのはどれか。 (国Ⅰ1994)

1：警察下命とは、警察目的のために人に一定の義務を課する行為をいい、特定または不特定の受命者に下命の内容に応じた行為の履行義務を生じさせ、これに違反する法律行為は、民事法上もその効力が否定される。

2：警察許可とは、警察法規による一般的禁止を特定の場合に特定人に対して解除するものをいい、警察比例の原則および公共の安全と秩序という警察上の目的に照らしてなされる行政庁の自由裁量行為である。

3：警察許可を必要とする行為を許可なく行った者に対して科せられる警察罰は、行政上の義務違反に対する制裁として科される行政刑罰と、行政上の義務の履行を確保する手段として科される執行罰に大別される。

4：警察強制には、警察上の強制執行と警察上の即時強制とがあるが、前者が警察上の義務の履行を確保するために行われるものであるのに対し、後者は直接国民の身体または財産に物理的強制力を加えて警察上必要な状態を実現するものである。

5：警察作用には、命令・強制による権力的作用と相手方の同意・協力を得て行う非権力的作用とがあるが、警察官職務執行法に列挙された「質問」「保護」「避難等の措置」「立入」などは、いずれも同法の授権に基づく権力的警察作用である。

| チェック欄 | | |
|---|---|---|
| 1回目 | 2回目 | 3回目 |
| | | |



## 実践 問題 205 の解説

〈講学上の警察〉

**1 ×** 一般統治権に基づき、警察上の目的のために、国民に対して義務を命ずる行為を、警察下命というが、これは、国または公共団体に対する関係において、特定または不特定の受命者にその下命の内容を履行すべき義務（警察義務）を生じさせるものである。ところで、警察作用は、公共の安全や秩序を維持し、それに対する障害を予防・排除することを目的とするものであり、法律行為の効力を制限・消滅させることを目的とするものではなく、両者は次元を異にする。したがって、警察下命に反する法律行為も、当然に無効となるものではなく、その法律行為が有効か無効かは、私法上の見地から判断される。また、警察下命による義務は、国または公共団体に対して負うのであって、それ以外の第三者に対して負うものではないから、下命違反が第三者に対して違法なものになるともいえない。

**2 ×** 警察許可の定義は、妥当である。しかし、警察許可は、法文上は自由裁量行為であるように規定されていても、これに行政庁の自由裁量は認められず、羈束裁量行為となると解されている。

**3 ×** 警察罰とは、警察法上の義務違反に対し、一般統治権に基づき制裁として科される罰の総称であり、刑法に刑名のある刑罰、秩序罰としての過料およびいわゆる反則金の別があるとされる。執行罰は、行政上の強制執行の一手段であり、警察罰ではない。

**4 ○** 頭に「警察」や「警察上の」がついていても、言葉の定義は、警察目的であるほか、行政法総論における強制執行、即時強制と変わらない。行政強制が行政上の強制執行と行政上の即時強制とからなるのと同様、本肢のようにいえる。

**5 ×** 警察作用は、命令・強制による権力作用とされており、一般に非権力作用は警察作用に含まれないと解されている。警察官職務執行法に規定される「保護」「避難等の措置」「立入」は、権力作用である。「質問」については、警察官職務執行法２条３項で答弁の強要が禁止されるなど、権力作用か否かが争いがあるも、一般的には、警察作用の１つと考えられている。

**正答 4**

その他
# 警察

## 実践 問題 206 応用レベル

頻出度 地上★ 国家一般職★ 特別区★ 国税･財務･労基★ 国家総合職★

問 警察に関する次の記述のうち、妥当なのはどれか。 (国Ⅰ1990)

1：交通、産業、衛生などを含む、あらゆる観点から秩序維持のために一般統治権に基づき国民に命令し、強制し、その自由を制限する作用を講学上「警察」とよび、現在この意味での警察は警察法の定める警察組織に集中している。

2：警察権は、一般統治権に基づき公共の安全と秩序の維持を目的として行使されるものであるから、警察権の発動に関しては、法律の規定にかかわりなく、広く自由な裁量が認められている。

3：警察官による自動車の一斉交通検問は、警察法が警察の責務として交通の取締りを定めていることを根拠に行われているものであるから、それが交通安全、交通秩序の維持という目的から行われている限りは、任意手段によると否とにかかわらず適法なものと解するのが判例である。

4：警察権は国家の統治権に基礎を持つものであるから、都道府県の公務員である警察官が、いわゆる交通犯罪捜査を行うにつき違法に他人に損害を与えた場合、その損害の賠償の責に任ずるのは国で、都道府県ではないとするのが判例である。

5：警察の目的のために行われる命令は、受命者に、国または地方公共団体に対しての命令の内容を履行する義務を負わせる効果を持つにとどまり、当該命令に違反する法律行為の効力を直ちに無効とするものでなく、また当該命令に対する違反が第三者に対しても違法なものになるとはいえない。

| チェック欄 | | |
|---|---|---|
| 1回目 | 2回目 | 3回目 |
| | | |



## 実践 問題206 の解説

〈講学上の警察〉

**1 ×** 講学上の「警察」とは、公共の安寧秩序を維持するため、一般統治権に基づき私人に命令強制し、その自由を制限する作用をいう。これに対し、警察法上の「警察」とは、警察法2条1項所定のとおり、個人の生命、身体および財産の保護のため、犯罪の予防、鎮圧および捜査、被疑者の逮捕、交通の取締りその他公共の安全と秩序の維持にあたることをいう。警察組織に集中しているのは警察法上の警察であり、講学上の警察ではない。

**2 ×** 警察権の発動は、人権にかかわる場合があるので、法規の文言上、警察権の自由裁量を許容するようにみえる場合でも、警察権の発動には一定の限界があるとされる。すなわち、警察消極目的の原則、警察責任の原則、警察公共の原則、警察比例の原則という制約を受ける。

**3 ×** 判例は、自動車検問の根拠を、組織法たる警察法2条1項が警察の責務の1つとして「交通の取締」を挙げている点に求めている。そして、自動車検問は、相手方の任意の協力を求める形で行われ、自動車利用者の自由を不当に制約することにならない方法・態様で行われる限り、適法であるとしている（最決昭55.9.22）。任意手段によると否とにかかわらず適法とされるわけではない。

**4 ×** 都道府県警察は、自治体警察の性質を持つものといえる（警察法36条1項など参照）。したがって、警察の事務は、司法警察の面においても、国の事務ではなく、都道府県の事務であり、国家賠償の責任主体は都道府県であると解されている（最判昭54.7.10）。

**5 ○** 警察下命に反する法律行為も、当然に無効となるものではなく、その法律行為が有効か無効かは、私法上の見地から判断される。また、警察下命による義務は、国または公共団体に対して負うのであって、それ以外の第三者に対して負うものではないから、下命違反が第三者に対して違法なものになるともいえない。

**正答 5**

第1章 SECTION 3

# その他
# 公務員

必修問題 セクションテーマを代表する問題に挑戦！

**公務員の任用の仕方や身分保障について学習しましょう。**

問 公務員の地位に関する次の記述のうち、正しいのはどれか。

（地上1987）

1：公務員が辞表を提出した場合でも、それが受理されるまでは、いかなる場合でも自由に辞職の意思を撤回できる。

2：地方公務員に採用する旨の内定通知が取り消された場合でも、その取消しを求めて抗告訴訟を提起することはできない。

3：地方公務員に任用されるためには、能力要件と資格要件とを具えていなければならず、いずれか一方の要件を欠く場合でも、その任命行為は無効となる。

4：一般職の職員任用は無期限を建前としているから、特に法律にこれを認める旨の明文がない限り、期限付任用は許されない。

5：地方公務員はその身分を保障され、各地方公共団体の制定する条例に定める事由によるのでなければ、その意に反して降任・免職されることはない。

直前復習

Guidance ガイダンス

**公務員の任用要件**

資格要件（欠格条項）

懲戒免職処分から2年以内、暴力破壊主義団体加入者など……公務員になれない

能力要件……受験成績による

※採用内定取消しに処分性なし

※免職辞令交付前であれば、退職願は原則撤回可

**公務員の身分保障**

・降任・免職は法律で定める事由のみ

・期限付任用も可

チェック欄
| 1回目 | 2回目 | 3回目 |
|---|---|---|
| | | |



〈公務員〉

**1 ×** 退職願の撤回については、判例において以下のような判断がなされている。すなわち、退職願の提出者に対して、免職辞令の交付があり、免職処分が提出者に対する関係で有効に成立したあとにおいては、撤回の余地がない。その前においては、退職願は法的意義を有せず、撤回は原則として自由である。しかし、免職辞令の交付前においても、退職願の撤回が信義に反すると認められる特段の事情がある場合には、撤回は許されない（最判昭34.6.26）。

**2 ○** 公務員の勤務関係の成立の時期に関しては、辞令書の交付またはこれに準ずる行為と解するのが判例・通説である。採用内定について、判例は、地方公務員への採用内定は、採用発令の手続を行うための準備手続としてなされる事実上の行為であり、採用内定の取消しは処分性を有せず、抗告訴訟の対象とはならないとしている（最判昭57.5.27）。

**3 ×** 公務員となる資格のうち、資格要件（消極要件）は、公務員法制上は欠格条項として整理されている（国家公務員法38条、地方公務員法16条参照）。この要件を欠く場合、すなわち何らかの欠格条項に該当する場合は、任命は無効になると解されている。能力要件（積極要件）としては、能力主義（成績主義）の原則があり、その者の受験成績による。能力を欠く場合、すなわち試験の成績が足りない場合は、任命は取り消しうるにすぎないと解されている。したがって、能力要件を欠く場合であっても、その任命行為は無効となるわけではない。

**4 ×** 職員の任用は、その身分保障からしても、無期限とするのが原則である。しかし、その実施を必要とする特段の事由があり、かつそれが職員の身分保障を求める法の趣旨に反しない場合であれば、期限付任用も許される（最判昭38.4.2）。したがって、特に法律にこれを認める旨の明文がなくても、期限付任用は許される。

**5 ×** 降任・免職は地方公務員法で定める事由があることが必要である（地方公務員法27条２項・28条１項）。

**正答 2**

第1章 SECTION 3 その他

# 公務員

## 1 定義

公務員とは、国・地方公共団体の公務担当職員をいいます。

## 2 任用

任命権者が特定の人を特定の職につけることを任用といい、採用、昇任、降任、転任の４つの種類があります。なお、内定の法的性質につき、判例は、単に採用発令の手続を支障なく行うための準備手続としてなされる事実上の行為にすぎず、取消訴訟の対象となる「処分」にあたらないとしています（最判昭57.5.27）。

## 3 公務員の義務

① **職務専念義務**（国家公務員法101条、地方公務員法35条）
② **法令および職務命令に従う義務**（国家公務員法98条１項、地方公務員法32条）
③ **守秘義務**（国家公務員法100条１項、地方公務員法34条１項）

職務命令が違法なものであっても従わなければなりませんが、重大明白な瑕疵があれば、従う義務はありません。

## 4 公務員に対する処分

公務員に対する処分には、公務員個人の責任追及のためになされる**懲戒処分**と、責任追及が目的ではない身分上の不利益な変動・喪失を伴う**分限処分**に分けられます。

守秘義務は、その職を退いた後も課されます。

memo

# 第1章 SECTION 3 その他 公務員

## 実践 問題 207 応用レベル

| 頻出度 | 地上★★ | 国家一般職★ | 特別区★ |
|---|---|---|---|
| | 国税·財務·労基★ | 国家総合職★ | |

**問** **国家公務員に関する次の記述のうち、妥当なのはどれか。（国家総合職2022）**

1：国家公務員に対してその職務又は身分に関してされる不利益処分については、行政手続法の不利益処分に係る規定が適用されるため、国家公務員の懲戒処分に際しては同法による聴聞又は弁明の機会の付与が義務付けられる。

2：国家公務員法上、国家公務員が職務上の義務に違反し、又は職務を怠った場合、当該国家公務員には懲戒処分として、免職、停職、降任、減給又は戒告の処分がなされ得る。懲戒免職処分は特に重大な非行に対してなされるものであるため、当該処分を受けた国家公務員は、その後は再び国家公務員になることができなくなる。

3：国家公務員には、公務の民主的かつ能率的な運営を保障する観点から、秘密保持義務（守秘義務）や職務専念義務等の義務が課されている。秘密保持義務（守秘義務）は、在職中のみならず、退職後5年間は在職中と同様に課され、同義務違反に対しては刑罰が科される。

4：国家公務員法上、国家公務員は、その意に反する不利益な処分について、内閣人事局に対し審査請求をすることができるが、同法は審査請求前置主義を採っておらず、当該審査請求に対する内閣人事局の裁決を経なくても、当該国家公務員は、当該処分の取消しの訴えを裁判所に提起することができる。

5：国家公務員法は、国家公務員の職を一般職と特別職に分類し、例えば、内閣総理大臣、裁判官、国会職員は特別職として規定されている。また、同法の規定は、一般職に属する全ての職に適用されるが、特別職に属する職には原則として適用されない。

## 実践 問題 207 の解説

| チェック欄 | | |
|---|---|---|
| 1回目 | 2回目 | 3回目 |
| | | |

〈国家公務員〉

**1 ×** 国家公務員に対する懲戒処分については、行政手続法の適用が除外されている（同法3条1項9号）。したがって、行政手続法の不利益処分にかかる規定が適用され、同法による聴聞または弁明の機会の付与が義務付けられると述べる本肢は妥当でない。

**2 ×** 国家公務員法は、懲戒処分として、免職、停職、減給、戒告の4つの処分を定めているが（同法82条1項）、「降任」の定めはない。また、懲戒免職処分を受け、当該処分の日から2年を経過すると欠格事由が消滅するため（同法38条2号）、再び国家公務員になることができる。したがって、本肢は前半・後半いずれも妥当でない。

**3 ×** 国家公務員法上、国家公務員は、職務上知ることのできた秘密を漏らしてはならず（同法100条1項前段）、かつ職務専念義務を負う（同法101条1項）ため、本肢前半は妥当である。しかし、国家公務員は、退職後においても期間の制限なく秘密保持義務を負うため（同法100条1項後段）、本肢後半が妥当でない。

**4 ×** 国家公務員法上、国家公務員に対する免職などの意に反する不利益処分（同法89条1項）については、人事院に対してのみ審査請求をすることができる（同法90条1項）。そして、その意に反する不利益な処分の取消しの訴えは、審査請求に対する人事院の裁決を経た後でなければ、提起することができない（同法92条の2）。すなわち、国家公務員法では、審査請求と処分取消しの訴えとの関係につき、審査請求前置主義が採られている（行政事件訴訟法8条1項但書）。したがって、本肢は前半・後半いずれも妥当でない。

**5 ○** 国家公務員法上、国家公務員の職は、一般職と特別職に分類される（同法2条1項）。特別職には、内閣総理大臣、国務大臣、裁判官およびその他の裁判所職員、国会職員、国会議員の秘書などがある（同条3項各号）。また、国家公務員法の規定は、一般職に属するすべての職に適用されるが、特別職に属する職には適用されないのを原則とする（同条4項・5項）。

**正答 5**

第1章 SECTION 3 その他

# 公務員

## 実践 問題208 応用レベル

| 頻出度 | 地上★★ | 国家一般職★ | 特別区★ |
|---|---|---|---|
| | 国税·財務·労基★ | 国家総合職★ | |

**問** **公務員に関する次の記述のうち、妥当なのはどれか。** (国Ｉ2003)

1：独立行政法人通則法が定める独立行政法人は、国の行政事務を担当する行政主体であると解されており、これに従事する役職員は国の事務に従事すると考えられることから、すべて国家公務員とされている。

2：公務員の職務専念義務は任命権者をも拘束する公務秩序であることから、地方公共団体において、公益法人等の業務に専らその役職員として従事させることを目的として、任命権者がその職員を公務員としての身分を保有させたまま当該法人等に派遣することは、当該法人等の業務内容のいかんを問わず許されない。

3：公務員は職務を遂行する権利を有しており、この権利はその意に反して降任、休職又は免職されることはないという形で認められていることから、単に勤務実績が良くないということのみを理由として降任又は免職されることはない。

4：行政手続法は、公務員に対してその職務又は身分に関してされる処分を適用除外としているが、国家公務員法が適用される職員に対し、任命権者が同法上の懲戒処分を行うときは、当該職員に対し処分の理由を示さなければならない。

5：国家公務員法は、公務員の職を一般職と特別職とに分け、特別職の職を政治的任用原則によるものに限定して列挙していることから、国家行政組織法上の行政機関の職ではない国会職員や裁判所職員の職も一般職の職とされ、国家公務員法の規定が直接適用されている。

| チェック欄 | | |
|---|---|---|
| 1回目 | 2回目 | 3回目 |
| | | |

## 実践 問題 208 の解説



〈公務員〉

**1 ×** 独立行政法人通則法上、独立行政法人には、①中期目標管理法人、②国立研究開発法人、③行政執行法人の３つがある（同法２条１項）。そのうち、③の行政執行法人の役員および職員は国家公務員とされているが（同法51条)、①と②には同様の規定がない。したがって、すべて国家公務員とされていると述べる本肢は妥当でない。

**2 ×** 地方公共団体と民間団体の連携という観点から、地方公共団体は職員派遣を積極的に行うべきとの要請があり、平成12年に「公益的法人等への一般職の地方公務員の派遣等に関する法律」が制定された。すなわち、派遣業務の主たる内容が自治体の事務・業務と密接な関連を有すると認められる限り、職員の公益法人等への派遣が許されることになった（同法２条１項参照)。なお、公務員の職務専念義務は任命権者をも拘束する公務秩序であり、職員の派遣に伴い、任命権者による職務専念義務の免除が必要となる。もっとも、この免除も派遣目的・業務内容・派遣期間などを考慮し、当該免除が服務の根本規定や職務専念義務（地方公務員法30条・35条）の趣旨に反する場合は違法となる（最判平10.4.24)。

**3 ×** 公務員はその官職をみだりに奪われない権利を有するため、現行国家公務員法は、法定事由による場合でなければ本人の意に反する身分の変動・喪失を認めないという、身分保障に関する規定を置いた（国家公務員法75条１項)。ただ、公務の能率維持のため本人の意に反して身分の変動・喪失を行うこと（分限処分）は適法とされている（同法78条)。

**4 ○** 国家公務員に対し、その職務または身分に関してされる処分（懲戒処分も含む）については、行政手続法の適用が除外されている（行政手続法３条１項９号)。ただ、任命権者が国家公務員法上の懲戒処分を行うときは、処分を行う者は、その処分の際、国家公務員法が適用される職員に対し、処分の理由を付した説明書を交付しなければならない（同法89条１項)。

**5 ×** 国家公務員法は、公務員の職を一般職と特別職に分けたうえ（同法２条１項)、特別職に属する職を列挙し（同条３項)、一般職に対してのみ同法を適用するとしている（同条４項)。ただ、特別職の中に、裁判所職員（同条３項13号)、国会職員（同条項14号）も含まれており、特別職を政治的任用原則によるものに限定して列挙しているわけではない。

**正答 4**

# 公務員

**実践 問題 209** 応用レベル

| 頻出度 | 地上★★ 国家一般職★ 特別区★<br>国税·財務·労基★ 国家総合職★ |
|---|---|

**問** **公務員法に関するア〜エの記述のうち、妥当なもののみを挙げているのはどれか。ただし、争いのあるものは判例の見解による。　(国家総合職2023)**

ア：国家公務員法は、専ら憲法第73条第４号にいう官吏に関する事務を掌理する基準を定めるものであり、国会や裁判所の職員は対象外である。また、ある職が国家公務員の職に属するかどうかを決定する権限は、人事院にある。

イ：国家公務員法・地方公務員法の規定が適用されるのは一般職のみであり、特別職については、基本的には個別法の定めるところによる。行政執行法人の役員及び職員は一般職の国家公務員とされ、国家公務員法の規定の適用を受ける。また、特定地方独立行政法人の役員及び職員は一般職の地方公務員とされ、地方公務員法の規定の適用を受ける。

ウ：人事院又は人事委員会若しくは公平委員会が、停職処分を減給処分に修正した場合、修正裁決は、原処分を行った懲戒権者の懲戒権の発動に関する意思決定を承認し、これに基づく原処分の存在を前提とした上で、原処分の法律効果の内容を一定の限度のものに変更する効果を生ぜしめるにすぎないものであり、これにより、原処分は、当初から修正裁決による修正どおりの法律効果を伴う懲戒処分として存在していたものとみなされるので、申立人は、取消訴訟において、懲戒権者の行った懲戒処分（減給処分に修正されたもの）を原処分として争わなければならない。

エ：公務員に対する不利益処分に係る審査請求の審査は人事院の所掌事務とされ、その審査の手続が対審構造の下で公開の審理が行われ司法手続に準じた攻撃防御が行われる審理構造になっていることから、準司法的機能を有している。そのため、人事院が行った裁決を不服として訴訟が提起される場合には、審級省略が認められ、新証拠の提出制限や実質的証拠法則も法定されている。

1：ア、ウ
2：ア、エ
3：イ、ウ
4：イ、エ
5：ウ、エ

| チェック欄 | | |
|---|---|---|
| 1回目 | 2回目 | 3回目 |
| | | |

## 実践 問題 209 の解説



〈公務員法〉

**ア○** 国家公務員法は、もっぱら憲法73条4号にいう官吏に関する事務を掌理する基準を定めるもので（国家公務員法1条2項）、国会職員や裁判所の職員は特別職とされており（同法2条3項14号・13号）、これらの者には国家公務員法は適用されない（同条5項）。また、人事院は、ある職が国家公務員の職に属するかどうかを決定する権限を有している（同条4項後段）。

**イ×** 国家公務員法、地方公務員法は、いずれも一般職のみに適用されるのを原則とする（国家公務員法2条4項前段、地方公務員法4条1項）。国家公務員法では、行政執行法人の役員は特別職とされており（同法2条3項17号）、同法の適用を受けない（同条5項）。また、地方公務員法では、特定地方独立行政法人の役員は特別職とされており（同法3条3項6号）、同法の適用を受けない（同法4条2項）。

**ウ○** 原処分を裁決で修正した場合、修正裁決が原処分とどのような関係になるかが問題となるが、判例は、国家公務員の懲戒処分（停職処分）の係争中に人事院が減給処分に修正裁決した事案で、原処分は修正によって消滅し、新たな内容の処分が行われたとするのは相当でなく、修正裁決は、原処分を行った懲戒権者の懲戒権の発動に関する意思決定を承認し、これに基づく原処分の存在を前提として、原処分の内容を変更する効果を生ぜしめるにすぎないものであり、これにより、原処分は当初から裁決によって修正された内容の懲戒処分（減給処分）として存在していたものとみなされるのであって、原処分の取消しを求める訴えの利益は失われないとしている（最判昭62.4.21）。

**エ×** 確かに、人事院による審査請求の審査は準司法的機能を有している。しかし、人事院の設置根拠である国家公務員法において、審級省略（第一審を行うべき裁判所ではなく、第二審以降を管轄する裁判所へ直接提訴すること）、新証拠の提出制限、実質的証拠法則（行政審判において行政委員会が認定した事実が一定の場合に裁判所を拘束すること）は法定されていない。したがって、それらが法定されていると述べる本記述は、妥当でない。

以上より、妥当なものはア、ウであり、肢1が正解となる。

**正答 1**

第1章

# その他

章末 CHECK

Question

**Q1** 公物とは国・地方公共団体などの行政主体により、直接に公の用に供される、個々の有体物をいう。

**Q2** 道路は、人工公物である公共用物という性質を有する、人工公共用物である。

**Q3** 河川の公水使用権は、それが慣習によるものであると行政庁の許可によるものであるとを問わず、河川の全水量を独占排他的に利用しうる絶対不可侵の権利である。

**Q4** 私人の所有する財産であっても、行政主体が賃借し、公の目的に供していれば、公物といえる。

**Q5** 公共用物は黙示的に公用廃止されうる。

**Q6** 公共用物であっても、それが長期間放置され、公共用物としての形態・機能が喪失し、他人の占有によっても公の目的が害されないなどの事情がある場合には、取得時効は成立しうる。

**Q7** 金融業の取締りは、狭義の行政警察作用である。

**Q8** 警察比例の原則とは、警察権は、公共の安全・秩序維持のためにのみ発動できるとする原則である。

**Q9** 自動車検問は、判例によると、法律の根拠はないが、相手方の任意の協力を求める形で行われ、自動車利用者の自由を不当に制約しない方法・態様で行われる限り、適法である。

**Q10** 判例によると、公務員の採用内定については、採用発令の手続のための準備手続としてなされる事実上の行為にすぎず、処分にはあたらない。

**Q11** 公務員を退職したあとは、守秘義務を負うことはない。

**Q12** 分限処分は責任追及の要素を含むが、懲戒処分は責任追及の要素を含まない。

**Q13** 公務員には職務命令に従う義務があるから、職務命令が違法なものでも従わなければならないが、重大明白な瑕疵がある場合には従う義務がない。

A1 ○ 無体物（電波など）や無体財産（ノウハウなど）は公物ではない。

A2 ○ 公共用物とは、直接一般公衆の共同使用に供される公物をいい、人工公物とは、行政主体が加工することで、初めて公の用に供することができる公物である。道路は、人工公共用物である。

A3 × 判例は、河川の公水使用権は、それが慣習によるものであると行政庁の許可によるものであるとを問わず、使用目的を充たすに必要な限度の流水を使用しうるにすぎないとしている（最判昭37.4.10）。

A4 ○ 公物といえるためには、行政主体が支配権を有している必要があり、この支配権は所有権に限らず、賃借権などの正当な権原であればよい。

A5 ○ 判例は黙示的公用廃止も認めている（最判昭51.12.24）。

A6 ○ 判例は、設問のような事情がある場合には、黙示的に公用廃止がなされたものとして、取得時効の成立を妨げないとした（最判昭51.12.24）。

A7 ○ 狭義の行政警察作用とは、警察組織だけでなく、他の行政領域に関連して行われる警察をいう。

A8 × 警察権の発動およびそれによる人の自由の規制は、目的達成のため必要最小限度でなければならないとする原則のことである。

A9 × 判例は、自動車検問の根拠を組織法である警察法２条１項の「交通の取締」に求める。適法となる要件については妥当である（最決昭55.9.22）。

A10 ○ 判例（最判57.5.27）は、そのように解している。よって、採用内定が取り消された場合であっても、その取消しを求めて抗告訴訟を提起することはできない。

A11 × 守秘義務は、職を退いたあとも課される（国家公務員法100条１項後段、地方公務員法34条１項後段）。

A12 × 分限処分は責任追及の要素を含まないが、懲戒処分は責任追及のための処分である。

A13 ○ 公務員には職務命令服従義務があり、当該公務員はその職務命令につき、違法性を判断する権限はないから、職務命令が違法なものであっても従わなければならない。しかし、重大明白な瑕疵がある職務命令については、初めから無効であるから、当該公務員は従う義務はない。

# INDEX

## く



## け

**2025-2026年合格目標**
**公務員試験 本気で合格！ 過去問解きまくり！**
**⑫行政法**

2019年11月20日　第1版　第1刷発行
2024年12月20日　第6版　第1刷発行
編著者●株式会社　東京リーガルマインド
LEC総合研究所　公務員試験部

発行所●株式会社　東京リーガルマインド
〒164-0001　東京都中野区中野4-11-10
アーバンネット中野ビル
LECコールセンター　0570-064-464
受付時間　平日9：30～19：30/土・日・祝10：00～18：00
※このナビダイヤルは通話料お客様ご負担となります。
書店様専用受注センター　TEL 048-999-7581 / FAX 048-999-7591
受付時間　平日9：00～17：00/土・日・祝休み
www.lec-jp.com/

カバーイラスト●ざしきわらし
印刷・製本●情報印刷株式会社



ISBN978-4-8449-0809-8

# LEC公開模試

## 多彩な本試験に対応できる

毎年、全国規模で実施するLECの公開模試は国家総合職、国家一般職、地方上級だけでなく国税専門官や裁判所職員といった専門職や心理・福祉系公務員、理系（技術職）公務員といった多彩な本試験に対応できる模試を実施しています。職種ごとの試験の最新傾向を踏まえた公開模試で、本試験直前の総仕上げは万全です。どなたでもお申し込みできます。

【2025年度実施例】

| | 職種 | 対応状況 |
|---|---|---|
| 国家総合職 | 法律<br>経済 | 基礎能力（択一式）試験,<br>専門（択一式）試験,<br>専門（記述式）試験,<br>政策論文試験 |
| | 人間科学 | 基礎能力（択一式）試験,<br>専門（択一式）試験,<br>政策論文試験 |
| | 工学 | 基礎能力（択一式）試験,<br>政策論文試験<br>専門（択一式）試験は，一部科目のみ対応。 |
| | 政治・国際・人文<br>化学・生物・薬学<br>農業科学・水産<br>農業農村工学<br>数理科学・物理・地球科学<br>森林・自然環境<br>デジタル | 基礎能力（択一式）試験,<br>政策論文試験 |
| 国家一般職 | 行政 | 基礎能力（択一式）試験,<br>専門（択一式）試験,<br>一般論文試験 |
| | デジタル・電気・電子<br>土木<br>化学<br>農学<br>建築 | 基礎能力（択一式）試験,<br>専門（択一式）試験 |
| | 機械<br>物理 | 基礎能力（択一式）試験,<br>専門（択一式）の一部試験（工学の基礎） |
| | 農業農村工学<br>林学 | 基礎能力（択一式）試験 |

| | 職種 | 対応状況 |
|---|---|---|
| 国家専門職 | 国税専門官Ａ<br>財務専門官<br>労働基準監督官Ａ<br>法務省専門職員（人間科学） | 基礎能力（択一式）試験,<br>専門（択一式）試験,<br>専門（記述式）試験 |
| | 国税専門官Ｂ<br>労働基準監督官Ｂ | 基礎能力（択一式）試験 |
| 裁判所職員 | 家庭裁判所調査官補 | 基礎能力（択一式）試験,<br>専門（記述式）試験,<br>政策論文試験 |
| | 裁判所事務官（大卒程度・一般職） | 基礎能力（択一式）試験,<br>専門（択一式）試験,<br>小論文試験 |

| | 職種 | 対応状況 |
|---|---|---|
| 警察官・消防官・その他※ | 警察官（警視庁） | 教養（択一式）試験,<br>論（作）文試験, |
| | 警察官（道府県警）<br>消防官（東京消防庁）<br>市役所消防官 | 教養（択一式）試験,<br>論（作）文試験 |
| | 国立大学法人等職員 | 教養(択一式)試験 |
| | 高卒程度（国家公務員・事務）<br>高卒程度（地方公務員・事務） | 教養（択一式）試験,<br>適性試験,<br>作文試験 |
| | 高卒程度（警察官・消防官） | 教養（択一式）試験,<br>作文試験 |

| | 職種 | 対応状況 |
|---|---|---|
| 地方上級・市役所など※ | 東京都Ⅰ類Ｂ<br>事務（一般方式） | 教養（択一式）試験,<br>専門（記述式）試験,<br>教養論文試験 |
| | 東京都Ⅰ類Ｂ<br>技術（一般方式）<br>東京都Ⅰ類Ｂ<br>その他（一般方式） | 教養（択一式）試験,<br>教養論文試験 |
| | 特別区Ⅰ類<br>事務（一般方式） | 教養（択一式）試験,<br>専門（択一式）試験,<br>教養論文試験 |
| | 特別区Ⅰ類<br>心理系/福祉系 | 教養（択一式）試験,<br>教養論文試験 |
| | 北海道庁<br>（小論文試験型） | 職務基礎力試験,<br>小論文試験 |
| | 北海道庁<br>（専門試験型） | 職務基礎力試験,<br>専門（択一式）試験 |
| | 全国型<br>関東型<br>中部北陸型<br>知能重視型<br>その他地上型<br>心理職<br>福祉職<br>土木<br>建築<br>電気・情報<br>化学<br>農学 | 教養（択一式）試験,<br>専門（択一式）試験,<br>教養論文試験 |
| | 横浜市 | 教養（択一式）試験,<br>論文試験 |
| | 札幌市 | 総合試験 |
| | 機械<br>その他技術 | 教養（択一式）試験,<br>教養論文試験 |
| | 市役所（事務上級） | 教養（択一式）試験,<br>専門（択一式）試験,<br>論（作）文試験 |
| | 市役所<br>（教養のみ・その他） | 教養（択一式）試験,<br>論（作）文試験 |
| | 経験者採用 | 教養（択一式）試験,<br>経験者論文試験,<br>論（作）文試験 |

※「地方上級・市役所」「警察官・消防官・その他」の筆記試験につきましては，ＬＥＣの模試と各自治体実施の本試験とで，出題科目・出題数・試験時間などが異なる場合がございます。

**資料請求・模試の詳細などについては、**
**LEC公務員サイトをご覧ください。**
**https://www.lec-jp.com/koumuin/**

**最新傾向を踏まえた公開模試**

### 本試験リサーチからみえる最新の傾向に対応

本試験受験生からリサーチした、本試験問題別の正答率や本試験受験者全体の正答率から見た受験生レベル、本試験問題レベルその他にも様々な情報を集約し、最新傾向にあった公開模試の問題作成を行っています。LEC公開模試を受験して本試験予想・総仕上げを行いましょう。

**信頼度の高い成績分析**

### 充実した個人成績表と総合成績表であなたの実力がはっきり分かる

～LEC時事対策～

# 『時事ナビゲーション』

## 『時事ナビゲーション』とは…

公務員試験で必須項目の「時事・社会事情」の学習を日々進めることができるように、その時々の重要な出来事について、公務員試験に対応する形で解説した記事を毎週金曜日に配信するサービスです。

PCやスマートフォンからいつでも閲覧することができ、普段学習している時間の合間に時事情報に接していくことで、択一試験の時事対策だけでなく、面接対策や論文試験対策、集団討論対策にも活用することができます。

※当サービスを利用するためにはLEC時事対策講座『時事白書ダイジェスト』をお申込いただく必要があります。

## 時事ナビゲーションコンテンツ

### ① ポイント時事

公務員試験で出題される可能性の高い出来事について、LEC講師陣が試験で解答するのに必要な知識を整理して提供します。単に出来事を「知っている」だけではなく、「理解」も含めて学習するためのコンテンツです。

### ② 一問一答

「ポイント時事」で学習した内容を、しっかりとした知識として定着させるための演習問題です。

学習した内容を理解しているかを簡単な質問形式で確認できます。質問に対する答えを選んで「解答する」をクリックすると正答と、解説が見られます。

## 時事ナビゲーションを利用するためには……

「時事ナビゲーション」を利用されたい方はお近くのLEC本校または、コールセンターにて「時事白書ダイジェスト」をお申込みください。お申込み完了後、Myページよりご利用いただくことができます。

詳しくはこちら　時事ナビゲーション　検索

# LEC Webサイト ▷▷ www.lec-jp.com/

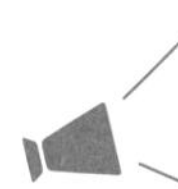

## 情報盛りだくさん!

資格を選ぶときも,
講座を選ぶときも,
最新情報でサポートします!

### 最新情報

各試験の試験日程や法改正情報，対策講座，模擬試験の最新情報を日々更新しています。

### 資料請求

講座案内など無料でお届けいたします。

### 受講・受験相談

メールでのご質問を随時受付けております。

### よくある質問

LECのシステムから，資格試験についてまで，よくある質問をまとめました。疑問を今すぐ解決したいなら，まずチェック!

### 書籍・問題集（LEC書籍部）

LECが出版している書籍・問題集・レジュメをこちらで紹介しています。

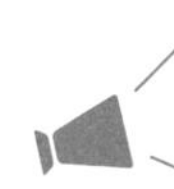

## 充実の動画コンテンツ!

ガイダンスや講演会動画,
講義の無料試聴まで
Webで今すぐCheck!

### 動画視聴OK

パンフレットやWebサイトを見てもわかりづらいところを動画で説明。いつでもすぐに問題解決!

### Web無料試聴

講座の第1回目を動画で無料試聴!気になる講義内容をすぐに確認できます。

スマートフォン・タブレットから簡単アクセス！ ▷▷▷ 

## 自慢のメールマガジン配信中！（登録無料）

LEC講師陣が毎週配信！　最新情報やワンポイントアドバイス，改正ポイントなど合格に必要な知識をメールにて毎週配信。

**www.lec-jp.com/mailmaga/**

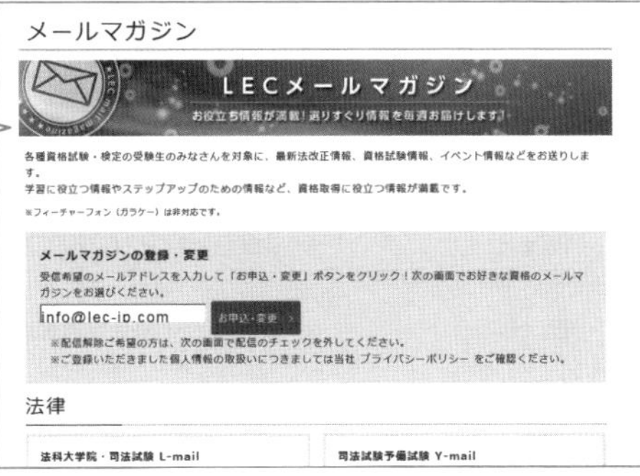

## LEC オンラインショップ

充実のラインナップ！　LECの書籍・問題集や講座などのご注文がいつでも可能です。また，割引クーポンや各種お支払い方法をご用意しております。

**online.lec-jp.com/**

## LEC 電子書籍シリーズ

LECの書籍が電子書籍に！　お使いのスマートフォンやタブレットで，いつでもどこでも学習できます。

※動作環境・機能につきましては，各電子書籍ストアにてご確認ください。

**www.lec-jp.com/ebook/**

LEC書籍・問題集・レジュメの紹介サイト **LEC書籍部** **www.lec-jp.com/system/book/**

- LECが出版している書籍・問題集・レジュメをご紹介
- 当サイトから書籍などの直接購入が可能(＊)
- 書籍の内容を確認できる「チラ読み」サービス
- 発行後に判明した誤字等の訂正情報を公開

＊商品をご購入いただく際は，事前に会員登録（無料）が必要です。
＊購入金額の合計・発送する地域によって，別途送料がかかる場合がございます。

※資格試験によっては実施していないサービスがありますので，ご了承ください。

# LEC全国学校案内

＊講座のお問合せ，受講相談は最寄りのLEC各校へ

## LEC本校

### 北海道・東北

札　幌本校　☎011(210)5002
〒060-0004 北海道札幌市中央区北4条西5-1　アスティ45ビル

仙　台本校　☎022(380)7001
〒980-0022 宮城県仙台市青葉区五橋1-1-10　第二河北ビル

### 関東

渋谷駅前本校　☎03(3464)5001
〒150-0043 東京都渋谷区道玄坂2-6-17　渋東シネタワー

池　袋本校　☎03(3984)5001
〒171-0022 東京都豊島区南池袋1-25-11　第15野萩ビル

水道橋本校　☎03(3265)5001
〒101-0061 東京都千代田区神田三崎町2-2-15　Daiwa三崎町ビル

新宿エルタワー本校　☎03(5325)6001
〒163-1518 東京都新宿区西新宿1-6-1　新宿エルタワー

早稲田本校　☎03(5155)5501
〒162-0045 東京都新宿区馬場下町62　三朝庵ビル

中　野本校　☎03(5913)6005
〒164-0001 東京都中野区中野4-11-10　アーバンネット中野ビル

立　川本校　☎042(524)5001
〒190-0012 東京都立川市曙町1-14-13　立川MKビル

町　田本校　☎042(709)0581
〒194-0013 東京都町田市原町田4-5-8　MIキューブ町田イースト

横　浜本校　☎045(311)5001
〒220-0004 神奈川県横浜市西区北幸2-4-3　北幸GM21ビル

千　葉本校　☎043(222)5009
〒260-0015 千葉県千葉市中央区富士見2-3-1　塚本大千葉ビル

大　宮本校　☎048(740)5501
〒330-0802 埼玉県さいたま市大宮区宮町1-24　大宮GSビル

### 東海

名古屋駅前本校　☎052(586)5001
〒450-0002 愛知県名古屋市中村区名駅4-6-23　第三堀内ビル

静　岡本校　☎054(255)5001
〒420-0857 静岡県静岡市葵区御幸町3-21　ペガサート

### 北陸

富　山本校　☎076(443)5810
〒930-0002 富山県富山市新富町2-4-25　カーニープレイス富山

### 関西

梅田駅前本校　☎06(6374)5001
〒530-0013 大阪府大阪市北区茶屋町1-27　ABC-MART梅田ビル

難波駅前本校　☎06(6646)6911
〒556−0017 大阪府大阪市浪速区湊町1-4-1
大阪シティエアターミナルビル

京都駅前本校　☎075(353)9531
〒600-8216 京都府京都市下京区東洞院通七条下ル2丁目
東塩小路町680-2　木村食品ビル

四条烏丸本校　☎075(353)2531
〒600-8413　京都府京都市下京区烏丸通仏光寺下ル
大政所町680-1　第八長谷ビル

神　戸本校　☎078(325)0511
〒650-0021 兵庫県神戸市中央区三宮町1-1-2　三宮セントラルビル

### 中国・四国

岡　山本校　☎086(227)5001
〒700-0901 岡山県岡山市北区本町10-22　本町ビル

広　島本校　☎082(511)7001
〒730-0011 広島県広島市中区基町11-13　合人社広島紙屋町アネクス

山　口本校　☎083(921)8911
〒753-0814 山口県山口市吉敷下東 3-4-7　リアライズⅢ

高　松本校　☎087(851)3411
〒760-0023 香川県高松市寿町2-4-20　高松センタービル

松　山本校　☎089(961)1333
〒790-0003 愛媛県松山市三番町7-13-13　ミツネビルディング

### 九州・沖縄

福　岡本校　☎092(715)5001
〒810-0001 福岡県福岡市中央区天神4-4-11
天神ショッパーズ福岡

那　覇本校　☎098(867)5001
〒902-0067 沖縄県那覇市安里2-9-10　丸姫産業第2ビル

### EYE関西

EYE 大阪本校　☎06(7222)3655
〒530-0013　大阪府大阪市北区茶屋町1-27　ABC-MART梅田ビル

EYE 京都本校　☎075(353)2531
〒600-8413　京都府京都市下京区烏丸通仏光寺下ル
大政所町680-1　第八長谷ビル

# LEC提携校

＊提携校はLECとは別の経営母体が運営をしております。
＊提携校は実施講座およびサービスにおいてLECと異なる部分がございます。

## 北海道・東北

**八戸中央校【提携校】** ☎0178(47)5011
〒031-0035　青森県八戸市寺横町13　第1朋友ビル
新教育センター内

**弘前校【提携校】** ☎0172(55)8831
〒036-8093　青森県弘前市城東中央1-5-2
まなびの森　弘前城東予備校内

**秋田校【提携校】** ☎018(863)9341
〒010-0964　秋田県秋田市八橋鯲沼町1-60
株式会社アキタシステムマネジメント内

## 関東

**水戸校【提携校】** ☎029(297)6611
〒310-0912　茨城県水戸市見川2-3079-5

**所沢校【提携校】** ☎050(6865)6996
〒359-0037　埼玉県所沢市くすのき台3-18-4　所沢K・Sビル
合同会社LPエデュケーション内

**日本橋校【提携校】** ☎03(6661)1188
〒103-0025　東京都中央区日本橋茅場町2-5-6　日本橋大江戸ビル
株式会社大江戸コンサルタント内

## 北陸

**新潟校【提携校】** ☎025(240)7781
〒950-0901　新潟県新潟市中央区弁天3-2-20　弁天501ビル
株式会社大江戸コンサルタント内

**金沢校【提携校】** ☎076(237)3925
〒920-8217　石川県金沢市近岡町845-1
株式会社アイ・アイ・ピー金沢内

**福井南校【提携校】** ☎0776(35)8230
〒918-8114　福井県福井市羽水2-701
株式会社ヒューマン・デザイン内

## 中国・四国

**松江殿町校【提携校】** ☎0852(31)1661
〒690-0887　島根県松江市殿町517　アルファステイツ殿町
山路イングリッシュスクール内

**岩国駅前校【提携校】** ☎0827(23)7424
〒740-0018　山口県岩国市麻里布町1-3-3　岡村ビル　英光学院内

**新居浜駅前校【提携校】** ☎0897(32)5356
〒792-0812　愛媛県新居浜市坂井町2-3-8
パルティフジ新居浜駅前店内

## 九州・沖縄

**佐世保駅前校【提携校】** ☎0956(22)8623
〒857-0862　長崎県佐世保市白南風町5-15　智翔館内

**日野校【提携校】** ☎0956(48)2239
〒858-0925　長崎県佐世保市椎木町336-1　智翔館日野校内

**長崎駅前校【提携校】** ☎095(895)5917
〒850-0057 長崎県長崎市大黒町10-10　KoKoRoビル
minatoコワーキングスペース内

**高原校【提携校】** ☎098(989)8009
〒904-2163　沖縄県沖縄市大里2-24-1
有限会社スキップヒューマンワーク内

※上記は2024年11月1日現在のものです。

# 書籍の訂正情報について

このたびは，弊社発行書籍をご購入いただき，誠にありがとうございます。
万が一誤りの箇所がございましたら，以下の方法にてご確認ください。

## 1 訂正情報の確認方法

書籍発行後に判明した訂正情報を順次掲載しております。
下記Webサイトよりご確認ください。

**www.lec-jp.com/system/correct/**

## 2 ご連絡方法

上記Webサイトに訂正情報の掲載がない場合は，下記Webサイトの入力フォームよりご連絡ください。

**lec.jp/system/soudan/web.html**

フォームのご入力にあたりましては，「Web教材・サービスのご利用について」の最下部の「ご質問内容」に下記事項をご記載ください。

- 対象書籍名（○○年版，第○版の記載がある書籍は併せてご記載ください）
- ご指摘箇所（具体的にページ数と内容の記載をお願いいたします）

ご連絡期限は，次の改訂版の発行日までとさせていただきます。
また，改訂版を発行しない書籍は，販売終了日までとさせていただきます。

※上記「2ご連絡方法」のフォームをご利用になれない場合は，①書籍名，②発行年月日，③ご指摘箇所，を記載の上，郵送にて下記送付先にご送付ください。確認した上で，内容理解の妨げとなる誤りについては，訂正情報として掲載させていただきます。なお，郵送でご連絡いただいた場合は個別に返信しておりません。

送付先：〒164-0001 東京都中野区中野4-11-10 アーバンネット中野ビル
株式会社東京リーガルマインド 出版部 訂正情報係

- 誤りの箇所のご連絡以外の書籍の内容に関する質問は受け付けておりません。
  また，書籍の内容に関する解説，受験指導等は一切行っておりませんので，あらかじめご了承ください。
- お電話でのお問合せは受け付けておりません。

# 講座・資料のお問合せ・お申込み

**LECコールセンター 携帯OK 0570-064-464**

受付時間：平日9:30～19:30/土・日・祝10:00～18:00

※このナビダイヤルの通話料はお客様のご負担となります。
※このナビダイヤルは講座のお申込みや資料のご請求に関するお問合せ専用ですので，書籍の正誤に関するご質問をいただいた場合，上記「2ご連絡方法」のフォームをご案内させていただきます。